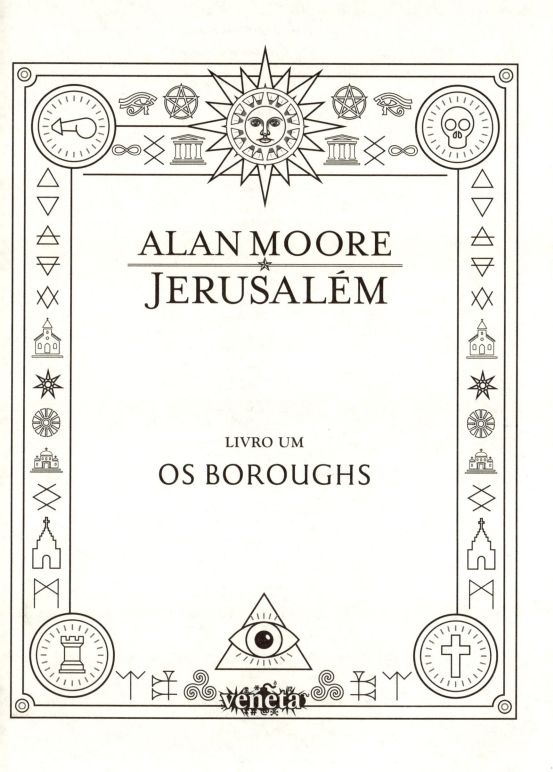

ALAN MOORE
JERUSALÉM

LIVRO UM

OS BOROUGHS

veneta

Direção editorial:
Rogério de Campos
Letícia de Castro

Assistente editorial:
Guilherme Ziggy

Tradução:
Marina Della Valle

Ilustrações:
Alan Moore

Ilustração do box:
Rémi Pépin

Fotografias:
Mitch Jenkins

Capa e diagramação:
Lilian Mitsunaga

Emendas:
Carlos Assumpção

Preparação:
Alexandre Boide

Revisão:
Guilherme Mazzafera
Amanda Pickler

Esta edição teve o apoio de leitores por meio do Catarse.
Conheça os apoiadores em:

www.veneta.com.br/produto/jerusalem/forum

Dados Internacionais de Catalogação na Publicação (CIP)
(Câmara Brasileira do Livro, SP, Brasil)

M821   Moore, Alan
        Jerusalém: Livro Um - Os Boroughs. / Alan Moore. Tradução de
        Marina Della Valle. – São Paulo: Veneta, 2024.

        472 p.
        Título original: Jerusalem.
        ISBN 978-85-9571-298-0

        1. Literatura Inglesa. 2. Romance. 3. Romance Épico. 4. Literatura
        Fantástica. 5. Ficção Científica. 6. Autobiografia. I. Título. II.
        Os Boroughs. III. Della Valle, Marina, Tradutora.

CDU 821.111.3   CDD 823

Rua Araújo, 124, 1º andar, São Paulo
www.veneta.com.br
contato@veneta.com.br

Para minha família, para o povo dos Boroughs, e para Audrey Vernon, a melhor acordeonista que nossas ruas malcuidadas já conheceram.

SUMÁRIO

PRELÚDIO

OBRA EM ANDAMENTO

Alma Warren, cinco anos, achava que provavelmente tinham saído para fazer compras, ela, o irmão Michael em seu carrinho de bebê e a mãe deles, Doreen. Talvez tivessem ido à Woolworth. Não aquela na Gold Street, a Woolworth de baixo, mas a Woolworth de cima, no meio da ladeira iluminada pelo comércio da Abington Street, com a vendinha de azulejos cor de menta, com o mostrador gigante da balança recortado num vermelho magnético reconfortante ao lado da escadaria de madeira, na parte dos fundos do prédio.

A menininha robusta, tão sólida que quase parecia metal fundido, não tinha recordação de segurar o peso das portas de latão gorduroso e vidro da loja para que Doreen pudesse manobrar o carrinho de bebê para o agito aveludado da rua principal brilhando lá fora. Ela se esforçou para se lembrar de um marco que tivesse notado em algum ponto do trajeto feito muitas vezes, talvez o letreiro iluminado que se destacava da fachada da loja de impermeáveis Kendall na esquina da Fish Street, no qual o K em marcha inclinava-se corajosamente para a frente contra o vento, um desenho de guarda-chuva aberto e de algum modo carregado pelo braço sem mão, esticado, da letra. Mas nada lhe vinha à mente. Na verdade, pensando bem, Alma não conseguia mesmo se lembrar de nada sobre a expedição. Tudo o que vinha antes daquele trecho de calçada iluminado por um poste no qual ela agora se via andando, com o rangido do carrinho de Michael e a batida rítmica dos saltos da mãe, tudo antes disso era um borrão misterioso.

Com o queixo enfiado no colarinho do sobretudo abotoado contra o frio penetrante do anoitecer, Alma observou o pavimento cintilante que se desenrolava continuamente debaixo do vaivém de seus grosseiros sapatos de fivela. Tinha a impressão de que a explicação mais plausível para a lacuna em suas lembranças era pura distração. O mais provável era que tivesse sonhado acordada durante todo o passeio tedioso e visto todas as coisas de sempre, mas sem prestar atenção, presa no fluxo lento de seus próprios pensamentos, sua viagem particular pelo faz-de-conta e pela confusão acontecendo entre as tranças que balançavam sob as presilhas cor-de-rosa de borboleta, desbotadas e quebradiças como sabão carbólico. Praticamente todos os dias acontecia de ela acordar de um transe, emergir de seu casulo de planos e memórias para se encontrar uma ou duas fileiras de casas adiante do último lugar em que havia reparado, então a falta de qualquer detalhe memorável daquela ida às compras não era motivo de preocupação.

A Abington Street, em sua opinião, era a melhor aposta para o trajeto que fizeram, o que explicaria por que agora seguiam pela parte de baixo de uma Market Square vazia em direção à ruela perto da Osborn, de onde subiriam penosamente a Drapery, empurrando Michael pelo pavimento de tijolos com gosto de praia do Mercado de Peixes, com suas janelas altas, veladas pela poeira, e então desceriam pela Silver Street, atravessando a Mayorhold para os Boroughs, seu lar entre os declives e o emaranhado de passagens estreitas.

Por mais que Alma considerasse aquela ideia reconfortante, ainda tinha o sentimento incômodo de que algo não estava totalmente certo em sua explicação. Se tinham acabado de sair da Woolworth, não podia ter passado muito das cinco horas. Todas as lojas do centro da cidade deveriam ainda estar abertas, então por que não havia nenhuma luz acesa no mercado? Nenhum brilho verde pálido saía da boca gradeada da Galeria Emporium, no lado de cima da praça inclinada, enquanto no lado oeste a vitrine da Lipton estava escurecida, sem o calor costumeiro de sua coloração de casca de queijo. Os vendedores do mercado, aliás, deveriam ainda estar empacotando suas mercadorias, fechando as barracas para o dia, gritando alegremente uns com os outros enquanto chutavam frutas estragadas e lenços de papel, fechando mesas dobráveis para colocá-las de forma ruidosa dentro de furgões pesados e barulhentos no formato de ambulâncias, estruturas de lata ecoando como gongos a cada nova carga.

Mas agora o amplo espaço estava desocupado, e a ladeira cortada pelo vento dava acesso a uma escuridão vazia. Da área coberta de pele

arrepiada dos paralelepípedos molhados subiam apenas postes dividindo as barracas ausentes, vigas encharcadas, mastigadas de um lado
como lápis e despontando de buracos quadrados, cheios de ferrugem,
entre as pedras corcundas. Um toldo esfarrapado havia sido deixado
para trás, miserável demais para ser roubado, com sua única aba, empapada, sacudindo-se em intervalos regulares sobre o murmúrio baixo
do vento exausto, e o som recebendo a resposta dos prédios altos que
emolduravam a área fechada. Impondo-se no centro, preto sobre cinza
fuliginoso, o monumento de ferro da praça espetava a água suja da
noite, um talo vitoriano subindo para desabrochar num capitel de bordas arredondadas coroado por um globo de cobre, como uma monstruosa flor pré-histórica, sozinha e petrificada. Ainda que não pudesse
vê-los, Alma sabia que em torno do plinto de degraus havia pequenos,
despercebidos, mas obstinados rebentamentos de grama esmeralda eri-
çando-se de rachaduras e fendas, talvez as únicas coisas vivas além da
mãe, do irmão e dela mesma ali na praça naquela noite.

Onde estavam todas as outras mães a voltar para casa, para o chá,
arrastando crianças em meio às luzes brilhantes e atrativas das vitrines
das lojas? Onde estavam os homens cansados, de aparência infeliz,
arrastando-se por seus caminhos solitários de volta das fábricas, uma
das mãos no bolso esfarrapado da calça azul-marinho e a outra na
alça puída de uma mochila apoiada no ombro. Sobre os telhados que
cercavam a praça, não havia a aura perolada se fundindo ao céu negro,
nem raios elétricos brancos saindo da fachada de linhas aerodinâmi-
cas do cine Gaumont. Era como se Northampton tivesse sido subitamente desligada, como se fossem altas horas da noite. Mas então o
que fazia no centro da cidade tão tarde, com todas as lojas fechadas
e os olhos de vidro ovais de suas portas cerradas tornando-se antipá-
ticos, distantes, observando tudo inexpressivamente como se não a
conhecessem, não a quisessem ali?

Trotando ao lado da mãe, com uma das mãos quentes apertando a
alça fria do carrinho, Alma atrasava a caminhada, de modo que Doreen
precisou arrastá-la. Alma começou a se preocupar. Se as coisas não eram
mais como deveriam, isso não significava que qualquer coisa poderia
acontecer? Olhando para o rosto da mãe, envolto em um lenço, Alma
não encontrou nenhum sinal de preocupação nos olhos azuis suaves e
sensatos fixos na calçada mais adiante, ou na linha firme que fechava

sua pequena boca de cor-de-rosa. Se houvesse algo a temer, mamãe certamente saberia, não? Mas e se fosse alguma coisa horrível, um fantasma ou urso ou assassino, e sua mãe não soubesse? E se os pegasse? Mordendo o lábio inferior, ela fez mais um esforço para recordar onde os três estiveram antes daquele espaço assombrado com chão de paralelepípedos.

Nas sombras empoçadas no lado de baixo do mercado, não muito distante, a criança corpulenta notou com alívio que havia ao menos uma luz acesa em meio à tanta escuridão, um retângulo de brilho marfim saindo da grande vitrine da frente da revistaria na esquina da Drum Lane, formando um ângulo com as pedras gastas e amareladas do lado de fora. Como se estivesse percebendo as apreensões crescentes da filha, a mãe de Alma olhou para ela e sorriu, assentindo na direção da fachada da loja, a uma distância pouco maior que a de uns três carrinhos de bebê mais adiante.

— Vam'ali. Um abençoado lugar qui num tá fechado, né?

Alma assentiu, contente, agora sim tranquilizada. No carrinho que rangia, Michael chutava a parte da frente em aprovação, com a cabeça cheia de dourados cachinhos de propaganda de sabonete subindo e descendo. Ao se aproximarem da revistaria, a menininha viu pelas janelas altas e limpas a atividade fascinante dentro daquele lugar. Carpinteiros trabalhando durante as horas de escuridão para, sem dúvida, não interferirem no horário comercial do estabelecimento. Quatro ou cinco homens trabalhavam sobre cavaletes montados nas tábuas do assoalho nuas, que pareciam novas. Eles martelavam sob a luz improvisada de uma lâmpada, e Alma notou que estavam descalços na poeira e serragem empilhada como anéis de manteiga. Não pisariam em farpas? Todos usavam aventais lisos e brancos que chegavam aos tornozelos. Todos tinham unhas cortadas rente, pele suave de uma limpeza radiante, como se tivessem acabado de sair de um bom banho de banheira, ainda com montes de talco de lavanda nos ombros no formato de continentes. Todos pareciam sérios e fortes, mas não indelicados, e a maioria tinha cabelos que desciam até os colarinhos das túnicas recém-lavadas, com as cabeças curvadas sobre labuta dura e pesada.

Um dos homens ficava separado de seus quatro colegas, observando enquanto trabalhavam. Alma imaginou que ele estivesse no comando. Notou que, ao contrário dos demais, usava uma veste que terminava em um capuz, de modo que não se podia ver nada do rosto dele acima do nariz. O cabelo estava coberto, mas Alma de algum modo teve certeza de que era escuro e mais curto que o dos colegas, com o pescoço raspado debaixo das dobras de seu capuz cinza. Tinha o rosto barbeado, como o resto deles, uma beleza rústica, pelos traços que podia ver debaixo da sombra escura que tomava o alto do rosto e escondia os olhos atrás de uma máscara de assaltante fantasma. Parecendo sentir a atenção da criança através da vidraça, o homem em questão se virou para sorrir na direção dela, levantando uma das mãos em um leve cumprimento e, em meio ao impacto do susto e da incredulidade, Alma entendeu, em algum lugar dentro de si, quem ele deveria ser.

O rangido constante do carrinho de bebê e os passos da mãe soando como pequenas detonações de espoleta diminuíram até parar enquanto Doreen fez uma pausa para olhar pela vitrine iluminada e ver os trabalhadores noturnos e seu capataz encapuzado.

— Bom, eu vou lá. Ó só, cês dois, é o Tercê Burr e seus ângulos.

Alma imaginou que "ângulos" deveria ser uma expressão dos Boroughs que queria dizer carpinteiros ou marceneiros[1], mas o outro termo lhe era desconhecido, e ela franziu o cenho de modo questionador para o olhar suavemente zombeteiro de Doreen, como se a mãe achasse que Alma estava apenas sendo burra e devesse saber o que era um "Tercê Burr" na idade dela. Doreen fez uma leve repreensão:

— Eita, só cê mesmo! Ele é o Tercê Borh. O Terceiro Burrer. Cê me ouve falá dele o tempo todo e agora me olha assim como si num soubesse?

Alma havia ouvido falar do Terceiro Borough, ou ao menos tinha essa impressão. As palavras eram provocantemente familiares, e ela sabia que assim era conhecida a pessoa que entendeu ser o homem encapuzado no momento em que ele acenou, era assim que as pessoas o chamavam quando queriam evitar seu outro nome. "Terceiro Borough", se tinha entendido direito, era como um policial ou o homem do aluguel, só que muito mais simpático e respeitado, mais magnificente até que o Conde Vermelho, o conde Spencer, balançando em um cartaz de bar que tinha visto uma vez. Olhou da mãe para o painel da revistaria parcialmente reconstruído, com as figuras em um trabalho diligente saturado pela luz, a revistaria com a vitrine frontal como um aquário onde os homens trabalhavam debaixo de uma água morna e luminosa. O homem encapuzado, o Terceiro Borough, ainda sorria para Doreen e os filhos, mas agora menos acenava do que fazia gestos para que entrassem.

Mamãe fez uma curva com o carrinho na calçada beirando o silencioso mercado abandonado. Manobrou Michael e o carrinho para dentro da entrada da loja, por uma rampa feita com um mosaico de sujos pedaços turquesa e bege, entre o batente da porta e a rua escorregadia. Com uma das mãos gorduchas ainda apertando a alça do carrinho e rebocada atrás da mãe, Alma hesitou, insegura, arrastando os pés. Havia ouvido em algum lugar ou por algum motivo achava que só se conseguia uma audiência daquelas se estivesse morto, e a morte era uma ideia que ainda não tinha entendido bem, mas sabia que não iria gostar. Um dos homens, que tinha o cabelo cacheado tão louro que era branco, baixou o serrote e agora vinha para abrir a porta para eles, com rugas cordiais formando-se nos cantos dos olhos. Sentindo a relutância da menina, a mãe de Alma se virou e falou com ela de modo encorajador:

— Eita! Cê é uma bobinha, Alma. Ele num vai te machucar, e ele não atende muita gente. Entra e diz oi ou ele vai achar que somos malcriado.

Com a cabeça inclinada para a frente e os cachos castanhos enrolados com bobes escondidos debaixo do xadrez cor de carvão do lenço, o contorno do casaco de inverno caindo do busto cheio numa descida de proa, Doreen tinha algo em suas maneiras que fazia Alma pensar em pombos e a calma descuidada deles, os pescoços manchados como estojo de tintas, a música irritante de suas vozes. Ela se recordava de ter sonhado um dia que estava sentada com a mãe na sala de casa na Andrew's Road, na extremidade oeste dos Boroughs. No sonho, Doreen passava roupas, enquanto a filha se ajoelhava ali na poltrona, chupando distraidamente o estofado gasto do encosto e olhando pela janela do quintal para o crepúsculo. Por trás do muro do vizinho erguia-se um estábulo abandonado, em cujo telhado faltavam várias telhas criando buracos negros como pedaços rasurados em documentos. Por esses buracos, figuras bruxuleantes de pombos subiam e desciam, quase invisíveis, espirais pálidas de fumaça contra a escuridão da colina, a School Hill, que se levantava atrás. Mamãe se virou das roupas que passava para Alma e explicou solenemente sobre os pássaros empoleirados.

— Eles são para onde as pessoas mortas vão.

A menina tinha despertado antes de poder perguntar se isso significava que os pombos eram todos fantasmas de humanos, formas nas quais as pessoas mortas haviam se transformado, ou se de algum modo existiam simultaneamente no Céu, para onde as pessoas mortas vão, e entre as vigas do estábulo abandonado no quintal do vizinho. Ela não sabia por que o sonho lhe vinha à mente agora, enquanto seguia Michael e a mãe pela porta, que o carpinteiro de cabelo prateado vestindo uma túnica ainda segurava pacientemente. Saíram da noite para a loja inundada de luz.

Com uma entrada no mercado e outra do outro lado da esquina em Drum Lane, o interior da loja parecia maior que Alma havia pensado que fosse, embora ela percebesse que em parte era por não ter nenhuma prateleira de jornais, caixa registradora, balcão ou fregueses. O perfume de madeira recém-raspada enchia o ambiente, algo entre os aromas de pêssego em calda e de tabaco, e abaixo de seus pés as tábuas recém-colocadas do assoalho eram tão satisfatoriamente resistentes quanto arcos longos de atirar flechas. A serragem estava empilhada nos cantos por varrer. Depois de entrarem mulher, menina e bebê, o trabalhador de cabelos brancos que estava segurando a porta voltou para o trabalho na sua tábua parcialmente cortada, mas antes sorriu para Alma e o irmão com uma piscadela rápida que os incluía em uma conspiração inconfessa, mas ainda assim maravilhosa.

Sem saber o que fazer com o rosto em resposta, Alma tentou um sorriso sem vontade que saiu nem uma coisa nem outra, então olhou para Michael. Ele estava sentado no carrinho, todo entusiasmado, puxando as cintas mastigadas do arnês — o mesmo que Alma tinha usado poucos anos atrás — feito de couro vermelho, com o contorno dourado de cabeça de cavalo, descascado e já desaparecendo. Michael gargalhava em deleite, levantando os braços e abrindo e fechando os dedos, tentando pegar a luz leitosa, o ar, a atmosfera de frêmito natalino daquele momento peculiar na esquina de uma praça assombrosa à meia-noite, como se quisesse juntar tudo, enfiar na boca e comer. Seu corpo todo se balançava e sua cabeça grande, com um perfil como o da criança do sabonete Fairy, curvou-se para trás piscando para tudo e balbuciando com tanta alegria que a irmã suspeitou em segredo que ele fosse um tanto superficial para um bebê de dois anos, preocupado demais em se divertir para levar a vida a sério. Atrás dele, fora da vitrine da loja, havia apenas escuridão, o mercado longe das vistas e nada além das silhuetas deles projetadas no ar, como se o estabelecimento que vendia jornais e revistas estivesse sozinho e caindo pelo vazio do espaço. Acima dela, na conversa de adulto mais próxima do teto alto de gesso, Doreen e o homem encapuzado conversavam: ela o agradecia por tê-los convidado e o apresentava aos filhos.

— Esse ali no carrinho é nosso Michael, e aquela é a Alma. Ela tá na escola agora, não tá Alma? É na Spring Lane... Vem dar oi pro Terceiro Burrer.

Alma olhou timidamente para o Terceiro Borough, conseguindo dizer um "oi" fraco. Visto de perto, ele era um pouco mais velho que a mãe dela, talvez tivesse trinta. Ao contrário de todos os outros trabalhadores, que eram brancos como mármore de capela, sua pele era muito mais escura, morena de trabalhar duro no sol. Ou talvez ele fosse de algum lugar quente e distante como a Palestina, uma das terras sobre as quais tinha ouvido as crianças mais velhas cantarem no salão grande da escola quando iam para lá para rezar, três degraus de pedra acima do cabideiro infantil do primeiro ano de Alma, com ganchos identificados por locomotivas, pipas e gatos em vez dos nomes das crianças. "Quinquerreme de Nínive que vem da distante Ofir..."[2], seguia a música, com locais e palavras que soavam adoráveis, tristes e agora perdidas.

O Terceiro Borough se agachou até o nível de Alma, ainda com o mesmo sorriso bondoso, e ela podia sentir o cheiro da pele dele, um pouco parecido com torrada e noz-moscada. Ela via uma covinha no queixo dele, como se alguém o tivesse atingido com um dardo, mas ainda não conseguia ver os olhos debaixo daquelas sombras projetadas da borda vincada do capuz. Ele falou, mas Alma depois não podia se lembrar se os lábios haviam se mexido, ou como era a voz dele. Tinha certeza de que era uma voz de homem, grave e honesta, que não soava esnobe, mas que também não tinha os sons crispados e crepitados do sotaque dos Boroughs. Era como se fosse uma voz transmitida radiofonicamente, e Alma não parecia ouvi-la com os ouvidos tanto quanto a sentia no estômago, quente e bem-vinda. *Olá, pequena Alma. Sabe quem eu sou?*

Alma estremeceu, os pensamentos subitamente cheios de trovões, estrelas e pessoas chorando sem roupa. Tímida demais para falar o nome dele em voz alta, mas querendo agora explicar que o reconhecia, tentou cantar o primeiro verso de "All things bright and beautiful"[3], o que sempre a fazia pensar em margaridas, esperando que ele fosse entender sua brincadeirinha tímida e desajeitada e não ficasse bravo. O sorriso dele se ampliou um pouquinho e, aliviada, ela soube que ele tinha entendido. Ainda agachado, o encapuzado virou a cabeça coberta para estudar Michael por um momento antes de estender uma das mãos queimadas de sol para correr os dedos pelas molas douradas

do cabelo do bebê. O irmão bateu palmas e riu, um guincho de peri-
quito-australiano, e o Terceiro Borough se endireitou, retornando à
altura total para continuar a falar com a mãe deles.

Alma ouvia por cima o diálogo adulto que acontecia sobre sua cabeça
enquanto olhava à toa pela loja e para os quatro trabalhadores, ainda ocu-
pados com martelos, ripas e serras. Apesar das túnicas brancas idênticas
e de cabelos loiros, os homens não eram iguais... um tinha uma grande
pinta no meio da testa, enquanto outro tinha um cabelo à escovinha,
era moreno e parecia ser de outro continente... no entanto, pareciam vir
da mesma família, eram irmãos ou ao menos primos próximos. Ela se
perguntou do que eram feitos aqueles trajes. O material era liso e forte
como algodão, mas parecia macio, com sombras azul gelo nas dobras,
então provavelmente era mais caro. Aqueles deveriam ser aventais usados por carpinteiros experientes ou "ângulos", pensou Alma, que tinha
uma vaga lembrança de uma palavra ou marca que ouvira um dia que
descrevia o tecido. Era "Poder", ou "Poderoso"[4]? Enfim, algo do tipo.

Doreen estava em uma conversa educada com a eminência encapu-
zada e se arriscava a soltar de vez em quando os arrulhos reconfortantes
que Alma reconhecia das vezes em que tinha tentado explicar um de
seus desenhos mais complicados para a mãe, sons que significavam que
mamãe não entendia de fato o que lhe diziam, mas não queria ofender ou parecer desinteressada. Ela deve ter perguntado casualmente ao
Terceiro Borough como o trabalho estava indo, concluiu Alma, e agora
sentia-se obrigada a ficar de pé e cacarejar com o devido apreço, surpresa
ou preocupação enquanto ele respondia. Como acontecia com boa parte
das conversas entre os mais velhos, Alma entendia apenas a essência, e
na maioria das vezes não tinha realmente certeza de que entendia nem
mesmo isso. Frases soltas e expressões ocasionais se alojavam em alguma
parte de sua mente e providenciavam um painel com ganchos precários
nos quais podia enrolar tentativas de fios conectores, linhas de conjecturas e adivinhações soltas ligando uma noção a outra até que Alma tivesse
um esboço de compreensão do que tivesse espionado ou se sobrecarre-
gasse com um mal-entendido intrincado e ridículo no qual continuaria
a acreditar durante anos.

Naquela ocasião, ouvindo as interjeições de tons variados e sem palavras da mãe no monólogo do Terceiro Borough, ela encontrou seu caminho entre os blocos confusos de linguagem dos adultos e se esforçou

para formar uma imagem do que se tratava a discussão. Era como um de seus dioramas de giz de cera, mas, dentro de sua cabeça, uma cena com seus pedaços diferentes, todos num arranjo quase sensato. Imaginou que a mãe havia perguntado o que os homens estavam construindo, e pela resposta parecia que estavam preparando algo chamado o Porthimoth di Norhan, palavras as quais Alma sabia que jamais havia escutado antes, mas que, no entanto, pareciam se encaixar como se as tivesse conhecido por toda a vida. Era um tipo de tribunal, não era? Porthimoth di Norhan, onde disputas eram expostas e todos recebiam o que lhes era devido. No entanto, naquele caso Alma achava que o Terceiro Borough se referia ao termo de outro modo, relacionando-o à carpintaria, com "Porthimoth di Norhan" como o nome de um tipo engenhosamente complicado de junta. Algumas palavras foram ditas sobre onde as linhas ascendentes convergiam, o que na percepção de Alma significava algo parecido com "juntar", então podia imaginar que talvez fosse uma junção com braços de polvo como as que imaginava que se pudesse colocar dentro de um domo de igreja de madeira, trazendo todas as vigas curvadas e envernizadas para um nó bem colocado ali no meio. Ela imaginava por alguma razão que haveria uma cruz rústica de pedra incrustada, enfiada no jacarandá polido no coração do arranjo.

Parecendo confirmar a interpretação da criança, o Terceiro Borough agora dizia que era bom que houvesse tantos carvalhos ali no centro para apoiar o peso e a tensão. Enquanto dizia isso, colocou uma das mãos bronzeadas no ombro de Doreen, o que fez o comentário parecer algo com mais de um sentido para Alma. Ele estaria falando sobre todos os carvalhos nas áreas verdes da cidade ou fazia um tipo de elogio a Doreen, dizendo que a mãe deles era um carvalho, um pilar de madeira que aguentaria o esforço sem reclamar? A mãe parecia contente com o comentário, mas apertando os lábios de modo acanhado, fazendo um som de desaprovação para zombar da ideia de que era digna de tal elogio.

O homem encapuzado tirou a mão do ombro de Doreen, continuando sua explicação sobre o trabalho que supervisionava, que precisava estar concluído em um determinado tempo, exigindo que seus homens trabalhassem noite e dia para terminar a encomenda. Havia naquilo algo de contraditório para Alma. Tinha certeza de que o negócio do Terceiro

Borough deveria ser um dos mais antigos da cidade, mais do que as fir-
mas na Bearward Street, com portões rachados, em que as placas descascando dos antigos donos permaneciam só parcialmente visíveis, levando
a pátios misteriosos de formatos engraçados. Alguns pubs, seu pai lhe
dissera um dia, estavam ali desde os tempos jacobinos, e ela sentia que
a construção desse Porthimoth di Norhan tinha começado há muito
tempo e continuaria por mais de um século, com o Terceiro Borough
ainda verificando cada detalhe para certificar-se de que tinham feito
tudo direito. Por que então, ela se perguntou, parecia tão urgente? Se
ainda faltavam séculos para que o trabalho estivesse pronto, por que toda
aquela conversa de prazos apertados a serem cumpridos? Alma deduziu
que o homem de capuz tinha que planejar tudo com mais antecedência
do que a maioria das pessoas, talvez por causa de suas responsabilidades
mais sérias no longo prazo.

Ela ficou de pé nas tábuas novas do chão da loja, que a faziam pensar
no convés de um navio, da mesma música que tinha ouvido os alunos
do primário cantarem no pátio deles, um galeão espanhol majestoso
saindo de um istmo ou algo assim[5]. Com a mão ainda apertando a alça
do carrinho do irmão, ela observou os quatro carpinteiros laboriosos
trabalhando duro em suas raspagens e batidas, e achou que se pareciam
um pouco com marinheiros, embora os longos aventais brancos a fizessem pensar em padeiros. Mal ouvia a conversa do capataz com a mãe,
tendo percebido com atraso e surpresa que todas as lâminas das serras,
cabeças de martelos e brocas dos trabalhadores pareciam feitas de ouro
de verdade, com diamantes brilhando nos cabos onde deveriam estar
as cabeças dos parafusos. Sem entender o porquê de não ter notado
aquilo antes, Alma voltou a prestar atenção no Terceiro Borough e na
mãe apenas quando um nome conhecido se destacou do murmúrio
baixo da fala deles.

Eles falavam de algo ao qual se referiam como Inquérito de Vernall,
o que ela entendeu ser uma espécie de audiência para decidir sobre as
sarjetas, as esquinas, os muros e os cantos do mundo, onde estavam e
a quem pertenciam. Pelo que Doreen e o governador encapuzado falavam, parecia que esse inquérito era o único evento que o tribunal em
construção ali, o Porthimoth di Norhan, tinha a intenção de abrigar
— a única razão pela qual estava sendo construído —, porém foi mais
o nome do inquérito do que seu significado que capturou a atenção

da menina. Vernall era o sobrenome da família do pai de Alma. Ao pensar a respeito, Alma percebeu que havia aprendido bastante sobre a história imediata de seu clã ouvindo discussões de adultos, coisas que já sabia, mas que antes pensava não saber. Por exemplo, May, a mãe de papai, a avó férrea e furiosa de Alma e Michael, tinha sido uma Vernall antes de se casar com Tom Warren, o avô de Alma, que já estava morto havia alguns anos quando ela nasceu. Aliás, seu outro avô também estava morto quando ela nasceu. Era o pai de Doreen, Joe Swan, um camarada alegre e pançudo com um bigode estilo morsa, morto por tuberculose de tanto trabalhar nas barcaças e conhecido apenas de uma esmaecida fotografia oblonga, pendurada na sala da Andrew's Road, na escuridão do trilho de quadros. Ela jamais conheceu os avôs, eles não tinham influência em sua vida, e ela não sentia falta. A mesma coisa não podia ser dita sobre as avós, não a vovó Clara, mãe de Doreen, com quem moravam, e não a avó May, em sua casa na extremidade do parque, atrás da igreja de St. Peter, na franja cheia de mato ao sudeste dos Boroughs.

May Warren, nascida May Vernall, era forte como um couraçado sardento, rolando feito um barril pelos caminhos ladrilhados do Mercado de Peixe quase todo sábado, abrindo caminho e tomando impulso a cada passo pesado, como uma bola de neve que acumulava pura malevolência, as papadas manchadas nas quais o queixo se afundava tremelicando a cada passo, as groselhas dardejantes dos olhos afundadas no chouriço amontoado que formava seu rosto faiscando de ansiedade por qualquer coisa horrenda que tivesse ido buscar no mercado. Poderia ser tripas, ou grandes caramujos com lesmas laranjas, ou enguias picadas em banha. Alma acreditava que a avó provavelmente conseguiria comer qualquer coisa, devia ser do tipo que devoraria outras pessoas se fosse preciso, mas May era a defunteira de Green Street e daquela área em geral. As defunteiras eram mulheres que ajudavam as pessoas a virem e a irem quando era hora, então podia apostar que tinham visto muita coisa. May havia nascido, segundo a lenda, na própria Lambeth Walk, entre o cuspe e o resto de sujeira de suas sarjetas. Agora vivia sozinha em uma esquina da Green Street, em uma casa com lâmpadas a gás, embolorada, com portas no meio de escadas tortas que ninguém conseguia entender, onde Tommy, que era o pai de Alma, e metade de suas tias e tios foram criados. De acordo com a opinião da família, May tinha se tornado uma ogra má e bruta com a idade, depois de uma vida de decepções, mas na opinião da família havia também uma veia de loucura nos Vernall.

O pai de May, Snowy Vernall, bisavô de Alma, tinha virado o que a família chamava de "curvante" e no final deu para comer flores, o que parecia interessante e diferente para Alma, mas não exatamente errado. As pessoas diziam que Snowy tinha cabelos ruivos quando era bebê, mas perdeu toda a cor durante o fim da infância, mais ou menos ao mesmo tempo que o pai dele, Ernest, tataravô de Alma, enlouqueceu e ficou com os cabelos brancos enquanto trabalhava na catedral de St. Paul, em Londres, como pintor e restaurador no século XIX. Ernest tinha passado a loucura para Snowy e a irmã dele, Thursa Vernall. Ao que dizem, apesar de sua loucura, Thursa era um grande sucesso no acordeom, assim como a prima bonita do pai de Alma, Audrey Vernall, filha de Johnny, filho de Snowy. Audrey tinha feito parte de uma banda de baile empresariada pelo pai no fim da guerra, e agora estava trancada no hospício depois da curva em Berry Wood.

A curva, a virada, o giro, a esquina: muita gente na família de Alma havia dobrado essa esquina. Ela imaginava que devia ser um desvio súbito no pensamento, que, ao contrário das esquinas que vemos nas ruas, não era possível de se prever. Era invisível, ou quase, talvez transparente como uma estufa ou um fantasma. A trajetória dessas curvas era totalmente diferente de todas as outras, e em vez de partir para a frente, para baixo ou para o lado, seguiam em uma direção que não se podia desenhar ou mesmo pensar e, depois de dobrar essa esquina oculta, a pessoa estava perdida para sempre. Estava em um labirinto que não podia ver e no qual nem sabia que estava, e todos sentiriam pena quando a vissem toda desajeitada por aí, mas provavelmente não iriam querer manter a amizade de antes.

Mesmo considerando o número de pessoas que haviam feito a curva, Alma permanecia convencida de que o que existia além daquela esquina invisível deveria ser solitário, vazio, e nunca haveria ninguém lá além de você. Não seria sua culpa, mas ainda seria vergonhoso, algo de que a avó Clara não iria gostar, um vexame para a família. Era por isso que ninguém falava sobre os Vernall, e era por isso que Alma quase se assustou ao ouvir a mãe e o Terceiro Borough falando com tons tão reverenciais sobre esse Inquérito Vernall que ele tinha planejado, uma audiência sobre limites para a qual todo esse trabalho estava sendo feito. Aquele ramo da família de Alma seria secretamente especial de algum modo, ou o nome do inquérito era apenas uma coincidência? E, se as palavras não se referissem à família de Alma, então o que era um Vernall?

Ela imaginou que um dia poderia ter sido o termo para alguma profissão antiquada que as pessoas costumavam ter. Termo transformado, ao longo dos anos, no sobrenome de uma família. Por exemplo, o pai de Alma, Tommy Warren, que trabalhava para a cervejaria, um dia lhe havia dito que um *cooper*, anos atrás, era como se chamavam as pessoas que faziam barris, então os ancestrais de sua melhor amiga, Janet Cooper, provavelmente eram fabricantes de barris. Isso ainda não explicava o que era um Vernall, claro, ou o que envolvia ser um. O nome poderia ter sido ligado a um inquérito sobre limites porque cuidar de fronteiras e cantos era a obrigação de um Vernall? Alma imaginou se, entre as esquinas para as quais olhavam, estava aquela que Ernest, Snowy, Thursa e a pobre Audrey Vernall tiveram todos que dobrar, mas não podia imaginar para onde ia aquele pensamento, então o deixou morrer.

Por nenhuma boa razão que pudesse determinar, o nome Vernall também a fazia pensar na grama e no aroma do pequeno gramado desleixado na Andrew's Road, perto da ponte Spencer, ao ser cortado, nas folhas verdes saindo da escuridão embaixo da terra para o mundo ensolarado acima, embora não fizesse ideia do que isso tinha a ver com limites e cantos. Em seus pensamentos, via a casa da avó na ponta irregular de Green Street, com mato e até papoulas crescendo entre os tijolos[6], enraizados na fuligem de ferrovia que era o papel de parede externo dos Boroughs, coágulos negros que pendiam dos tijolos laranja-queimado como um véu sobre a vizinhança enlutada. Do outro lado da rua, atrás de um muro baixo de pedra seca, o matagal subia até a parte de trás da igreja de St. Peter, ao lado do portão traseiro do quintal do Black Lion. Era a inclinação gramada na qual imaginava Jesus com sua longa túnica, luzes em torno da cabeça e nada nos pés, caminhando do portão do bar até o fim da Narrow Toe Lane e da loja de doces Gotch, na extremidade oposta à casa da avó, na Green Street, enquanto soava o hino sobre a terra aprazível. Ao flagrar-se imaginando se Jesus tinha um doce favorito, percebeu que seus pensamentos divagavam e forçou sua nuvem inquieta de concentração a voltar ao que a mãe e o homem de capuz branco conversavam.

O Terceiro Borough estava concluindo seu relato a Doreen sobre como iam as coisas, assegurando à mãe de Alma que o trabalho com madeira tinha sido o negócio de sua família desde tempos imemoriais. Dizia a ela que, embora o trabalho fosse longo e tivessem que suar sangue para terminá-lo, tudo seguia bem e ficaria pronto a tempo. Alma não sabia o porquê, mas aquela afirmação a encheu de felicidade. Era como se ninguém precisasse mais se preocupar sobre como as coisas aconteceriam, porque tudo ficaria bem no fim, como quando seus pais lhe diziam que o herói não morreria e que tudo se ajeitaria antes da conclusão da história.

Em torno dela, no brilho da loja, os carpinteiros se curvavam numa labuta incessante, empurrando plainas contra o grão da madeira, mas Alma os flagrou olhando para ver se ela tinha entendido que aquilo era boa notícia para todos e sorrindo com uma satisfação discreta ao notarem que sim. Estavam orgulhosos de si, ainda que envergonhados do próprio orgulho. O Porthimoth di Norhan seria construído, de certo modo era como se estivesse pronto. Ela olhou para Michael, sentado em estado alerta em seu carrinho. Até ele parecia consciente de que havia algo especial acontecendo e trocava olhares ansiosos com a irmã, com luzes brilhantes dançando em seus imensos olhos azuis enquanto comunicava seu deleite de sua maneira particular sem palavras, batendo as alças com empolgação. Alma podia ver que, embora o irmão não tivesse idade suficiente para dar nomes às coisas, de algum modo sabia quem o capataz encapuzado era de verdade. Não era possível encontrar com ele e não saber, mesmo para um bebê. Michael era uma criança contente por natureza, mas no momento parecia a ponto de explodir tão inflado que estava de maravilhamento, como se entendesse exatamente o que aquela grande conclusão significava para todos. Ocorreu-lhe do nada que um dia, quando ela e Michael fossem ambos velhos, provavelmente se sentariam juntos em um muro em algum lugar e dariam boas risadas daquilo tudo.

Doreen agradecia ao Terceiro Borough por tê-los convidado para entrar enquanto se preparava para ir embora, verificando se Michael estava preso no cinto do carrinho e instruindo Alma a fechar o sobretudo. Ou as luzes dentro da loja estavam ficando mais brilhantes, pensou Alma, ou a escuridão da praça vazia lá fora tinha tomado uma cor desconhecida que era pior que preto. Não estava nada ansiosa pela caminhada de volta para casa, nem pelo medo vago e indistinto que às vezes sentia na Bath Street, nem nas mandíbulas noturnas da entrada para a viela, no beco, onde seguia atrás de uma fileira de casas geminadas entre a Spring Lane a Scarletwell Street, mas achava que seria ingrata se dissesse isso. Mesmo se aquilo significasse uma caminhada arrastada e gelada, Alma não a teria perdido por nada, embora ainda desejasse poder pular os ventosos vinte minutos seguintes de sua vida e se encontrar já aninhada na cama.

As luzes dentro da loja estavam definitivamente ficando mais luminosas, ela concluiu, enquanto lutava para fechar o cinto desajeitado do sobretudo. Na frente dela, ou possivelmente acima, havia retângulos reluzentes de uma brancura maior pendendo no ar, os quais Alma percebeu que deveriam ser reflexos das vidraças atrás dela, enquanto estava ao lado do carrinho tentando fechar o casaco. Só que aquilo não estava certo. Às vezes se via um cômodo iluminado refletido em uma janela, mas não vitrines refletidas nos espaços vazios de um cômodo, suspensos no nada, ficando mais brancos e mais ofuscantes a cada instante. Em algum lugar próximo, Doreen lhe dizia para fechar o cinto logo, para que pudessem deixar os cavalheiros trabalharem. Alma soltou a ponta da fivela e a perdeu em uma dobra complicada que não sabia que estava ali. Quanto mais tentava tirar o cinto, mais via que rolos extras de gabardine se desdobravam de recessos em seu casaco que apenas os fabricantes entenderiam e enovelavam Alma em suas pregas cor de cadarço. Acima, ou possivelmente na frente dela, os painéis levitantes de luz brilhavam ainda mais forte. Perto dela, a mãe lhe dizia para se mexer, mas a situação com seu casaco ficava pior. Alma lutava de costas contra o tecido interminável, engolidor, quando notou que as figuras oblongas diante dela foram fechadas por um par de cortinas. Estampadas com rosas cinzentas, eram muito parecidas com as que havia no quarto de Alma.

‡

Esse foi, em substância, o sonho o qual Alma Warren, que quando cresceu se tornou uma artista razoavelmente conhecida, teve em uma noite de fevereiro de 1959, aos cinco anos. Um ano depois, seu irmão Michael quase morreu engasgado e, no entanto, de algum modo, conseguiu voltar do hospital ileso, e estava em casa com eles na Andrew's Road em um dia ou dois, o que nem ele nem Alma de fato mencionaram mais tarde, embora tivessem ficado muito assustados.

O pai dos dois, Tommy Warren, morreu em 1990, seguido por Doreen pouco tempo depois, no calor tórrido do verão de 1995. Pouco menos de dez anos depois disso, Mick Warren sofreu um acidente de trabalho, recondicionando tambores de aço. Após ficar inconsciente de um modo grotesco, e acordar apenas com jatos gelados de água que os colegas usaram para tirar pó cáustico de seus olhos, Mick voltou à vida dessa segunda vez com uma variedade de pensamentos perturbadores na cabeça, memórias estranhas que vieram à superfície quando apagou. Alguma das coisas que pareciam lembranças eram tão estranhas que não poderiam ter acontecido, e Mick começou a temer que estivesse desenvolvendo o temido, e portanto não mencionado, traço que fervia no sangue da família, virando um curvante.

Quando por fim conseguiu contar seus medos à esposa, Cath, ela imediatamente sugeriu que falasse com Alma. A família de Cathy, como a de Mick, havia sido despejada dos campos de fuligem dos Boroughs, os pouco mais de dois quilômetros e meio quadrados de sujeira perto da estação de trem, quando a prefeitura limpou o que sobrou da área durante o começo dos anos 1970. Firme e sensata, mas orgulhosa de suas excentricidades, Cath tinha as qualidades de que se recordava nas mulheres dos Boroughs: a fé decisiva e imutável na intuição e na própria habilidade de saber o melhor a fazer em qualquer circunstância, não importava o quanto esta fosse peculiar.

Cathy e Alma se davam muito bem, apesar ou possivelmente por causa das imensas diferenças. Cathy não escondia que considerava Alma uma bruxa louca que morava em um depósito de lixo, e Alma, por sua vez, zombava do gosto da cunhada por Mick Hucknall, do Simply Red. Mesmo assim, as mulheres tinham muito respeito uma pela outra, cada qual em sua especialidade, e quando Cath recomendou que o marido batesse um papo com Alma se achasse que estava ficando tantã, Mick sabia que era porque a mulher acreditava que sua irmã mais velha era uma autoridade no assunto, não apenas por ter alguns parafusos a menos, mas por ter voluntariamente jogado todos eles na privada e dado descarga. Além do mais, ele sabia que era mais que provável que ela estivesse certa. Marcou de se encontrar com Alma para uma bebida no sábado seguinte e, por nenhuma razão de que se lembrasse, combinou de vê-la no Golden Lion, na Castle Street, um dos poucos pubs sobreviventes das dezenas que os Boroughs abrigavam com orgulho em seu auge, e coincidentemente onde havia conhecido Cath quando ela trabalhava lá, antes que ele concretizasse o sonho e se casasse com a garçonete.

Era um sábado, mas o pub, outrora sempre lotado, estava quase vazio. Obviamente, os residentes dos apartamentos que restaram na vizinhança destruída que não estavam confinados à sala de casa por causa de ordens judiciais por comportamento antissocial[7] costumavam preferir o zoológico centro da cidade, mais receptivo a vômitos, ejaculações e facadas, do que aguentar a calma de necrotério dos locais mais perto de casa. A irmã estava sentada em uma mesa de canto com um traje todo preto: jeans, regata, botas e jaqueta de couro. O preto, como Alma havia explicado pouco tempo antes a Mick, era o novo iPod. Ela estava com uma água mineral com gás à sua frente enquanto tentava equilibrar uma bolacha de chope redonda da Strongbow, observada pelo homem atrás do balcão, que parecia sofrer de uma depressão clinicamente diagnosticável. Só uma cliente tinha aparecido a noite toda, e era uma mulher feia e abstêmia.

A não ser pelo rosto, Mick admitia que Alma era o que se descreveria como chamativa, mais que feia, mesmo àquela altura do campeonato. Com quantos anos estava agora, cinquenta e um? Cinquenta? Chamativa, sem dúvida, se com isso se quisesse na verdade dizer assustadora. Tinha um metro e oitenta, dois centímetros a menos que o irmão, mas de salto ficava um metro e oitenta e sete, o cabelo castanho longo e sem corte que assumia um tom de cobre empoeirado aqui e ali, caindo como cortinas de segurança de cada lado do rosto de ossos salientes em um estilo que Mick um dia a ouviu descrever como "caveira com samambaias"[8]. Então, claro, havia seus olhos, assombrosos e imensos quando não estavam espremidos à maneira típica dos míopes, com íris cor de ardósia em que um amarelo cítrico extraterrestre irrompia em torno das pupilas como um eclipse total, cílios grossos cedendo sob o peso do rímel.

Ao longo dos anos, havia tido sua cota de admiradores, mas a verdade é que a grande maioria dos homens considerava Alma "em geral preocupante", nas palavras de um conhecido, ou "um puta pesadelo na fase da menopausa", nos termos sinceros de outro, embora mesmo isso tivesse sido dito no que parecia um tom de admiração. Mick às vezes achava que a irmã estava do lado errado da beleza, porém era mais engraçado insistir que ela parecia com Lou Reed na capa do *Transformer*, ou "um Frankenstein glam solarizado", como Alma havia reformulado com uma boa dose de satisfação, dizendo que usaria aquilo na biografia do catálogo na próxima vez que fizesse uma exposição de suas pinturas. Com sua facilidade para receber e proferir insultos com igual entusiasmo, Alma sabia se defender muito bem, afirmando com uma sincera cara-de-pau que seu irmãozinho de aparência angélica era afeminado e afetado desde o nascimento, que na verdade tinha nascido menina, ganhando até o concurso de Miss Pears certa vez[9], mas então havia se submetido a uma cirurgia de mudança de sexo porque o pai e a mãe deles queriam um casal. Ela primeiro testou essa brincadeira dolorosamente mais próxima da realidade do que pensava com o próprio Mick quando ele tinha seis anos e ela nove, reduzindo-o a lágrimas de mortificação. Certa vez, quando ele disse, não totalmente sem razão, que ela lembrava um homem homossexual preso em uma aproximação tosca de um corpo de mulher, Alma retrucou: "Tá, e você também", e então riu até começar a tossir e por fim ficar com ânsia de vômito, feliz até demais com seu *bon mot*.

Parando no balcão para envolver com a mão a superfície agradavelmente gelada do primeiro copo, ele caminhou sobre o carpete gasto de estampa floral que lembrava o diagrama de um suicídio até a mesa escolhida pela irmã, previsivelmente localizada no canto do salão mais distante da porta, o refúgio preferencial dos misantropos. Alma ergueu os olhos quando ele arrastou uma cadeira para se sentar diante dela e do arquipélago de bolachas de cerveja da mesa molhada. Ela abriu o sorriso costumeiro de boas-vindas. Mick sabia que ela queria expressar a alegria de vê-lo, mas, como a tendência ao exagero de Alma transformava tudo em expressões faciais de teatro Grand Guignol, seu rosto parecia mais o de uma fanática religiosa assassina ou de uma piromaníaca, com aquela explosão de chamas amarelas no centro de cada olho.

— Ora, se não é Warry Warren. Deus do céu, como você está, Warry?

A voz de Alma havia sido curtida pela fumaça até se transformar num acorde de baixo grave agourento reverberando em uma igreja gótica, às vezes até um pouco mais grossa que a do próprio Mick. Ele sorriu, apesar de suas preocupações de momento com sua saúde mental, e sentiu-se sinceramente feliz por ver a irmã, reestabelecer as conexões ancestrais, e pelo reconforto de estar com alguém muito mais pirado do que ele. Mick sacou os cigarros e o isqueiro, colocando-os ao lado do copo suado e se preparando para a noite, enquanto respondia a ela.

— Bem de saco cheio, Warry, se quer saber a verdade.

Um chamava o outro de "Warry" desde alguma ocasião em 1966 da qual nenhum deles tinha uma lembrança nítida ou confiável[10]. Alma, aos treze anos, pode ter começado usando Warry com intenção de galhofa ao falar com o irmão caçula, e ele poderia tê-lo adotado porque, como ela sempre havia suspeitado em segredo, era tolo demais na essência de sua postura em relação à existência para inventar os próprios insultos, mesmo que fosse uma coisa estúpida como "Warry". Quando os irmãos passaram a se referir um ao outro assim, isso teria se transformado em uma guerra idiota de vontades na qual nenhum dos dois lembrava por que havia entrado, mas ambos achavam que ser o primeiro a chamar o outro pelo nome de batismo seria conceder uma derrota impensável. Essa partida de tênis nominativa prosseguia, pateticamente, pelo resto de suas vidas, muito depois de terem começado a achar o apelido afetuoso e de terem esquecido por completo sua origem precária. Quando eram questionados por que chamavam um ao outro de Warry, Mick normalmente respondia que, como tiveram uma criação miserável nos Boroughs, os pais não puderam comprar um apelido para cada filho, então tiveram de se virar com um só para os dois. "Ao contrário das crianças ricas", às vezes ele completava, com um tom autêntico de amargura. Se Alma estivesse perto, olharia para a plateia com um olhar bovino e acusador de vítima e solenemente pediria para que não rissem. "Esse nome foi tudo o que ganhamos de Natal num ano".

Agora a irmã plantava o couro esfolado dos cotovelos da jaqueta na finíssima camada de líquido sobre a mesa, emoldurava o queixo entre dois longos dedos e se inclinava para a frente de modo inquisitivo em meio à atmosfera desinteressante, a cabeça pendendo para um lado, de modo que as mechas mais longas dos cabelos se arrastavam pelo menisco molhado da mesa, com as pontas ficando afiadas como pincéis de zibelina.

— Verdade? Por que eu iria querer saber a verdade? Estava só começando uma conversa à toa, Warry. Não estava pedindo para ouvir a *Ilíada*.

Ambos admiraram a insensibilidade dela, então Mick contou do acidente de trabalho, em que foi nocauteado e teve o rosto queimado, ficou cego por uma hora ou duas, e desde então temia que estivesse ficando louco. Alma olhou para ele com pena, balançou a cabeça desproporcionalmente grande e suspirou.

— Ah, Warry. Tudo precisa girar em torno de você, não é? Eu sou raivosa, meio cega e louca de pedra há anos, mas você não me vê reclamando. Já você, basta ficar uma vez com a cara coberta de produtos químicos corrosivos enquanto limpa um navio de guerra e logo desmorona.

Mick apagou o cigarro no azul-marinho do cinzeiro e acendeu outro.

— Não tem graça nenhuma, Warry. Ando tendo uns pensamentos esquisitos desde que acordei no pátio com o pessoal tentando me limpar com um banho de mangueira. O problema não foi tanto a coisa ter entrado no meu olho ou eu ter batido a cabeça, e sim quando voltei a mim. Por um momento, fiquei sem memória de ter quarenta e nove anos ou de trabalhar no pátio de recondicionamento. Não lembrava de Cathy, nem dos meninos, nem de nada.

Ele fez uma pausa e deu um gole na cerveja. Alma endireitou-se do outro lado da mesa encharcada, olhando bem para ele, agora de fato prestando atenção, sabendo que ele estava falando sério. Mick continuou.

— A questão é que, quando acordei, coloquei na cabeça que tinha três anos e estava acordando no hospital, que nem daquela vez que engoli a pastilha para tosse, quando minha garganta inchou.

As sobrancelhas desafiadoramente livres de pinças de Alma se franziram numa careta intrigada.

— Aquela vez que você engasgou e Doug, nosso vizinho, te levou no caminhão de verduras dele pela Grafton Street até o hospital nos Mounts? Todo mundo achou que foi aí que você provavelmente sofreu danos cerebrais, ou pelo menos eu pensei.

— Eu não sofri danos cerebrais.

— Ah, qual é?... Deve ter sofrido, sim. Três minutos sem oxigênio e já era. Todo mundo falou que você ficou sem respirar da Andrew's Road até a Cheyne Walk, e isso deve ter sido no mínimo uns dez minutos em um caminhão enferrujado como o do Doug. Dez minutos sem respirar, estamos falando de morte cerebral, cara.

Mick riu dentro do copo de cerveja, salpicando o nariz de espuma.

— E você, Warry, é o quê? Uma intelectual? Tenta ficar dez minutos sem respirar algum dia e acho que vai descobrir o que é a morte de verdade.

Isso fez com que os dois ficassem em silêncio e pensassem por uns instantes sem chegar a nenhuma conclusão prática. Por fim, Mick recomeçou sua narrativa.

— Então, o que estou dizendo é que quando acordei no hospital, aos três anos, não fazia ideia de como tinha ido parar lá. Não tinha memória de ter engasgado ou ser levado no caminhão do Doug, mesmo com ele falando que fiquei de olhos abertos o caminho todo. Dessa vez, quando acordei, foi diferente. Como eu disse, por um minuto achei que tinha três anos de novo e estava acordando no hospital, mas dessa vez eu me lembrava de onde estava.

— O que, no quintal com a pastilha de dor de garganta, ou no caminhão do Doug?

— Nada disso. Não, eu me lembrava de estar no teto. Fiquei lá por uns quinze dias, comendo fadas. Imagino que seja o tipo de sonho que tive enquanto estava apagado, mas não parecia um sonho. Era mais real, mas também mais bizarro, tudo relacionado com os Boroughs.

Alma, àquela altura, tentava interromper e perguntar se ele tinha acabado de dizer que se lembrava de estar no teto comendo fadas por duas semanas, ou se achava que havia apenas pensado naquilo. Mick a ignorou, e seguiu contando toda sua aventura, a memória recapturada que tanto o deixou perturbado. No final, Alma estava de boca aberta e sem fala, olhando com espanto para o irmão com aqueles olhos de panda chapado. Por fim, arriscou o primeiro comentário sério da noite.

— Isso não é sonho, cara, é uma visão.

Enfim falando sério, a dupla recomeçou a conversa, na penumbra do salão do pub despojado, reabastecendo os copos de tempos em tempos, com Alma ficando na água mineral, já que sua droga de preferência era a meia dúzia de tijolinhos de haxixe do tamanho de barras de chocolate Bounty espalhadas pelo seu enorme apartamento em East Park Parade. Em torno deles, o Golden Lion entrava no oposto do reboliço, um antialarido dominado pela batida mortal do relógio de parede. O brilho da luz do balcão flutuava sutilmente às vezes, como se as ausências de todos os fregueses que faltavam se agitassem no cômodo, marrons e translúcidas como celuloide velho, ocasionalmente sobrepondo seus não corpos salpicados de manchas pretas de moscas o suficiente para ocluir a luz, mesmo

que imperceptivelmente. Durante horas, Mick e a irmã falaram sobre os
Boroughs e seus sonhos, com Alma contando o que teve sobre a loja iluminada no mercado deserto, onde os carpinteiros martelavam noite adentro.
Ela até revelou que, dentro do sonho, tinha pensado em um outro sonho
anterior, aquele em que Doreen disse que os pombos eram para onde iam
as pessoas quando morriam, ainda que Alma admitisse que ao acordar
não tinha certeza de que era algo que de fato sonhou ou se apenas sonhou
que sonhou.

Por fim, quando depois de um tempo saíram para o vento na Castle
Street, Alma assoviava com empolgação e energia e Mick estava lumino-
samente bêbado. As coisas estavam muito melhores depois de falar com
a irmã e aguentar o falatório exaltado dela. Enquanto desciam a Castle
Street para a Fitzroy Street pela vizinhança fantasma, Alma falava de
seus planos para um novo conjunto de pinturas baseadas na experiência de quase-morte de Mick (o que ela havia se convencido que era de
fato a memória recuperada dele) e em seus próprios sonhos. Zombava dos
medos do irmão pela própria sanidade como mais um exemplo do jeito
de menina dele, de uma aterrorizada falta de familiaridade com qualquer
coisa que parecesse pensamento criativo.

— Seu problema, Warry, é que você tem uma ideia e pensa que é uma
hemorragia cerebral.

Ouvi-la desfilar conceitos de pintura impraticáveis e transcenden-
tais como uma fita de telex com hiperventilação fazia com que o peso
saísse de cima dele, flutuando em um peido doce e pútrido de cerveja para se dissipar na vasta e estrelada tigela de obsidiana que chegava
na hora de fechar, invertida e colocada sobre os Boroughs como se para
manter as moscas afastadas.

Eles desceram cambaleantes da porta da frente do Golden Lion com
seus azulejos verde-sálvia cariados, e, tendo do lado direito uma rua que
até os carros haviam esquecido, eles tropeçaram no quebra-cabeça chinês
desbotado dos anos 1930 de tijolos encrostados que formava a parte traseira dos apartamentos da Bath Street, casa Saint Peter, com aberturas na
mureta até a cintura permitindo acesso às escadarias de pedra triangulares
com formato de zigurate, degraus descendo do topo à base de ambos os
lados. Além delas, estavam os apartamentos em si, com fendas esculpidas
de sombras ao estilo Bauhaus, portas duplas em recesso debaixo dos pórti-
cos; janelas com cataratas de tecido translúcido, a maioria apagada. Lá das

planícies de St. James's End, a oeste do rio, vinham os sons de sirenes de
carros de polícia guinchando como as *banshees* recriadas pela sonoplastia da
BBC,[11] e Mick pensou em sua revelação recente, percebendo que, apesar da
resposta fervorosa e quase fanática da irmã, ainda havia um cerne de incômodo residindo dentro dele, embora submerso em um lago salpicado de
âmbar entorpecente. Aparentemente percebendo essa mudança de humor,
Alma interrompeu a descrição arrebatada de paisagens refinadas que
ainda precisava capturar e olhou para além dele, para a mesma direção
que Mick olhava, a parte de trás dos apartamentos silenciosos e escuros.

— É. É esse o problema, não é? Não "E se Warry estiver ficando
louco?", mas "E se não estiver?". Se o que você viu significa o que eu
acho, então é com aquilo que realmente precisamos lidar.

Alma fez um gesto com a cabeça para os apartamentos escuros, e por
consequência para a Bath Street, correndo invisível para o lado mais
distante da construção.

— O negócio que você viu quando estava com o grupo de crianças
mortas, o Destruidor e tudo mais. É contra aquilo que lutamos. E por
isso é melhor que essas pinturas fiquem ótimas, para mudar o mundo
antes que esteja totalmente fodido.

Mick olhou para Alma, ressabiado.

— Tarde demais, mana, não acha? Olha só tudo isso.

Ele fez um gesto bêbado para o que havia em torno deles ao chegarem
embaixo do tosco trapézio da descida chamada Castle Hill, onde se juntava ao que havia sobrado da Fitzroy Street, que agora era a grande entrada
para a pilha de caixas de sapatos que desde os anos sessenta ocupavam o
lugar onde antes existiam os corredores feudais da Moat Street, da Fort
Street e de todo o resto. Terminava em um estacionamento sem saída
e claustrofóbico, com blocos de apartamentos fechando os dois lados
enquanto as cercas-vivas escuras e malcuidadas, representando a última
e desesperada reação da natureza dos Boroughs, caíam sobre um terceiro.

Quando aquele árido projeto habitacional foi construído, nos primeiros anos da adolescência de Mick e Alma, o beco sem saída servia
como uma ofensiva paródia de parquinho de crianças, com um labirinto em miniatura de tijolos azuis no centro, construído aparentemente
para duendes de mente fraca, e uma representação cubista autista de
um cavalo de concreto que pastava eternamente por perto, muito desconfortável e com formas retas demais para que qualquer criança o

montasse, com buracos vazios perfurados na têmpora fazendo o papel dos olhos. Mesmo aquilo, mais um simulacro de um parquinho do que um lugar de verdade, era menos horrível do que esse espaço para estupros em fim de encontros e para surubas com desconhecidos, com sua camada de asfalto feita às pressas espalhando-se como caviar barato e velho sobre o pavimento rosa da calçada abaixo, as faixas acidentadas e lajes de pedra debaixo daquilo. Apenas as margens das sarjetas, onde os estratos desfeitos em pedaços queimados de sol revelavam as camadas do tempo humano comprimidas mais abaixo, marcas de círculos no toco de árvore de cimento havia muito caída dos Boroughs. Da colina abaixo do estacionamento e das tediosas lápides dos blocos de apartamentos, soava o triste grunhido de um trem de carga fazendo sua manobra, com seu uivo e seu lamento rolando pelos lados do vale vindos das cicatrizes cruzadas autoinflingidas pelos trilhos.

Alma olhou na direção que Mick apontou, espremendo os cílios cobertos de rímel em uma olhada de esguelha desdenhosa de spaghetti western, tornando seus olhos aranhas-saltadoras retesando-se para o ataque final.

— Claro que não é tarde demais, menininha. Não teria sentido enviarem uma visão a você se não existisse nada mais a fazer, não é? E, olha, eu sou um gênio. Foi o que disseram na *NME*[12]. Vou fazer essas pinturas e vamos resolver isso. Confie em mim.

E ele, implicitamente, confiava. Embora fosse óbvio a qualquer um que a irmã era tanto delirante quanto presunçosa, Mick sabia por experiência que ela costumava estar certa. Se ela dizia que podia reparar um cataclismo com alguns tubos de tinta, Mick tendia a apostar na irmã em vez de na queda do meteoro ou no que tivesse acontecido aos Boroughs. Por toda a vida, Alma havia tomado decisões obstinadas que tinham funcionado para ela, desafiando todas as probabilidades, e qualquer um seria obrigado a admitir que, para uma cria dos Boroughs, ela havia se dado muito bem. Mick confiava nela, embora não com a fé deslumbrada do público devotado da irmã, que incluía muitos que pareciam achar que ela tinha origens no reino do sobrenatural ou no campo da pesquisa genética clandestina, uma mutação enviada por deus que podia falar com pedras e ressuscitar até os não nascidos, além dos mortos.

"Não acredito que você é irmão da Alma Warren", mais de um fã das pinturas da irmã já tinha lhe dito, a maioria colegas de trabalho da esposa, mulheres que na opinião convicta de Alma a encaravam mais como "um ícone lésbico extremamente mal compreendido" em vez de artista. Às vezes, pessoas que conheciam o passado de Mick pareciam refletir um pouco e então perguntavam como alguém como Alma Warren poderia ter saído de uma notória armadilha de almas como os Boroughs. Ele considerava aquela uma pergunta estúpida, como se houvesse outro lugar do qual ela pudesse ter vindo. Qual? O Inferno? Nárnia? Fazia quanto tempo que não se via nem um vestígio da genuína classe trabalhadora? Suas manifestações mais evidentes soam hoje anacrônicas como dodôs. O que tinha acontecido com aquela cultura? Tirando as parcelas que se sentiram tentadas a alcançar os galhos mais baixos das classes médias ou foram arrastadas para aglomerações de sem-teto, como todo o resto tinha desaparecido de modo que, se fosse visto hoje, ninguém teria ideia do que se tratava? Para onde haviam ido? Por que ninguém protestou?

Eles tinham virado à esquerda e desciam a extremidade mais baixa de Castle Hill, na direção do muro da igreja Doddridge, indo para Chalk Lane, Marefair e os pontos de táxi da estação na parte mais baixa, no fim da sua amada Andrew's Road. Alma tinha voltado a conjurar outra obra-prima ainda inexistente, olhos fixos no espaço vazio de aguada de nanquim diante dela como se já a visse emoldurada e pendurada ali.

— Eu tive essa ideia, certo, enquanto a gente conversava. Eu podia fazer meu sonho, aquele sobre os carpinteiros na esquina do mercado no meio da noite. Uma coisa realmente grande, um pouco como Stanley Spencer, com figuras enormes curvadas sobre seus tornos, de costas para quem vê. Vou fazer alguns pedaços bem detalhados, mas então deixo o resto sem terminar, tipo, traços de lápis pendentes. Vou chamar de "Obra em Andamento"...

Alma parou de falar, se interrompendo subitamente para olhar para a igreja não conformista do século XVIII pela qual passavam[13]. Nas pedras cor de caramelo do primeiro andar, havia uma porta fechada pintada com betume que dava para o ar vazio, claramente algum tipo de entrada de carga, mas por que alguém precisaria de uma porta na metade da altura de uma igreja? Parecia ter sido feita com a intenção de levar a um piso superior oculto do distrito empobrecido, demolido havia muito tempo sem deixar rastros, ou possivelmente uma extensão planejada ainda por ser construída. Ela desviou os olhos da absurda porta dos anjos e encarou Mick. Quando falou, sua voz descarrilada saiu baixa e maravilhada, mais parecida com a de uma menininha do que quando era uma.

— Esse é um dos lugares, não, Warry? De sua convulsão ou sei lá o quê?

O irmão de Alma assentiu e então indicou o terreno baldio gramado além de outro estacionamento, na Chalk Lane, chegando pela direita deles quando recomeçaram a andar.

— É. Aquele é outro, só que é mais como um aterro. Mas é muito maior, e mais velho, e as poças se acumularam meio que numa lagoa.

A irmã assentiu lentamente, olhando tudo ao vistoriar o outeiro de terra que se elevava atrás da creche de carros, com a câmera de segurança, sua babá, monitorando seus encargos de um canto cheio de lixo. Uma árvore bifurcada, ou talvez duas plantadas perto demais, saía do monte em uma silhueta contra o brilho da lâmpada de sódio da estação próxima. As árvores eram os traços resistentes de uma paisagem, o rosto verdadeiro debaixo da crosta pesada de maquiagem que cobria o centro de lazer e a pista dupla, afetação cosmética trocada de tempos em tempos. O carvalho e o olmo definiam a vista através de grandes faixas de tempo, eram elementos estruturais vitais, constantes como nuvens e, como nuvens, desapercebidas na maior parte do tempo.

Caminhando para leste da igreja Doddridge, chegaram no topo da Chalk Lane, e da colina gramada dava para ver os apartamentos e casas da St. Mary's Street, onde o grande incêndio começara, e depois disso o tráfego da Horsemarket morro acima até se esvaziar no entroncamento de monóxido morto onde ficava a Mayorhold. Á frente deles, a fenda da Chalk Lane mergulhava na escuridão ao sul para a fileira de faróis dianteiros da Marefair, com o beiral decorado de demônios da igreja de St. Peter no meio do caminho, um hotel ibis e complexo de entretenimento na direção do centro, à esquerda. Um tumor de néon produzido pela Fabergé fora erguido sobre o local da sede demolida da Barclaycards, antes um emaranhado encantador de pequenos negócios e vielas estreitas — Pike Lane, Quart Pot Lane, Doddridge Street —, e muito antes disso a residência real que governava a Mércia[14] e com ela a maior parte da grunhida Inglaterra Saxã. Não havia fantasmas ali; só jazidas fósseis de fantasmas, um empilhado sobre o outro e comprimidos até se tornarem carvão ou petróleo emotivo, negro e combustível.

Alma tentou imaginar toda a listagem de Peter's Way a Regent Square, de Andrew's Road a Sheep Street e a Santo Sepulcro, as costas petrificadas do javali ainda com as flechas das torres de apartamentos que o empalaram e derrubaram, ainda com as cerdas dos postes de iluminação e torresmos de suas cervejarias; tentou imaginar tudo no contexto da visão de Mick, como se a topografia desolada e a linha fraturada do horizonte ainda se conectassem a algo que zumbia, impalpável, algum maquinário lendário havia muito desaparecido, mas talvez ainda capaz de funcionar. Era incrível, e fez com que ela precisasse de um baseado. Os apologistas diziam que não era possível ficar viciado em haxixe das antigas, mas a opinião de Alma é que eles simplesmente não haviam tentado o bastante.

Saíram da Chalk Lane para Black Lion Hill, um milhão de anos de ladeira presidida por um pub de quatrocentos anos no cu de Marefair. Na boca da viela ficava outra revistaria, onde Alma, a partir dos sete anos, comprava revistas em quadrinhos por causa das figuras. Eram encalhes chamativos vindos de navio da América como lastro, com páginas que cheiravam a arranha-céus e letreiros eletrizantes: *Journey Into Mistery. Forbidden World* e *My Greatest Adventure*. Na travessa recapeada, havia uma pensão melancólica atrás de uma proteção de sabugueiros, com fotos sobreviventes de uma data ainda anterior mostrando uma estrutura com estilo de moinho coroada por uma lanterna em cúpula que anteriormente governava a esquina. Agora empoleirava-se ali uma pequena fileira de casas anódinas dos anos 1960, atrás do muro alto que dava para a rua principal, com os inquilinos seguindo ali até o dia em que a área foi gentrificada, como parte de uma "Milha Cultural" que especialistas do governo municipal haviam elaborado e tentado promover, antes de venderem na alta e caírem fora para lugares menos acusadores, sem todos os sonhos ruins subindo com o mofo astral das fundações. Alma tinha a vaga lembrança de que um vereador local havia ocupado um dos prédios por um tempo, mas, se ainda morava lá, não sabia. Virando a esquina para a direita, andaram até o farol e cruzaram a St. Andrew's Road, continuando a se aproximar da Estação Castle.

Ali era onde as viajantes do sexo estacionavam nos finais de semana, equipes visitantes de prostitutas recém-chegadas de Milton Keynes ou Rugby num expresso Silverlink para a famosa zona da luz vermelha dos Boroughs, os grandes lucros da parada noturna de caminhões na extremidade noroeste, onde a corcunda da ponte Spencer encontrava a Crane Hill no pé da Grafton Street, no limite da área ao norte. Vetores de aids ambulantes e seus empresários passavam rotineiramente pelo átrio da estação, pelo antigo castelo medieval onde começa *O Rei João*, de Shakespeare, onde supostamente fizeram o primeiro parlamento do mundo no século XIII e elevaram o imposto comunitário que causou o levante de Wat Tyler, em 1381, onde várias Cruzadas foram planejadas, onde Becket foi condenado, ali no final da rua castigada pela fuligem onde Mick e Alma haviam crescido, sua arcádia degradada. Enquanto desciam para os táxis fazendo a volta no pátio da estação, Alma refletia sobre a enormidade do que prometera fazer. Não precisaria apenas produzir aqueles quadros. Precisaria torná-los uma coisa muito foda.

‡

E foi isso o que ela fez. Catorze meses depois, em um sábado frio da primavera de 2006, Mick almoçou com a mulher e os meninos na casa deles em Whitehills, então desceu a Kingsthorpe até a Barrack Road, chegando aos Boroughs pela extremidade noroeste e à cratera que um dia havia sido a Regent Square. Tinha passado na prova de direção, mas ainda preferia ir a pé, partilhando da antipatia da família por veículos automotores. Nem a irmã nem os pais, nem todos os vários tios e tias, a não ser um, haviam possuído um carro, e Mick ainda se sentia incomodado nas raras ocasiões em que sua motorista designada, Cathy, não estava por perto, obrigando-o a ir para trás do volante.

Alma havia telefonado para ele semanas antes para dizer que tinha terminado as pinturas, começadas depois do encontro deles no Golden Lion no ano anterior. Planejava começar a exibição com uma pequena mostra que faria no infantário em que costumava funcionar a escola de dança Pitt-Draffen, em um dos cantos mutilados de Castle Hill. A irmã o convidou para ver as imagens que a visão dele havia inspirado, entre elas "Obra em Andamento", com seus carpinteiros da meia-noite, uma peça que ela particularmente queria que Mick visse, chamada "Corrente de Ofício", e outro trabalho que, segundo Alma, era "tridimensional" e poderia estar disponível para exposição apenas nesse evento de abertura.

Usando calças largas, mocassins e uma camisa esporte bege lisa debaixo de uma jaqueta que ele ainda não estava certo de que iria precisar, ele caminhava contra a brisa descendo a Grafton Street, um homem bonito e em boa forma de quarenta e nove anos que ainda mantinha um brilho de animação infantil em seus olhos azul-claros, que ao menos eram de uma cor normal, e não algo saído da *Aldeia dos Amaldiçoados*[15], como os de Alma. Ela, claro, rebateria dizendo que tinha conservado o cabelo, enquanto o dele fizera uma retirada digna em uma nuvem de fiapos dourados no alto de sua testa bronzeada, não muito diferente dos cachos escovados e solitários de quando era bebê. Se estivesse se sentindo estouvado ou com sorte, poderia dizer em resposta que tinha conservado todos os dentes, um ponto literalmente dolorido para Alma, afeita a laricas e atacada por periodontite, que provavelmente então olharia para ele, quieta com um ar ameaçador e ficaria nisso. Ele percebeu que ensaiar esses encontros com a irmã e conduzir em sua mente a troca de provocações que poderiam nunca acontecer era uma marca de insegurança, mas, considerando as experiências anteriores de Mick com Alma, era sempre melhor estar preparado.

O declive da Grafton Street era como uma enxurrada roncante de aço e borracha, com o fluxo de veículos inchado por uma chuva de bebedores da hora do almoço, passeios de compras do final de semana e sucedâneos ruidosos de falos, ameaçando transbordar suas margens. Uma sucuri laminada de pneu derretido que coleava pela calçada logo adiante de Mick testemunhava que uma ruptura como essa havia acontecido pouco tempo antes, provavelmente durante a noite recém-terminada de sexta. Se deslocando como se estivesse em uma corredeira de águas rápidas, sob o comando de algum boneco de testes da Netto Fabulous que exalava Burberry, acelerando pela correnteza dos canteiros em seu caiaque em ligação direta, lar de Jimmy's End do outro lado do rio a oeste, com a cabeça cheia de *Grand Theft Auto San Andreas* e tranquilizante de cavalo, pupilas contraídas, espremendo os olhos contra a espuma dos faróis dianteiros que se aproximam.

Descendo a ladeira ao vento, sob um céu panorâmico, Mick passou pelo edifício Sunlight, na ponta da rua, outrora uma lavanderia chinesa que soltava um vapor solitário, transformada em uma oficina de carros oleosa, ainda com a marca registrada solar do estabelecimento anterior levantada em relevo em sua fachada art-déco branca. Um pouco além, no mesmo lado, ficava a concha sombria da velha agência pública de empregos, onde Mick, Alma e a maioria de seus conhecidos tinham, em um momento ou outro, se incluído entre as procissões arrastadas para o abatedouro por suas culpas obscuras, fazendo fila para serem inspecionados por uma figura desalmada de dezenove anos com fraseado de pistola pneu-

mática. Mick ficou soturnamente satisfeito ao notar que o árbitro austero
do destino dos trabalhadores agora estava também desempregado, aquele
olhar indiferente de carcereiro substituído pelo pavor trêmulo e desorientado que vem com o envelhecer em uma vizinhança em declínio. Quando
é com eles, nunca gostam, pensou Mick, ao passar pela St. Andrew's Street
à sua esquerda e seguir ladeira abaixo em meio às rajadas de ar frio.

A St. Andrew's Street, agora retrocedendo atrás dele, antes levava à elevação onde ficava a igreja de St. Andrew, havia muito demolida, ela própria construída no local que o Priorado de St. Andrew ocupou centenas de
anos antes, e que era o motivo da grande preponderância de espíritos
de monges cluniacenses na lista de fantasmas reportados no distrito.
Em uma determinada época, lembrou Mick, quase toda a multidão de
bares daquele pouco mais de um quilômetro quadrado — quantos eram,
oitenta e tantos? — supostamente recebia aparições entoando cânticos
que buscavam absolvição nas salinhas privadas dos pubs, ou desenha-
vam caralhos cuidadosamente ilustrados com arabescos dourados nas
paredes dos banheiros. Mick se perguntava se os espectros haviam todos
ido embora em 1970 ou por aí, quando a última bituca de cigarro da
área foi varrida. Os residentes mortais dos Boroughs foram transferidos
para apartamentos em King's Heath, como aquele em que sua avó May
tinha morrido, ou para as fossas genéricas de Abington, como a Norman
Road, onde Clara, a avó por parte de mãe, batera as botas. As duas avós
morreram semanas após serem retiradas dos Boroughs, onde haviam
enterrado maridos, onde haviam enterrado filhos. O que impressionava
Mick era que evidentemente nunca tinha sido uma grande prioridade
realocar de modo adequado a escória dos Boroughs como ele e Alma e
a sua família, que, apesar de possivelmente maltrapilhos, pelo menos
estavam vivos. E é óbvio que ainda menos esforço havia sido feito para
realojar as aparições da região, que estavam todas mortas, horrivelmente
mortas, fazia anos. Fantasmas de bares demolidos agora estremeciam e
apertavam seus lençóis brilhantes debaixo das marquises das lojas do
centro de Northampton, como os outros despossuídos? Haveria abrigos
para os desencarnados, assim como para os sem-teto; programas para as
assombrações venderem revistas nas ruas, como *The Dead Issue*[16], talvez?

Foi na St. Andrew's Street que ele e Alma um dia conheceram um bar-
beiro, quarenta anos antes, com o nome improvável de Bill Badger. Eles
fingiam, apenas entre os dois, que era um dos amigos de Rupert Bear[17]

crescido, barbeado pelas próprias mãos para parecer mais humano, forçado pelas circunstâncias a arrumar um emprego de verdade. Seu salão fora um esquisitório, com as paredes apinhadas até o teto de produtos incompreensíveis e estranhamente atrativos, como Bay Rum e canetas hemostáticas que fechavam cortes e que, durante a infância, Mick acreditava ser algo prático de carregar consigo, para que ao menos tivesse a chance de colocar a cabeça de volta se fosse guilhotinado. Claro que a barbearia havia desaparecido agora, junto com a igreja, substituídas pelos mesmos prédios de apartamentos com os quais o distrito havia sido contínua e firmemente revestido desde 1921 ou por aí. No ano anterior, um jovem somali com distúrbios mentais ficou sob o cerco da polícia na St. Andrew's Street, ameaçando se matar, e mais recentemente um primo da amável e formidável mulher de Mick, Cathy, ela própria um rebento do notório clã Devlin, de muitas cabeças, colocou a St. Andrew's Street no noticiário outra vez ao estrangular a esposa. Ela estava "tirando-o do sério", segundo ele disse.

Era um lugar amaldiçoado. Na hora do almoço, inclusive, Mick tinha visto um outdoor do *Chronicle & Echo* local, noticiando mais uma prostituta estuprada e espancada na madrugada da noite anterior e deixada para morrer no início da Scarletwell Street, salva apenas pela intervenção de um residente, acontecimentos reportados todos os meses, embora acontecessem todas as semanas. Nada mais de bom acontecia agora nos Boroughs, mas a srta. Starmer, gerente do correio, fala de outros tempos, de uma mulher que morava na Grafton Street, em direção da Crane Hill, e um dia de manhã estava na soleira de casa quando uma desconhecida que passava jogou uma criança recém-nascida em seus braços e fugiu correndo para nunca mais ser vista. O bebê foi adotado e criado como se fosse filho pela mulher e lutou na Primeira Guerra Mundial. "Você vê que era uma família adorável e o criou", a srta. Starmer costumava dizer. "Mas estavam nos Boroughs. Era o tipo de família que tínhamos nos Boroughs naquela época". E era verdade. Mesmo confrontado com a realidade nua e crua de como a vizinhança havia terminado, um ambiente brutal onde o assombroso ato de altruísmo da mulher era hoje impensável, Mick sabia que havia sido verdade. Havia um tipo diferente de gente na época, que parecia uma outra raça, com costumes diferentes, uma linguagem diferente, e agora eram improváveis como centauros.

Ele virou à esquerda, da Grafton Street para a Lower Harding Street, uma longa reta que o levaria à exposição de Alma, no outro lado dos Boroughs, pela rota mais direta. Ali era onde vivia o amigo ativista de esquerda da irmã, Roman Thompson, outro camicase sanguinário dos anos sessenta como Alma. "Thompson, o Nivelador"[18] — como ela o chamava com afeto, provavelmente uma de suas referências sabichonas — morava com seu namorado elegante e mal-humorado ali na Lower Harding Street. Roman era um agitador desde a greve dos trabalhadores navais da UCS, quatro décadas antes, atravessara fileiras de policiais para socar um dos líderes em uma marcha do National Front[19] pela Brick Lane e uma vez se vingou terrivelmente de uma unidade de soldados bêbados que cometeu o erro de achar que aquele terrier encarquilhado não era uma ameaça para um grupo de homens militarmente treinados. Rome agora tinha sessenta e poucos anos, uns dez a mais que a irmã de Mick, porém ainda mordia a bunda de um opressor com a mesma ferocidade. No momento, estava no braço militante do grupo de ação direta local dos Boroughs, fazendo campanhas para evitar a venda e a demolição das últimas moradias populares da prefeitura que restavam. Alma contara ao irmão que havia consultado o velho amigo uma ou duas vezes enquanto trabalhava no conjunto atual de pinturas, então Mick não ficaria surpreso se Thompson e seu companheiro aparecessem na exposição.

Acima de uma rua estreita, o pátio de uma concessionária de automóveis havia substituído o terreno baldio no qual ele e Alma se divertiam quando crianças, escarafunchando excitados "Os Tijolos", como chamavam o parque temático apocalíptico improvisado, escalando os espaços em que homens e mulheres um dia tiveram suas brigas, sexo e filhos. Mais além, havia um prédio comercial que antes havia sido da Cleaver Glass, a empresa de interesse nacional na qual o seu bisavô maluco, Snowy Vernall, recusou um trabalho de codiretor ainda nos primórdios da companhia, desdenhando uma vida milionária sem nenhuma razão que alguém pudesse entender e retornando para as acomodações precárias da família no fim da Green Street, onde algumas décadas depois terminaria os dias alucinando, sentado entre espelhos paralelos em uma viela interminável de reflexos, comendo flores.

Além da extremidade sul da fábrica, a Spring Lane descia para a Andrew's Road, passando por trás da Escola Spring Lane e da casa inalterada do zelador, atravessando o pátio da fábrica perto do fim da rua, onde erguia-se um espigão de tijolos precário e desconcertante que tinha apenas um barracão um pouco maior que a torre em si equilibrado no topo, a estrutura toda apoiada por escoras grossas de madeira. Aquilo fez Mick pensar sobre suas lembranças desencavadas do ano anterior e a abertura inútil no alto da igreja Doddridge, assuntos envolvidos numa sussurrante incerteza, então dirigiu a atenção para a escola na encosta do morro, cujo lado de cima cercado agora passava lentamente à sua direita.

Era uma visão triste, mas não tinha a morbidez despertada por aquele mastro inexplicável de tijolos. Afinal, Alma e ele foram alunos ali, assim como sua mãe, Doreen, antes deles. Tinham amado aquele amontoado de tijolos vermelhos que de algum modo aguentara a responsabilidade de educar várias gerações naquela província certamente pouco gratificante, ficaram todos chateados quando o estabelecimento original foi enfim demolido e substituído por um pré-fabricado. Mas a escola ainda era boa, ainda tinha algumas das qualidades de que Mick se recordava de quando era criança. Os dois filhos de Mick e Cathy, Jack e Joseph, tinham frequentado o primário na Spring Lane e gostado, mas ele sentia falta dos telhados inclinados de ardósia, das janelas redondas observando tudo como olhos sob um cume de ângulo fechado, das cancelas lisas cinza-chumbo fora dos portões com mourões de pedra.

Lá embaixo, no pé do morro, além da escola e de suas áreas de lazer, estendia-se a faixa de grama da Andrew's Road, onde fora a casa de Mick e Alma. Uma faixa espantosamente estreita, mal alcançando a largura de um acostamento, onde, por uma estimativa, mais de cento e trinta pessoas existiram, entre Spring Lane e Scarletwell Street. Agora só havia grama, sob a qual era possível encontrar os restos de tijolos do jardim de alguém e as poucas árvores que ficavam na localização aproximada do seu antigo lar. O tamanho e o vigor delas sempre surpreendiam Mick, mas, afinal, pensando bem, estavam crescendo ali há mais de trinta anos.

Curiosamente, na direção sudoeste do terreno malcuidado, duas casas do quarteirão dos Warren ainda seguiam intactas, transformadas em uma só, de frente para a Scarletwell Street, sozinha com tudo em torno de si derrubado, transportada oitocentos anos de volta para o pasto verde monótono do Priorado. Mick achava que aquelas moradias podiam ter sido construídas depois de todas as outras na rua, possivelmente onde antes era um velho quintal, propriedade de alguém que resistiu quando todas as outras propriedades ao redor foram vendidas e esvaziadas e então demolidas. Tinha ouvido dizer que a anômala casa sobrevivente havia sido usada uma época como abrigo, possivelmente por pessoas aos cuidados da comunidade, mas não sabia se era verdade. A estrutura solitária que ainda se assomava do trecho coberto de grama onde ele tinha nascido sempre lhe parecia misteriosa por algum motivo, mas, desde a experiência que teve, aquele desconforto nebuloso ganhou uma nova dimensão. Agora, descobriu que o local o fazia lembrar da inútil porta aérea da igreja Doddridge, ou do inacreditável aglomerado de tijolos que se erguia da fábrica na Spring Lane; coisas de um passado enterrado que cutucam inconvenientemente o presente, casas de transição[20] com seus portais que davam em lugar nenhum, que levavam apenas a um sugestivo nada.

A Lower Harding Street havia se tornado Crispin Street logo após a junção com a Spring Lane. Acima e à esquerda, erguiam-se dois monólitos pesados, como que criados à forma dos gêmeos Kray[21]: Beaumont Court e Claremont Court, lápides cobertas de cocô de passarinho e veiadas de cal se decompondo lentamente sobre a comunidade que havia sido desalojada para que eles fossem construídos. Impressionável, o povo dos Boroughs, que logo seria dispersado dali, tinha soltado ohs e ahs iludindo-se que aqueles doze andares empilhados eram uma mostra da vitalidade da era espacial, sem verem os espigões pelo que eram: dois sarcófagos em pé e cheirando a mijo que tomariam o lugar das brincadeiras no quintal e idílios de verão nos degraus dos inquilinos e colocariam no lugar arranjos mais verticais, isolamento de ar e tensões que subiam a cada número aceso no elevador após o recolhimento obrigatório, um olhar de suicida do que havia sido feito ao território em torno deles e que era inescapável.

No que poderia ter sido entendido como um momento fugaz de lucidez, há dois ou três anos a cidade lamentou tardiamente a mísera insensibilidade bate-proleta das construções e propôs sua demolição, o que fez o coração de Mick disparar, ainda que brevemente, com o pensamento de que ele e Alma pudessem sobreviver aos monstros bloqueadores de brisa que destruíram o território de seu lar em bocas de crack, puteiros e uma poeira desesperadora que se assentava por toda parte sobre os sentimentos das pessoas. Seu insensato otimismo não teve chance de durar muito: elementos do governo municipal decidiram pela opção de entregar a dupla monstruosidade para uma companhia privada de habitação por valores que Mick ouviu somarem um centavo cada um. Roman Thompson, o amigo ativista da sua irmã, tinha feito insinuações sombrias sobre os negócios e sobre os antigos membros do conselho da companhia de habitação, mas Mick não ficou sabendo de mais nada sobre aquilo por um tempo e imaginou que não tinha dado em nada. A Bedford Housing tinha reformado os dois prédios comprados por uma barganha, e agora estava à espera de um prometido fluxo de trabalhadores essenciais, policiais e enfermeiras e tais, a serem importados para a cidade e se apossar do local. Com uma população infeliz e preocupada por não ter um lugar minimamente tolerável para viver, a solução preferida parecia não ser gastar dinheiro em melhorar suas condições, e sim contratar mais policiais para o caso de as coisas ficarem feias, acomodando esses mirmidões em propriedades das quais as hordas humanas inquietas e insatisfeitas já tinham sido afortunadamente purgadas.

Para além das atrocidades com novas designações e movidas a Viagra dos dois gigantes, Mick percebeu o que soava como um grito seguido por uma batida de porta vindo por entre as residências com proporções mais humanas espalhadas entre eles e o rugido constante da Mayorhold mais atrás. Era um som distorcido pela distância e pela acústica morta da fachada de concreto dos dois grandes prédios. Correndo, na verdade, cambaleando sobre a grama desbotada em torno dos edifícios altos, veio uma figura desajeitada, tomada pelo pânico, que parecia aos olhos ligeiramente espremidos de Mick um adolescente por volta dos dezenove anos, cabelos castanhos e pele clara, poucos anos mais velho que o seu primogênito. O rapaz agitado estava descalço, com uma calça jeans que parecia tentar fundir virilha e tornozelos e uma camiseta da FCUK grande demais, provavelmente emprestada, vestia o garoto como um camisolão eduardiano. Ofegante, ele gemia sem parar um som de negação horrorizada que saía como um "nnung" e lançava olhares desvairados para trás enquanto corria.

Se aquela bola de feno desgovernada e murmurante tinha visto Mick e ido na direção dele ou se as suas diferentes trajetórias haviam simplesmente convergido, ele não saberia dizer depois. A fuga do jovem de qual fosse o terror que o perseguia terminou em uma parada resfolegada poucos metros na frente de Mick, compelindo-o a parar de repente por sua vez e prestar atenção naquela chegada súbita, porém inescrutável.

O rapaz assustado ficou de pé enquanto tentava tomar fôlego e gemer simultaneamente, sem conseguir fazer nenhuma das duas coisas direito. Mick sentiu-se obrigado a dizer alguma coisa.

— Você está bem, cara?

Olhando assustado para Mick como se não tivesse percebido que havia alguém ali até ouvir uma voz, o rosto do rapaz era como um acumulador de fisionomias, tentando usar todas as expressões ao mesmo tempo. A pele branca descorada nas bordas dos olhos e dos lábios se retorcia e convulsionava em uma sucessão de tentativas de expressão emocional — vergonha, assombro, dissociação —, todas sem convicção, cada uma delas imediatamente abandonada conforme o trêmulo indivíduo vasculhava freneticamente seu repertório de reações. Algum tipo de droga, decidiu Mick, e mais provável algo sintetizado na última terça-feira, em vez da gama limitada de substâncias com a qual tinha vaga familiaridade, mais por causa de Alma, que viajava loucamente nos anos de escola. Mas não era ácido, porque este fazia as pessoas queimarem todo o suor que exalavam em um brilho incandescente de pavão, nem havia ali o sorriso de sabedoria dos cogumelos mágicos. Era algo diferente. Ventos aleatórios acariciavam a grama indiferente, canalizados pelos blocos de prédios defletores até que estivessem exaustos, desnorteados, desaparecendo em turbilhões frustrados, virando-se contra eles mesmos. A voz do garoto, quando apareceu, era um gemido agudo de que Mick parecia se recordar de algum lugar, assim como havia começado a detectar uma sombra irritante de familiaridade nos traços cor de massa crua com um salpicado de canela no nariz.

— Tô. Não tô. Porra. Ah, merda, eu tava no pub. O pub ainda tá lá em cima. Eu tava nele. Ainda tá lá, e eles ainda tão lá. Meu amigo ainda tá lá. É onde passei a noite toda, no pub. Eles não deixavam a gente ir embora. Porra. Porra, cara, ajuda a gente. Era um pub. Era um pub, ainda tá lá em cima. Eu tava lá no pub.

Tudo isso foi dito com urgência, com os olhos arregalados, aparentemente ignorando os tiques e as repetições obsessivas, a falta evidente de racionalidade. Mick se viu sem nada que pudesse ler na linguagem corporal fraturada agora perturbadoramente familiar do jovem, ou na sua conversa balbuciada. Do outro lado da rua, uma mulher com aparência de gnomo usando lenço na cabeça andava diante das casas de dois andares da Upper Cross Street com as alças de suas sacolas de compras de plástico cortando a circulação dos dedos. Ela olhou para Mick e sua companhia não solicitada com uma desaprovação fulminante que não precisava ser comunicada, fazendo-o desejar que houvesse alguma sinalização conveniente para expressar que tinha sido apenas abordado por aquele desvairado no meio da rua. Além de apontar para a têmpora e para o rapaz de cabelo acastanhado, não conseguia pensar em nada, então desviou seu olhar da velha senhora de volta para o assediador incompreensível de olhos suplicantes. Mick tentou puxar um fio de sentido dos destroços do discurso inicial do jovem.

— Espera aí, cara, você me deixou confuso. Foi por ter passado do horário de fechamento, então, que te prenderam nesse pub a noite inteira? Aliás, qual foi? É por aqui?

O garoto, que não tinha mais de dezoito anos, pela estimativa de Mick, olhou suplicantemente de trás da vidraça de seu próprio fracasso em se comunicar. Acenou com um braço magro e a manga solta e larga na direção da Mayorhold, atrás deles. Não existiam pubs na Mayorhold havia algumas décadas.

— Ali. Lá em cima do telhado. Quer dizer, o pub. O telhado é um pub. O pub ainda tá lá em cima, no telhado. Tá todo mundo lá ainda. Meu amigo ainda tá lá. Foi onde passei a noite toda. Não deixavam a gente ir embora. Ah, merda, eu subi no pub, o pub em cima do telhado. Ah, merda, o que aconteceu? Alguma coisa aconteceu.

Mick ficou perplexo, e já sentia um arrepio na nuca, mas fez um esforço para não demonstrar. Não fazia sentido ficar assustado quando tentava acalmar uma pessoa, embora aquela parte sobre o telhado o tivesse afetado. Era muito parecida com o que havia descrito em suas memórias recuperadas para Alma como as "aventuras no teto". Obviamente, só podia ser uma casualidade, uma escolha de palavras maluca que por algum feliz acaso se relacionava de modo agourento com sua própria experiência de infância, mas, combinada com a sensação persistente de que já tinha encontrado aquele rapaz antes em algum lugar, o incomodava. Claro que isso também lhe conferia algo em comum, ao menos em termos imaginários, com o jovem, uma maneira de reagir de modo compassivo à algaravia desamparada do pobre rapaz.

— Em cima do telhado? É, já me aconteceu. Que nem quando tem pessoas nos cantos, tentando puxar você para cima?

O jovem parecia abismado, com os olhos de borda rosada arregalados e a boca aberta. Todo o pânico e a confusão se esvaíram dele, substituídos por algo que era quase reverência incrédula enquanto olhava, transfixado, para Mick.

— É. Nos cantos. Estavam se esticando para baixo.

Mick assentiu, fuçando na jaqueta em busca do maço novinho de cigarros comprado no caminho meia hora antes, na Barrack Road. Tirou a fitinha de celofane que segurava o embrulho plástico do maço no lugar, arrancou o topo da embalagem e o papel-alumínio que escondia as fileiras bem prensadas abaixo, amassou a embalagem transparente de plástico junto ao pedaço de papel prateado e os enfiou sem cuidado no bolso da calça. Pegando um cigarro para si, apontou o maço com a parte de cima aberta em oferecimento ao adolescente grato e acendeu os cigarros de ambos usando o Zippo maltratado de chama balbuciante. Enquanto ambos sopravam monstros-de-Gila translúcidos que se retorciam, feitos do vapor azul-acastanhado, para o ar dos Boroughs, o rapaz relaxou um pouco, permitindo que Mick recomeçasse seu discurso motivacional.

— Não deixa isso te afetar, cara. Eu já estive no seu lugar, então sei como é. Você não quer acreditar que aconteceu e acha que está ficando louco, mas não está, não, cara. Você está bem. É só que, quando você volta de uma dessas, leva um tempo para tudo parecer real e sólido como era. Não esquenta. Tudo volta. Então relaxa, dá uma pensada em tudo isso, e aos poucos tudo vai se encaixando. Pode levar um mês ou dois, mas tudo vai melhorar. Toma aí.

Mick puxou um punhado de cigarros do maço, cerca de meia dúzia, e os entregou para a vítima descalça dos psicotrópicos.

— Se eu fosse você, cara, ia encontrar um lugar tranquilo para sentar, organizar a cabeça, algum lugar ao ar livre sem os tetos, os cantos e tudo mais. Vou te falar, lá do outro lado da Scarletwell Street tem um gramadinho legal com árvores para fazer sombra. Devem estar florescendo nessa época. Vai lá, cara, vai te fazer bem.

Incrédulo de gratidão, o jovem olhou com adoração para Mick, como se estivesse diante de uma criatura mítica que jamais tinha visto antes, uma esfinge ou Pégaso.

— Obrigado, cara. Obrigado. Obrigado. Você é gente boa. Você é gente boa. Vou fazer isso que você disse. Vou fazer. Você é gente boa. Obrigado.

Ele se virou e saiu trôpego e descalço em meio à sujeira e os estilhaços de lanternas automotivas na esquina da Scarletwell Street, onde se juntava à Crispin Street e à Upper Cross Street, como a primeira era tecnicamente chamada àquela altura. Mick o observou enquanto ia embora, medindo com cuidado os passos sobre o pavimento grosseiro ao lado da cerca sem correntes da Escola Spring Lane, como um flamingo depois de uma concussão, enfiando os cigarros doados em um bolso mal posicionado na calça de cintura baixa. Quando começou a descer o morro na direção do local silencioso recomendado por Mick, parou na altura dos portões da escola e olhou para trás. Mick ficou surpreso ao ver que parecia haver lágrimas descendo pelo rosto do jovem. Ele olhou com gratidão na direção de Mick e com alguma dificuldade contorceu o rosto em uma espécie de sorriso. Ele encolheu os ombros, em um gesto de desamparo.

— Eu só subi lá no pub.

Resignado, continuou se afastando de Mick e logo estava fora das vistas. Mick sacudiu a cabeça. Não tinha entendido porra nenhuma daquilo. Ao recomeçar sua própria caminhada pela Upper Cross Street, dando profundas tragadas no cigarro de tempos em tempos, ele se deu conta de que se sentia de certo modo estranhamente insuflado pelo encontro lunático. Não apenas pelo brilho tépido de ter dado uma ajuda modesta a alguém em necessidade, mas pelo conforto difícil de explicar que o garoto louco havia proporcionado. Um autêntico maluco dos Boroughs, exatamente como os que tinha conhecido quando criança, quando os insanos eram muito mais fáceis de ser identificados e alguém que andava por uma rua vazia na sua direção gritando raivosamente para os ares sem dúvida tinha psicose paranoide, em vez de fones Bluetooth. Mick só queria poder se lembrar de onde havia visto aquele rapaz antes.

A parte sobre estar no telhado deixou Mick um pouco abalado, mas só podia ser coincidência, ou "sincronicidade" — como Alma havia tentado explicar a ele quando estava com seus vinte anos e ainda sentia atração pelo Arthur Koestler, muito antes de descobrir que ele era um estuprador bipolar que batia na mulher, o que enfim a tinha feito calar a boca. Pelo que Mick conseguia entender do conceito, era algo que definia coincidências como acontecimentos que tinham alguma similaridade ou pareciam ser conectados, mas não eram interligados de um modo racional, com uma relação causal, por exemplo. As pessoas que inventaram o termo sincronicidade achavam que deveria existir algum tipo de vínculo entre essas ocorrências intrigantes, algo que não conseguimos ver ou entender a partir de nossa perspectiva, mas que é óbvio e lógico de sua própria maneira. Mick tinha na mente a imagem de carpas koi olhando para cima do fundo do reservatório e vendo um monte de dedos humanos que se agitavam mergulhados no teto de seu universo. Os peixes achariam que eram várias minhocas, incomumente carnudas, não teriam como pensar que essas larvas eram todas parte de uma mesma entidade inimaginável. Ele não sabia como isso se relacionava com o encontro com o rapaz descalço, ou com as coincidências de modo geral, mas lhe parecia apropriado, ainda que de um modo confuso. Dando um último trago no cigarro, jogou a bituca acesa no chão à sua frente, fazendo um arco como lixo espacial queimando após a reentrada, então extinguiu a brasa caída debaixo da sola do sapato, sem parar de andar. Ainda pensando sobre coincidências e carpas, ergueu os olhos e teve um sobressalto ao perceber que estava na Bath Street.

Ele estava errado. Estava muito errado ao achar que tinha superado o sonho perturbador, sua visita ao teto. Estava errado ao dizer ao adolescente assustado que tudo ficaria melhor, porque na verdade não ficaria. Apenas esvaneceria em um acorde profundo, um zumbido de órgão de pedal por trás do barulho normal da vida, uma coisa da qual se esqueceu e achou que tinha deixado de lado para sempre, mas ainda estava ali. Ainda estava ali.

Olhou para os prédios do outro lado da Bath Street , a frente e não os fundos que tinha visto no escuro um ano antes com Alma. Desde aquela noite, não sentiu mais vontade de se aventurar pelos Boroughs e percebeu que deveria ser a primeira vez que era confrontado com o lado ruim da visão desde que cegou a si mesmo, nocauteou a si mesmo e se lembrou, tantos meses atrás. O impacto nauseante que sentiu, cinco dedos fechados acertando suas tripas e tirando todo o ar de dentro dele, era muito pior do que esperava. Pesadamente, como se caminhasse para o cadafalso, Michael Warren atravessou a rua.

Claro que não precisava pegar o atalho por entre os apartamentos até a avenida central larga com gramados de ambos os lados, dando nas escadas largas ladeadas com muros de tijolos que deixariam Mick praticamente na porta do local da exposição da irmã. Podia virar à direita e descer para a Little Cross Street, que o conduziria pela extremidade inferior das detestadas unidades habitacionais até Castle Street, contornando assim a coisa toda, mas isso só provaria o argumento de Alma de que ela sempre tinha sido mais homem do que ele, o que seria insuportável. Além do mais, aquilo era tudo bobagem, e Mick nem tinha certeza de que todas aquelas coisas de que havia se lembrado realmente eram o que tinha acontecido quando ficou sufocado daquela vez, ou se era tudo um sonho que ele sonhou que sonhou, um fluxo espasmódico de imagens que surgiu apenas quando jazia ali no asfalto do pátio de recondicionamento com bolas de fogo nos olhos. Até Joseph, o filho caçula de Mick, tinha parado fazia muito tempo de deixar pesadelos influenciarem a vida na vigília, tinha aprendido que os dois domínios eram separados, que as coisas da noite não conseguiam pegar você em plena luz do dia, quando seus olhos não estavam fechados, e Joe havia acabado de fazer doze anos. Tentando adotar um ar de indiferença, Mick passou pelo vão central na cerca baixa e entrou na passagem espaçosa, indo para os degraus apenas uns vinte metros adiante, só vinte passadas. O que era aquilo, aliás? Puta que pariu, era só um prédio de apartamentos, em diversos sentidos bem mais agradável do que outros pelos quais havia passado naquele dia.

Tinha dado um ou dois passos quando o fedor horrendo de lixo queimando o levou a fazer uma careta e virar a cabeça para cima, observando as chaminés de terracota ao redor em busca de uma fonte, sem encontrar. Alma uma vez tinha dito que sentir cheiro de queimado era um sintoma demonstrado pelos esquizofrênicos, acrescentando que "por outro lado eles provavelmente vivem tacando fogo nas coisas, então é bem possível que seja difícil afirmar com certeza". Estranhamente, ele se pegou preferindo a ideia de esquizofrenia e suas alucinações olfativas do que a alternativa pior que passou por sua mente. Como ele se recordava de Alma ter observado durante o encontro dos dois no ano anterior, ter enlouquecido não era a maior causa de preocupação, mas sim a possibilidade alarmante de não ter. Apertando as narinas contra o fedor cadavérico e penetrante, ele seguiu na direção das escadas, que, quando chegou mais perto, percebeu terem sido trocadas nos últimos anos por uma rampa mais apropriada para cadeiras de rodas.

Um coágulo de negrume no caminho de cascalho diante dele se fragmentou em manchas escuras que zumbiam prefigurando uma enxaqueca, uma merda ocre brevemente revelada com uma pegada bem no meio transformando sua superfície em cume e depressão, antes que a nuvem de moscas se reagrupasse e reassentasse. Ir por aquele caminho tinha sido um erro. As extremidades verdes de ambos os lados eram limitadas em suas orlas distantes por longos muros que corriam em paralelo ao caminho central e suas faixas de grama nas margens. Os muros, construídos com o mesmo tijolo vermelho escuro mosqueado que o restante das instalações, eram suavizados por janelas de meia-lua em falso estilo Bauhaus que permitiam uma visão interrompida dos vastos trechos vazios de concreto em desnível, dos jardins amuados e sem pássaros dos apartamentos mais adiante. Quando ouviu falar do Limbo pela primeira vez, visualizou aqueles pátios, um lugar lúgubre onde os mortos poderiam passar a eternidade sentados em uma escadaria de degraus de granito debaixo de um céu branco monótono. Os semicírculos das janelas haviam sido adornados pouco tempo antes com leques de raios de ferro que os faziam parecer olhos de desenho animado, os trilhos negros formando raios sobre uma íris de espaço negativo. Vistos em pares, pareciam com a metade superior dos rostos da Ilha de Páscoa enterrados até as orelhas no solo, mas ainda vivos com olhares suplicantes, sufocantes. Árvores jovens nas beiradas, adições mais contemporâneas, jogavam a sombra negra brilhante sobre as máscaras asfixiantes, líquidas e com aparência de aranha, gotas de tinta sopradas pelo canudinho de uma criança para formar padrões de rímel derretido.

Apesar da velocidade com que a nuvem de depressão sufocante descia sobre ele, Mick não estava consciente de sua chegada, e ficou convencido de que aquilo que se encrespava feito fumaça tóxica em sua mente sempre tinha sido seu ponto de vista, que seu otimismo costumeiro não era nada além de uma fraude, um tecido fino atrás do qual se escondia do que sabia ser a verdade inevitável. Não havia razão. Não havia e nunca tinha havido razão para todo aquele sofrimento, trabalho duro e humilhação, para estar vivo. Quando o coração falhava ou o cérebro morria, na verdade ele sempre soube em seu âmago que apenas paramos de pensar. Todos sabiam disso no segredo de seus corações naufragantes, não importa o que possam dizer. Nós todos paramos de ser quem éramos, apenas desligamos, e não havia nenhum lugar para o qual éramos transportados depois disso, nem Céu, nem Inferno, nem reencarnação como uma pessoa melhor. Havia apenas o nada depois da morte, e nada mais que o nada, e para todas as pessoas o

universo desapareceria no momento do suspiro final, como se elas e
o universo jamais tivessem estado lá. Ele não sentia de verdade o afeto
e a presença dos pais ainda por perto, apenas enganava a si mesmo de
vez em quando a esse respeito. Tom e Doreen haviam partido, o pai de
um ataque cardíaco, e a mãe, de um câncer na bexiga que deve ter sido
muito doloroso. Ele não iria voltar a vê-los algum dia.

Àquela altura, Mick havia chegado na parte de baixo da rampa, e
o odor de incinerador agora estava por toda parte. Ele tentou erguer
alguma resistência à consciência irrefutável que caía sobre si, tentou
reunir os argumentos que sabia que tinha usado em algum momento
contra aquela escuridão desesperançada. Amor. Seu amor por Cathy e
os meninos. Aquele era um de seus mantras de proteção, com certeza,
mas o amor apenas tornava as coisas mais cruéis, potencializava ainda
mais a perda. Um parceiro morre antes e o outro passa seus anos finais
sozinho e arrasado. Você ama os filhos e os vê crescer até se tornarem
algo maravilhoso e então precisa deixá-los e não vai encontrá-los de
novo. E tudo tão depressa, por volta de setenta anos, e ele já com quase
cinquenta. Restavam vinte anos, supondo que tivesse sorte, menos da
metade do que já havia vivido, e Mick teve certeza de que essas décadas
finais passariam diante dos seus olhos com sinistra rapidez.

Todo mundo foi embora. Tudo desapareceu. Pessoas e lugares, transformados em sombras do que haviam sido e então colocados para dormir, assim como aconteceu com os Boroughs. Seja como for, sempre
havia sido um distrito patético, aliás, até no nome. Boroughs[22]. Um
lugar com uma palavra no plural para descrevê-lo. Que porra era aquela?
Ninguém nem sabia por que era chamado assim, e alguns inclusive suge-
riam a grafia "Burrows"[23], pelo emaranhado de caminhos visto do alto
e o fato de seus habitantes procriarem feito coelhos. Que bela merda.
Pessoas como seus avós poderiam fazer seis ou sete filhos, mas só para
terem alguns que chegassem à vida adulta. Era sempre mau sinal quando
os bem de vida faziam comparações entre as desagradáveis populações
dos guetos e as de um ou outro animal, principalmente aquelas espécies
que precisamos, com relutância, exterminar de tempos em tempos. Por
que essa gente não guarda suas desculpas esfarrapadas para si mesmas?

Mick sentiu que não estava mais pensando na morte no mesmo
momento em que percebeu ter chegado ao topo da rampa e que
entrava na Castle Street. Ele parou, atônito com o clique súbito den-

tro dele, e olhou de novo para Bath Street, mirando o caminho iluminado pelo sol entre os dois blocos de apartamentos que tinha acabado
de percorrer. Os gramados estavam verdejantes e convidativos, e as
árvores jovens sibilavam e sussurravam sob a brisa. Mick ficou pasmo,
olhando para lá.

Inferno do caralho.

Piscando os olhos descontroladamente, como se para afastar o sono,
Mick virou as costas para os apartamentos e desceu a Castle Street na
direção da base de Castle Hill, o retângulo de grama ali na esquina,
bem menor do que naqueles tempos quando Mick era criança, quando
aquele homem e aquela mulher uma vez tentaram arrastar a sua irmã
para dentro de seu carro preto. Alma tinha então sete anos, e eles a
soltaram apenas quando ela gritou. Mick esperava que as pinturas dela
fossem boas o suficiente para cumprirem sua intenção, porque o que
havia acabado de acontecer com ele era uma demonstração da força
que tentava engolir tudo o que importava para eles. Fora sua irmã com
aquela sua contraestratégia duvidosa, Mick não conseguia pensar em
ninguém que tivesse um plano.

Contornando a curva de Castle Hill para a Fitzroy Street, ele viu que
a pequena exposição já estava bombando. Alma, com um grande suéter
de lã angorá turquesa, se apoiava no batente de madeira da porta aberta
da creche, olhando ansiosa para ver se o irmão iria realmente aparecer.
Ela sorriu ao vê-lo e começou a acenar como um boneco de algum programa de TV para crianças. De pé ao lado de Alma estava um boneco
de palito grisalho que Mick reconheceu como Roman Thompson e, ao
lado dele, um sujeito um sujeito de aspecto felino e aparência pouco
respeitável de trinta e poucos anos com um colete cor de creme e uma
lata de cerveja aberta, evidentemente Dean, o namorado de Roman.
Sentado no degrau ao lado da irmã de Mick estava Benedict Perrit, o
poeta itinerante com sorriso ébrio e olhos trágicos que tinha estudado
na mesma sala de Alma em Spring Lane, dois anos à frente de Mick.
Havia alguns outros que ele conhecia, também. Ele achava que o rapaz
negro bonito com cabelo grisalho era provavelmente Dave Daniels, o
velho amigo de Alma com quem ela dividia o entusiasmo de velha data
por ficção científica. Viu o coconspirador durão e bronzeado dos anos
1960 Bert Reagan ao lado de uma velha que parecia idosa, mas ainda
firme, que Mick achou que podia ser a mãe de Bert, ou talvez uma tia.

Havia duas outras mulheres mais ou menos da mesma idade, embora essas fossem velhas gárgulas genuínas, relegadas à margem do grupo, muito provavelmente amigas da velha senhora ao lado de Bert Reagan ali. Ele levantou a mão para todos e sorriu, devolvendo o cumprimento de Alma ao caminhar para a entrada da exposição. Ah, irmã, pensou Mick. Ah, Warry.

Era melhor que aquilo fosse muito mais que bom.

OS BOROUGHS

Ele [Ludwig Wittgenstein] uma vez me cumprimentou com a seguinte pergunta: "Por que as pessoas dizem que era natural pensar que o Sol girava em torno da Terra e não a Terra sobre seu eixo?". Eu respondi: "Imagino que seja porque parecia que o Sol dava a volta na Terra". "Bem", ele perguntou, "e como *pareceria* se parecesse que a Terra girava sobre seu eixo?"

Elizabeth Anscombe
Uma introdução ao Tractatus *de Wittgenstein*

UMA HOSTE
DE ÂNGULOS

Era a manhã de 7 de outubro de 1865. A chuva e sua luminosidade produziam uma sensação desagradável contra a janela desalinhada do sótão quando Ern Vernall acordou para seu último dia de sanidade.

Lá embaixo, o bebê mais novo chorava, e ele ouvia a mulher, Anne, já de pé e gritando com John, o menino de dois anos. Os cobertores e o travesseiro, ambos herdados dos falecidos pais de Anne, eram um emaranhado malcheiroso com o pé de Ernest enroscado em um buraco no lençol de cima. Os lençóis cheiravam a suor, gozo infrequente, peidos — o cheiro dele e de sua vida nas moradias precárias de Lambeth — e o odor pairava ao seu redor como uma música resignada e deprimente enquanto ele tirava remela dos olhos semiabertos, já se preparando para receber o peso do mundo.

Sentindo uma pontada debaixo do lado esquerdo do peito, a qual ele torcia para ser efeito da digestão, sentou-se e colocou os dois pés expostos sobre o tapete caseiro ao lado da cama de armar, após tirar um deles dos lençóis esfarrapados. Por apenas um momento, Ern se deleitou com os tufos de lã entre os dedos, então ficou de pé, com um gemido de protesto da cabeceira. Sonolento, ele se virou para enfrentar a bagunça do cobertor militar cinza e a colcha que havia escorregado, sob os quais estava roncando até pouco tempo antes, e então ajoelhou-se sobre o tapete de retalhos como quem rezava, do mesmo modo que fazia quando era uma criança de sete anos, mais de um quarto de século antes.

Estendeu as duas mãos para dentro da escuridão debaixo da cama e com cuidado puxou um urinol torto, colocando-o diante de si como a tigela de um mendigo. Procurou seu velho amigo com a mão na abertura das ceroulas de flanela cinza que pinicava a pele, olhando monotonamente para o siena e laranja-sangue já fermentando em seu penico de cerâmica lascado, e fez um esforço para se recordar se havia tido algum sonho. Ao soltar um jato de mijo rígido no receptáculo meio cheio, imaginou se lembrar de algo sobre trabalhar como ator, à espreita nos bastidores de um melodrama ou algum tipo de história de fantasma. O drama, agora se recordava, era sobre uma capela assombrada, e o vigarista que interpretava precisava se esconder atrás de um daqueles quadros com os olhos recortados, frequentes nesse tipo de montagem teatral. Só que não estava espionando, e sim falando através da pintura com uma falsa voz assustadora, para apavorar o camarada do outro lado, para quem olhava, e fazer com que achasse que era uma pintura mágica. O homem em quem pregava a peça no sonho tinha ficado tão incomodado que Ern acabou rindo enquanto mijava, ajoelhado ao lado da cama.

Agora, pensando melhor, não tinha certeza de que era com uma apresentação de teatro que havia sonhado ou se era a lembrança real de uma peça que pregara em um homem real. Ainda tinha a sensação de ter estado atrás do cenário de uma pantomima, interpretando falas como membro de um tipo de companhia de repertório, mas agora não achava que a vítima da pegadinha também fosse um ator. Um aposentado velho de cabelos brancos, mas com rosto de aparência ainda jovem, parecia tão genuinamente apavorado com a tosca pintura encantada que Ern tinha sentido pena dele e sussurrado um aparte de trás da tela, dizendo ao pobre-diabo que entendia sua situação e que sabia que seria muito difícil para ele. Ern então seguiu recitando as falas de uma peça que aparentemente havia decorado, coisas horripilantes que não tinha de fato entendido e que agora não era capaz de se recordar, exceto a parte que, ao que parecia, era sobre relâmpagos, e havia outro trecho sobre cifras e maçonaria. Ele tinha acordado nesse ponto, ou não conseguia agora se lembrar do fim da história. Não que apostasse tanto nos sonhos como outros faziam, como seu pai John, mas com frequência proporcionavam um entretenimento maravilhoso e gratuito, e não havia muitas outras coisas sobre as quais pudesse dizer o mesmo.

Chacoalhando as últimas gotas da ponta, ele olhou para baixo, surpreso com a grande massa de vapor que saía sobre o penico, informando com atraso como era gelado o sótão em outubro.

Empurrando o vasilhame agora aquecido para baixo do estrado da cama, ficou de pé e atravessou o porão em meio a estalos até o lavatório, uma relíquia de família que ficava junto à parede oposta à janela. Curvando-se por causa da queda brusca de espaço para a cabeça no canto do desvão, Ern derrubou um pouco da água do jarro da mãe, com a figura de uma leiteira, na bacia de esmalte de bordas enferrujadas, jogando-a com a mão em concha no rosto, franzindo os lábios e soprando como um cavalo ao sentir a adstringência. Esse breve enxágue transformou suas costeletas de arbustos áridos e incandescentes em frondes de cachos recém-lavados, escorrendo abaixo das orelhas de abano. Ele secou o rosto com uma toalha de linho, então olhou por um tempo para o reflexo fraco que o encarava de volta na poça rasa da vasilha. Sulcado e magro, com tufos avermelhados caindo sobre a testa, podia ver nas primeiras rugas os tristes vincos e carquilhas que, imaginava, teria mais tarde na vida, um gato malhado e esquelético na tempestade.

Ele se vestiu, as roupas puídas geladas, que davam a sensação de estarem úmidas ao serem vestidas, e então foi do sótão para as partes mais baixas da casa da mãe, descendo de costas degraus gastos tão íngremes que era preciso usar as mãos para subir ou descer, como nas escadas paralelas ou numa escarpa de montanha. Enquanto descia, tentou passar de fininho pela porta do quarto da mãe sem que ela ouvisse, mas estava sem sorte. Como um inquilino medroso que fecha a cortina quando vê que o cobrador de aluguel se aproxima, ele estava sempre sem sorte.

— Ernest?

A voz da mãe, como um grande motor industrial quebrado, fez Ern parar de súbito, com uma mão na cabeça redonda do primeiro balaústre da escada. Ele se virou para enfrentar a mãe através da porta aberta que levava ao quarto dela, com seu cheiro de merda e água de rosas, mais asqueroso que o cheiro de merda sozinho. Ainda de camisola, com o cabelo ralo preso em grampos, mamãe parou ao lado da cabeceira, esvaziando o penico do próprio quarto em um balde de zinco, com o qual depois faria a ronda nos quartos das crianças e nos dormitórios dele e de Annie, esvaziando os deles também, e mais tarde depositando todo o lote na privada no fundo do quintal. Ernest John Vernall era um homem de trinta e dois anos, magrelo, com o pavio curto, do tipo que não se queria como oponente em uma briga. Tinha mulher e filhos, além de uma profissão em que era silenciosamente respeitado. Apesar disso tudo, raspou as botas no rodapé envernizado como um menino sob a careta desdenhosa e decepcionada da mãe.

— Você vai trabalhar hoje, porque se não for tenho que ir até a loja de penhores. Aquela menininha não vai se alimentar sozinha, e sua Anne é feito uma tábua de passar. Ela não consegue alimentar eles, a nenê Thursa ou seu John.

Ern balançou a cabeça e desviou o olhar para o tapete gasto, cor de papel mata-moscas, que cobria o patamar da base da escada até a porta do porão.

— Tenho um trabalho a semana inteira na St. Paul, mas só vão me pagar na sexta. Se penhorar alguma coisa, eu pego de volta quando receber.

Ela olhou para o lado e balançou a cabeça para encerrar o assunto, então voltou a decantar o rançoso líquido dourado ruidosamente no balde. Sentindo-se repreendido, Ern desceu curvado as escadas para o ocre descascado do corredor, antes de virar à esquerda e entrar por uma porta no ar abafado da sala, onde Annie tinha acendido o fogo na lareira. Agachada ao lado da cadeira da bebê, tentando fazer com que ela tomasse leite quente de vaca de uma garrafa de gengibirra que adaptaram como mamadeira, Annie mal levantou a cabeça quando Ern entrou no cômodo atrás dela. Apenas o menino deles, John, desviou o olhar de onde estava sentado, fazendo uma sujeira com seu mingau ao lado da lareira, notando a presença do pai sem sorrir.

— Tem um pouco de pão frito na cozinha que você pode comer de desjejum, mas não sei o que vai ter quando voltar para casa. Vamos, toma um pouco de leite para agradar sua mãe.

Anne dirigira a última observação para a filha deles, Thursa, que ainda estava vermelha e rosnando, afastando a cabeça com determinação do bico gasto de borracha enquanto a mulher de Ern tentava enfiá-lo entre os lábios da bebê aos uivos. Era pouco mais de sete da manhã, e o cômodo apertado forrado de papel pardacento ainda estava quase todo escuro, com o brilho de bronze polido da lareira transformando o cabelo do jovem John em metal derretido, reluzindo no rosto marcado de lágrimas da bebê e pintando metade do rosto da mulher dele com uma luz que parecia gordura.

Ern atravessou e desceu dois degraus para dentro da cozinha estreita, as paredes caiadas irregulares amontoadas e espectrais na semipenumbra do amanhecer, uma memória de cebolas e lenços fervidos ainda suspensa no ar azulado, turvo como espuma de sabão. O fogão a lenha estava aceso, com dois pedaços de pão fritando na parte superior. A manteiga clarificada fervia em uma panela preta como um meteoro caído das estrelas e respingou nos dedos de Ernie enquanto ele cuidadosamente pegava as pontas do pão com um garfo. No cômodo ao lado, a filha recém-nascida, exausta, permitiu que o choro furioso se desmanchasse em soluços acusatórios em intervalos irritados. Usando como prato um pires craquelado que havia perdido a xícara em um acidente, Ern se acomodou em um banco ao lado da mesa de cozinha cheia de riscos de faca enquanto comia, mastigando do lado direito da boca para poupar os dentes ruins do esquerdo. O gosto de manteiga chamuscada, escaldante e salgada saía dos poros de esponja da crosta de pão enquanto ele mordia, trazendo os sabores-fantasma das frituras da semana passada consigo: o amargor da fritada de repolho, a doçura sutil da bochecha de porco, um epitáfio crocante da memorável linguiça de boi da terça-feira. Quando engoliu o último bocado, Ern ficou feliz em perceber a saliva engrossada em uma gelatina salgada na qual o gosto ressuscitado de cada refeição ainda desfrutava de sua vida após a morte culinária.

Voltando a cruzar a sala agora silenciosa, ele se despediu de todos e disse a Anne que estaria de volta às oito da noite. Sabia que alguns homens beijavam as esposas ao saírem para o trabalho, mas, como a grande maioria, achava que aquele tipo de coisa era piegas, e sua Anne concordava. Raspando meticulosamente o último resto de mingau da vasilha, o filho de dois anos, John, seu ruivinho de cabelos de fogo, observava estoicamente enquanto Ern se curvava, indo do cômodo com a lareira acesa até o corredor escuro para pegar o chapéu e o casaco do cabide de madeira e então ir cuidar de seus negócios na cidade, sobre os quais John ouvira algo vagamente, mas até então nunca tinha visto. Houve um som da despedida gritada de Ernie para a mãe, ainda em sua ronda de dejetos noturnos no andar de cima, seguido pela pausa esperançosa que era a falta de resposta da parte dela. Pouco depois disso, Anne e as crianças ouviram a porta da frente se fechar, sacudindo resistentemente ao ser enfiada no batente mal ajustado, e essa terminou sendo a última vez que sua família poderia dizer com sinceridade que tinha visto Ginger Vernall[24].

Ern atravessou Lambeth rumo ao norte, com o céu acima como a copa de uma floresta estígia balançando sobre os milhões de talos de fumaça negra como piche que saíam de cada chaminé, e a escuridão fuliginosa dos céus começando a se dissipar apenas na ponta leste, sobre os botecos de Walworth. Saindo da casa da mãe na East Street, tinha virado à direita no fim da fileira de casas e entrara na Lambeth Walk, até a Lambeth Road, na direção da St. George's Circus. À esquerda, passou pela Hercules Road, onde tinha ouvido dizer que o poeta Blake um dia viveu, um tipo engraçado, por tudo que diziam, embora obviamente Ern jamais houvesse lido a obra dele, ou de ninguém mais, aliás, por nunca ter pegado de fato o jeito com os livros. A chuva martelava as calhas dobradas da rua do lado de fora do manicômio Bedlam, onde o pintor de fadas sr. Dadd estava até cerca de um ano, e para onde temeram que o pai de Ern, John, precisasse ir, embora o velho tivesse morrido antes que isso fosse necessário. Aquilo havia sido dez anos antes, quando Ern ainda não conhecia Anne e tinha voltado da Crimeia havia pouco tempo. O pai foi gradualmente parando de falar, justificando que as conversas estavam sendo ouvidas por "aqueles que rondam os telhados". Ern perguntou se o pai estava se referindo aos pombos, ou se ainda achava que deveria haver espiões russos por lá, mas John só riu e perguntou ao filho de onde ele achava que vinha a expressão "as paredes têm ouvidos", e depois se calou de vez.

Ern passou pelo hospício, inusualmente quieto, castigado pela chuva do lado mais distante da rua, e especulou distraído se poderia haver algum espírito zombeteiro criado no Bedlam, agachado sobre Lambeth, revirando os olhos, infundindo na atmosfera do distrito seus próprios vapores excêntricos e deixando as pessoas loucas, como o pai de Ernest, ou o sr. Blake, embora imaginasse que não, e que em geral a vida das pessoas era suficiente para explicar a maluquice delas. Descendo a St. George's Road na direção de Elephant and Castle, já via o fervilhar ruidoso de um grande número de bondes puxados por cavalos, carrinhos de mão, vagões de carvão e vendedores de batatas assadas arrastando fornos como pequenas cômodas quentes de lata em cima dos carrinhos, uma vasta multidão de figuras de casacos e chapéus pretos como Ern, marchando com olhos baixos sob um céu ameaçador. Virando o colarinho para cima, ele se misturou com a multidão de matéria-prima para hospícios e seguiu junto na direção da St. George Circus, onde começaria sua longa caminhada até a Blackfriars Road. Tinha ficado sabendo que existiam linhas de trem correndo debaixo da terra agora, saindo de Paddington, e se permitiu especular que uma coisa como aquela poderia levá-lo até a St. Paul muito mais rápido, mas, além de não ter dinheiro, a ideia lhe dava agonia. Ficar debaixo da terra daquele jeito, como se acostumar com isso? Ern era conhecido como um alpinista operário, que trabalhava em telhados sem pensar duas vezes, bem equilibrado e um tanto despreocupado, mas ficar debaixo da terra, aquilo era uma coisa diferente. Aquilo era natural só para os mortos, e mais: e se acontecesse alguma coisa lá embaixo, como um incêndio ou algo assim? Ernest não gostava nem de pensar no assunto e decidiu parar enquanto ainda estava em sua condição atual, como um pedestre.

Pessoas e veículos se emaranhavam na convergência de meia dúzia de ruas como espuma sobre um ralo. Seguindo seu caminho em torno da praça circular em sentido horário, esquivando-se de rodas roncantes e cavalos reluzentes ao atravessar a Waterloo Road, Ern se afastou do vendedor de jornais e do bando de gente boquiaberta e murmurante que ele atraía. Pelos murmúrios que Ern tinha ouvido ao passar pela beirada dessa multidão encoberta por fumaça de cachimbo, concluiu que era notícia velha da América, sobre a libertação dos pretos e sobre os tiros que haviam matado o primeiro-ministro americano, como fizeram com o coitado do Spencer Perceval, quando o pai de Ern era menino. Pelo que Ern se lembrava, Perceval era daquela cidadezinha das botas e sapatos, Northampton, uns 95 quilômetros ao norte de Londres, onde Ern ainda tinha familiares pelo lado do pai, primos e coisa assim. Seu primo Robert Vernall o havia visitado no último mês de junho, a caminho de Kent para colher lúpulo, e disse a Ernest que as fábricas de sapatos que davam trabalho nas Midlands tinham desaparecido porque os uniformes cinzentos da América, para quem Northampton enviava botas militares, tinham perdido a guerra civil deles. Ernest entendia que aquilo era ruim para Bob, mas, pelo que sabia das coisas, eram os uniformes cinzentos que mantinham a escravidão dos pretos, e ele não concordava com aquilo. Era errado. Eles eram só pessoas pobres, como todo mundo. Passou pela esquina esquisita, com sua ponta de terreno baldio, onde o ângulo era agudo demais para abrigar outra casa, então virou à esquerda e subiu a Blackfriars Road, atravessando as fileiras fumegantes de Southwark na direção do rio e da ponte.

Ern levou três-quartos de hora, indo em um bom ritmo, até chegar à Ludgate Street, do lado mais distante do Tâmisa, e à entrada ao lado oeste da catedral. Nesse meio-tempo, tinha pensado todo tipo de coisa sobre os escravos libertos na América, alguns deles marcados a ferro pelos donos como gado, pelo que ouviu dizer, e sobre homens negros e pessoas pobres de modo geral. O socialista Marx e sua Primeira Internacional já estavam na ativa fazia mais de um ano, só que os trabalhadores ainda não estavam nem um pouco melhor, todo mundo sabia disso. Talvez as coisas fossem melhorar agora que Palmerston estava morrendo, já que tinha sido lorde Palmerston quem segurou as reformas, mas, sinceramente, Ern não tinha muita esperança nisso. Por um tempo se alegrou com pensamentos sobre Anne, permitindo que ele a possuísse na mesa da cozinha riscada a faca quando a mãe dele estava fora. Anne estava na beirada da mesa sem usar calcinhas e com os pés atrás das suas costas, e a memória o deixou de pau duro debaixo das calças e flanelas, apressando-se na chuva sobre a Blackfriars Bridge. Tinha pensando na Crimeia e em sua sorte por ter voltado para casa sem um arranhão, e então na boa Mãe Searcole[25], sobre quem tinha escutado quando estava lá, o que o fez voltar para a questão dos negros.

Eram as crianças que o preocupavam, nascidas escravizadas em uma fazenda, e não levadas para lá como homens e mulheres adultos, e algumas estavam sendo libertadas naquele momento do outro lado do mar, meninos de dez ou doze anos que jamais conheceram outra vida e ficariam confusos sobre o que fazer. Ern se perguntou se as crianças também eram marcadas a ferro, e em qual idade? Desejando não ter pensado naquilo e expulsando a imagem horrível e indesejada do pequeno John e de Thursa sob o ferro incandescente, entrou na Ludgate Street com o majestoso hino concretizado que era a St. Paul, ganhando corpo enquanto ele se aproximava, crescendo além da beira do declive.

Por mais que a visse sempre, Ern nunca deixava de ficar admirado que uma coisa tão bela e perfeita pudesse existir no meio da extensão de becos sujos, pensões e corredores espremidos, entre prostitutas e pornógrafos. Do outro lado das pedras prateadas com poças, ela se erguia com suas duas torres como mãos erguidas em um hosana para os céus agitados, mais sombrios do que quando Ern saiu de casa, apesar de o dia ter se iluminado naturalmente desde então. As gotas de chuva dançando nos degraus largos da catedral, que se esparramavam em dois lances,

trazendo à mente as dobras em torno da bainha de uma sobrepeliz que
se arrastava, onde mais acima os seis pares de colunas dóricas que seguravam o pórtico desciam em dobras ondeantes, envolvidas pela cortina de
fumaça da fogueira da cidade. Os pináculos que flanqueavam a fachada
larga dos dois lados, com uns sessenta metros ou mais de altura, aparentemente abrigavam todos os pombos de Londres, amontoados nos parapeitos sob beirais de pedra que pingavam, protegendo-se do mau tempo.

Junto aos pássaros, como se eles mesmos tivessem acabado de descer
dos céus hostis para pousar nos beirais da catedral, estavam os apósto-
los de pedra, com são Paulo em pessoa encarapitado no cimo alto do
pórtico, puxando a túnica esculpida para junto de si a fim de evitar a
sujeira e a umidade. Na ponta mais distante à direita da torre mais
ao sul sentava-se um discípulo, Ern não tinha ideia de qual, que tinha
a cabeça inclinada para trás e parecia observar atentamente o relógio
da torre, esperando para que seu turno acabasse, e assim poderia
voar para casa por Cheapside, no meio da garoa, de volta para Aldgate
e para o leste da cidade. Subindo os degraus molhados e escorregadios,
com gotas batendo na aba do chapéu, Ernest foi obrigado a rir da
ideia nada religiosa de estátuas produzindo intermitentemente bosta
de mármore líquido, cocô de santos que trabalhadores amargurados
da prefeitura seriam pagos para limpar. Dando uma última espiada na
massa fervente de nuvens arroxeadas lá em cima antes de passar por
entre os pilares mais à esquerda, na direção da entrada do corredor
norte, concluiu que a chuva estava piorando e que, naquele dia, sem
dúvida ficaria melhor em um lugar fechado. Batendo as botas e chacoalhando o casaco encharcado ao cruzar a entrada da catedral, ouviu
o primeiro soar de tambores de trovões aproximando-se na beira do
horizonte, confirmando suas suspeitas.

Em comparação com o toró de outubro do lado de fora, a St. Paul
estava aquecida, e Ern sentiu-se um pouco culpado ao pensar em
Anne e seus dois filhos estremecendo perto da lareira precária na casa
da East Street. Sob os olhares desconfiados dos clérigos carrancudos,
Ernest caminhou pelo corredor norte até a construção e a atividade
na outra ponta, lembrando-se apenas no último minuto de tirar o
chapéu ensopado e levá-lo diante de si entre as duas mãos com uma
postura humilde. A cada passo ressonante, sentia a perspectiva e os
volumes escondidos da construção atordoante desdobrando-se acima

dele e por todos os lados enquanto saía dos recessos curvos do corredor norte à esquerda e passava entre as duas grandes colunas de sustentação até a nave.

Emoldurados pelas duas grandes pilastras da St. Paul, no espaço do transepto central, debaixo do domo, labutavam trabalhadores como o próprio Ern. Casacos e calças esfarrapadas de uma palheta monótona de cinzas e marrons empoeirados, andrajosos em contraste com a riqueza das pinturas em torno deles, da compostura dos monumentos e estátuas. Alguns eram homens que Ern conhecia havia muito tempo, o que, para começo de conversa, foi o motivo pelo qual tinha conseguido aquele muito bem-vindo período de trabalho pago, como um dos contratados para a limpeza e restauração. Na parte mais afastada, os homens esfregavam panos macios na belamente entalhada cabine do coral, ornada com uvas e rosas, enquanto nos tímpanos entre os arcos debaixo do aro com corrimão da Galeria dos Sussurros estavam outros colegas, dando uma lavada e uma retocada nos profetas e quatro evangelistas de mosaico. Porém, Ern tinha a impressão de que a maior parte do empenho estava centrada no mecanismo que fazia uma sombra de quase trinta metros imediatamente abaixo da abertura da cúpula. Talvez fosse a coisa mais engenhosa que Ern já tinha visto.

Pendendo do centro da cúpula, preso na base da lanterna central que Ern avaliava ser o ponto mais forte da vasta estrutura, com dezenas de milhares de toneladas, havia um fuso central reto com mais de vinte andares de altura que tinha de um lado uma montagem quase da mesma altura, feita de mastros e tábuas, enquanto do outro havia o que certamente era o maior saco de areia de Londres, pendurado em uma viga gigantesca, como contrapeso. O saco pendia em uma sirga à esquerda, enquanto, à direita de Ern, a estrutura pesada presa por cordas que equilibrava tinha a forma de uma enorme fatia de torta com a parte mais estreita voltada para o centro, onde se juntava firmemente com o eixo central vertical. Aquele andaime impressionante continha um pavimento de mais ou menos um quarto de círculo que podia ser içado para cima e para baixo por roldanas nos cantos, para atingir superfícies que precisavam de reparos em qualquer nível da cúpula. O eixo central com aspecto de mastro pendia até quase a bússola solar no meio do piso do transepto, com o que parecia uma versão menor de uma roda de moinho horizontal na base, pela qual todo o arranjo rangente poderia ser girado manualmente para cuidar de cada um dos quadrantes da cúpula. A plataforma movida por roldanas no meio de suas estacas e vigas de suporte era onde Ern trabalharia pelo resto do dia, se tudo corresse bem.

Um grosso cilindro perolado da débil luz do dia colorida pela tempestade que piorava lá fora pendia das janelas da Galeria dos Sussurros até o chão da catedral, com a poeira levantada pelo trabalho agitado como se suspensa em seu raio tênue. A iluminação suave que vinha de cima pintava os trabalhadores com calor e granulação de crayon Conté, enquanto eles se curvavam diligentemente em suas diversas empreitadas. Ern parou quase hipnotizado para admirar aquele efeito, mas, da direita, saindo do corredor sul e das escadas do trifório acima, veio uma figura rotunda que ele já conhecia. O homem o chamou:

— Ei, Ginger. Ginger Vernall. Aqui, seu tonto.

Era Billy Mabbutt, conhecido de Ern de diferentes bares em Kennington e Lambeth e quem tinha dado a ele aquela oportunidade de ganhar um pouco de dinheiro, como um bom camarada. Com a pele rosada a ponto de ultimamente parecer cozida, Bill Mabbutt era uma visão que servia como um alento, com o resto de cabelo loiro como uma cortina presa atrás das orelhas, em torno da calva cor de cereja, os suspensórios das calças esticados sobre uma camisa abotoada até o pescoço, com mangas enroladas para trás para exibir os antebraços grandes como uns presuntos. Como pistões de uma locomotiva, os braços subiam e desciam ao lado do corpo energicamente, enquanto ele avançava na direção de Ern, desviando dos outros trabalhadores que iam para lá e para cá em meio à acústica ecoante e farfalhante de suas diversas incumbências. Sorrindo com o prazer que sempre sentia ao encontrar Billy, misturado ao alívio de saber que aquele trabalho muito necessário não era um alarme falso, Ernest começou a andar na direção de seu velho conhecido, encontrando-o no meio do caminho. O tom agudo da voz de Bill sempre surpreendia Ern, vindo como vinha daqueles traços de bacon fervido, vincados por sessenta anos e duas campanhas militares — Birmânia e Crimeia —, sendo nesta última que os dois se conheceram. O homem mais velho, que era o contramestre, havia adotado Ernie, que parecia ser à prova de tiros e granadas, como seu amuleto ruivo.

— Eita, Ginger, que bom te ver. Eu tava lá em cima na Galeria dos Sussurros agora mesmo, olhando pra todo o trabalho que tem pra ser feito e já tendo um treco, porque apostei que você não ia aparecer, mas você apareceu e me fez passar por mentiroso.

— Oi, Bill. Não cheguei muito tarde, então?

Mabbutt sacudiu a cabeça e indicou um ponto entre os pilares imensos, onde um grupo de homens se esforçava para ajustar a imensa geringonça no coração da catedral, pendendo da cúpula.

— Não, menino, tá tudo certo. É o guindaste móvel que tá dando problema. Tava todo errado, então, se estivesse aqui antes, ia ter ficado sem fazer nada. Acho que arrumamos agora, pelo que parece, então, se quiser ir até lá, já mostro como começar.

Um gordo e outro magro, um de pele clara e cabelo vermelho, o outro o oposto, os dois homens gingaram pela nave, sobre azulejos brilhantes e ressonantes, e passaram entre as colunas finais onde todo o trabalho acontecia. Conforme se aproximavam do monstro pendurado a que Bill tinha se referido como guindaste móvel, Ern revisava a cada passada sua estimativa do tamanho da coisa. De perto, aqueles vinte andares de andaimes eram mais como trinta, o que o levou a inferir que trabalharia de sessenta a noventa metros acima do chão, uma perspectiva desconcertante mesmo diante da celebrada habilidade de Ernest com alturas.

Dois trabalhadores, um deles conhecido de Ernest como o briguento Albert Pickles, da Centaur Street, estavam em mangas de camisa empurrando a roda de moinho como engrenagem no meio para que girasse um nó ou dois, rodando todo aquele feito de engenharia no eixo enquanto seguiam pelo caminho em órbita em torno do sol de mosaico no centro exato do transepto, com os raios brilhando nas direções cardeais. Com seus esforços, os homens rodaram a estrutura rangente para a direita do fuso, até que estivesse alinhada com exatidão aos oito grandes segmentos parecidos com os de uma laranja nos quais a cúpula era dividida. Conforme o grande andaime se movia, também seu enorme contrapeso de saco de areia se mexia para o lado esquerdo do eixo, suspenso na viga lá em cima. Quatro ou cinco operários estavam de pé em torno dele, andando em torno da grande rocha de aniagem pendurada, firmando-a enquanto balançava em um espaço de trinta a sessenta centímetros sobre o piso da igreja.

Ern notou que havia aparecido um vazamento no saco, um pequeno buraco no tecido no lado de baixo, com um aprendiz de uns catorze anos se arrastando de joelhos ao redor, suando e praguejando enquanto tentava cerzir a abertura com linha e agulha. O rapaz era desfigurado pelo que as pessoas chamavam de marca de morango, que lhe manchava a pele em torno de um olho da bochecha à testa, como uma mancha de cachorrinho vira-lata, se aquilo era de nascença ou de uma queimadura Ern não sabia. O brilho leitoso, filtrado por nuvens de tempestade, descia sobre o jovem como em um drama grego enquanto ele se arrastava em seu remendo, com grãos de ampulheta caindo sobre os dedos ágeis, escorrendo em um fluxo fino nas lajes lustrosas abaixo. Enquanto Ern olhava distraído para a cena, pensando nas areias do tempo, a luz do cenário saltou e balançou, seguida segundos depois por uma bateria de canhões de trovão. O olho da borrasca evidentemente se aproximava.

Billy Mabbutt conduziu Ern por entre os homens que prendiam as cordas de sustentação soltas da grua para ancorá-la, depois de conseguirem posicioná-la do modo certo numa armação erguida entre as estátuas do lorde Nelson e do último vice-rei da Irlanda, lorde Cornwallis, aquele que, na lembrança de Ern, foi quem se rendeu ao general Washington na guerra de independência ianque. Só Deus sabia por que quiseram dar a ele um memorial tão grandioso. O equipamento de que Ern precisaria para fazer suas restaurações estava colocado sobre uma mesa improvisada, onde outro jovem aprendiz, um pouco mais velho, já separava os ovos, despejando-os de uma xícara de chá de porcelana rachada para a outra. Havia trabalhadores em torno da armação, esperando para começar suas tarefas, e Billy apresentou Ern com estardalhaço conforme chegavam para se juntar à equipe.

— Tudo certo, amigos, o decorador veio. Esse aqui é meu velho chapa Ginger Vernall. Ninguém sabe, mas este Ginger é um Rembrandt.

Ern apertou as mãos de todos os homens e esperou que não se ressentissem do fato de que era o trabalhador especializado naquela empreitada e receberia mais que eles. Provavelmente entendiam que ele não teria outro trabalho como aquele por meses, enquanto trabalhadores fortes eram sempre necessários, e de qualquer modo não era um pagamento tão maior a ponto de dar motivo para inveja. Ele e Billy Mabbutt conversaram brevemente sobre os detalhes do que havia a ser feito, e então Ern começou a transferir os materiais e as ferramentas necessárias da mesa para o piso em forma de fatia de quarto de queijo pendurado na estrutura móvel do arranjo.

Ele selecionou um tanto de pincéis de esquilo da lata cheia que o clero da St. Paul tinha providenciado, assim como a tampa de papelão

de uma velha caixa de sapatos servindo como bandeja para os tubos de
verniz lavados contendo as tinturas em pó da catedral. Entre elas, as cores
púrpura e verde-esmeralda haviam pegado umidade e coagulado em lin-
das pedras farelentas, mas Ern achava que não precisaria dessas cores, e
os outros pigmentos pareciam ter sido mantidos em um estado muito
melhor. O jovem de cara emburrada encarregado de separar os ovos
estava terminando a última meia dúzia quando Ern perguntou se poderia
pegar suas gemas. Estas estavam intactas em uma bacia, enquanto outra
continha as claras indesejadas, uma gororoba viscosa obscenamente parecida com baba, e que sem dúvida seria usada de alguma outra maneira,
e não desperdiçada. Ern levou cuidadosamente o receptáculo com seis
globos amarelos, que deslizavam uns em torno dos outros, até a plataforma com roldanas e o colocou junto com os pincéis e as cores. Então
pegou vasilhas de misturar, um saco de um quilo de gipsita e um garrafão
de dois litros de sidra lavado e cheio de água. Adicionando lixas e três ou
quatro panos limpos, Ern subiu no deque balouçante ao lado do aparato
de seu ofício e, com um forte aperto em uma das cordas de sustentação,
deu o sinal aos homens de Bill Mabbutt para içá-lo para cima.

O primeiro tranco da plataforma ao se levantar foi acompanhado de
um rebrilhar prateado e momentâneo vindo de fora, com a explosão prolongada subsequente chegando apenas instantes depois, conforme o centro da tempestade se aproximava. Um dos camaradas fortes, puxando a
corda com força de tocador de sino, fez alguma piada sobre Deus mexer
nos móveis lá em cima, ao que outro membro do grupo protestou, dizendo
que a observação era desrespeitosa na Mãe das Igrejas, embora Ern tivesse
ouvido aquilo desde criança e não visse nada de errado. Havia uma pratici-
dade por trás da frase que o encantava. Ainda que bem no fundo Ern não
tivesse certeza de que acreditava em Deus, gostava da noção do Senhor
como alguém pé no chão, que pudesse ocasionalmente, como todos nós,
precisar rearrumar as coisas de modo que ficassem mais apropriadas aos
Seus propósitos. As roldanas rangiam enquanto Ern fazia sua subida em
estágios medidos, quarenta e cinco centímetros de cada vez, e quando o
relâmpago brilhou novamente para fazer tudo ter cor de giz, a explosão
ensurdecedora que o seguiu foi quase imediata.

A curvatura larga da beirada exterior de sua plataforma escondia mais
e mais o chão abaixo a cada rangentes quarenta e cinco centímetros que
ganhava em altura. A maior parte do grupo de colegas de trabalho de

Ern já tinha sumido de vista debaixo da jangada balouçante de tábuas na qual ele estava, com Billy Mabbutt na retaguarda do grupo, levantando uma palma corada em um adeus antes que também desaparecesse. Agora que Ern avaliava o piso de madeira debaixo dele, percebeu que era muito maior do que havia pensado, quase tão grande quanto um palco de teatro, com sua pequena pilha de jarras e potes e pincéis parecendo solitária e inadequada ali no centro. Ao ser totalmente içado, pensou, um quadrante inteiro do transepto ficaria invisível para Ern, e ele para o restante do local. Primeiro a cabeça de Cornwallis, então a de lorde Nelson, desapareceram, engolidas pelo perímetro do pódio que subia, e Ernest ficou sozinho. Inclinando a cabeça, olhou para os oito grandes afrescos de Sir James Thornhill no interior da cúpula enquanto subia aos poucos até a companhia deles.

Quando era menino, no começo dos anos 1840, Ern havia aprendido algumas noções de desenho, arriscando a ter hemorroidas de tanto tempo que passava sentado num degrau de pedra gelada, na esquina das ruas Kennington e Lambeth, observando Jackie Thimbles recriar no chão, em giz, a morte de Nelson em Trafalgar. Ern, fascinado, ia lá um dia após o outro. Jackie estava na casa dos sessenta anos na época, um veterano das Guerras Napoleônicas que tinha perdido as pontas de dois dedos da mão esquerda para a gangrena e escondia os cotocos debaixo de dedais de prata. Mal conseguindo sobreviver como artista de calçada, o velho parecia muito feliz com a companhia diária de Ern e era uma mina de informações sobre pintura. Regalava o menino com longas e sedutoras descrições das novas maravilhosas tintas a óleo que na época estavam disponíveis a quem tinha dinheiro: amarelos-laburnos brilhantes e ricas malvas e violetas como um cadáver ao amanhecer. Jackie ensinou a Ern como conseguir um tom realista de pele de uma gama de tons que jamais pensaria que estivesse na pele rosada, e como os dedos podiam ser úteis quando se tratava de misturar, borrar suavemente o brilho causado por navios em chama no rosto do almirante moribundo na madeira polida do *Victory*. Ernest achava seu mentor o mais talentoso dos homens, mas, olhando para as obras-primas de Thornhill, agora entendia que elas eram de um nível muito superior aos conveses lavados de sangue e fogo de Jackie Thimbles, assim como os salões do Céu certamente estavam acima das ruas de Lambeth.

Episódios da vida de são Paulo passavam por Ern conforme ele subia em seu elevador periclitante, desde a conversão damascena a um naufrágio vividamente retratado, com vários discípulos iluminados por baixo como se por uma forja ou baú do tesouro aberto, com nuvens trespassadas por raios encrespando-se mais atrás. O afresco que Ern planejava limpar e retocar naquele dia, do lado sudoeste da retumbante concavidade, era um que não conhecia das escrituras. No fundo, havia um lugar de pedras redondas e quentes que poderia ter sido uma prisão, diante disso um homem miserável de olhos arregalados cujo espanto parecia estar no limite do terror, olhando para os santos ou anjos aureolados que olhavam de volta com olhos baixos e sorrisinhos furtivos.

O estrado de madeira de Ern agora estava além da Galeria dos Sussurros, onde se poderia imaginar que rezas centenárias ainda subiam pelas paredes e onde as janelas finalmente lhe permitiram um olhar final sobre uma Londres ensopada até a torre da catedral de Southwark, antes que subisse mais, até a cúpula em si. Em torno da borda mais baixa, circulando o tambor bem acima da galeria, ele ficou desalentado ao notar que toda uma faixa de detalhes da borda no pé de cada afresco estava coberta de tinta cor de pedra, sem dúvidas para mascarar de modo fácil e barato o estrago feito pela água descoberto em reformas anteriores. Ern resmungava a respeito da vergonhosa falta de orgulho e empenho demonstrado por aquele acabamento malfeito quando um brilho ofuscante e um barulho estrondoso tão próximos que eram uma só coisa explodiram em torno dele e sua plataforma caiu três ou quatro centímetros nauseantes, enquanto os brutamontes assustados lá embaixo perdiam e então recuperavam o controle das cordas das roldanas. O coração de Ern batia forte quando seu posto subitamente precário recomeçou o progresso estridente para cima e ele se aproximou cautelosamente da curvatura atrás de si arriscando uma olhada para baixo só para ver se tudo estava bem.

Ao passar uma coxa em torno da corda, Ern notou que as mãos estavam ensopadas de transpiração. Chegou à conclusão de que, ao contrário do que sempre disseram todos, ele também tinha medo de altura. Deu uma espiada lá para baixo, além do final de bordas das tábuas e, embora não conseguisse ver os companheiros de trabalho, ficou abismado ao perceber o quanto tinha subido. Os clérigos da St. Paul pareciam pequenas baratas andando sobre o chão branco e distante, e Ernest observou com algum divertimento quando dois deles, próximos de uma grande pilastra, cambalearam na direção um do outro sem perceber e colidiram no canto em um alvoroço de saias pretas. Não foi a mera visão de um clérigo caído que fez Ern rir, mas sua percepção de que sabia que os dois colidiriam antes que eles mesmo se dessem conta, apenas em razão de seu ponto de vista elevado. Até certo ponto, tinha sido capaz de perceber os destinos das pessoas em terra se movendo para a frente e para trás em seu plano, da perspectiva superior de uma terceira dimensão acima deles, na qual raramente prestavam atenção ou pensavam. Ernest imaginou que era por isso que os romanos se deram tão bem, tomando os picos mais altos como postos de vigia e torres de observação em suas conquistas, tendo suas percepções e estratégias imensamente favorecidas pelo terreno mais elevado.

Seu poleiro agora havia alcançado o nível que combinara com Billy Mabbutt, onde parou e foi amarrado com segurança, esperava Ernest, mais de sessenta metros abaixo. Estava na parte superior do primeiro afresco designado, sentindo logo acima dele o bater do coração da tempestade. Assim que sua plataforma parou de se mover, Ern decidiu começar as restaurações com uma figura de halo na parte superior esquerda da pintura, não sabia se anjo ou santo, cujo rosto ficara um tanto descolorido pelas décadas de fumaças de vela e incenso. Começou suavemente com seus panos, ficou de pé sobre a beirada da plataforma limpando a fuligem e poeira acumulada do semblante, surpreso em perceber que media ao menos um metro e meio da coroa ao queixo quando visto bem de perto, os traços quase femininos virados à direita e olhando para baixo modestamente, com os pequenos lábios no mesmo sorrisinho presunçoso. Um anjo, decidiu Ern, baseando-se no fato de que todos os santos dos quais se lembrava usavam barba.

Ern estava totalmente sozinho no que parecia o sótão de madeira do mundo, mas muito mais decorado e muito mais espaçoso que o da casa de sua mãe em East Street. Assim que terminou de limpar o máximo que pôde da sujeira superficial de um perfil inclinado que era quase tão comprido quanto ele próprio, Ernest começou a séria tarefa de misturar um tom que combinaria perfeitamente com a pele cor de pêssego desbotada do ser sagrado. Usando o cabo de pincel que parecia menos imundo, misturou as seis gemas na vasilha, então derramou uma quantidade mínima do creme cor de cobre resultante em uma das tigelas para misturar. Outro cabo de pincel serviu como uma colher delgada, com a qual Ern media porções minúsculas das cores que acreditava serem necessárias dos tubos de verniz, limpando o cabo com um trapo depois de cada medida e mexendo diferentes quantidades de pó vívido na vasilha com as gemas batidas.

Começou com um Ocre Queimado rico e terroso, adicionando Amarelo Nápoles, por seu toque de tarde de verão, então seguindo com uma pitadinha de Rosa Garança. A seguir, o fio sangrento e translúcido de carmim de antraquinona foi misturado vigorosamente com a combinação, e pequenas gotas de gema salpicadas de pó colorido amassavam-se umas contra as outras com o giro de pelos de esquilo. Ele suplementava a mistura já satisfatória com seu toque secreto, um truque aprendido com Jackie Thimbles, que era usar uma pitada de Azul Cobalto, simulando assim o reduzido sangue venoso que circula bem abaixo da epiderme humana. Se o azul e os vermelhos ficassem exagerados, Ern os contrabalancearia com uma gota de branco, mas no momento estava feliz com o resultado da mistura, e começou a preparar sua fina camada de gesso, sacudindo a gipsita de sua bolsa em um pouco de água e então derramando a têmpera cor de carne. Com os pincéis selecionados no bolso da calça, Ernest andou pelo chão do teatro aéreo, segurando com as duas mãos a vasilha com o material meticulosamente obtido. Voltou para o lado sudoeste da plataforma, onde começou a trabalhar no semblante gigantesco, com a cabeça inclinada para trás ao estirar-se levemente para cima até a imagem na parede côncava diretamente acima dele.

Aplicando primeiro uma mão fina de gesso cor de carne pela longa extensão da linha do queixo do anjo iluminado de lado, Ernest a esperou secar para lixá-la até obter um acabamento fino, e então se preparou para aplicar uma segunda camada. Mal começara com seus movimentos rápidos e seguros quando notou, consternado, que as cores do outro lado, no qual ainda não havia tocado, tinham começado a escorrer. A tempestade lá fora alcançara seu zênite com uma torrente inacreditável de trovões e os relâmpagos em um incessante código morse, enquanto Ern, desnorteado e alarmado, apertava os olhos para tentar enxergar melhor as cores que pingavam, movendo-se na cabeça e nos ombros levemente inclinados do anjo.

Gotas que se retorciam, cada uma de um tom diferente, corriam para cima, para baixo e para os lados da superfície interna da cúpula em torno do rosto angelical, com trajetórias em contravenção chocante a todas as leis da razão. Além do mais, os regatos que fervilhavam não pareciam ter o brilho de um líquido. Em vez disso, era como se fluxos secos de grãos, infinitesimais e velozes, se derramassem pelas pinceladas, seguindo suas curvas como limalha de metal colorido nadando sobre um ímã fraco. Aquilo era uma impossibilidade e, pior, quase certamente seria descontado de seu pagamento. Ele deu um passo vacilante, involuntário, para trás, e ao fazer isso, ampliou sua perspectiva, mas não sua compreensão, do frenético movimento de gotas que acontecia diante de seus olhos.

Cinzas neutros e ocres das sombras no lado direito do rosto gigante, onde ele se virava, subiam em uma diagonal íngreme na direção do lado superior esquerdo, onde se juntavam em uma mancha de sombreado, como se poderia ver no lado de um nariz se a pessoa olhasse diretamente para você. Amarelo Cromo Brilhante e Branco Chumbo vazavam do halo, formando uma trilha brilhante irregular de contornos mais ou menos como os da parte mais à direita do rosto do anjo, se tivesse se movido levemente, de modo a ficar iluminada. Com um horror sombrio e entorpecido subindo por sua espinha, Ern percebeu que, sem que o volume rompesse a área quase plana na qual estava retratado ou saísse dos limites de seu domínio bidimensional, o rosto imenso do anjo se virava lentamente, ainda dentro da superfície do afresco, para mirá-lo com um olhar frontal. Novos vincos de Cinza Payne coagulavam-se nos cantos dos olhos conforme as pálpebras do tamanho de um pão, antes timidamente baixas, se abriam com flocos de tinta das rugas recém-criadas caindo para dentro da boca de Ernest, enquanto ele permanecia ali debaixo do espetáculo, boquiaberto. Suas circunstâncias eram tão totalmente inacreditáveis que ele nem pensou em gritar, mas deu outro passo para trás, com uma das mãos apertada sobre a boca arreganhada. Nos cantos da boca épica da figura, também agora migrados para cima e para a esquerda, rachaduras com mesclas de Preto Marfim e carmesim surgiram conforme os lábios pálidos, de trinta centímetros, se abriram, e o anjo pintado falou.

— Iesso seeraaai muiiton difiiiciael parra vociê — ele disse, parecendo preocupado.

O "é", ou ser essencial desta vinda enquanto, de seu ponto de vista, aparentemente se vai, será uma mudança súbita e extrema no caminho de seu coração, com coisas que ouviu a respeito de um quarto ângulo de existência gerando dificuldades em sua vida mortal, que se conclui em um cemitério onde os teixos florescem, e isso será muito difícil para você. Ern compreendeu essa mensagem complicada, compreendeu que de algum modo havia sido toda comprimida dentro de apenas seis palavras na maior parte desconhecidas que se desdobraram e se abriram como os quebra-cabeças de papel das crianças ou um poema chinês. Enquanto ainda lutava para absorver o conteúdo atado àquela frase expansora, sua mera ressonância a desvendou. Comparar a plenitude e dimensão daquele som com o de uma orquestra inteira tocando em uma sala de concerto, seria como comparar tal orquestra a um apito de lata soprado dentro de um armário isolado. Cada nota parecia espiralar em incontáveis repetições mais fracas e mais distantes, os mesmos tons em uma escala cada vez menor até que se partissem em uma miríade de ecos ainda menores, girando minúsculos redemoinhos feitos de som que rodavam dentro do fundo persistente de trovoadas e desapareciam.

Agora que havia completado o primeiro espantoso quarto de giro, o rosto do tamanho de uma mesa parecia quase assentar em suas novas configurações. Apenas nas beiradas e em torno dos olhos e da boca móveis havia partículas ainda se arrastando, pontos de pigmento correndo em pequenos deslizes de areia em torno da curvatura do afresco e fazendo pequenos ajustes para acomodar os movimentos leves e naturais da cabeça, a mudança de brilho e sombra nos lábios que abriam e fechavam.

Nos breves momentos que haviam de fato se passado desde o começo daquilo tudo, Ernest tinha adotado e descartado várias racionalizações fugazes e desesperadas de sua situação. Era tudo um sonho, pensou, mas soube instantaneamente que não era, que estava bem acordado, que os dentes do lado esquerdo da boca ainda doíam, e os do lado direito retinham fragmentos do pão frito do desjejum. Decidiu que era uma brincadeira, talvez feita com uma lanterna mágica, mas logo se lembrou de que as imagens naqueles dispositivos não se mexiam. Um Fantasma de Pepper, então, como existia em Highbury Barn, fazendo parecer que a sombra do pai de Hamlet andava sobre o palco, mas não, aquele efeito precisava de uma placa de vidro no ângulo certo, e não havia nada no espaço de trabalho de Ern a não ser ele mesmo e seu material.

À medida que cada nova explicação se desfazia como trapos virando cinzas em suas mãos, sentiu o pânico subindo por ele até que não conseguia mais aguentar. A garganta apertada soltou um soluço sufocado que soou feminino a seus próprios ouvidos e, virando de costas para a aparição, tentou correr, mas, assim que o chão tremeu sob seu primeiro passo, o terrível fato de onde estava, sozinho e a uma grande altura, voltou a sua mente com uma força sobrepujante. Acima, a tempestade chegara a seu clímax de clarões e ruídos, e mesmo se Ern pudesse se desvencilhar da paralisia trincada que comprimia suas cordas vocais e o impedia de gritar, ninguém lá embaixo o escutaria.

Apenas saltaria, então acabaria com tudo de uma vez, e era melhor aquilo, debater-se em queda, o impacto pulverizador, do que isso, essa coisa, mas já tinha hesitado por tempo demais, sabia que era um covarde quando se tratava de morte e dor. Virou-se de novo para encarar o anjo, esperando sem motivos que o truque de luz ou audição estivesse encerrado quando o fizesse, mas a fisionomia gigante olhava diretamente para ele, as linhas periféricas ainda se contorcendo levemente, e os realces nas pálpebras deslizando rapidamente para trocar de lugar com os brancos dos olhos enquanto ele piscava e piscava de novo. Os tons róseos com que os lábios foram pintados rodopiavam e coagulavam enquanto ele tentava o que parecia ter a intenção de ser um sorriso tranquilizador. Nisso, Ern começou a chorar em silêncio, como quando era um menino e não havia nada a fazer além de chorar. Sentou-se nas tábuas e afundou o rosto nas mãos quando aquela voz hipnotizante começou a falar novamente, com suas profundidades que se amplificavam e reverberações em arabesco escorrendo até um ecoante nada.

— Seusimtiça estesquinaja deacima da ruaeter.

Só eu, sim, só eu e minha presença e meus olhos justos observando de cima, em uma curva ou esquina nos céus no qual voam rolas e pombas, entre as hierarquias e os hierofantes desta Hierusalem superior, sobre trilhas estreitas, retas e honestas que são o éter dos pobres que fiz meu grande tribunal pelo qual anuncio agora que a Justiça esteja acima da Rua.

Os olhos doloridos de Ern estavam fechados e ele mantinha as palmas das mãos pressionadas sobre o rosto, mas descobriu que podia ver o anjo mesmo assim, não através dos vãos entre os dedos ou das pálpebras, como acontece com uma luz intensa, e sim mais como se os raios desviassem desses obstáculos por alguma rota que Ern não conseguia determinar. Tendo as tentativas de bloquear a visão se mostrado inúteis, ele então apertou as mãos em cima dos ouvidos, porém não obteve mais sucesso. Em vez de serem sufocadas pelos travesseiros de cartilagem, osso e gordura, a voz em cascata da entidade parecia contornar esses impedimentos para soar com claridade cristalina, quase como se sua fonte estivesse dentro do crânio de Ernest. Recordando-se da loucura do pai, Ern estava chegando rapidamente à conclusão de que de fato poderia ser bem esse o caso. O afresco falante era apenas um delírio, e Ern tinha dobrado a esquina da loucura, como seu velho. Ou ainda estava são e aquela intervenção assombrosa era um acontecimento real, ocorrendo de verdade, no sótão balançante no alto da St. Paul, no mundo de Ern, em sua vida. Nenhuma das alternativas era suportável.

A música cintilante de cada palavra angélica, suas frondes harmônicas que estremeciam e seus arabescos que se desintegravam, eram criados de modo que os sons se subdividissem eternamente em cópias ainda menores de si mesmos, assim como cada galho é como sua árvore em miniatura, cada graveto uma reprodução em menor escada de seu galho. Um rio que se fragmentava em riachos e por fim regatos sobre o delta, cada sílaba corria por milhares de fissuras e capilares até o âmago de Ern, o próprio tecido de que era feito, todo seu significado saturando-o de tal modo que sua menor nuance não poderia ser mal-ouvida, mal-entendida ou perdida.

"A Justiça esteja acima da Rua", dissera o vasto rosto plano, ou ao menos era parte disso, e em seus pensamentos encontrou uma imagem visual súbita e potente para acompanhar a frase. Via na mente o que era, em resumo, um conjunto de balanças suspensas sobre uma estrada sinuosa, mas a crueza nua da imagem confundiu Ern, que sempre pensou ter uma boa imaginação para coisas assim. Essas não eram balanças brilhantes suspensas no glorioso céu radiante acima de uma via rústica, como em alguma ilustração bíblica, mas rascunhos toscos de uma criança ou um imbecil. Os pratos suspensos e suas correntes de suporte não eram mais que triângulos irregulares, ligados perto, mas não exatamente no ápice, por uma figura oblonga desenhada por mão pouco habilidosa. Abaixo disso havia um retângulo alongado e oscilante que poderia ser uma rua ou também poderia ser uma fita enrolada.

Com tão poucas linhas em sua feitura quanto as declarações do anjo tinham palavras, o esboço simples descarregou todas as suas diversas implicações em Ern de modo muito similar ao que a voz havia feito, implantando pequenas parcelas de consciência que se desenrolavam em algo muito maior e mais complicado. Estudando a imagem mental descuidada, Ernest compreendeu que ela se conectava de uma maneira intrigante a cada pensamento inócuo que havia tido enquanto andava

de casa para o trabalho naquele dia, como se aquelas noções fossem
memórias nebulosas e invertidas daquela revelação imediata, lembranças que de algum modo enigmático se poderia ter antes que seu assunto
tivesse ocorrido. A imagem em sua cabeça, compreendia, tinha uma
conexão com seus pensamentos anteriores sobre as dificuldades dos
pobres, suas considerações sobre o ramo de calçados em Northampton e
parecia até mesmo relevante para os pensamentos amorosos e grosseiros
sobre a esposa. Também lhe vieram à mente pensamentos sobre seus
filhos, John e a pequena Thursa, e o que seria deles, assim como sua
breve invocação do Céu como localizado em um lugar muito alto acima
das ruas de Lambeth. Principalmente, notou, Ernie era relembrado dos
negros que havia imaginado na América, os escravos libertos e a visuali-
zação horrenda de crianças marcadas a ferro. Ele ainda chorava, sentado
ali, indefeso sobre as tábuas imundas, mas suas lágrimas agora não eram
somente por ele mesmo.

Depois de atrair com sucesso a atenção de Ern, o grande rosto na pintura continuou a transmitir sua lição, ao som da fúria tonitroante que
parecia aprisionada em um curso que circundava o pináculo da catedral.
Pelas mudanças contínuas e sutis em seu semblante, parecia ansioso
para expressar instruções de profunda importância em uma gama surpreendente de tópicos, muitos deles relativos a questões de matemática
e geometria, para as quais Ern, embora analfabeto, sempre demonstrou
talento. O conhecimento, no entanto, era decantado para dentro dele,
de modo que Ern não tinha a opção de não aceitar aquilo.

A visão primeiro explicou, usando sua sopa de palavras destroçadas
e compactadas, que a tempestade que os cercava era resultado de algo,
nesse caso o próprio anjo, movendo-se de um mundo para outro. Com
isso Ern ouviu uma inferência de que as tempestades em si tinham uma
geometria imperceptível aos sentidos humanos, que relâmpagos que
poderiam atingir diferentes locais em dias diferentes eram, no entanto, a
mesma descarga, embora refratada, com reflexos espalhando-se até pelo
tempo, para o passado e para o futuro. A frase com a qual expressou
essa sabedoria foi: "Poissim osele relacitranspagos marchavem nosseus
entranxiste...". *Pois os relâmpagos marcam nossos trânsitos...*

Ernst levantou o rosto brilhante e iluminado para olhar desesperadamente para o quarteto de arcanjos identificados em azul e dourado sobre
o solidéu da cúpula acima dos afrescos. Tranquilos e inexpressivos, não

ofereciam ajuda, não serviam de consolo, mas ao menos não se moviam. Ao voltar o olhar para o espaço de pontinhos que se retorciam lentamente no rosto de seu interlocutor, Ern percebeu de longe que aquela era a única área do afresco, de qualquer um dos afrescos, afligida daquele modo. De certa forma, isso tornava as coisas ainda piores, porque, se estivesse louco, então deveria ter visões fervilhando em todos os lugares, e não apenas em um. Desejou que pudesse desmaiar ou até ter seu coração apertado e morrer, para que aquele horror insuportável acabasse, chegasse ao fim, mas em vez disso aquilo continuou e continuou e continuou. Olhando pacientemente para ele por sobre as tábuas que a cortavam na altura do peito, a grande cabeça pareceu encolher os ombros cobertos pela túnica, em um gesto de simpatia, e isso provocou uma onda energética de malvas e ocres queimados se movendo pelas dobras das vestes e então se reassentando conforme a impossibilidade fulgurante recomeçava a educação de Ern Vernall, em boa parte relacionada ao campo da arquitetura.

— ... eaeons osou convercantos dabertou Ceutemiernidade estranão altabertos.

E ali na convergência mais alta dos aeons que é quadruplicada nas bordas vagas ignorantes de nosso Céu, no "ou" das coisas, a articulação de possibilidade sob luz dourada nesta hora em que pessoas negras estão livres tirou a tampa de um eterno aqui e agora da história que já aconteceu, por fim, terminou em felicidade com esperança e reverência ou em sua consciência está sem resolução e com o fim em aberto, no entanto regozije-se que a Justiça esteja acima da Rua, pois os relâmpagos marcam nosso trânsito e os cantos da Eternidade estão abertos.

Aquilo continuou por duas horas e quarenta e cinco minutos.

A palestra se expandia, apresentando Ern a pontos de vista sobre os quais nunca havia pensado antes. Foi convidado a considerar o tempo com cada momento de sua passagem em termos de geometria plana, e lhe foi apontado que o entendimento do espaço pelo ser humano era incompleto. Foi dada ênfase nos cantos como tendo um significado estrutural oculto, localizado nos mesmos pontos de um objeto concretizado em plano ou elevação, constantes embora expressos em duas ou três ou mais dimensões. Em seguida houve um discurso sobre topografia, mas com o assunto projetado a um extremo metafísico. Foi-lhe esclarecido que Lambeth era adjacente à distante Northampton se ambas estivessem em um mapa dobrado de certa maneira, que as locações, embora distantes, podiam ser em certo sentido concebidas como estando no mesmo lugar.

Ainda sobre questões topográficas, Ern foi apresentado a um novo entendimento do toro, que achou ter a "forma de boia salva-vidas", com um círculo inflado atravessado por um buraco. Foi dito sobre ele que tanto o corpo humano como seu canal alimentar, e a humilde chaminé, com seu furo central, eram variações daquela forma básica, e que uma pessoa podia ser vista como uma chaminé invertida, enfiando combustível na ponta de cima, com nuvens marrons de fumaça sólida explodindo do outro lado para se dispersar na terra ou no mar, em qualquer lugar que não o céu. Foi nesse ponto, apesar das lágrimas ainda correndo pelo rosto, apesar do fato de que sentia estar se afogando, que Ern começou a rir. A ideia de um homem ou mulher como um topo de chaminé virado de cabeça para baixo era tão cômica que ele não pôde evitar, considerando a imagem que isso gerava, de longos cocôs esvoaçando sobre o céu de Londres, vindos das torres de fundição da cidade.

Ern riu, e nisso o anjo também riu, e cada entonação cintilante sua estava cheia de Alegria, de Alegria, de Alegria, de Alegria, de Alegria.

Bill Mabbutt notou que a tempestade havia terminado quando as igrejas próximas soaram o meio-dia e ele percebeu pela primeira vez que podia ouvi-las. Baixando a desempenadeira com os últimos restos do reboco que estava usando para preencher as frestas entre alguns azulejos problemáticos, ele se virou e bateu as mãos de bife cru para que os homens prestassem atenção nele. Sua voz de tenor ligeiro reverberou nas galerias, propagando-se pelos corredores como uma gaivota perdida enquanto ele anunciava uma parada para chá e pão.

— Certo, rapazes, vocês têm meia hora de diversão. Vamos comer um pãozinho e colocar a chaleira no fogo.

Lembrando-se do restaurador, Mabbutt assentiu a cabeça rosada e brilhante na direção do andaime.

— É melhor baixarmos o velho Ginger. Já vi ele perder a paciência e, acredite, não foi nada bonito.

O grandalhão Albert Pickles veio andando pesadamente no xadrez polido, com seu reflexo tênue e incompleto nadando no brilho sob suas botas. Olhou para Bill e sorriu ao se posicionar ao lado de um dos guinchos nos cantos da jaula.

— É. Ele é ruivo e é lesado, o pai dele inda é soldado.

Vários dos outros camaradas deram um sorrisinho malicioso com aquela velha provocação de malandro enquanto se preparavam para manejar as cordas restantes dos andaimes, mas Bill não deixou barato. Podia ser um cara barrigudo com uma voz de flauta, mas tinha recebido uma medalha lutando contra os birmaneses e todos os homens, incluindo Albert Pickles, sabiam que era melhor não o provocar.

— O pai dele morreu, Bert, então chega disso, certo? É um cara decente que teve uma maré de má sorte e acabou de ter um bebê. Agora, vamos descer ele, aí vocês todos podem fazer sua pausa.

Os homens aceitaram a repreensão de forma bem-humorada, então puxaram os cabos, enquanto Bill tentava gritar para dentro do glorioso poço acima deles, dizendo a Ginger para se aprontar, assim não derramaria seus potes ou os derrubaria quando a plataforma começasse a descer. Não houve resposta, mas, com as tábuas suspensas a tamanha altitude, Mabbutt não tinha de fato esperado que seu anúncio fosse ouvido. Assentiu com o queixo na direção dos trabalhadores, e eles começaram a deixar baixar o largo arco de madeira para baixo do firmamento murmurante e dourado da catedral para o forte lá-e-cá e a agitação contida do chão.

As roldanas elevadas começaram seu guincho medido, intermitente, como uma horda de mulheres baixando a si mesmas centímetro por centímetro nas águas frias de um banho público. Puxando um lenço do bolso da calça, Bill Mabbutt limpou o brilho líquido de sua transpiração da testa rosada e pensou em Ginger Vernall na Crimeia, espancando um de seus colegas de esquadrão nos alojamentos até arrancar sangue quando esse outro rapaz fez um comentário sobre sua origem. Bill sentia pena do homem, essa era a verdade, de ver o quanto era orgulhoso na guerra e vê-lo agora, sendo puxado para baixo por tudo na vida. Assim que voltou depois de lutar contra os russos, o velho Jack, pai dele, ficou maluco e então morreu não muitos anos depois. Ainda abalado por aquilo, Bill sabia, Ginger havia encontrado sua mocinha e então se casaram, e logo depois ela teve o primeiro filho e então mais um. Billy nunca foi de muito contato com mulheres, ficando mais à vontade com outros homens, mas tinha visto muitos camaradas atravessarem lama e balas de mosquete para terminarem com as pernas cortadas por esposa e família. Ginger estava preso com bocas famintas para alimentar e sem um lugar só seu onde pudessem viver, ainda na casa da mãe em Lambeth. Uma velha maldita, pelo que Mabbutt constatou logo que a viu.

Vinte e cinco ou trinta metros acima, a parte de baixo do pódio de Ginger se aproximou com um acompanhamento rítmico de amarras gementes, trabalhadores grunhindo e rodas de roldanas estridentes. Enfiando o lenço de volta no lugar de onde havia saído, Bill se virou para ficar de frente para a mesa de cavaletes onde tinha colocado a desempenadeira, assim poderia limpá-la antes de tomar uma xícara de chá. Os clérigos da St. Paul foram persuadidos, depois de algumas ameaças, a deixar que fervessem um caldeirão de água no fogão da catedral, para que pudessem encher dois grandes bules de cerâmica trazidos pelos trabalhadores contratados. Os bules fumegavam agora na ponta da mesa, ao lado da coleção mais imunda de canecas de estanho que Bill já tinha visto, outro empréstimo dos ressentidos clérigos. Amassadas e dilapidadas, eram mais manchadas que a pele do pobre Sam Morango, o jovem aprendiz de Bill na St. Paul. Uma ferrugem cor de merda estava encrustada em suas beiradas, e uma havia sido carcomida por uma imensa corrosão, tornando possível ver a luz do dia. Raspando as últimas lascas de reboco da desempenadeira, Bill fez uma anotação mental para se certificar de que nem ele nem Ginger pegassem aquela xícara com um buraco, a não ser que quisessem chá quente derramando no colo deles.

Ele foi gradualmente se dando conta de um tumulto que começava em algum lugar atrás de si e olhou para trás na direção do andaime bem a tempo de ver a plataforma guinchada para baixo, agora no máximo um ou dois metros acima do chão. O velho Danny Riley, com sua barba como a do sr. Darwin e a mesma boca de macaco, repetia: "Quem é esse? Santa Maria, ora, quem é esse?", como um maluco. Bill espiou ao redor para ver se algum arcebispo ou homem importante do tipo tinha saído de trás de uma pilastra e se juntado a eles. Não encontrando ninguém, olhou de volta para a prancha de tábuas que agora voava apenas centímetros acima dos azulejos e que pousaria com mais um gemido das roldanas.

Vindo da figura agachada ali no centro da construção havia um barulho gaguejante de "hu hu hu", audível apenas quando todos os guinchos estavam parados, e mesmo assim não era possível dizer se era riso ou som de choro o que se ouvia. Lágrimas rolavam, certamente, pelo rosto encardido da figura, mas corriam para dentro das rachaduras do que poderia parecer um sorriso ditoso, não fossem os olhos cheios de

confusão e dor. Sobre as tábuas na frente, escrito por um dedo mergu-
lhado em Amarelo Veneziano e com letras trêmulas como as que uma
criança pequena poderia tentar, estava a palavra TORO, que Bill sabia
que era um termo da astrologia, porque ele próprio tinha nascido em
maio. O que Mabbutt não conseguia entender, no entanto, era como
a palavra estava escrita nas tábuas, quando ele sabia muito bem que o
homem que ele enviou lá para cima para retocar os afrescos não sabia
escrever nem o próprio nome, talvez pudesse copiar o formato de uma
letra se fosse instruído para isso, embora obviamente não fosse o caso,
sozinho lá na cúpula superior.

Billy caminhou pesadamente, como em um daqueles pesadelos de
perseguição, na direção da gaiola empilhada de andaimes, empurrando
para o lado os trabalhadores imóveis e de boca aberta em seu caminho.
Entre os sussurros de arquejos em torno dele, ouviu Bert Pickles dizendo
"Puta merda! Puta que pariu!", e os passos barulhentos dos padres que
vinham correndo para ver o motivo do alvoroço. Alguém ao lado da
figura naufragada sobre sua balsa tinha começado a chorar. Pelo som,
Bill achou que fosse o jovem Sam.

Olhando dos potes e pincéis espalhados em meio aos quais estava
sentado e do rabisco inexplicavelmente vivo, a pessoa que havia descido
do cimo do grande guindaste olhou de volta para Mabbutt e seus outros
colegas de trabalho, e então riu de uma maneira parecida com choro.
Não era como se não houvesse reconhecimento na expressão dele, e sim
mais como se tivesse ficado tanto tempo longe que se surpreendesse ao
ver que ainda estavam ali. Billy podia sentir lágrimas quentes em seus
olhos agora, retornando aquele olhar destruído, sem compreensão. Billy
tentou falar, e sua voz saiu uma oitava acima do normal. Era inevitável.

— Ah, pobre rapaz. Ah, meu pobre velho amigo, o que aconteceu
com você?

Uma coisa era certa. Pelo resto de sua vida, ninguém, jamais, quando
falasse de Ernest Vernall, o chamaria de ruivo.

Billy acompanhou seu amigo destruído até a casa dele, em Blackfriars Bridge, e ficou um pouco com a família chorosa de Ernie, depois
que o estranho trazido do trabalho para casa foi reconhecido. Até a
mãe de Ern chorava, o que surpreendeu Bill: jamais imaginou que ela
tivesse uma pitada de pena dentro de si. Mas, de fato, a condição do
filho era capaz de fazer uma pedra chorar. Não tanto a aparência de

Ern agora quanto as coisas que ele falava — árvores, pombos, relâmpagos, cantos, chaminés —, um tumulto de coisas comuns e simples que ele mencionava no mesmo tom sussurrado que alguém usaria para falar de uma sereia. Todos na casa choravam, menos o menino de dois anos, o jovem John. Com seus grandes olhos escuros, encarava o pai sem emitir um som.

Ernest se recusou a falar sobre o que havia acontecido nas nuvens de tempestade sobre Londres, a não ser para John e Thursa alguns anos depois, quando o filho tinha dez anos e Thursa, apenas oito. Os filhos de Ernest jamais revelariam o que lhes foi dito, nem mesmo para a mãe, ou para os próprios filhos de John, quando ele se casou e se tornou pai, uma década depois, no fim dos anos 1880.

Na manhã posterior, e na verdade em todos os dias daquela semana, Ern Vernall, tendo àquela altura recobrado ao menos parte de seus sentidos, fez uma corajosa tentativa de retomar seu trabalho na St. Paul, garantindo que não havia nada de errado com ele. A cada manhã, botava o pé na Ludgate Street e permanecia ali por um tempo, incapaz de prosseguir, antes de dar meia-volta em seu caminho desesperançado e voltar para Lambeth. Depois disso, conseguiu às vezes alguns trabalhos temporários, mas não mais em igrejas ou lugares altos. Anne teve mais duas crianças com ele, primeiro uma menina chamada Appelina, depois um menino que Ernest insistiu que fosse batizado de Messenger. Em 1868, a esposa de Ern e a mãe dele concordaram em alguma coisa pela primeira vez na vida e permitiram que ele fosse internado no Bedlam, onde Thursa e John e às vezes as duas crianças menores faziam primeiro visitas mensais e depois anuais até julho de 1882, quando, em seu sono e com a idade de apenas quarenta e nove anos, Ern morreu de um ataque do coração. Com exceção dos filhos mais velhos, ninguém jamais descobriu o que ele queria dizer com a palavra TORO.

ORDEM CIVIL DE RESTRIÇÃO AO DESEJO

O que Marla achava era que tudo tinha começado a dar errado quando a família real matou Diana. Tudo que aconteceu depois disso foram coisas ruins. Era possível saber que a mataram por causa daquela carta que ela escreveu, mostrando o que ela pensava, tipo, vai acontecer em um acidente de carro. Aquilo era uma prova. Diana já estava esperando o que aconteceu com ela. Marla se perguntava se ela teve aquela merda lá, uma premonição, um lance de previsão, naquela noite em que aconteceu. Aquela filmagem que é exibida toda hora, com ela e Dodie e o motorista saindo do Ritz, tipo, nas câmeras do hotel, e eles passando pelas portas giratórias. Ela devia saber de algum jeito, Marla pensava, mas era como o destino de Diana, o que não poderia ser evitado. Marla achava que ela devia saber quando estava indo para o carro.

Ela tinha quantos anos na época? Dez? É isso, dez anos quando aconteceu o acidente de carro. Ela se lembrava que estava na porra da casa da mãe em Maidencastle e passou aquele domingo inteiro no sofá enrolada num cobertor, chorando. Ela se lembrava disso, mas também achava ser capaz de se lembrar do que via na TV quando era bebê. Lembrava, por exemplo, quando o príncipe Charles e a princesa Diana se casaram na St. Paul. Ela se lembrava nitidamente e disse isso para os amigos, mas então Gemma Clark falou que aquilo foi em 1981, e Marla tinha dezenove anos, o que significava que tinha nascido em 1987 ou perto disso, então isso não poderia ter acontecido, ela devia ter visto só um vídeo. Ou podia ter sido, tipo, Edward e Sophie, e ela havia se confundido, mas Marla não se deixou convencer. Não era possível fazer todos aqueles truques agora, falsificar as coisas? Como o Onze de Setembro ou o homem na Lua e tal, ou — quem era mesmo? — Kennedy.

Quem poderia dizer que eles não tinham se casado depois de 1987, mas foi tudo encoberto e todas as fotografias mudadas com efeitos de CSI? Ninguém sabia de nada com certeza, e eles eram uns mentirosos de merda se dissessem que sim.

O que a tinha feito pensar em Di foi que havia acabado de voltar para seu apartamento de Sheep Street, para aqueles lados, porque se lembrou de onde achava que podia ter deixado um restinho, e quando estava procurando do lado do sofá encontrou em vez disso todos os seus álbuns de recortes com Diana. Ali estavam seus livros sobre Jack, o Estripador, e todo o seu material sobre Di, que achava que tinha perdido ou emprestado a alguém. Além disso, o que procurava não estava ali embaixo, mas tinha pulado para agarrar um celofane de um maço de cigarros achando que era outra coisa, como todo mundo deve ter feito uma vez ou outra, quando a pessoa vê aquele brilho no tapete e acha que poderia ter derrubado um pouco, ou que alguém poderia. Mas não havia nada no apartamento a não ser Jack, o Estripador, e Diana. Se ela estava tão na fissura, ia ter que dar um jeito, não?

Ela tinha barras de Snickers de tamanho grande, então se obrigou a colocar a chaleira para ferver para um Pot Noodle, assim poderia dizer que tinha feito uma refeição saudável, mas para quem diria isso, agora que Keith havia cortado as relações entre os dois? Ah, puta merda. Era só pensar nisso e seu estômago parecia que dava um nó, e ela entrava naquela de começar a pensar em tudo o que poderia ter acontecido e no que faria e tudo mais, o mesmo de sempre, e isso realmente tornava urgente sua vontade de fumar. Sentou na poltrona, que tinha as tiras todas estouradas debaixo da almofada de espuma, e passou a enfiar na boca colheradas de massa esticada em forma de vermes e cartilagem banhadas em água suja, enquanto olhava o papel de parede, no ponto onde começava a se descolar na quina da parede, parecendo um livro que se abria. Não importava o que acontecesse, não iria sair naquela noite, nem para o Beat, nem para os Boroughs. Poderia sair e pegar a hora do rush naquela tarde, mas não naquela noite. Ela prometeu isso a si mesma. Era melhor ficar sem do que se arriscar assim.

Para dar ao cérebro algo para se ocupar até que pudesse resolver as coisas, ficou pensando na última vez em que tinha usado e se sentindo bem. Não naquela quinta-feira, o dia anterior, que foi a última vez de fato, obviamente, porque foi uma merda. Nem nos últimos cinco meses, quando não sentia porra nenhuma, não importava o quanto usasse, mas na última vez em que foi bom mesmo. Tinha sido em janeiro, logo depois do Natal, quando sua amiga Samantha, que trabalhava próximo a Andrew's Road, na Semilong, havia aparecido para trançar seu cabelo. Ainda estava com Keith na época — ela e Samantha estavam com Keith — e as coisas ainda estavam boas.

Depois de cuidarem do cabelo de Marla, o que levou séculos, mas ficou ótimo, elas deram umas cachimbadas enquanto davam um trato uma na outra. Ela não era lésbica, nem Samantha, mas aquilo amplificava o efeito, isso todo mundo sabia. Elevava a coisa a outro nível, ter alguém mandando ver no meio das pernas enquanto mandava ver no cachimbo, então as duas iam trocando de lugar. Naquela porra de tapete velho com a bandeira da Jamaica que sua mãe deu quando se mudou, e que ainda estava ali, a quinze centímetros do seu pé enquanto comia seu macarrão. Era janeiro, então tinham colocado o aquecedor elétrico no máximo e tirado a calcinha, estavam só de camiseta. Marla deixou Samantha fumar primeiro porque ela tinha arrumado seu cabelo, então quando ouviu um barulho de assovio, como se alguém soprasse uma esferográfica vazia, enquanto Samanta puxava a fumaça, Marla foi para o chão e a lambeu. O gosto era do limão de um gim-tônica, e estava rolando Franz Ferdinand no rádio, ou na fita cassete, ou o que fosse, tocando "Walk Away". Quando foi sua vez, Samantha estava bem chapada e a devorou feito um cachorro comendo batata frita depois que Marla levantou e pegou o cachimbo, e foi perfeito, não exatamente como da primeira vez, mas ainda assim mágico.

E era mesmo, quando era bom, a sensação era a de que você era assim, que era assim que deveria se sentir, que era a vida que merecia, e não aquela coisa de andar por aí como se estivesse dormindo e se sentindo morta por dentro. Era tão bom que você achava que estava em chamas e podia fazer qualquer coisa, mesmo que estivesse só de camiseta ao lado de um aquecedor elétrico, com manchas vermelhas nas pernas e engolindo os pelos pubianos de alguém. Você se sentia como a porra da Halle Berry, alguém desse tipo. Você se sentia como Deus, caralho.

Aquilo não estava ajudando em nada, só deixava Marla ainda mais na fissura. Colocando o pote de plástico vazio na mesa de centro forrada com papel de presente debaixo do vidro, uma coisa que viu em um programa de reformas, pegou seu caderno com coisas da Diana de onde

96 ALAN MOORE

estava no sofá, junto com seus livros do Estripador. Era um negócio enorme com folhas de cartolina colorida. Marla havia começado a colecionar artigos para colocar nele quando tinha dez anos e Diana morreu. A capa tinha uma foto grudada com cola em bastão, cheia de calombos e vincos. Era uma imagem velha que Marla tinha recortado de uma revista de domingo, mostrando algum lugar na África ao pôr do sol, com todas as nuvens tingidas de dourado, mas o que Marla havia feito foi cortar o rosto da princesa Di de outra página e colar no local onde o sol estava, para parecer que Di estava no céu iluminando tudo. Ficou tão lindo que mal dava para acreditar que foi ela quem tinha feito aquilo, especialmente não quando tinha dez anos, e em lugar algum desde então tinha visto alguém criar uma imagem que chegasse aos pés da inteligência da sua ideia. Talvez ela fosse um gênio ou coisa do tipo na época, antes que todos começassem a criticá-la.

Deu outra olhada do lado do sofá, só para garantir, e debaixo também, então se sentou de novo na poltrona, suspirando, passando uma das mãos sobre a cabeça, sobre as tranças, que estavam se desfazendo em mechas frisadas. O problema era que Samantha não estava mais por perto. Marla ouviu dizer que ela tinha voltado para a casa dos pais em Birmingham depois de sair do hospital, então não havia ninguém para cuidar das tranças de Marla. Como não tinha dinheiro para refazer, estava deixando que desmanchassem até ter condição de pagar por isso. Marla sabia que isso pegava mal e era ruim para os negócios, mas fazer o quê? Um dente seu tinha caído três semanas antes, por causa de todos os doces, e aquilo também não ajudava, mas ao menos ainda podia aprender a sorrir com a boca fechada.

Não foi nada bom, o que aconteceu com Samantha. Ela entrou no carro errado, ou foi arrastada para dentro. Marla não a viu mais desde então para perguntar. Dois caras a levaram para transar na ponte Spencer, atrás do Vicky Park, e a deixaram semimorta no meio do mato, aqueles arrombados. Havia garotas que terminavam assim, talvez toda semana, mas nem um quarto dos casos era denunciado. Não, a não ser que fosse um grande acontecimento, como em agosto, quando houve o estupro coletivo na BMW, de mulheres pegas na Doddridge Street e na Horsemarket, e o caso da garota que foi levada de perto do salão de bilhar da Horseshoe Street para Marefair, para o parque atrás da igreja de St. Peter. Cinco estupros em dez dias, saiu no noticiário da televisão e tudo, com todo mundo cobrando providências a respeito. Isso foi uns bons seis meses antes do acontecido com Samantha. Marla continuou ali na poltrona estourada, lembrando de Samantha levantando do chão, limpando o queixo, depois que ela gozou, e as duas se beijaram um pouco, ainda no ímpeto, sentindo o gosto da fumaça e do sumo do amor uma na boca da outra. Mais tarde naquela noite tentaram outra vez, porque era logo depois do Natal, mas não foi a mesma coisa, e nenhuma delas gozou na segunda vez, mas continuaram até ficarem com os maxilares doloridos e acabarem cansando.

Pensando bem — e era uma das poucas coisas que não sentia medo de pensar —, Marla era capaz de apostar que não havia um cômodo naqueles apartamentos em que alguém nunca tivesse transado. Nem uma cozinha ou lavatório ou nada em que alguém sem calças não tivesse feito ou deixado que fizessem alguma coisa. Meio que ainda era quase possível ver Samantha e ela se atracando na bandeira da Jamaica, e se dava para pensar nisso podia imaginar outras pessoas também, no mesmo cômodo em que estava, mas talvez muito tempo atrás, tipo os anos 1950 ou algo assim. E se tivesse sido sua própria mãe? A piranha quarentona era desse jeito: bastava o corno sair para ela arrumar algum vagabundo da rua para prensá-la contra a parede. Marla era capaz de vê-los, a mulher velha e gorda e balançante, de pé com as mãos na parede bem acima da lareira de Marla, sobre o aquecedor elétrico, a bundona para fora da saia levantada, enquanto o vagabundo velho e cômico com um chapéu encardido cobrindo a careca a pegando por trás, ainda com o treco na cabeça. Marla riu e ficou exultante por imaginar a coisa em tantos detalhes, já que nunca criava imagens assim na mente, nem mesmo conseguia sonhar. Quando dormia, era uma escuridão vazia, como uma grande queimadura de cigarro negra na qual caía e depois saía sem se lembrar de nada. Ainda estava olhando para a mulher gorda e o vagabundo que imaginava, transando contra a parede da lareira, quando a campainha tocou e lhe provocou um sobressalto.

Ela seguiu em silêncio pelo corredor até a porta da frente, passando pelo banheiro e o quarto bagunçado, e se perguntou quem poderia ser. Talvez Keith, voltando para dizer que ficaria com ela de novo, mas então achou que poderia ser Keith voltando para dizer que ela ainda devia para ele e a encher de bofetadas. Abriu um pouco a porta, deixando-a ainda presa na pequena corrente de segurança. Olhou pra fora e ficou ao mesmo tempo aliviada e desapontada: era só o tal Thompson, da Andrew's Street, o velho gay com cara de fuinha que falava sobre política e tal. Ele era bacana, e sempre falava com as pessoas com gentileza, nunca com a condescendência da maioria dos políticos, tanto os negros como os brancos. Tinha aparecido uma ou duas vezes no último ano ou ano e meio, passando de porta em porta e recolhendo assinaturas para alguma petição ou informando as pessoas sobre as reuniões que aconteceriam, para impedir que os figurões vendessem as moradias de aluguel da prefeitura e tudo mais, e Marla sempre dizia que iria, mas nunca foi, porque sempre estava trabalhando ou fumando.

Dessa vez ele veio falar sobre uma exposição de pinturas que uma artista conhecida sua ia fazer, na pequena creche em Castle Hill, a cinco minutos a pé. Marla não estava de fato prestando muita atenção enquanto ele explicava, mas a conversa era sobre como a artista estava apoiando uma das campanhas políticas que ele estava fazendo nos Boroughs, e que era uma pessoa da área, como se isso significasse alguma coisa. Os Boroughs eram um lugar de merda, cheio de escrotos filhos da puta, como os vizinhos do lado, que fizeram com que lhe dessem uma ASBO[26], e se não fosse aquele lugar onde conseguiu arrumar um apartamento e onde trabalhava, por ela podiam derrubar tudo e depois terraplanar. O tal Thompson estava contando que a exposição seria na tarde do dia seguinte, no sábado, e Marla disse que com certeza iria passar por lá, embora ambos soubessem que era mentira, só para poder fechar a porta sem ofendê-lo. Na tarde do dia seguinte Marla estaria numa boa, e nesse caso estaria no seu apartamento e se preparando para sair, ou não estaria bem, e de qualquer modo não iria querer ver pintura nenhuma. Aquilo tudo era uma puta enganação, e as pessoas só diziam que viam coisas profundas nos quadros quando queriam parecer inteligentes.

Fechando a porta atrás do velho, Marla torceu para que na tarde seguinte estivesse definitivamente bem, em vez de não estar bem, fosse o que fosse o que aquilo quisesse dizer. Provavelmente não seria pior do que percorrer a Grafton Street e a Sheep Street como naquele dia, na esperança de conseguir um cliente na hora do almoço. Aquela era a pior situação em que estaria, disse a si mesma. Sabia que de jeito nenhum iria para Scarletwell naquela noite, não importava o quanto as coisas piorassem, sem chance, então aquela não era uma alternativa com a qual precisasse se preocupar.

Depois que se livrou de Thompson, ou que ele foi para a casa seguinte ou o que fosse, voltou para a sala e se sentou no mesmo lugar de antes, mas descobriu que agora não conseguia imaginar as duas pessoas transando perto da lareira como fizera antes. Tinham ido embora. Verificou de novo do lado e debaixo do sofá, então se sentou outra vez para pensar que era tudo culpa da porra da sua mãe, Rose. Uma piranha branca miudinha e magrela com dreadlocks no cabelo e sempre atrás dos crioulos, falando como o Ali G, com aquela merda de conversa de que Bob Marley isso, Bob Marley aquilo. Tinha até batizado a porra da filha parda de Marla, com Roberta como nome do meio. Marla Roberta Stiles, e Stiles era o sobrenome da mãe, não do pai. Ele tinha se mandado fazia muito tempo, e Marla não o culpava, nem um pouquinho. Não, não chores mais, mulher do caralho.

Enquanto Marla crescia, a mãe estava lá o tempo todo preparando uma bosta de curry, de fones de ouvido e cantando lively up yourself[27] ou uma dessas. Ou estava largada diante da televisão enrolando baseados com porções insignificantes de maconha vagabunda e dizendo que aquela porra era ganja. E tinha também os namorados, os crioulos que sumiam em seis semanas ou seis minutos quando descobriam que ela tinha uma filha. Quando Marla tinha quinze anos, transou com um deles, um dos namorados de Rose, o Carlton do olho estranho, só para se vingar dela por todo... por tudo. Simplesmente tudo. Marla ainda não sabia se a mãe tinha descoberto sobre ela e Carlton, mas ele foi chutado da casa de Maidencastle em um mês, e o clima azedou de um jeito que Marla não ficou por muito mais tempo e também picou a mula quando fez dezesseis anos. Foi por essa época que encontrou Samantha, Gemma Clark e o pessoal todo, e Keith.

A mãe dela tinha feito apenas uma visita desde que Marla conseguiu o apartamento. Jogou-se no sofá com um baseado fininho, Marla era até capaz vê-la agora, e disse à filha o que, na sua opinião, ela estava fazendo de errado, atrasando a própria vida. "Todas essas drogas é que são o problema. É diferente de um tantinho de erva. Você vai acabar escrava delas". Como se você não fosse escrava de diamba e de pau preto, sua hipócrita de merda. Mas Rose apenas teria dito algo como "Pelo menos não estou me vendendo na Grafton Street". Você não teria como, mãe, não ia conseguir se vender, e não ia conseguir dar essa mixaria nem de graça, simplesmente não ia rolar. "Não existe amor no que você faz". Ah, puta que pariu. Sua imbecil do caralho... por acaso existe amor no que você faz? No que qualquer um faz? São só umas PORRAS DE UMAS MÚSICAS e UMAS MER-DAS DE UNS CARTÕES DE ANIVERSÁRIO, sua piranha, sua piranha velha. NÃO VEM ME FALAR MERDA, CERTO? Não vem me falar porque VOCÊ, você NÃO tem direito nenhum de falar nada, caralho, nada mesmo. Fica aí com seu BASEADO de merda, com a porra da sua GAN-JAA, sorrindo feito uma monga chapada, e ainda dizendo para relaxar. COMO ASSIM? Que PORRA é essa? Relaxar é o CARALHO, sua piranha velha. Eu vou é deixar VOCÊ cheia de ponto na cara e as costelas fodidas, para ver o que VOCÊ acha disso, porra, PORRA...

Não havia ninguém lá. Ela estava sozinha. Vou dizer uma coisa, cara, você precisa ver isso aí, sério. Sério. Ela tinha gritado não apenas em sua cabeça, mas em voz alta. Estava virando uma coisa frequente com Marla, aquela gritaria. Tinha gritado com a srta. Pierce, a professora da escola em Lings. Tinha gritado com Sharon Mawsley, do primeiro ano, com a mãe, com Keith. É isso. Como se estivessem ali. Mas pelo menos eram todas pessoas reais e que ela conhecia, ou pelo menos a maioria. Pelo menos isso. Apenas uma vez, não, na verdade duas vezes, Marla tinha gritado com o Demônio, e um monte de gente fazia isso o tempo todo. Samantha fazia. Ela havia dito que ele era um boneco de desenho animado, vermelho com um tridente, mas não foi assim que Marla o viu.

Tinha sido no meio da noite, uns três meses antes, depois do que aconteceu com Samantha. Não tinha fumado de verdade, porque estava sem, mas alguém — quem foi? — alguém arrumou uns comprimidos, sabe-se lá do quê, só para ajudá-la a segurar a onda. Estava no apartamento, no mesmo lugar em que sempre ficava, sentada na cama no escuro fumando um cigarro, porque assim pelo menos fumava alguma coisa. Olhando para a ponta do cigarro, como todo mundo faz, que ali no escuro parecia um pequeno rosto, um rostinho de velho com bochechas e boca rosadas e duas manchas pretas como olhos. Os pedaços de cinza branca e cinzenta eram o cabelo, sobrancelhas e barba. Havia duas centelhas brilhantes no topo, bem vermelhas, que pareciam chifres, um homenzinho diabo ali na ponta do cigarro, e parecia sorrir. Quando a brasa quente queimou o papel do outro lado

e fez a boca dele meio que subir de um lado, Marla pensou: Ah, é?
Está rindo do que, seu escroto feioso do caralho? E ele respondeu tipo:
De quem você acha que estou rindo? Estou rindo de você, né? Porque,
quando morrer, você vai para o inferno se não ficar esperta.

E foi nesse momento que Marla riu dele em vez de responder, ou no
mínimo soltou um risinho de deboche. Certo, e como é essa merda de
inferno, seu babaca com cara de cinzas? Vou dizer uma coisa, para mim
o inferno seria ficar presa aqui em Bath Street para sempre, e ele disse:
"Precisamente", e aquilo a deixou fora de si. De onde ela tinha tirado
uma palavra como aquela? Quando conversava com as pessoas em sua
cabeça, falava como estava acostumada, e nunca tinha dito uma palavra como "precisamente" na vida. Ela o apagou, esmagou os pequenos
miolos em chamas dele no cinzeiro ao lado da cama e então ficou deitada até de manhã com aquilo fervilhando na cabeça, aquela coisa que
ele havia dito. Ela não tinha entendido, e nem o motivo por que estava
deixando que aquilo a afetasse daquela maneira. Puta merda, como ele
sabia? Era só uma merda de uma ponta de cigarro.

Quando Marla o viu da outra vez, e fazia apenas uma ou duas semanas, foi quando Keith falou que não queria mais nada com ela. Ela foi
para lá depois, para o banheiro, para dar um jeito na boca, que parecia
muito pior do que realmente estava. Mas estava tão mal que acabou
pensando sobre o diabinho com cara de cigarro e nas coisas que ele
tinha falado, "precisamente" e o caralho, e pensou tanto que era como
se ele estivesse na cabeça dela como uma pessoa de verdade, como
a srta. Pierce ou Sharon Mawsley, e, como todas as pessoas na sua cabeça,
ele só sabia criticá-la. Era como se ele estivesse sentado ali na beirada
da banheira minúscula, enquanto ela estava de pé na frente da pia
ao lado dele, passando Dettol no hematoma do queixo. Mas dessa
vez ele não era como a pontinha vermelha de um cigarro, embora
tivesse meio que o mesmo rosto. Era uma pessoa inteira, como
a mãe dela ou o vagabundo trepando que havia imaginado. Estava
todo vestido com o que parecia a túnica de um monge, ou poderiam
ser trapos velhos, e era ou vermelho, ou verde, ou ambos. Tinha os mesmos
cachos, chifres, barba e sobrancelhas da vez que apareceu feito de cinzas
e, na cabeça de Marla, ainda ria dela e gargalhou quando o Dettol ardeu
e a fez chorar de novo justamente no momento em que havia acabado
de se recompor.

Ele estava mijando de rir, esse velho Diabo, e ela perdeu a paciência. Perdeu de vez a paciência e gritou: Por que você não me deixa em paz? Ele só a olhou de volta e fez uma careta, tirando sarro, e repetiu para ela suas próprias palavras em uma vozinha ranheta horrível que Marla sabia que era para soar como a sua. Ele se limitou a dizer: Por que *você* não *me* deixa em paz, e ela apenas chorou e, quando parou, ele tinha ido embora. Ela não o tinha visto mais desde então, e nem queria, mas as outras pessoas que tinham demônios diziam que eles se tornavam mais frequentes, não menos. Ele era seu demônio, um profeta cruel na forma de ponta de cigarro, e ela até deu um nome para ele. Ash Moses[28], foi como ela o chamou. Às vezes, quando vinha aquele cheio de queimado que ela sempre sentia quando estava no apartamento, o cheiro que achava serem apenas seus nervos fritando, Marla ria e dizia que Ash Moses estava por perto. Mas isso quando tinha alguma coisa para usar e estava de bom humor e tudo parecia mais engraçado.

Marla estava procurando atrás do sofá de novo quando olhou para o relógio de mesa no aparador da lareira e viu que estava ali fazia mais de uma hora e meia, quando sua intenção era só ver se por acaso achava algum restinho que pudesse ter perdido. Porra. Se não se mexesse, não teria chance de terminar o trabalho do dia, a hora do rush com os caras que voltavam dos lugares em que trabalhavam em Milton Keynes ou Londres ou sabe-se lá onde para passar o fim de semana. Era melhor ter mais gente do que na hora do almoço em Regent Square e na Sheep Street e arredores, porque, se não conseguisse um pouco de dinheiro rápido, bem, ela ia ficar em casa. Ficar em casa, ler seu caderno da Di, seus livros do Estripador, e aguentar firme, era o que iria fazer. Ela com certeza, com certeza mesmo, não ia sair naquela noite, de jeito nenhum. De jeito nenhum.

Arrumou a maquiagem o melhor que pôde, mas não havia muito a fazer quanto ao cabelo. Colocou o álbum e os livros sobre os assassinatos dentro da cômoda do quarto, no espaço para roupas limpas, assim se lembraria onde estavam, então passou pela pequena cozinha e saiu pela porta dos fundos para os grandes jardins de concreto do prédio. Não era um dia feio, mas só de ver todos os caminhos de cascalho e arbustos e degraus seguindo para os fundos de todos os apartamentos do outro lado, ou na direção dos grandes arcos de tijolo perto da passagem central, aquilo sempre a deixava para baixo e quase sempre levantava o cheiro de Ash Moses, mas não naquele dia. Era um lugar horrível. Marla apostava que nunca houve um tempo em que tudo o que acontecia ali não fosse horrível.

Uma das meninas que andava por lá tinha treze anos e na semana passada tinha caído no gosto dos somalis, a pobre putinha sortuda. Ainda assim, aquilo não ia durar. Ela não ia durar. E tinha o velho espasmódico que morava do outro lado do caminho, em algum lugar do outro bloco, era deficiente mental, ou sabe-se lá o que disseram pra comunidade. Logo ele encontrou um cara no bar, que se ofereceu para voltar com ele, comentou que o cara retardado tinha um belo lugar para morar e que ia trazer os chapas dele para lá, para fazer um pouco de companhia, certo? Aí todos os filhos da puta se enfiaram lá e tomaram conta do lugar, dizendo para o coitado do imbecil que iam matar ele se abrisse a boca, e ele era retardado demais para entender, e além disso eles poderiam matar mesmo. Estão no lance da química pesada, mandam as meninas para a vida e coisa e tal. Então o cara com deficiência acabou morando na rua. Aquele era um lugar, os apartamentos de Bath Street, onde qualquer lixo, qualquer um de quem a prefeitura quisesse se livrar, malucos, kosovares, albaneses, tudo aquilo, ela despejava tudo quanto era merda ali e apenas esperava que sumissem, virassem fumaça, como parecia acontecer com todo mundo, como Samantha e as outras meninas, Sue Bennett e Sue Packer e a outra que tinha uma falha entre os dentes, que limpava chupando pau, segundo diziam. Kerry? Kelly? Ela que foi encontrada na Monk's Pond Street, a loira com a falha entre os dentes. Ali ninguém havia sido morto ainda, mas teve gente que passou muito perto. Samantha passou perto, pelo que todo mundo disse. Sem chance que Marla ia sair naquela noite.

E tinha também sua ASBO. Aquela era uma boa razão para ficar em casa, mesmo sem levar em conta as outras coisas, Samantha e tudo mais. Os filhos da puta dos Roberts do apartamento ao lado é que eram culpados por isso. Tinha acontecido três, quatro meses antes, quando Keith andava conseguindo mais trabalho para ela. Foram o quê? Duas ou três noites? Cinco noites no máximo, em que ela trouxe clientes para o apartamento. Não era nem muito tarde, só duas horas e tal, e os filhos da puta do Wayne e da Linda Roberts na bosta da porta deles toda vez e reclamando do barulho, falando sobre a porra do bebê deles, tudo com os clientes olhando e ouvindo enquanto ela era xingada com todos os palavrões que existiam, então seria de se estranhar que tenha respondido? Cinco vezes, caralho. Seis, no máximo, e então veio a ASBO por causa deles.

Essas porras de ASBOs. Só serviam para poder controlar lugares como os Boroughs sem gastar dinheiro com mais polícia. É só emitir uma ASBO para cada vagabundo e então colocar as porras das câmeras para vigiarem tudo. As câmeras, era a isso que recorriam, com essa porra de tolerância zero. Se alguém aparece nas imagens e está desrespeitando os termos da ASBO, fim de papo, pode mandar para a cadeia. Não importa se o que fizeram é de fato uma infração criminal ou não. Marla tinha ouvido falar de uma mulher que recebeu uma ASBO por tomar sol, isso mesmo, no próprio quintal. Que porra era aquela? Algum vizinho babaca, algum velho cuzão que não suporta ver alguém se divertindo, alguém com as tetas de fora, porra, o que ele faz? Consegue uma porra de uma ASBO contra você e aí...

Kenny Gordo. Foi ele quem descolou os comprimidos naquela noite, quando Ash Moses apareceu pela primeira vez, o moleque gordão e careca que morava nos prédios de apartamento na Mayorhold, atrás de Claremont, Beaumont Court, os que chamavam de Torres Gêmeas. Ela tinha ido ao apartamento dele e batido uma punheta para ele e assim ganhou os comprimidos. Era engraçado como, quando havia algum pequeno detalhe para lembrar, bastava parar de tentar lembrar e deixar o assunto de lado que a coisa voltava à mente. Ela atravessou o pátio até a entrada em uma ponta dos arcos de tijolo, onde dava para ver que estava aberto e não precisaria da chave, porque tinha perdido a sua ou guardado em algum lugar que não lembrava mais. Vestindo seu casaquinho sexy que não tinha tirado durante todo o tempo em que esteve em casa, andou pela passagem central na direção da rampa e mandou um cachorro se foder porque ele tava soltando um barro bem no meio do caminho.

Indo da parte de cima da rampa para a pequena saída de muro baixo para a Castle Street, ela se alegrou do nada quando o sol saiu só por um minuto de trás de uma nuvem. Ficou, tipo, mais positiva, ou o que fosse, e pensou que era um bom sinal, um bagulho desses de sorte ou alguma merda assim. Não um amuleto, mas meio que a mesma coisa. Tudo ficaria bem. Encontraria alguém na Horsemarket ou na Marefair e então, depois disso, quem sabe, talvez as coisas como um todo pudessem começar a melhorar. Se pudesse se ajeitar um pouco, então Keith poderia retomar o contato com ela, ou então ele que se fodesse, poderia aparecer outra pessoa, um dos kosovares e tal, não fazia diferença. Eram quatro e meia quando saiu da passagem no fim da Castle Street para a Horsemarket. Certo, então. Vamos ver quem estava por ali.

Tinha muito trânsito, mas todo mundo estava com pressa pra chegar em casa, sem ninguém à toa, indo a trinta por hora de olho na sarjeta. Do outro lado da rua, ela podia ver os fundos dos Katherine's Gardens, o que os velhos por ali chamavam de "Jardins do Descanso", na parte de trás da College Street e daquela igreja sinistra. Havia umas velhas senhoras nos apartamentos de Bath Street, umas que rodavam a bolsinha nos velhos tempos e tinham todas uns sessenta anos e tal. Marla não conseguia imaginar nem como era ter trinta anos. Aquelas velhas senhoras disseram que St. Katherine's Gardens e os altos da College Street era onde todo o negócio acontecia nos anos 1950 e 1960, na época da guerra ou sei lá. Lá onde a College Street encontra a King Street tinha um bar chamado Criterion, e bem em frente, do outro lado da rua, outro chamado Mitre. Era onde todas as garotas costumavam ficar na época. Ou faziam a transação no meio do mato, nos Katherine's Gardens, ou tinha os táxis perto do Mitre que as levavam com os clientes para a Bath Street, esperavam do lado de fora por cinco minutos até o cara terminar e os traziam de volta para o bar. Marla achou uma ideia muito boa, tudo meio familiar e amigável. Com gente em volta para ficar de olho.

E, claro, naquele tempo a polícia também era outra. O plano deles na época era isolar todos os diferentes tipos de problemas em um bar diferente. Então os hippies e drogados se juntavam todos em um bar, todos os motoqueiros em outro, os veados e as sapatas em algum lugar na Wellingborough Road, e as meninas todas aqui, no alto da College Street. Pelo que dizem, funcionava muito bem, mas então vieram os policiais novos com novas ideias, provavelmente só querendo mostrar serviço e aparecer nos jornais. Começaram a dar batidas em todos esses bares e a espalhar todo mundo por todos os lugares, então agora todos os diferentes tipos de problemas estavam em quase todos os bares da cidade. Marla imaginava que era um pouco como no Afeganistão, quando todos os terroristas, ou sabe-se lá o que, estavam todos em um lugar, até que mandaram os soldados, e agora eles estão em todas as porras dos lugares. Um resultado de merda. Marla pensou em como deveria ser quando Elsie Boxer e as outras velhas do seu prédio estavam na vida, nos anos 1960, quando era tudo, tipo, tudo dickensiano e tudo mais. Deve ter sido muito bacana.

Elsie dissera que havia uma estátua bem ao lado do Criterion, na beira dos Katharine's Gardens, que era tipo uma mulher de tetas de fora, segurando um peixe, mas o povo zoava com ela o tempo todo, passando tinta nas tetas e tal, e então alguém quebrou a cabeça. Depois daquilo provavelmente acharam que as pessoas por aqui não deveriam ter uma estátua e então a levaram para Delapre, Abadia de Delapre, onde era tudo chique e velho, atrás do Beckett's Park, que segundo Elsie costumavam chamar de Cow Meadow. Marla achava a coisa da estátua uma vergonha. Era bem típico. Sexy, né? Alguma mulher, ou estátua, exibindo as tetas e tal, e sempre vai aparecer algum babaca, algum cara que quer destruir. Arrancar a porra da cabeça. Era assim que as coisas eram, e sempre foram. Um certo tipo de gente de merda que não tinha respeito por porra nenhuma.

Ela ficou ali por um minuto, avaliando as perspectivas. Olhando para cima, à esquerda, havia a Mayorhold, outro lugar que Elsie tinha dito que costumava ser bom, um tipo de praça de vila, onde agora restava apenas uma espécie de junção. Podia ser um bom ponto para arrumar clientes, ou tinha sido no passado, mas só depois de escurecer, não àquela hora do dia. Sua melhor aposta era descer na direção dos sinais de trânsito lá embaixo, na esquina onde a Gold Street e a Horsemarket se juntavam com a Horseshoe Street e a Marefair. Ela encontraria os clientes que estivessem vindo da estação para a Marefair, ou os que pudessem estar passando pelo outro lado, passando pela Horsemarket e a Horseshoe Street no caminho da Peter's Way e para fora da cidade. Além disso, bem ali ficava o ibis, onde derrubaram a agência da Barclaycard na Marefair. Pessoas longe de casa, hospedadas em um hotel, quem sabe? Enfiando as mãos nos bolsos de seu casaquinho de PVC, ela desceu a colina.

Lá embaixo, Marla passou pela Horsemarket para os lados da Gold Street onde ficava a pizzaria, então atravessou a rua até a esquina onde se juntava à Horseshoe Street e parou enquanto acendia um cigarro. Aquela era a única coisa boa de todas essas leis antitabagistas. Havia tantas mulheres que trabalhavam em escritórios ou sabe-se lá onde e que precisavam sair para fumar um cigarro que se ultimamente a pessoa estivesse fumando em uma esquina, em uma atitude suspeita, ninguém automaticamente pensaria que era alguém que estava na vida ou nada do tipo. Ela observou a multidão, as pessoas circulando sobre a faixa de pedestres, voltando do trabalho ou de casa para fazer o lanche das crianças. Marla se perguntou o que havia na cabeça de cada uma e imaginou que eram coisas realmente chatas, como a porra do futebol, essas merdas de televisão, não como as coisas que ela pensava, tudo maravilhoso e imaginativo e tudo mais, tipo, ninguém mais pensaria em colar a princesa Di no sol. Observando a multidão para não perder oportunidades, Marla se deixou embarcar em um devaneio, pensando em quem gostaria que viesse até ela se pudesse ter qualquer um, qualquer homem.

Não seria um grandalhão machista idiota. Não seria exatamente gay, mas bonito. Um pouco feminino na aparência, não no jeito. Belos olhos. Belos cílios e tudo e realmente em forma, esguio, e seria tipo muito bom dançando e muito bom na cama. Cabelo preto, encaracolado, e com, tipo, aquela barbinha... não, não, aquele bigodinho... e ele teria um belo senso de humor, como nos anúncios, um senso de humor que a fizesse rir um pouco porque ela não ria fazia meses, caralho. Teria senso de humor, mas não seria "não fumante". E seria branco. Por nenhuma razão especial, só seria. Estaria de pé ali, bem naquela esquina com ela, e lhe passaria uma cantada, flertaria um pouco, não chegaria perguntando quanto era um boquete. Faria umas caras e umas piadinhas e olharia para ela como se ambos soubessem onde aquilo ia dar, uma coisa safada de verdade, não como em um DVD. Ah, puta merda. Marla estava molhando a calcinha. Ela tragou mais fundo no cigarro e olhou para o chão. Esse cara, esse cara tão gostoso que nem cobraria dele, certo? Era ele que merecia ser pago. Esse cara, ela o levaria para o apartamento e no caminho até lá ele a beijaria, ele a beijaria no pescoço e talvez apertasse a bunda dela, e ela pediria que não fizesse isso e ele ficaria só nos olhares, né? Olharia por debaixo dos cílios, feito um menininho, e falaria alguma merda realmente engraçada e ela o deixaria fazer qualquer coisa, cara. Qualquer coisa. Quando chegassem aos prédios, ele provavelmente a prensaria contra a porta do apartamento, bem ali no corredor, e colocaria a mão nos pelos pubianos dela, e eles se beijariam, ela diria não, ah, puta merda, me deixa abrir a porta.

E então os Roberts iriam colocá-la na cadeia.

Ela ouviu o relógio da igreja de Todos os Santos no topo da Gold Street bater os três-quartos de hora, quinze para as cinco, e apagou o cigarro debaixo do sapato. Deu outra olhada na multidão, mas a porra do mundo inteiro estava ali. Uma menina branca realmente bonita de cabelo ruivo com uma bebê lindinha em um daqueles slings passou à sua frente. Isso, parabéns, querida. Belas tetas. Bom para você, né? Provavelmente nem merece essa bebê, provavelmente vai foder a vida dela, que vai crescer desejando nunca ter nascido, ou que tivesse morrido quando era pequena e ainda feliz, porque é assim que as pessoas se sentem. É o que acontece. É o que acontece o tempo todo.

Tinha um velho negro simpático de bicicleta, cabelo e barba brancos, saindo do trabalho para casa, parado ali com uma perna apoiada no chão, esperando pelo sinal de trânsito, e uns moleques de quinze anos com skates debaixo dos braços, mas nada promissor. Marla olhou para a Horseshoe Street, à esquerda, e se perguntou se valeria a pena visitar o bilhar que ficava na metade do caminho até o bar, o Jolly Wanker[29] ou qualquer que fosse o nome, que segundo Elsie Boxer tinha sido um bar de motociclistas, o Harborough alguma coisa. Harbour Lights. Era um belo nome, soava acolhedor, melhor que a porra de Jolly Wanker. Poderia haver um cara no salão de bilhar, talvez tivesse ganhado um pouco de dinheiro, sentindo a sorte ao seu lado.

Por outro lado, ela não gostava muito do salão de bilhar. Não por ser escuro ou uma espelunca, mas... ah, enfim, isso era totalmente idiota, certo, mas na única vez em que esteve lá era tipo de tarde, né? E não tinha quase ninguém lá, e estava escuro, com as lâmpadas sobre as mesas acesas, grandes blocos de luz, luz branca, e Marla ficou assustada, então ela simplesmente, tipo, foi embora. Só conseguiu dizer mais tarde o que deu nela, o sentimento sinistro que sabia que já tinha experimentado antes, e então percebeu que era como quando era criança e entrou em uma igreja. Contou isso para Keith, uma noite, na cama, e ele a chamou de louca, que o problema eram as pedras. "São as pedras, menina. As pedras tudo dentro da sua cabeça". Ela odiava igrejas, Deus e tudo mais, toda aquela coisa de morrer, ou de como viver, toda aquela baboseira era uma coisa mórbida. Se quisesse algum lance de religião, ia pensar na princesa Di. Qualquer cliente à espera no sagrado salão de sinuca poderia ir se foder, decidiu Marla, e enfiou as mãos nos bolsos, colocou o queixo para dentro do casaco e esperou as luzes voltarem ao verde, para que pudesse atravessar os altos da Horseshoe Street até Marefair. Teria mais sorte na estação.

Marla desceu com calma até Marefair, na extremidade oposta da rua saindo do hotel e toda a área de lazer ou sabe-se lá o quê. Não havia motivo para se apressar, era desagradável, fazia parecer que você se incomodaria se fosse parada para uma conversa. Passou por todos os pequenos restaurantes com ar de enfado e tudo mais, e quando chegou no pedaço que sai da Marefair, a Freeschool Street, passou por um casal que parecia casado, na casa dos quarenta, e com umas caras amarradas até não poder mais. Infelizes feito o pecado, como se o mundo inteiro tivesse desabado, entrando na Marefair vindos da Freeschool Street, subindo em direção ao centro. Não estavam de mãos dadas nem conversavam, nem olhavam um para o outro, nada. Marla nem sabia por que havia pensado que eram casados, mas transmitiam aquela impressão, andando ao lado, ambos olhando para o nada como se a porra de uma coisa horrível tivesse acabado de acontecer. Ela se perguntava o que era, pensando neles, quando quase bateu no cara que estava no alto da Freeschool Street, olhando para baixo como se tivesse perdido algo, o cachorro ou algo assim.

Era um cara bem alto, branco, envelhecido, mas em boa forma, com um cabelo escuro encaracolado que ainda não tinha ficado grisalho, mas isso era o mais perto que chegava do cara dos sonhos de Marla. Sem cílios bonitos e sem bigodinho, mas no lugar um grande narigão, com olhos tristes em que as sobrancelhas faziam um arco no meio e pareciam presas daquele jeito, e um grande sorriso triste no rosto. Estava vestido de um jeito estranho também, com um colete meio que laranja amarelo vermelho ou sabe-se lá o que sobre uma camisa que parecia realmente velha, com mangas arregaçadas e uma daquelas coisas, nem plastrom, nem gravata, meio que um lenço colorido em torno do pescoço, como os fazendeiros dos livros. Com o nariz grande e o cabelo enrolado, tinha uma aparência meio de cigano, olhando para a Freeschool Street atrás do cachorro ou da mãe ou o que quer que fosse que tivesse perdido. Não era nenhum galã e era mais velho do que Marla gostava, mas ela já tinha pegado mais velhos, e sabia muito bem que já tinha pegado mais feios. Enquanto dava um passo para trás ao quase bater nele, olhou para ele e sorriu, e então se lembrou do dente caído e meio que transformou o sorriso num bico, uma coisa de beijinho com os lábios para fora ao falar.

— Opa, desculpa, amigo. Não olhei para onde ia.

Ele a encarou, com olhos tristes e um sorriso-de-quem-cria-coragem. Ela percebeu que ele havia bebido umas e outras, mas tudo bem, melhor assim. Quando ele respondeu, foi com uma voz aguda engraçada, um tipo de som anasalado. Nem era aguda o tempo todo, mas tinha um sotaque de roceiro, tipo "arrr", combinando com o lenço que tinha no pescoço, meio jeca ou algo assim, Marla não sabia, mas aí virou um riso estranho, uma risadinha, um tipo de cacoete nervoso. Ele estava mesmo muito bêbado.

— Ah, está tudo bem, amor. Tudo certo. Ha ha ha ha.

Ah, puta merda. Ela fez tudo o que podia para não cair no riso, como quando recebia um sermão de algum professor em Lings e tentava não dar risada, aquele barulho que você fazia no nariz e disfarçava com tosse. Aquele cara era uma criatura única, porra. Havia realmente algo de maluco nele, não do tipo perigoso ou dos dementes que eram jogados na comunidade, era apenas como se ele não estivesse no mesmo mundo em que o resto das pessoas vivia, ou como se pudesse ser o próximo Doctor Who. Fosse o que fosse, ele não mordeu a isca, então ela decidiu pela abordagem direta.

— Está a fim de uma transação?

A forma como ele reagiu, ela jamais tinha visto nada como aquilo. Não era como se estivesse chocado com o que ouviu, e sim como se fingisse, e de um modo bem exagerado, transformando a coisa numa espécie de comédia. Ele jogou a cabeça para trás e fez os olhos se arregalarem como se estivesse perplexo, então suas grandes sobrancelhas negras se levantaram. Era como se estivesse representando algum personagem de um filme que ela não viu, ou mais antiquado, como se fizesse uma pantomima ou o sabe-se lá o nome, teatro de variedades, enfim. Não. Não, não era isso o que ele fazia. Era mais como os filmes antes que pusessem palavras neles, quando era só música e tudo branco e preto e tal. Com aquelas expressões exageradas, para que você soubesse o que queriam dizer quando não diziam nada. Ele começou balançando um pouco a cabeça enquanto fazia uma cara de surpresa, apenas para parecer mais chocado. Era como se estivessem atuando juntos em uma peça de escola, ou ao menos ele parecia achar que sim, com todas as coisas a serem ditas já escritas e decoradas antes. O modo como ele atuava, no entanto, era como se houvesse câmeras de TV sobre eles, filmando alguma nova comédia. Ele agia como se ela estivesse envolvida naquilo também. Ele desfez o olhar surpreso, e seus olhos ficaram tristes e bondosos novamente, meio que empáticos, então virou a cabeça para um lado como se olhasse para o público ou para essas câmeras que ela não podia ver, e soltou aquele riso dele de novo, como se fosse a porra da coisa mais engraçada do mundo. De um jeito estranho, provavelmente porque fazia muito tempo que não dava uma risada, Marla achou que ele poderia estar certo. Aquilo era tudo bem engraçado quando havia alguém para mostrar isso.

— Ha ha ha ha. Não, não, não, tudo bem, amor, obrigado. Não, abençoada seja você, está tudo certo. Eu estou bem. Ha ha ha ha.

A risada no final saiu bem aguda. Soou como se ele pudesse apenas estar envergonhado, mas era um sujeito tão esquisito que ela não sabia. Estava fora de sua competência ali. Aquilo era, tipo, só zumbido. Ela tentou de novo, no caso de tê-lo entendido errado ou algo assim.

— Tem certeza?

Ele inclinou a cabeça para trás, mostrando um grande pomo de adão, e então a girou de um lado para outro, junto da risadinha. Ela já tinha ouvido falar desse "ele jogou a cabeça para trás e riu", mas só nos livros. Nunca viu ninguém nem tentar fazer aquilo. Parecia realmente uma loucura completa.

— Ha ha ha ha. Não, amor, estou bem, obrigado. Está tudo certo. E saiba que eu sou um poeta publicado. Ha ha ha.

Tipo, aquilo dizia tudo. Estava, tipo, tudo explicado ali. Ela meio que assentiu para ele com um sorriso fixo que dizia "Certo, tudo bem, amigo, beleza, até mais", e então seguiu pelo lado da igreja de St. Peter, passando pelas construções de pedras marrons com janelas xadrez, casa Hazel-e-o-caralho-a-quatro e todo o resto. Olhou para trás uma vez e ele ainda estava lá na esquina, olhando para baixo na viela, esperando o cachorro voltar para cima da ladeira ou fosse lá o que tivesse fugido dele. Ele levantou os olhos, percebeu que Marla estava olhando e fez aquela coisa com a cabeça. Mesmo à distância Marla podia ver que ele tinha soltado a risadinha também. Ela se virou e seguiu pela calçada da igreja de St. Peter, na direção da estação, onde já se podia ver as pessoas voltando para casa, multidões subindo para a cidade no lado mais distante da Marefair, nenhuma delas olhando para as outras, ou para Marla.

À esquerda dela, além das grades pretas e da grama em torno dela, a igreja de St. Peter parecia realmente velha, né? Porra de estilo Tudor ou eduardiano ou algum outro deles. Olhou para ver se alguém dormia debaixo da cobertura da entrada, mas não tinha ninguém. Imaginava que o tempo estava passando agora, cinco horas ou por aí, e eles não deixavam ninguém dormir nas entradas de noite, apenas durante o dia. De noite, as pessoas eram retiradas, o que era, de fato, bem estúpido. Ela tinha passado perto da igreja no dia anterior na hora do almoço e havia dois camaradas dormindo debaixo da fachada. Ah, não, não eram dois, eram? Era um. Aquilo tinha sido meio que engraçado, agora ela achava.

Ela tinha visto duas pessoas deitadas na entrada, ou ao menos as partes de baixo dos pés delas, que estavam esticados para fora do saco de dormir e tal. Os dedos de um par de pés apontavam para os dedos do outro par, então entendeu que estavam deitados um de frente para o outro e não pensou mais nisso. Mas olhou novamente quando chegou ao mesmo nível do portão, e havia apenas um par de solas visível. O outro tinha desaparecido. Ela fez todo um grande exercício complicado na cabeça tentando descobrir para onde tinham ido os outros pés. Talvez, tipo, quando ela olhou pela primeira vez, havia um par de pés descalços e o cara tinha acabado de tirar os sapatos, com eles ao lado dos pés ali, dedo com dedo. Então, entre a primeira e a segunda olhada, ele calçou os sapatos, então ela só podia ver um par de pés da segunda vez e achou que alguém havia desaparecido ou era um fantasma, ou o que fosse. Não que Marla acreditasse em fantasmas, mas se existissem a St. Peter seria como um grande ponto de encontro, né? Um lugar do tempo deles, todos os Tudors, os Edwards, toda aquela gente.

Passando pelo portão agora, Marla não pôde evitar uma espiadela, apenas para ver, mas o espaço debaixo do arco fora da porta preta fechada estava vazio, exceto onde haviam colocado cartazes para alguma outra religião que ia alugar o espaço, gregos cipriotas ou paquistaneses, um desses. Ela foi em frente, passando pela frente do Black Lion, onde parou e olhou na direção dos grandes cruzamentos com o trânsito da hora do rush, perto da estação. Havia montanhas de pessoas ainda saindo, indo pela Black Lion Hill e pela Marefair para o centro, e ali estavam todos os táxis de muitas cores, saindo da entrada da estação daquele lado da West Bridge para esperar no semáforo junto com todos os furgões e as caminhonetes. Era, tipo, bem inútil. Que porra ela estava fazendo ali? Para ela, andar até a entrada daquela estação do outro lado da rua era tão impossível quanto voar até lá.

Era sexta à noite. As meninas estariam vindo de Bletchley, Leighton Buzzard, da porra de Londres, até onde Marla sabia, elas e seus papais de merda, com um visual melhor que o seu porque eram bem cuidadas e tal, olhando para ela, sabendo o que ela era, que era uma delas, mas não tão boa. Aquela porra de olhar, certo? E havia Keith. Keith poderia estar por ali, caçando novos talentos. Fazia aquilo às sextas de vez em quando e ela sabia que não aguentaria, não com Keith vendo que estava desesperada. Puta merda, ninguém fazia nada na estação, aliás, não com as câmeras. Que merda ela estava pensando? Tipo, alô? Terra chamando Marla. Ela não iria até lá, mas aí não teria nada para a noite, mas, tipo, tudo bem, não iria até lá mesmo assim. Mas nesse caso não teria nada para aquela noite. Ah, porra.

O que ela faria era ir ver Kenny Gordo. Ele não teria nada decente, mas o cara gostava de drogas, então alguma coisa devia ter. Ele poderia descolar para ela, que então poderia chegar até o dia seguinte, mesmo se ficasse de novo sentada falando sozinha. Havia jeitos piores de passar a noite. Esperou pela mudança das luzes a seu favor, então caminhou no meio dos carros à espera, pela Black Lion Hill até o outro lado da Marefair, onde a Chalk Lane ia ao encontro da Castle Street e onde ela morava, nos prédios de Bath Street.

A Chalk Lane sempre fazia Marla pensar em Jack, o Estripador, ao menos desde que tinha lido uma coisa fazia anos no *Chronicle & Echo*, em que um cara local disse achar que o Estripador deveria ser dali da região. Mallard, era o nome dele, tanto o do que escreveu o texto quanto o do cara que teria cometido os assassinatos. Estava pesquisando a árvore genealógica da família e achou essa outra família chamada Mallard que tinha o mesmo nome, mas nenhum parentesco, e morava perto da igreja Doddridge, da Chalk Lane, daqueles lados. A loucura corria na família, o pai tinha se matado e um filho havia se mudado para Londres, para trabalhar como açougueiro no East End na época em que os assassinatos aconteceram. Marla tinha lido todas as teorias e não achava que havia muita coisa nessa. Era só engraçado que ela fosse obcecada por Jack, o Estripador, e alguém achasse que ele era de perto da sua rua.

Algumas das outras meninas ficaram todas, tipo, por que quer ler isso tudo, com a vida que você leva, mas Marla falou, tipo... bem, ela não se lembra do que respondeu. Não sabia por que gostava de Jack, o Estripador, quase da mesma maneira que gostava da princesa Di. Talvez fosse porque tudo tinha acontecido havia tanto tempo, como em *Senhor dos Anéis* e tal. Talvez não desse a sensação de ter muito a ver com 2006, e como era estar na vida àquela altura. Era mais como um lance escapista, os tempos vitorianos, *Toque de Veludo* e tudo mais. Não era como se fossem reais. Era por isso que gostava deles. E os detalhes eram realmente interessantes quando a pessoa se inteirava de tudo, de que a família real tinha ordenado que todas aquelas mulheres fossem assassinadas, e que o mesmo valia para Diana. Não sendo toda retalhada, mas o princípio era o mesmo.

Agora que tinha parado para pensar nisso, houve outros suspeitos de serem o Estripador passando por Northampton, não só esse Mallard do jornal local. O duque de Clarence, ele tinha vindo para cá e aberto a igreja velha, St. Matthews, lá em Kingsley. Então teve esse cara depravado, o poeta invertido que odiava mulheres. J.K. alguma coisa. J.K. Stephen. Ele havia morrido no hospício em Billing Road, aquele chique em que diziam que Dusty Springfield, Michael Jackson e todo esse pessoal estiveram. O tal Stephen, ele foi o cara que escreveu poemas esculachando mulheres. Foi ele que escreveu o da Kaphoozelum? Era, tipo, todos saúdam Kaphoozelum, a meretriz de Jerusalém. Tinha ficado na cabeça dela porque o nome era engraçado. Porra, ela iria gostar mais de se chamar Kaphoozelum do que Marla.

Andou até o início da Chalk Lane vindo da Black Lion Hill e pensou por, tipo, dois segundos em ir para as portas da frente das casas da rua à esquerda dela. Às vezes as garotas que conhecia, elas precisaram fazer isso, se não havia clientes ou se os caminhoneiros no estacionamento do Super Sausage não demonstrassem interesse. Elas iam tipo, porta a porta, em casas que sabiam que havia caras solteiros, viúvos ou sabe-se lá o que, ou tentavam a sorte, apenas batiam em qualquer porta e perguntavam se alguém queria um pouco de ação, como ciganas vendendo prendedores de roupas. Samantha uma vez, pois é, ela contou que bateu pela Black Lion Hill, nenhum lugar que conhecia, só na sorte, e no fim encontrou o tal Cockie, o vereador cuja esposa é vereadora também. A esposa estava em casa, e todo mundo ficou indignado, dizendo que iam mandar checar os antecedentes de Samantha e delas todas, então ela tirou os sapatos e deu no pé.

Não, Marla estava fodida se fosse para Black Lion Hill. Iria bater uma punheta pro Kenny Gordo. Talvez ele tivesse um E para ceder ou alguma coisa.

Ela estava passando pelo estacionamento à sua esquerda quando ouviu um barulho, uma ou mais vozes da extremidade oposta, o que a fez olhar e prestar atenção. No canto mais afastado havia um caminho para o gramado atrás do muro alto na Andrew's Road, onde diziam que o velho castelo ficava, e havia umas crianças subindo do estacionamento para lá. Ela não conseguia ver quantas, porque a última estava subindo quando olhou, mas já tinha feito transações ali na grama e sentiu-se um pouco mal por ser onde as crianças estavam brincando. Porra, tinham só uns oito anos, ou alguma coisa por aí, mais novas do que seria de imaginar que as mães e os pais deixassem brincar na rua com as coisas como eram agora, com esses merdas desses pervertidos em todo lugar.

A última criança a subir até a grama, a que Marla viu, era uma menininha com um rosto sujo, mas realmente bonito, como uma porra de um elfo ou sabe-se lá o que com uma franja bagunçada e olhinhos inteligentes ao espiar sobre o ombro e através do estacionamento diretamente para Marla. Foi uma coisa rápida, estavam longe uma da outra, e Marla já havia se enganado antes com os tais dois pares de pés na porta da St. Peter, mas ela teve a impressão dessa vez que a menina usava um casaco de pele. Não um casaco, só aquela parte em torno do colarinho, como uma estola de visom. Estola. A menininha parecia usar uma estola, alguma coisa peluda sobre os ombrinhos, mas Marla só a viu por um momento e então seguiu a caminho da igreja Doddridge. Devia ser uma blusa felpuda, Marla concluiu.

A igreja Doddridge era ok, não tão infeliz como todas as outras, porque não tinha um campanário, era apenas um prédio com uma aparência decente. Mas havia uma porta na metade da altura da parede que a deixava encucada. O que era aquilo? Ela já tinha visto portas naquela altura em velhas fábricas, para receber entregas, mas o que alguém precisaria entregar em uma igreja? Hinários e coisas assim podiam ser levados pela porta da frente.

Ela subiu a Castle Street e contornou a parte de cima pela passagem de pedestres, como na Horsemarket antes, mas dessa vez seguiu do outro lado, até a Mayorhold, passando pelas entradas de metrô e então pela igreja Kingdom Life e pelos prédios atrás das Torres Gêmeas, onde Kenny Gordo morava. Ele estava em casa e tinha um prato de feijões com torrada em uma das mãos quando por fim veio ver quem estava à porta. Estava com um moletom de marca sobre a barriga volu-

mosa, parecendo no mínimo um número menor do que deveria, assim
como seu pequeno rosto, um número menor do que deveria para a
cabeça raspada, para as grandes orelhas com argolas. Ele começou, ah,
oi, então meio que parou de falar, e ela percebeu que ele não tinha
ideia de qual era seu nome e mal se recordava dela, bem, muitíssimo
obrigada. Havia passado vinte minutos com cãibra em cima daquele
bostinha e era isso o que recebia em troca. Mas ainda assim sorriu e
meio que flertou com o sujeito, entrando quando ele parou de falar,
apenas para relembrá-lo de quem era e o que havia feito da outra vez.

Ela perguntou se ele teria algo para amenizar a situação, mas o cara
apenas balançou a cabeçona careca e disse que só tinha drogas legaliza-
das, que podiam ser encomendadas nos anúncios de revistas como a
Bizarre e coisas do tipo, e outro lance que cultivou sozinho. Um amigo
seu ia aparecer mais tarde. Eles iam experimentar as tais drogas legali-
zadas. Marla disse que estava realmente desesperada e que se ele desco-
lasse um pouco de qualquer coisa para ajudá-la a sair da fissura, poderia
cuidar bem dele, melhor do que da última vez. Estava falando de um
boquete, mas ele meio que pensou por um minuto e disse que toparia
se fosse anal, e ela o mandou se foder, se foder direitinho e cair morto,
seu babaca gordo. Espera a porra do seu amigo e come a bunda dele, era
melhor ficar sem nada mesmo. Ele encolheu os ombros e voltou para
dentro para comer seus feijões com torrada, e ela virou e saiu pela frente
das Torres Gêmeas, subindo a Upper Cross Street e a Bath Street.

Porra. Passou pela entrada do muro baixo, atravessando a passagem
central entre pedaços de grama. Porra. Porra, que porra ela iria fazer?
Uma noite toda sem nada, caralho, nem o Ash Moses na ponta do
cigarro pra bater um papo. Porra. O portão de ferro negro pelo qual
saíra ainda estava aberto sob os arcos de tijolo. Passou e desceu três
degraus para o pátio e sentiu o cheiro, Ash Moses tem o cheiro de
alguém queimando merda, como alguém queimando fraldas esmerde-
adas, provavelmente eram OS FILHOS DA PUTA DOS ROBERTS.
Porra. Para além dos arbustos, era tudo cinzento, e subindo uns degraus
se chegava a um pedacinho coberto de onde saíam as portas traseiras.
Marla viu a parte de trás da cabeça de Linda cara-de-cu Roberts quando
passou pela janela da cozinha deles, mas entrou por sua própria
porta dos fundos no apartamento antes que a vaca se virasse e
a visse também. Porra. Aquilo era uma puta de uma merda. Uma

noite inteira, caralho. Uma porra de uma noite inteira e talvez até a manhã seguinte, e quem garantia que ela conseguiria descolar alguma coisa no outro dia?

Do jeito como a coisa funcionava, para quem estava começando, era aquela primeira vez que a pessoa se sentia levada, dentro do corpo e da cabeça, para o lugar onde deveria estar, se sentindo como deveria se sentir, como uma porra de um anjo ou sei lá, o que que quer que fosse. Depois, já não era mais tão bom, e ia piorando até que, no fim, a sensação daquela primeira vez, bem, voltar para aquilo acabava virando um sonho. Não se sentir como uma porra de um anjo em chamas, pode esquecer, isso não vai mais acontecer, não, é só uma questão de voltar a se sentir como a porra da pessoa que era antes por dez minutos, essa vira a porra da sua ambição. Aquele paraíso para onde a pessoa foi da primeira vez está totalmente fora de alcance. O mundinho de antes também, fica fechado na maior parte do tempo, e a pessoa se sente presa em outro lugar, algum lugar debaixo de tudo aquilo, como uma merda de um subsolo. Marla imaginava que fosse o inferno, como tinha dito quando conversava com Ash Moses. Estar presa fazendo aquilo em Bath Street, mas para sempre.

O cheiro dentro de seu apartamento, o cheiro dela estagnado lá dentro, era nojento voltar para uma casa assim. Ela sabia que não andava cuidando tão bem da higiene ultimamente e sempre achava que as roupas podiam ser usadas por mais um dia, mas o lugar estava um lixo. Era como se mal pudesse distinguir o seu cheiro do fedor de Ash Moses, o de merda queimando. Aquilo era ela, e ela era aquilo. O que iria fazer ali a noite toda? Porque era ali que ela ficaria, sobre isso não tinha dúvida. Ela não ia, VOCÊ NÃO VAI sair, sua IDIOTA DO CARALHO. Ela ficaria em casa. A noite toda. Mesmo sem porra nenhuma.

Ela ia fazer como o planejado. Ler os livros do Estripador, seu álbum da Diana... ela teve uma ideia. O álbum da Diana, a imagem que havia feito na capa, a melhor imagem que já tinha visto, porra. Aquilo era, tipo, uma puta de uma obra de arte. As pessoas gastam dinheiro o tempo todo com arte, e muita coisa era merda, umas porcarias em conserva e camas desarrumadas. A imagem de Diana de Marla devia ser ao menos tão boa quanto aquilo. Só porque ela morava em Bath Street não queria dizer que não poderia ser uma artista. Aquele tal Thompson que tinha aparecido lá, o invertido que se metia com política, ele

disse que uma artista que conhecia estaria em Castle Hill numa exposição no dia seguinte, uma mulher dos Boroughs, assim como Marla. Só
podia ser a porra do destino ou sabe-se lá o que, tipo uma coincidência,
ele ter vindo colocar a ideia na cabeça dela daquele jeito. A coisa ia
acontecer. Puta merda, às vezes surgia a notícia de que pagaram milhões
por alguma porra de um quadro. Milhões, caralho.

O que ela poderia comprar se tivesse isso? Jamais ia ter que sair de
novo, ir até a casa do Kenny Gordo implorar, e Keith que fosse à merda.
Pois é, isso mesmo. Você ouviu. Vai à merda. O que você é para mim,
seu bostinha, agora que tenho todo esse dinheiro? Montada no ouro,
caralho. Eu poderia mandar matar você, cara. Bem assim, um pistoleiro,
bang, e então sair para encher a cara com a Lisa Mafia[30]. Ela falaria
tipo "Você é a Marla? É? Aquela artista foda que fez aquela imagem da
Diana no sol e tudo? Porra, irado. Tudo no esquema, né não? Vai fundo,
garota". Aquilo seria foda. Ela foi pegar o álbum de recortes com a imagem onde tinha deixado, na mesinha de centro, e então percebeu que,
puta merda, tinha sido roubada.

Que porra era aquela? Alguém havia entrado lá, mas não tinha, tipo,
nada quebrado. A porta de trás, tinha trancado ao sair? E precisado destrancar quando voltou? Puta merda. Alguém havia entrado quando ela
estava fora. Tinham entrado e tinham levado não a televisão, não o aparelho de som, nem o relógio de mesa. Não, ela olhou ao redor e não
tinham levado nada além do álbum de recortes de Marla. E os livros do
Estripador. Ela havia deixado eles ali também, na mesinha de centro, para
saber onde estavam. Ah, porra. Alguém tinha entrado e pegado o álbum
de recortes com a imagem de Diana, e o pior de tudo era que ela estava
certa. Estava certa sobre a imagem. Por que alguém afanaria aquilo se não
tivesse valor? Ah, puta que pariu, os milhões que ela poderia conseguir
com aquilo. Agora olha a situação. Olha para ela, ali chorando, porra.
Chorando, porra. Keith acha que ela é uma imbecil, e Lisa Mafia também.
Até a princesa Diana acha que ela é uma imbecil.

Pode chorar o quanto quiser. Pode chorar o quanto quiser, sua imbecil, sua burra. Pode chorar o quanto quiser, porque não vai sair de casa.

Era uma lua nova, dessas bem afiadas e pontudas, sobre a Scarletwell,
que desce para Andrew's Road. Era o único lugar com clientes, mas

sem câmeras que pudessem ver você, embora continuassem dizendo que iam colocar umas lá. Do lado esquerdo de Marla, do outro lado da rua, ficavam os apartamentos virados para a Upper Cross Street. A maioria estava com a luz apagada e era possível ver sobre as sacadas, mas alguns estavam com as luzes acesas, brilhando através das cortinas coloridas. À direita, do outro lado do alambrado, havia o gramado na parte de cima do terreno da escola de Spring Lane. Marla achava que a escola sempre parecia assombrada quando era noite e não havia crianças. Imaginava que, por uma escola ter tanto barulho e crianças correndo durante o dia, ficava mais evidente quando estava escuro e silencioso e nada se movia.

Ela passou pelos portões da escola e seguiu pela área de lazer dos fundos. Na rua agora havia outros prédios de apartamentos, Greyfriars, disseram que era o nome? Eram meio que parecidos com o prédio de Marla, tão velhos quanto, talvez em melhores condições, não dava para saber à noite. Mas algumas das sacadas tinham cantos arredondados, e tudo parecia meio que melhor que o prédio dela. Marla seguiu adiante, passando por onde os Greyfriars terminavam, do lado mais distante da rua e na parte baixa da Bath Street, que fazia uma curva para se juntar com a Scarletwell. Passou pela área de lazer vazia, onde havia uma cerca no final do seu lado direito e, a não ser pelo trânsito distante lá para os lados da Ponte Spencer, tudo que ela podia ouvir eram os próprios passos na calçada irregular com mato brotando entre as pedras.

Havia uma casinha isolada ali, de tijolos vermelhos de um lado da faixa de grama na Andrew's Road, bem onde se encontrava com a Scarletwell Street. Não era grande, mas parecia ter sido duas casinhas bem pequenas que um dia foram juntadas. Aquilo perturbava Marla, toda vez que a via, e ela não tinha ideia do motivo. Talvez fosse porque não conseguia compreender por que continuava lá, enquanto o que parecia ser a fileira de casas geminadas da qual fazia parte havia sido derrubada muitos anos antes. Havia uma luz acesa através de cortinas grossas, então deveria ter alguém morando ali. Ela puxou a gola do casaco para mais perto do corpo e seguiu estalando os saltos ao passar pela casinha esquisita e virou a esquina à direita, pela calçada da St. Andrew's Road, entre a rua e a longa faixa de grama que seguia até Spring Lane, o pedaço onde as outras casas deviam ficar antes. No céu, aqui e ali entre os brilhos amarronzados das luzes da rua, ela podia ver estrelas.

Ela sabia. Ela sabia exatamente o que ia acontecer, sentia em suas entranhas. Um carro apareceria a qualquer minuto. Seria ele. Não havia nada que pudesse fazer para impedir, nada que pudesse fazer para estar em outro lugar. Era como se já tivesse acontecido, como se já estivesse no roteiro da comédia daquele cara de colete e não houvesse nada que ela pudesse fazer a não ser seguir o script, fazer os movimentos que deveria fazer, dar um passo e depois outro junto à grama na direção da Spring Lane, e no final voltar e caminhar pelo outro lado, para a Scarletwell Street, com a casa toda escura na esquina e nenhuma janela acesa daquele lado.

Caminhando de volta para Scarletwell, havia os barulhos dos pátios da estação, atrás do muro do outro lado da St. Andrew's Road, apenas os sons de manobras, mas ela conseguia ouvir crianças também, vozes de crianças rindo. Vinham da grande fileira escura de arbustos do lado mais distante da faixa de grama, que corria no fundo da área de lazer da escola à esquerda de Marla. Deviam ser as que tinha visto antes, a menininha com a estola de pele da Chalk Lane. O que estavam fazendo, na rua assim tão tarde? Ela ficou à escuta, mas as vozes não vieram de novo de trás dos arbustos. Provavelmente tinha sido sua imaginação.

A casinha era negra contra o céu cinza acima do morro logo atrás, na direção da estação de trem e acima de Peter's Way. O carro descia a St. Andrew's Road da ponta da estação, vindo na direção dela, devagar, os faróis se aproximando lentamente. Ela sabia o que ia acontecer, mas era como se fosse acontecer de qualquer jeito. Estava tudo predeterminado, do minuto que tinha saído do apartamento, tudo marcado em pedra, como numa igreja ou algo assim, que já estava construída e ninguém poderia mudar. O carro parou, manobrou atravessando a rua e parou na esquina do outro lado da Scarletwell, na frente de onde ficava a casa. Marla não ouvia mais as crianças agora. Não havia ninguém por perto.

Ela foi andando na direção do carro.

MORADORES
DE RUA

Em certo sentido, fazia quarenta anos desde que Freddy Allen tinha deixado aquela vida. Um dia poderia voltar, a possibilidade sempre existia. Afinal, era uma porta sempre aberta. Porém, naquele momento, estava confortável como estava. Não feliz, mas entre rostos e circunstâncias familiares, em um lugar a que estava acostumado. Confortável. Um lugar onde sempre era possível conseguir algo para comer se a pessoa soubesse onde procurar, ainda que de vez em quando pudesse ser uma chateação. Só que sempre havia o bilhar, lá no salão de bilhar, e não havia nada de que Fred gostasse mais do que ver uma bela partida de bilhar.

Ele se lembrava de como havia saído daquela vida, do negócio, das proverbiais "Vinte e Cinco Mil Noites", como já tinha ouvido dizerem. Até onde Fred sabia, poderia ter sido ontem. Estava sob os arcos em Foot Meadow, dormindo ao relento como fazia naquela época, quando foi acordado subitamente. Foi como se tivesse ouvido um estouro que o acordou, ou como se tivesse acabado de se lembrar de que havia algo acontecendo naquela manhã e precisava estar alerta. O susto foi tão grande ao acordar que ficou logo de pé e estava saindo dos arcos da ferrovia e cruzando o gramado até a beirada do rio antes que se desse conta do que estava fazendo. A meio caminho do rio, foi como se despertasse o suficiente para pensar, espera aí, por que essa correria toda? Parou e se virou para olhar para os arcos, onde viu que outro vagabundo, um velho, já tinha tomado o lugar em que estava dormindo, abaixo da curva de tijolos contra uma parede, e tinha até afanado a sacola plástica cheia de grama que era o travesseiro de Freddy. Uma palhaçada bem típica. Deu uns passos de volta para o arco, para ver quem era o idiota. Fred levou um minuto antes de reconhecer aquele sujeito de aparência lamentável, mas ao fazer isso, se deu conta de que jamais conseguiria seu lugar de volta. Não havia nem motivo para tentar. Ele havia sido removido, e teria que se acostumar com a ideia.

E depois de um tempo, ou menos que isso, depende do ponto de vista, Freddy tinha se acostumado. Do jeito como as coisas estavam no momento, não era uma existência tão ruim, não importava o que dissesse a sua amiga que vivia na casa da esquina de baixo da Scarletwell Street. Tinham boa intenção, ele sabia disso, quando diziam que fosse para um lugar melhor, mas não entendiam que estava confortável assim. Não tinha as preocupações de quando estava na vida. Mas Freddy duvidava que fossem capazes de entender isso, levando em conta a situação deles no presente. A perspectiva de quem vivia ali não era a mesma que Freddy tinha agora.

Agora era uma sexta-feira, 26 de maio de 2006, de acordo com o calendário atrás do bar no Black Lion, aonde tinha ido só para ver se havia alguém. Tinha passado um tempo em vinte e cinco ou vinte e seis no Anexo da St. Peter, onde a mulher negra com a cicatriz feia, que era famosa lá em cima, trabalhava com as prostitutas e drogados, e todos os refugiados do leste. Ele gostava, as pessoas pareciam todas mais construtivas e simplesmente seguiam adiante, mas nunca havia ninguém lá que Freddy conhecesse, então tinha vindo para o pedaço em que estava sentado agora, com Mary Jane do outro lado da mesa. Ambos estavam sentados com os queixos apoiados nas mãos e olhavam para baixo, um pouco desalentados, para os copos vazios no tampo de mesa laminado entre os dois, desejando que de alguma maneira pudessem beber de verdade, mas sabendo que não poderiam, que em vez disso teriam uma conversa de verdade. Mary Jane levantou os olhos sempre apertados e cheios de desconfiança e o encarou por trás dos copos vazios.

— Então, você falou que passou por lá em vinte e cinco, mas e daí? Eu mesma não fui porque ouvi dizer que não tem pubs por lá. É verdade?

Mary Jane tinha uma voz áspera como a de um homem, embora Fred a conhecesse havia tempo suficiente para saber que era tudo empostação. Sua voz era um tanto suave por trás daquilo, mas ela a deixava mais grave para ninguém considerá-la uma molenga, apesar de Freddy não ter a menor ideia do motivo por que alguém pensaria isso. Bastava um olhar para Mary Jane, com aquele rosto e as cascas de ferida sobre os nós dos dedos, e a maioria das pessoas saberia muito bem que era melhor manter distância. Além do mais, suas oportunidades para mostrar que era boa de briga haviam todas acabado fazia séculos. Não havia nenhuma necessidade de continuar a assustar as pessoas. Freddy imaginava que era o hábito de uma vida inteira, e que, se não tinha mudado até agora, Mary Jane jamais iria mudar.

— Não, não tem nenhum pub. Só o Anexo da St. Peter, é como eles chamam, quando estão cuidando das pessoas. Sendo bem sincero, não acho que você iria gostar muito. Sabe aqueles lugares em que o tempo está sempre ruim? Lá é assim. As pessoas lá são todas legais, alguns tipos muito bons, como nos velhos tempos, mas nunca tem ninguém que você conhece. Bem, a não ser pelo grupo de crianças e tal, mas esses estão em todos os lugares, os pirralhos. Imagino que todo mundo seja como nós, um pessoal atolado na lama, que nunca sai do seu pedacinho dos Boroughs e não vai além de catorze ou quinze.

Ela ouviu o que Freddy tinha a dizer e então fez uma careta, como se uma criança tivesse desenhado seu rosto sobre uma luva de boxe, e o encarou. Ela era assim com todos. Não se podia levar nada para o lado pessoal com Mary Jane.

— Quinze é o caralho. Não gosto nem de como é aqui.

Ela balançou uma das mãos com as articulações cobertas de feridas para indicar o barzinho simpático, cuja outra parte era possível acessar por um pequeno lance de escadas do local onde estavam sentados. Havia dois homens de pé falando com a garota atrás do balcão enquanto ela os servia, além de um casal na casa dos vinte anos conversando em um canto, mas ninguém que Mary Jane ou Freddy conhecessem. O Black Lion, ou pelo menos aquela parte do estabelecimento, era ainda um lugarzinho decente, mas não havia como discutir com Mary Jane quando ela estava com um humor como aquele, e ela sempre estava assim, então nunca havia nenhuma discussão.

— Se quer saber a minha opinião, esses lugares novos são uma puta perda de tempo. É melhor lá pelos quarenta e oito e quarenta e nove, com uma classe melhor de indivíduos, com mais energia. Ou, se isso não for do seu gosto, por que não vai até o Smokers à noite, no alto da Mayorhold? A velha turma ainda anda por lá, e eles conhecem você, então não ficaria sem companhia.

Freddy sacudiu a cabeça em negativa.

— Não é meu tipo de lugar, Mary Jane. Eles são meio agressivos demais pro meu gosto, o povo lá, Mick Malone e companhia. Sério mesmo, estou mais acostumado a ficar na minha. Às vezes desço até a Scarletwell para ver uma amiga que tenho lá, mas fico longe da Mayorhold na maior parte do tempo, como agora.

— Não estou falando de agora, estou falando da noite. A gente se diverte, lá no Jolly Smokers. E sempre tem o Dragon bem em frente, quando estou com vontade.

Um sorriso sujo e lascivo surgiu no rosto de Mary Jane enquanto ela dizia isso, e Freddy se sentiu aliviado quando a mulher atrás do balcão se aproximou e os interrompeu, tirando os copos sujos, porque assim não precisariam seguir naquela linha de pensamento. A atendente se movia tão depressa que era como um borrão, pegou os copos da mesa deles e correu para trás do balcão, sem prestar a mínima atenção neles. Era assim com pessoas como ele e Mary Jane, os moradores de rua. As pessoas mal reparavam em sua presença. Se limitavam a olhar através deles.

Mary Jane, quando retomou a conversa, tinha parado de falar do Dragon e de sua vida amorosa, o que era bom, mas, na ausência de uma bebida para fechar a boca, estava relembrando, ainda falando da Mayorhold, das brigas que encarou por lá.

— Nossa, você lembra da Lizzie Fawkes, de quando eu e ela nos atracamos do lado de fora do Green Dragon, na rua, bem ali na Mayorhold? Foi uma briga por causa de Jean Dove, e tão feia que a polícia não teve coragem de separar. Uma coisa eu digo da velha Lizzie, ela era bem durona. Ficou com uma pálpebra pendurada e não conseguia falar por causa da porrada que levou no queixo, mas não desistia. Eu mesma não estava numa condição muito melhor, com a cabeça aberta, e depois descobri que tinha quebrado um polegar, mas era uma briga tão boa que nenhuma de nós queria que acabasse. Voltamos para a Mayorhold na manhã seguinte e continuamos por um tempo, mas aí ela estava com um ferrolho escondido na mão, e quanto me acertou na cabeça eu apaguei feito uma lâmpada. Aquilo foi uma beleza, foi mesmo. Me faz ter vontade de voltar lá, pra poder reviver tudo. Quer vir junto, Freddy? Eu garanto pra você, foi uma puta diversão de primeira.

Houve um tempo em que Freddy teria ido com Mary Jane apenas pelo medo de como ela reagiria caso ele recusasse, mas aqueles dias haviam ficado para trás fazia muito tempo. Agora ela só latia, não mordia mais, não fazia mal a ninguém. Nenhum deles, aliás, não naqueles dias. Fazia muito tempo desde que os homens da lei tiveram algum interesse em qualquer um deles, Freddy, Mary Jane, o velho Georgie Bumble, qualquer um da turma. A verdade era que os polícias não tinham jurisdição nas áreas em que Fred e Mary Jane passavam todo o tempo ultimamente, e era muito, muito raro ver um guarda por ali, pelo menos um que tivesse qualquer interesse em gente como eles. O único que Freddy conhecia a ponto de cumprimentar era Joe Ball, o superintendente Ball, e ele era tranquilo. Um polícia das antigas, de outros tempos, aposentado fazia muito tempo, mas quando o via ainda estava sempre fardado. Passava muito tempo falando com malandros do tipo que um dia teria jogado na cadeia, inclusive Freddy, que um dia perguntara a Joe por que não passava a aposentadoria em um lugar mais bacana, como o que a amiga de Freddy da Scarletwell Street vivia recomendando. O velho superintendente apenas sorriu e disse que sempre gostou dos Boroughs. Era um lugar bom o bastante para ele, e às vezes proporcionava a oportunidade de fazer algum bem. Isso bastava para o velho Joe Ball. Não estava atrás de ninguém, nem de Freddy, nem mesmo de Mary Jane. Ela havia sido um verdadeiro terror, mas sossegou quando seu velho estilo de vida teve um fim abrupto, depois de sofrer um ataque cardíaco. Precisou reavaliar as coisas depois disso e mudar seus modos, então Freddy agora não se preocupava ao recusar, educadamente, o generoso convite dela para revisitar cenas de antigas glórias.

— Eu prefiro não ir, Mary Jane, se você não se importar. É mais sua praia que a minha, e eu mesmo tenho velhas questões que precisaria rever. Mas uma coisa eu digo, se você mantiver o velho Malone e aquele maldito bando de animais dele longe de mim, eu interrompo um hábito de... bem, de um bom tempo, ao que me parece... e talvez possa ir ao Smokers depois de ver meu bilhar hoje à noite, que tal?

Aquilo pareceu agradá-la. Ela ficou de pé e esticou uma das mãos calejadas para que Fred pudesse apertá-la.

— Por mim, tudo bem. Só tome cuidado por onde vai andar agora, Freddy, apesar de eu achar que o pior já passou pros tipos como nós. Vou te contar como me saí na briga se encontrar você lá no Smokers. Vê se aparece.

Ela soltou sua mão e foi embora. Ele ficou sentado sozinho por um tempo, olhando para a atendente. Era inútil, Freddy sabia. Estava velho, sem cabelo, e embora ainda tivesse o que conseguiu manter da beleza que exibia quando jovem, no que dizia respeito àquela atendente, era como se ele fosse invisível. Pegou o chapéu de onde estava, no assento atrás dele, colocou sobre a calva e se levantou para ir embora. Ao passar pela porta para a Black Lion Hill, apenas por educação e por costume, se dirigiu à atendente para lhe desejar um bom dia, mas ela não percebeu, como ele sabia que aconteceria. Ela apenas continuou secando copos, de costas para ele, agindo como se não tivesse escutado. Ele saiu do bar e virou à direita, na direção da igreja de Peter, onde todas as nuvens se moviam tão rapidamente lá em cima que a luz bruxuleava sobre as velhas pedras, como se viesse de uma vela monstruosa.

Ao passar pela igreja, olhou para a porta, apenas para ver se algum rapaz ou alguma moça... eram sempre jovens naqueles dias, com tantas meninas quanto meninos... estava dormindo debaixo do pórtico, mas não havia ninguém ali. Às vezes, se estivesse se sentindo solitário ou precisando de companhia humana, se enfiava entre eles enquanto dormiam, o que não causava mal nenhum, apenas deitar ali ao lado deles, cara a cara, ouvindo a respiração deles, fingindo que conseguia sentir o calor daqueles corpos. Estavam todos bêbados ou chumbados demais para saber que havia alguém por perto, e ele teria ido embora antes que acordassem, de qualquer modo, para o caso de alguém abrir os olhos e vê-lo. A última coisa que queria fazer era assustá-los. Não estava fazendo nenhum mal, e jamais colocaria a mão em nenhum deles, nem afanaria o que quer que fosse. Ele não conseguia. Não era mais assim.

Da Marefair, Freddy foi até a Horsemarket. Ao atravessar a St. Mary's Street, que corria à sua esquerda, olhou para a via. Às vezes ainda era possível ver as irmãs ali, um par de dragoas que eram bastante conhecidas e faladas quando estavam nos seus melhores anos: incontroláveis, surpreendentes, excitantes. Uma história famosa era que uma vez correram nuas pela cidade, pulando e girando, cuspindo, correndo pelos telhados, dali até Derngate em cerca de dez minutos, ambas tão perigosas e belas que as pessoas choravam ao vê-las. Freddy às vezes as via na Mary's Street, deprimidas em uma nostalgia melancólica junto às pilhas de folhas secas e lixo levadas até o muro desgastado do estacionamento, atraídas de volta ao lugar em que um dia começaram sua dança inesquecível. Pelo brilho nos olhos delas, era possível saber que, se tivessem a chance, mesmo na idade que tinham, ainda fariam tudo de novo. Sem pensar duas vezes. Caramba, seria uma cena e tanto.

Hoje, a St. Mary's Street estava vazia, a não ser por um cachorro com cara de pidão. Freddy refletiu que não era a primeira vez que seguia até o alto da Castle Street, depois virava à esquerda e descia para onde agora ficavam os prédios de apartamentos.

Foi quando Mary Jane fez aquela observação sobre o que ela aprontava no Dragon — o Green Dragon, na Mayorhold —, que era onde as lésbicas se reuniam. Por mais que o pensamento pudesse ser indesejado, havia instigado Freddy, o fazendo pensar de novo em sexo. Foi por isso que tinha olhado para a atendente no Black Lion. Para ser sincero, o sexo era uma frustração e uma inconveniência agora tanto quanto todo o resto. A diferença é que quando entrava em sua mente, continuava persistindo até que ele respondesse à sua voz irritante e satisfizesse todas as suas cansativas exigências. Mas, pensando bem, antes também era assim. Não era justo da sua parte culpar suas circunstâncias atuais por todas as coisas que o incomodavam. Tive o que merecia, pensou Freddy, considerando tudo. Ninguém além dele tinha culpa de como ele havia lidado com as coisas, e ele podia ver que existia uma certa justiça na maneira como tudo tinha terminado. Justiça esteja acima das ruas.

Ele estava pensando que não tinha visto nenhum dos clérigos da área ainda, os irmãos ou como preferissem ser chamados, e quem apareceu, fazendo um tremendo esforço para subir a rua na sua direção, foi justamente um deles: um sujeito corpulento que parecia estar morrendo de calor debaixo das batinas e toda aquela coisa, se esfalfando para carregar um saco velho que levava jogado sobre o ombro. Freddy riu para si mesmo, pensando que ele devia estar com castiçais afanados da igreja ou os pratos das doações ou o chumbo do teto dentro do saco, para parecer assim tão pesado.

Conforme se aproximaram um do outro, o velho padre levantou o rosto avermelhado e suado e o viu, abrindo um grande sorriso afetuoso de saudação, então logo de cara Freddy simpatizou com o homem. Ele parecia aquele jovem ator da televisão que interpretava Fancy Smith em Z-Cars, apenas um pouco mais velho, com a aparência que teria se estivesse na casa dos cinquenta ou sessenta, de barba e todo grisalho. Seus caminhos se cruzaram entre a Horsemarket e a via de acesso ou rampa ou escada, fosse lá como chamassem, que dava para as casas de lá, os apartamentos. Ambos pararam e disseram olá educadamente um para o outro, com o velho frei Tuck de cara vermelha, um vozeirão retumbante e um sotaque que Freddy não conseguiu identificar. Soava um pouco antiquado, como um sotaque da zona rural aos ouvidos de quem não estivesse acostumado, e Freddy julgou que o sujeito poderia ser de Towcester ou daqueles lados, com seus tus e tis.

— Está um dia quente para sair, era o que eu dizia para mim mesmo neste momento. Como vai o mundo para ti, meu bom e honesto camarada?

Freddy imaginou se aquele sujeito tinha ouvido falar dele, sobre os furtos de pães e galões de leite nos velhos tempos, e se aquela coisa de "honesto camarada" era só o jeito do pároco de tirar sarro de alguém. Levando tudo em consideração, no entanto, ele parecia ser franco e sem rodeios, e Freddy achou por bem tratá-lo assim.

— Ah, parece um dia quente, é verdade, e imagino que o mundo esteja indo até que bem. E você? Essa sua sacola parece um fardo.

Colocando o saco grosseiro no chão com um pequeno gemido de gratidão e alívio, o pároco balançou a cabeça felpuda e sorriu.

— Deus te abençoe, mas não... ou, se for, não é um fardo que me incomode. Me disseram para levá-lo ao centro. Tu sabes onde isso poderia ser?

Freddy ficou perdido por um momento, pensando a respeito. O único centro que conhecia era o centro de esportes e recreação, onde jogavam bilhar no meio da Horseshoe Street, para onde Freddy iria mais tarde se tudo corresse bem. Concluindo que era o lugar ao qual o velho se referia, Freddy começou a passar as direções certas a ele.

— Se for onde estou pensando, então você precisa virar à direita naquela árvore ali perto do final — Freddy fez um gesto para o fim da Castle Street. — Desça por aquele caminho até chegar ao cruzamento lá embaixo. Se for direto e seguir descendo, fica à esquerda atravessando a rua, é bem ali no meio.

O rosto do velho, já reluzente de suor, se iluminou ao ouvir aquilo. Devia ter andado um bocado, pensou Freddy, arrastando aquele saco. O vigário agradeceu muito, grato por ouvir que o salão de bilhar ficava perto, e então perguntou para onde o próprio Fred seguia. "Confio que tua jornada seja na direção de um final puro e bom", foi o modo como ele se expressou. Freddy estava pensando em descer para as residências ali por Bath Street e dar um cutuco em Patsy Clarke em nome dos velhos tempos, mas não era certo dizer aquilo para um homem de Deus. Em vez disso, inventou que ia encontrar uma velha amiga, uma senhora aposentada que não tinha família, nos baixos da Scarletwell Street. Aquilo era verdade, embora Freddy inicialmente tivesse a intenção de ir lá só depois de seu encontro particular com Patsy Clarke. Ora essa! Uma mudança na rotina não faria mal. Ele se despediu do robusto padre, então saiu num ritmo animado, passando pela abertura dos prédios da Bath Street, seguindo para a Little Cross Street. No caminho, Freddy fez uma pausa e olhou mais uma vez para o clérigo. Ele havia levantado o saco novamente e colocado sobre um dos ombros, cambaleando pela Castle Street na direção da Horsemarket, deixando um belo rastro atrás de si. Todo mundo deixava um rastro, Freddy imaginava. Pelo menos era o que os polícias diziam quando o pegavam, antes.

Ele poderia ter virado para os prédios da Bath Street depois que o velho sumisse de vista, mas depois daquela conversa isso faria com que se sentisse um mentiroso. Não, desceria até a Scarletwell, onde ficariam felizes em vê-lo. Na verdade, eles eram os únicos vivendo por ali que queriam ver Freddy. Percebendo que não era possível descer pela Bristol Street sem muitas dificuldades ultimamente, Freddy foi para a Little Cross Street, onde ela se juntava à Bath Street, do lado mais distante dos prédios, então virou à esquerda e seguiu para os baixos da Bath Street, onde a rua fazia uma guinada à direita e dava na Scarletwell Street.

Entrou em uma espécie de neblina ao virar à direita na esquina e passar pelo lugar onde um dia Bath Row descia até a Andrew's Road, muitos anos antes. Havia apenas as aberturas das garagens, perto de onde antes estavam a Fort Street e a Moat Street. Ao passar por ali, Fred olhou para a inclinação asfaltada que dava acesso a uma área cercada, com um formato mais ou menos oblongo onde havia apenas os portões cinzentos das garagens. Ainda que isso possa soar estranho em se tratando de caras como ele, Freddy não gostava de premonições e coisas do tipo, mas percebeu que havia algo ali, naquelas garagens onde antes ficavam as casas geminadas de Bath Row. Ou havia sido algo que acontecera fazia muito tempo, ou algo que aconteceria ali. Reprimindo a primeira sensação de calafrio que sentia em muito tempo, Freddy seguiu para a Scarletwell Street, atravessando para o outro lado abaixo da área de lazer da Escola Spring Lane. Ainda era possível ver alguns paralelepípedos na boca da ruela, onde passava atrás das casas geminadas em Andrew's Road, mas o resto tinha desaparecido. Freddy teve a impressão de que os arbustos

altos da extremidade mais distante do campo haviam entrado no espaço
onde a viela ficava, com a folhagem negra cobrindo as pedras cinzentas e
lisas. Pelo menos, pensou Fred, ainda eram cinzentas, mas quase tudo ali
embaixo era cinza, preto ou branco para Fred, como uma foto antiga, em
que está tudo claro e a luz está certa, mas não há cores. Freddy não via
uma cor mundana normal fazia quarenta e tantos anos, não do modo
como as pessoas que ainda conseguiam ganhar a vida compreendiam
essas coisas. A cegueira para cores era apenas parte de sua condição.
Freddy não se importava muito, a não ser no caso das flores.

Ele desceu alguns degraus até onde estava a casa, totalmente isolada na
esquina da rua principal, com nada além de um gramadinho atrás indo na
direção de Spring Lane, onde um dia ficaram as casas geminadas em que
a turma que Freddy conhecia, Joe Swan e os outros, tinha morado. Pisou
na soleira e entrou. As portas ali nunca estavam fechadas para Freddy,
e ele sabia que era sempre bem-vindo, então apenas atravessou pela passagem até a porta que levava à sala de estar, onde a moradora da casa
da esquina estava sentada à mesa ao lado de uma parede, folheando um
álbum de fotografias, cheio de fotos da praia e tudo mais, levantando a
cabeça com ar de surpresa quando Freddy entrou sem avisar, mas então
relaxando ao constatar que era só ele.

— Oi, Fred. Caramba, você me deu um susto. Eu ando meio assusta-
diça, é verdade. Pensei que fosse o velho. Não que ele seja um problema
para mim, é só uma chateação. Toda semana aparece aqui dizendo desculpe isso, desculpe aquilo. Está me dando nos nervos. Bem, eu vou
colocar a chaleira para ferver.

Fred ocupou a cadeira vazia do outro lado da mesa do álbum de
fotos e falou na direção da cozinha, onde sua amiga preparava uma
xícara de chá.

— Ora, ele é um patife, o velho Johnny. Imagino que ele esteja achando
que precisa de perdão.

A voz da amiga veio da cozinha, falando alto por cima do som da chaleira fervendo, uma daquelas elétricas que ferve em um minuto.

— Bem, eu disse a ele, assim como já disse para você sobre outras questões, que é para si mesmo que deveria pedir perdão. Não adianta vir até
mim. Não tenho mágoa nenhuma e já disse isso a ele. Tudo foi há muito
tempo. Mas sei que para ele deve parecer que foi ontem. Enfim.

A septuagenária de olhar severo voltou da cozinha com uma caneca fumegante na mão ossuda, mas firme, e se sentou diante de Freddy, ao lado do álbum aberto, colocando o chá sobre a toalha desbotada.

— Sinto muito não poder lhe oferecer um, Freddy, mas sei que é melhor nem oferecer.

Freddy ergueu os ombros, desconsolado, concordando.

— Bem, do jeito que ando por dentro ultimamente, acaba passando direto por mim. Mas fico muito grato pela oferta. Aliás, minha amiga, como andam as coisas com você? Teve alguma outra visita além do velho Johnny desde que a vi pela última vez?

A resposta foi precedida por um gole ruidoso do chá.

— Bem, deixe-me ver. Aquela maldita molecada entrou aqui, ah, acho que uns meses atrás. Provavelmente para cortar o caminho até o Spring Lane Terrace, como era aqui atrás há anos. Aqueles moleques. São como todas as crianças hoje em dia, acham que podem fazer o que quiserem porque sabem que ninguém pode botar a mão neles.

Freddy pensou no último chá que havia degustado, sem muito leite, duas colheres de açúcar, esperar até o primeiro fluxo de calor ir embora, para ficar no ponto de engolir. Não era uma bebida para golinhos, o chá. Apenas engula e sinta o calor se espalhar por sua barriga. Ah, bons tempos. Ele suspirou ao responder.

— Eu os vi mais cedo, quando estava em vinte e cinco, no Anexo da St. Peter, onde tem uma mulher escura com uma cicatriz no olho que está tratando de todas as prostitutas e deles, junto com os refugiados. Que gangue de diabinhos tem a Phyllis Painter. Invadiram o velho Black Lion quando ficava do outro lado do pomar de cerejeiras, ali atrás na pior parte da Doddridge, então pularam para vinte e cinco como um bando de macaquinhos. Vou falar uma coisa, você precisava ouvir o linguajar deles. Phyllis Painter me chamou de bicha velha e seus amiguinhos todos riram.

— Bem, imagino que já tenha sido chamado de coisa pior. Que história é essa de refugiados, aliás, em vinte e cinco? Eles vêm de alguma guerra? É meio perto demais para não fazer diferença. É logo ali.

Freddy concordou, então disse que não era guerra, mas enchentes, e que os refugiados eram todos do leste, a julgar pelos sotaques. A velha amiga assentiu, compreendendo.

— Bem, não podemos fingir que não estávamos esperando isso, mas, como eu digo, todos nós pensamos que demoraria mais. Em vinte e cinco, é? Ora, ora. Isso é algo a se pensar.

Houve uma pausa para outro gole de chá antes que o assunto mudasse.

— Me diga uma coisa, Freddy, você tem visto o velho Georgie Bumble? Ele costumava vir aqui para um papo, para eu dizer que ele deveria ir para um lugar melhor. Ele não dava a mínima, como todos vocês velhos rufiões fazem de vez em quando. É que não o vejo há um ano ou mais. Ele ainda está no escritório da Mayorhold?

Freddy precisou pensar a respeito. Fazia mesmo mais de um ano que não via Georgie? Freddy tendia a perder a noção do tempo, era verdade, mas seria possível que fizesse tanto tempo assim que não encontrava o velho?

— Olha, de verdade, eu não sei dizer. Imagino que ainda esteja lá, mas não vou muito para aqueles lados. Para ser sincero, agora aquilo é um pardieiro sujo, mas vou dizer uma coisa, vou procurar o velho Georgie quando sair daqui, e ver como ele anda.

Fred teve vontade de estapear a si mesmo, ainda que não literalmente. Agora que tinha dito que faria aquilo, se sentiria obrigado a ir mesmo, o que significava que não encontraria Patsy Clarke até bem mais tarde do que tinha planejado, por volta do meio da tarde. Enfim. Ela que esperasse. Não era como se fosse fugir para algum lugar.

A conversa deles acabou se encaminhando, como Freddy sabia que aconteceria, para a teimosia dele em permanecer nas partes mais baixas dos Boroughs.

— Freddy, se vocês tivessem uma opinião um pouco melhor sobre si mesmos, poderiam subir um pouco. Ou, se fizesse o que meu tataravô fez, poderia subir muito. O céu é o limite.

— Já fizemos isso antes, amiga, e eu conheço meu lugar. Eles não me querem lá em cima. Eu só iria sumir com o leite e o pão da soleira da porta, ou ia arrumar confusão com as mulheres. E, além disso, gente como eu não poderia colocar a mão no coração e dizer que merece isso, não é? Nunca fiz por merecer nada na vida. O que eu fiz para provar meu valor, ou no que posso dizer que pelo menos fiz alguma diferença? Nada. Caso contrário, se eu pudesse andar de cabeça erguida no meio de gente mais digna, talvez até pudesse pensar melhor, mas não acho que seja muito possível agora. Eu deveria ter tentado me conduzir melhor quando ainda tinha alguma chance, porque agora é difícil ver como teria essa oportunidade de novo.

Sua anfitriã foi à cozinha para pegar mais chá, continuando a conversa em tom mais alto para que Fred pudesse ouvir, o que não era de fato necessário. Freddy notou que não havia uma trilha entre a sala e a cozinha, ao contrário do que os policiais lhe disseram um dia. Obviamente, para pessoas como a amiga de Fred, era o que seria de se esperar, mas Freddy às vezes se via tão absorto na conversa que se esquecia da principal diferença que havia entre os dois: ele não morava mais na Scarletwell Street. Era por isso que deixava traços bagunçados atrás de si, e eles não. Vários momentos se passaram, então a amiga de Fred voltou da cozinha para se sentar novamente do outro lado da mesa.

— Freddy, nunca se sabe que rumo as coisas podem tomar de um momento para o outro, de um dia para o outro. É como as casas que existiam por aqui, com quinas inexplicáveis e portas que davam sabe Deus onde. Mas todos os cantinhos e escadas tinham seu propósito no plano dos construtores. Estou parecendo Phil Ardente dando um sermão, não? O que estou dizendo é que você nunca sabe o que vai aparecer. Só tem um sujeito que sabe de tudo isso. Se algum dia se cansar de dormir na rua, Freddy, sabe que pode vir aqui e subir direto lá para cima. Até lá, tente não ser tão duro com você mesmo. Teve quem fosse muito pior que você, Fred. O velho, por exemplo. As coisas que você fez, no fim das contas, nenhuma delas parece tão ruim. Todo mundo cumpriu seu papel como deveria, Freddy. Mesmo que fossem só um corrimão torto, pode ser que levassem a algum lugar. Ah! Acabei de lembrar! — ela falou pulando da cadeira como se fosse um susto. — Não tenho como te oferecer um chá, mas podemos ir lá atrás e ver se surgiram brotos novos desde a última vez, assim você pode comer um pouco.

Aquilo era mais animador. Falar sobre crimes passados sempre o deixava para baixo, mas não havia nada que comer um pouco não pudesse melhorar. Ele seguiu a companheira de muito tempo através da cozinha para o quintalzinho de tijolos lá fora, onde foi conduzido para a junção das paredes norte e oeste.

— Na outra noite vi, de canto de olho, alguma coisa se movendo aqui fora quando estava colocando o lixo na lixeira. Sei bem do que isso é sinal, então você pode querer dar uma espiada entre os tijolos, para ver se tem alguma raiz.

Freddy olhou de perto no local indicado. Era muito promissor. Mais ou menos na altura dele, havia uma protuberância dura com aspecto de aranha, saindo de uma fenda no reboco, que ele sabia ser o bulbo radicular de um chapéu-de-puck, embora não soubesse ainda de qual variedade. Não era do tipo cinza-escuro, pelo menos isso estava claro. De trás dele veio a voz da amiga, estridente e trêmula pela idade, mas ainda forte.

— Viu algum? Você tem olhos melhores para eles do que eu.

— É, aqui tem um. O que você viu na outra noite eram as flores. Num minuto arranco ele dali.

Fred enfiou as pontas sujas dos dedos na rachadura e puxou o talo grosso e branco do bulbo, onde descia para os tijolos. Uma das peculiaridades do chapéu-de-puck é que o bulbo radicular ficava em cima e os brotos individuais cresciam para dentro do espaço que conseguissem encontrar. Houve um pequeno guincho quando o retirou, além de um zumbido metálico que se elevou por um momento e sumiu. Ele o puxou para cima, para dar uma olhada de perto.

Grande como a mão de uma pessoa, era uma variedade na maior parte branca, com extensões duras e radiais, cada qual com um comprimento diferente, todas saindo como raios do centro. Colocando-o debaixo do nariz, ficou feliz em descobrir que era um tipo que tinha aroma, delicado e doce, uma das poucas coisas de que ainda sentia o cheiro de verdade ultimamente. Assim de perto, até via as cores dele.

De cima, parecia treze mulheres nuas, todas com cinco centímetros de altura, com as coroas juntas no centro do vegetal, onde havia um tufo de cabelo laranja, um pequeno ponto brilhante para marcar o meio com as cabeças brotando como pétalas. As pequenas mulheres meio que se sobrepunham, de modo que havia três olhos, dois narizes e duas boquinhas para cada par de rostos. Em torno do ponto laranja central, havia um anel de olhos azuis minúsculos, como pontinhos de vidro. Espaçados entre eles estavam os calombos de pele arrepiada que eram os narizes, então as pequenas fendas de um rosa escuro, quase pequenas demais para ver, que eram as bocas. Os pescoços individuais se ramificavam, então cresciam nos ombros da próxima forma de moça na fila, deixando um pequeno buraco entre os ombros fundidos e as orelhas fundidas. De novo, havia três braços para cada dois corpos, arranjados para formar um anel concêntrico externo, com cada membro esguio se dividindo em dedos minúsculos na ponta. Os corpos de mulheres do pescoço para baixo eram as seções mais longas da planta, com um por cabeça, formando a faixa externa de pétalas, cada qual bifurcando-se em minúsculas pernas oscilantes, pequenos pontos de penugem vermelha nas junções, formando outro círculo decorativo no refinado desenho simétrico.

Ele o virou para ver o anel de traseiros e o amontoado de pétalas transparentes como asas de libélulas arrumadas em torno do cabo que saía do centro. Mais atrás, a amiga dele perguntou de novo:

— Sei que não pode me mostrar, mas se puder me dizer que tipo de chapéu-de-puck é, eu ficaria feliz. É um de astronauta, um de fadas, ou alguma outra coisa?

— É de fadas, este. E é uma beleza, uns bons vinte centímetros de um lado a outro. Vai me manter por um bom tempo, e sem me preocupar em cozinhar um ovo por quatro minutos e descobrir que metade do dia passou. Você sabe como eles podem ser, nessa questão de perder uma parte do tempo. É por causa do jeito que eles crescem.

Ele deu uma mordida. A textura lembrava a de uma pera, mas o sabor era maravilhoso e perfumado, parecido com rosa mosqueta, só que com mais dimensão, despertando papilas gustativas que Fred nem sabia que estavam lá antes. Ele sentiu a energia, o tipo de animação que aquilo proporcionava, correndo dentro de si com o sumo delicioso. Graças aos céus era um chapéu-de-puck de fadas, bom e maduro, e não os acinzentados de astronauta, que eram todos duros e amargos e deveriam ser deixados para adoçar até virarem fadas, mais maduras. Era uma ótima refeição, se você não se importasse em cuspir umas duas dúzias de caroços de olho sem gosto. Com um pouco de sorte, e se os caroços se alojassem no lugar certo, era possível ter todo um círculo de chapéus-de-puck ali em seis meses, embora fosse melhor não dizer isso à amiga.

Voltaram para dentro juntos, uma para fazer outra xícara de chá, o outro para acabar de engolir seu chapéu-de-puck Continuaram a falar sobre uma coisa ou outra, e Fred viu o álbum de fotos. Algumas das velhas fotos, com seus pequenos cantos pretos, eram coloridas, mas Fred não sabia quais. Havia uma bonita, de uma jovem em seus vinte anos de pé na grama, parecendo um pouco deprimida, com prédios no fundo que pareciam um hospital ou uma escola. Jogaram conversa fora até que o relógio de parede no corredor bateu as duas horas, então Freddy agradeceu sua anfitriã pelo tempo e pela comida, e atravessou a porta da frente de novo, de volta à Scarletwell Street.

Sentindo-se muito melhor com a pequena refeição, Fred subiu às pressas a Scarletwell Street, passando pelos prédios de apartamentos

inacreditavelmente altos lá em cima, na direção da Mayorhold. Um chapéu-de-puck daquele tamanho manteria Freddy alegre e revigorado por
duas semanas. Com uma certa ginga, ignorou a barreira que cercava o
grande entroncamento de veículos e passou através dela, através dos carros que avançavam. Os motorizados que se explodam, pensou. Era velho
demais para parar ali hesitando do lado da sarjeta como uma criancinha,
embora tenha dado um passo para trás quando o cavalo e a charrete
de Jem Perrit passaram na direção da Horsemarket, porque deixavam
trilhas para trás, como o próprio Fred fazia, imagens esmaecidas de si
mesmo em diferentes estágios de movimento enquanto trotava negli-
gentemente entre caminhões e veículos com tração nas quatro rodas.
O cavalo e a carroça eram parte do mundo de Freddy e, embora uma
colisão não pudesse causar uma fatalidade, poderia haver outras complicações que era melhor evitar. Freddy ficou no meio do fluxo de veículos,
observando a carroça bambolear lá para baixo na direção de Marefair,
com Jem Perrit bêbado e adormecido nas rédeas, confiando no cavalo
para levá-lo para casa na Freeschool Street antes que acordasse. Balançando a cabeça, admirado e entretido com o tempo que o cavalo de Jem
Perrit vinha fazendo aquela proeza, Fred seguiu para a esquina em que a
parte alargada da Silver Street formava parte da junção.

No local onde ficavam as principais lojas e comércios da Mayorhold,
o Co-op e o açougue, a banca do Botterill e tudo mais, havia um daqueles novos estacionamentos de várias camadas, com o concreto pintado
de um amarelo feio, ou pelo menos foi o que disseram a Fred. Ao
redor da parte de baixo do lugar, do lado da Mayorhold, havia uma
grande sebe de espinheiros, na esquina onde antes podia se ver o escritório do pobre Georgie Bumble. A proliferação ali havia sido excessiva
desde a época de Georgie, e Fred teria de arregaçar as mangas se quisesse
cavar de volta até lá. Saindo da rua cheia de carros para o matagal, com
as camadas de bolo de noiva do estacionamento assomando-se sobre
ele, Freddy começou a empurrar toda aquela coisa do presente para o
lado, para conseguir atravessar. Primeiro havia a sebe, que era possível
mover como fumaça, e então maquinário, compressores, misturadores
de cimento e escavadeiras que dava para amassar e dobrar para o lado,
como se fossem feitas de massa de modelar colorida. Por fim, depois de
escavar tudo isso, Freddy descobriu a grande entrada aberta de granito
que levava até o escritório de Georgie, com o nome do estabelecimento

gravado elegantemente na pedra sobre a entrada: CAVALHEIROS. Espanando as marcas de tempo estagnado que inevitavelmente o sujaram ao escavar as coisas, Fred passou sobre o tabuleiro xadrez de ladrilhos quebrados e molhados do chão, gritando para o interior do eco fedido.

— Georgie? Alguém em casa? Você tem visita.

Havia dois cubículos que saíam da área principal do mictório, com suas paredes gotejantes, e um cartaz de aviso contra DSTs descascando que retratava um homem, uma mulher e aquelas temidas letras em silhuetas negras contra o que Fred se recordava como um fundo de vermelho vivo. Um dos cubículos estava com a porta fechada, e o outro, aberta, revelando uma privada transbordando de merda e papel higiênico no chão. Aquela era a maneira como as pessoas sonhavam com esse tipo de lugar, Freddy sabia. Tinha sonhado com lavatórios horrendos e transbordantes como aquele, quando estava na vida, em uma de suas Vinte e Cinco Mil Noites, procurando algum lugar onde pudesse mijar e encontrando apenas buracos horrendos como esse. Pelo que Fred sabia, era a maneira como as ideias oníricas das pessoas se acumulavam como sedimentos ao longo dos anos que deixava o lugar no estado em que estava. Não era culpa de Georgie. De trás da porta fechada, veio o som de alguém escarrando, então o da descarga, então o barulho do trinco de correr na porta de zinco enquanto alguém a abria por dentro.

Um monge saiu, todo macilento, pesaroso e com o rosto barbeado, com a parte careca no topo, a tonsura. De onde Fred estava, parecia um dos clúnis, ou fosse lá como se chamavam, da St. Andrew. Passou bem na frente de Fred sem reparar em sua presença e atravessou a entrada para todos os anos e instantes emaranhados que bloqueavam a abertura como espinheiros. O monge desapareceu, deixando imagens em preto e branco atrás de si que desbotavam até sumir em questão de instantes. Fred olhou de novo para o cubículo agora aberto, do qual o homem acabara de sair, e viu Georgie Bumble saindo atrás do monge com um meio sorriso de desculpas, deixando para trás sua própria fumaça de autorretratos.

— Oi, Freddy. Há quanto tempo. Desculpe por tudo isso, aliás. Você me pegou bem no meio de um negócio. Bem, se é que é possível chamar isso de negócio. Viu isso, o que ele me deu? Velho muquirana.

Georgie estendeu a mão, abrindo os dedos curtos com unhas roídas para mostrar a Fred um pequeno chapéu-de-puck, com no máximo sete centímetros e meio de comprimento. Ainda não estava maduro, nem de longe, com o círculo feito de formas de fetos azul-acinzentados que pareciam astronautas de outro planeta mal desenhados. As grandes contas negras que formavam os olhos eram um anel brilhante e não comestível em torno do furo no centro, onde ainda não tinha crescido nenhum tufo de cabelo colorido, o que era um mau sinal quando se julgava plantas superiores daquele tipo. Era assim que se avaliava se já estavam prontas para o consumo. Se Georgie tinha feito um favor àquele velho monge por aquilo, havia sido enganado de mais de uma maneira.

— Você tem toda a razão, Georgie. É uma coisinha mirrada. Bem, são todos franceses, aquele povo da St. Andrew, então o que se pode esperar? Se tivessem metade da devoção que fingem ter, não estariam ainda aqui embaixo com a gente, né?

Georgie olhou para baixo, pesaroso, com seus grandes olhos lacrimejantes mirando a iguaria insossa na palma da mão. Havia o pingar lamentoso de uma cisterna, amplificada pela acústica incomum com ecos correndo em mais direções ou reverberando em distâncias maiores do que as aparentes naquele espaço úmido e restrito.

— É. Boa observação, Freddy. É uma bela observação. Por outro lado, é só esse tipo de negócio que consigo fazer hoje em dia, com os monges.

Vestido de seu terno brilhante, com uma corda nos passantes fazendo papel de cinto, o vadio maltrapilho mordeu um pedaço fibroso do vegetal amargo e cinzento e fez uma careta. Mastigou por uns instantes, com as feições flexíveis e incomodadas trabalhando comicamente em torno do bocado amargo, então cuspiu um olho negro vítreo do tamanho de uma semente de maçã no fundo do mictório. O olho deslizou pelo canal espumante até os pedaços brancos de desinfetante aninhados ao lado do ralo, onde se voltou indiferente para Fred e Georgie.

— Mas você está certo. Hipócritas de merda, é o que são. Essa é a pior teta de bruxa que já provei.

Georgie deu outra mordida e mastigou, fez outra careta e cuspiu outra conta de azeviche na vala branca esmaltada. Teta-de-bruxa era um nome diferente pelo qual o chapéu-de-puck às vezes era chamado, além de Bedlam Jenny, sussurro-na-mata ou dedos-do-diabo. Eram todos a mesma coisa e, por mais que o gosto fosse ruim, Freddy sabia que Georgie Bumble faria questão de comer tudo, sem desperdiçar nada, só por serem tão revigorantes. O motivo para isso, Freddy não sabia. Nutria uma vaga noção de que tinha a ver com o modo como os brotos do bulbo pareciam interferir no tempo, fazendo as pessoas perderem horas ou dias inteiros enquanto dançavam com as fadas ou o que quer que imaginassem que estavam fazendo. Assim como os vegetais inferiores sugavam o que havia de bom da substância em que cresciam, talvez o chapéu-de-puck também sugasse o tempo, ou ao menos o tempo como as pessoas conheciam. E, nesse caso, talvez fosse isso o que dava tanto estímulo aos moradores de rua, como o próprio Freddy ou Georgie. Talvez, para o tipo deles, o tempo humano fosse como uma vitamina insuficiente nesses dias, desde que deixaram aquela vida. Talvez fosse por isso que estivessem todos tão pálidos. Fred pensava nessas coisas durante seus momentos livres, ociosos, que claramente não eram poucos.

Georgie tinha mastigado e engolido o último pedaço, expectorado o último olho de astronauta, e agora limpava os lábios de botão de rosa, já parecendo mais vivo. Freddy estava começando a se sentir enclausurado naquele banheiro crepuscular, e podia ver imagens fracas e borradas de carros modernos em filas debaixo de lâmpadas tubulares através do pôster de DSTs. Decidiu abordar a razão pela qual viera ao escritório de Georgie, assim poderia se livrar da obrigação e sair dali o mais rápido possível.

— Vim até aqui, Georgie, porque acabei de fazer uma visita à esquina da Scarletwell Street, e disseram que não o viam há tempos e estavam preocupados, então disse que passaria aqui para me certificar de que tudo estava de boa.

Georgie contraiu os lábios em um sorrisinho, com um brilho em seus olhos molhados enquanto começava a sentir os efeitos leves do chapéu-de-puck verde que tinha ingerido.

— Ora, abençoados sejam vocês por pensar em mim, mas estou bem, do mesmo jeito de sempre. Não tenho saído muito por causa de todo o trânsito na Mayorhold esses dias. Lá fora é um pesadelo para mim agora, mas, com um pouco de sorte, em algumas centenas de anos ou algo assim será um terreno baldio ou um lugar bombardeado. Vai ter epilóbios e coisas do tipo crescendo onde estão os mourões e placas de trânsito, e talvez então eu saia um pouco mais. É bom você ter vindo, Freddy, e mande meus cumprimentos para quem cuida da esquina, mas estou bem. Ainda sugando os meus monges, mas fora isso não tenho do que reclamar.

Não havia muito que Fred pudesse responder, então disse a Georgie que não deixaria passar tanto tempo antes da próxima visita, e ambos trocaram o melhor aperto de mãos que puderam. Fred foi abrindo caminho a partir da entrada do banheiro, através das máquinas flexíveis e dos caminhões basculantes, através dos espinhentos meses e anos com espinhos feitos de momentos dolorosos, para dentro do trovão fumegante da Mayorhold e a sombra do estacionamento de vários andares às suas costas. Com o fedor do escritório de Georgie ainda impregnado em torno de si, e apesar do bafo de escapamentos que pairava sobre o entroncamento, Freddy desejou que pudesse respirar fundo. Era deprimente ver o modo como alguns deles se viravam naqueles dias, apenas ficando em seus pequenos covis ou nas sombras de lugares onde os covis um dia foram. Mas pelo menos era o fim das obrigações de Freddy, então ele agora poderia ir ao compromisso na Bath Street. Ele iria ver Patsy e deixaria George Bumble e o seu dia até então para trás. Mas, refletiu, não era possível. Ou era? Ninguém podia deixar algo pra trás, traçar uma linha e fingir que tinha desaparecido. Nenhum ato, nenhuma palavra, nenhum pensamento. Ainda estava tudo ali no caminho, para sempre. Fred pensava nisso enquanto caminhava pelo fluxo de automóveis, arrastando cada instantâneo de seus vários segundos anteriores como uma cauda atrás de si, saindo para brincar de papai e mamãe.

Do lado mais distante da Mayorhold, na extremidade sudoeste, atravessou a barreira diretamente para a Bath Street, sentindo vibrações nos restos fantasmas das calças, trazidas ou pelo chapéu-de-puck ou por pensar em Patsy. Ao chegar à entrada dos jardins desacelerou, sabendo que, se fosse voltar para o lugar em que ela o esperava, precisaria escavar mais. Olhou para a avenida deserta entre as duas metades dos prédios de apartamentos, com seus contornos gramados e muros de tijolos com aberturas em meia-lua de cada lado, na direção do caminho ou degraus ou rampas ou o que quer que fosse aquilo lá no alto, no momento. O vira-lata de aparência esfarrapada que tinha visto na St. Mary's Street um pouco mais cedo naquele dia ainda estava por ali, cheirando o meio-fio ladeando a grama. Fred se enrijeceu para se preparar, então começou a abrir caminho com os ombros em meio a todo aquele lixo empilhado

ali direto até os anos cinquenta. Empurrou através dos dias de glória
de Mary Jane e ainda antes, de volta através do apagão e das sirenes,
dobrando varais pré-guerra e vendedores de berbigões de um lado como
juncos até que o fedor súbito e a falta de visibilidade disseram a Freddy
que chegara ao seu destino, de volta ao fim dos anos vinte, onde a esposa
de outra pessoa esperava por ele.

Aquele cheiro, assim como o véu de fumaça que mal permitia enxergar um palmo diante do nariz, tudo aquilo era o Destruidor, bem ali
abaixo, à direita de Freddy, erguendo-se sobre ele, que não podia aguentar olhar para aquilo. Mantendo os olhos fixos adiante, Freddy começou
a andar pelo caminho da área de lazer, com os balanços, o escorregador
e o mastro, que se estendia por onde a avenida central dos prédios da
Bath Street estava momentos antes, ou onde estariam quase oitenta anos
depois, a depender do ponto de vista. O parquinho sombrio era chamado de "O Pomar", Freddy sabia, mas sempre com uma certa ironia
e amargura. De ambos os lados, os prédios de apartamentos de tijolos
vermelhos haviam desaparecido, e onde estavam os muros com os buracos de meias-luas agora havia duas filas de casas geminadas de frente
uma para a outra, com o chão de vegetação rasteira entre elas, com sua
cortina de fumaça sufocante.

Aproximando-se dele pelo caminho batido que corria pelo meio do
chão duro e nu da Castle Street até a Bath Street, havia a silhueta vaga
de uma figura que caminhava empurrando um carrinho de bebê. Freddy
sabia que, quando chegasse mais perto através do ar fuliginoso, seria a
jovem Clara, patroa do Joe Swan, aquele sortudo de merda. Fred sabia que
seria Clara porque ela sempre estava ali, empurrando o carrinho de bebê
entre os balanços e o gira-gira de madeira, quando ele vinha ver Patsy. Ela
sempre estava ali porque também tinha estado naquela tarde, na primeira
vez em que aquilo havia acontecido entre ele e Patsy Clarke. A única vez,
pensando bem. À medida que saía da neblina acre com seu carrinho de
bebê, empurrando-o pelo caminho de chão batido na direção dele, Clara
Swan e a filhinha bebê no carrinho não deixavam imagens atrás de si.
Ninguém ali deixava. A essa altura todo mundo ainda estava vivo.

Clara era uma mulher bela e amável na casa dos trinta anos, magra
como um ancinho e com um longo cabelo castanho-avermelhado, em
cima do qual Joe Swan um dia havia dito que ela conseguia sentar
quando não estava preso em um coque como agora, encimado por um

chapeuzinho preto com flores artificiais no laço. Ela parou o carrinho ao ver Fred e reconhecer o amigo do marido, abaixando o queixo e olhando para ele por sob as sobrancelhas baixas, olhos de desaprovação, e no entanto ainda gentis. Fred sabia que aquilo era apenas algo que ela fazia em parte para a diversão dos dois. Clara era uma mulher muito correta e não aceitava tolices ou bobagens. Antes de se casar com Joe, tinha trabalhado como doméstica, como muitos dos que viveram nos Boroughs antes de serem dispensados, na Casa Althorp, do Conde Vermelho, ou algum outro lugar do tipo, e havia assumido as maneiras e a postura que os mais abastados esperavam dela. Não que fosse convencida, mas era justa, honesta e às vezes desprezava um pouco os que não eram, porém nunca de um modo indelicado. Sabia que a maior parte das pessoas tinha um motivo para serem como eram, e isso ela não julgava.

— Ora, Freddy Allen, seu jovem traste. O que está fazendo aqui? Coisa boa não é, tenho certeza.

Aquilo era o que Clara sempre dizia quando se encontravam ali, na direção da extremidade da Bath Street, no caminho de terra da Castle Street, naquela tarde enfumaçada.

— Ah, você me conhece. Tentando a sorte, como sempre. Quem está no carrinho? É a pequena Doreen?

Clara agora sorria sem querer. Na verdade, gostava de Fred, e ele sabia disso, por trás de toda aquela desaprovação vitoriana. Com um aceno discreto da cabeça para o lado, ela chamou Freddy para perto do carrinho, para que ele pudesse ver onde dormia Doreen, a filha de um ano de Joe e Clara, com a boca tapada pelo dedão. Era uma coisinha linda, e se percebia que Clara tinha orgulho dela, pelo jeito que o chamou para dar uma olhada. Ele a parabenizou pelo bebê, como sempre fazia, e então eles conversaram um pouco, como sempre. Por fim, chegaram à parte em que Clara dizia que alguém tinha trabalhos em casa que precisavam ser feitos, lhe dava boa-tarde e o deixava seguir com qual fosse o negócio duvidoso no qual estava metido.

Freddy a observou empurrar o carrinho para longe na fumaça que, naturalmente, era mais espessa ali na Bath Street, onde ficava a torre do Destruidor, e então virou e seguiu pelo caminho para a Castle Street, esperando que Patsy o chamasse do jeito como tinha feito daquela primeira vez, e em todas as outras.

— Fred! Freddy Allen! Aqui!

Patsy estava na entrada da pequena viela que corria por um lado das casas à direita, perto do fim da Bath Street, e seguia até os quintais das construções, todos em um grande quadrado na parte de trás do Destruidor. Até onde Fred podia ver entre as ondas de fumaça, Patsy era uma delícia, uma loirinha carnuda cheia de curvas, do jeito que Fred gostava. Era mais velha que Freddy, não que isso o incomodasse, e tinha um ar astuto, parada ali sorrindo na entrada da viela. Talvez porque estivesse tão enfumaçado, ou porque, quanto mais você voltasse, mais difícil era manter tudo direito, Freddy podia ver uma centelha fraca em torno de Patsy, na qual a viela mudava por um segundo para um arco de tijolos gradeado, com as grades de ferro negro passando pela cabeça e pelo torso dela, e então mudando de volta para os muros dos quintais das casas, com os tijolos de um laranja mais vivo, porém muito mais sujos, do que eram os dos prédios de apartamentos da Bath Street. Ele esperou para que a visão se consolidasse de fato, então andou na direção dela animadamente, com as mãos enfiadas nos bolsos traseiros esfarrapados e o chapéu enfiado na cabeça para esconder a careca. Ali em 1928 alguns de seus outros defeitos tinham sido suprimidos... ele não tinha barriga de cerveja, por exemplo... mas o cabelo havia começado a cair por volta de seus vinte e cinco anos, o que era o motivo de usar chapéu desde então. Quando se aproximou de Patsy o suficiente para que pudessem ver um ao outro de verdade, ele parou e sorriu para ela, do jeito que tinha feito da primeira vez, só que agora com mais significado. Daquela primeira vez, significava apenas "eu sei que você gosta de mim", e agora era algo como "sei que você gosta de mim porque vivi isso mil vezes e agora estamos os dois mortos, e é na verdade bem engraçado como nós continuamos voltando para cá, para este momento". O mesmo valia para cada parte do diálogo entre eles, sempre a mesma coisa, palavra por palavra, mas com novas ironias por trás das frases e dos gestos, por causa da nova situação. Peguemos o que ele estava para dizer, por exemplo:

— Oi, Patsy. Precisamos parar de nos encontrar assim.

Aquilo havia sido engraçado na primeira vez que foi dito. Na verdade, tinham se visto uma ou duas vezes num bar ou numa barraca do mercado, mas colocando daquela maneira, dizendo que eles precisavam parar de se encontrar, como se já estivessem tendo um caso, era um jeito de brincar com o assunto e ao mesmo tempo pelo menos insinuar a ideia na conversa. Agora, porém, a observação tinha outras conotações. Patsy sorriu para ele e brincou com um cacho loiro-escuro ao responder.

— Ora, fique à vontade para fazer o que quiser. Só digo que, se passar batido por mim de novo, vai perder a chance. Não vou ficar esperando para sempre.

Ali estava de novo, outro sentido duplo do qual não tinham consciência quando disseram aquelas palavras pela primeira vez. Fred sorriu para Patsy através da fumaça.

— Ora, Patsy Clarke, você deveria se envergonhar. E uma mulher casada, com o tal até que a morte nos separe e tudo mais.

Ela não parou de sorrir ou tirou os olhos dele.

— Ah, ele. Está fora da cidade a trabalho. A coisa está num pé que não consigo me lembrar da última vez que o vi.

Havia sido um exagero quando ela disse aquilo originalmente a Fred, porém não mais. Frank Clarke, o marido dela, não andava mais pelos níveis mais baixos dos Boroughs, como faziam Fred e Patsy. Frank tinha seguido para uma vida melhor. Subiu a escada, por assim dizer. Era bom para ele. Não havia nada perturbando sua consciência que o mantivesse ali, enquanto Fred tinha todo tipo de coisa para prendê-lo, como explicou na Scarletwell Street. Quanto a Patsy, ela tinha Fred, além de vários outros daquelas partes. Havia sido uma mulher generosa com aquele corpo generoso, e suas incontáveis tardes suarentas cheias de pecadilhos eram como fardos que a puxavam para baixo, impedindo sua partida. Olhando agora para Freddy, apagou o sorriso do rosto, substituindo-o por uma expressão mais séria, quase desafiadora.

— Não ando comendo direito, com ele longe. Não faço uma refeição quente há séculos.

Aquilo, com sua ironia involuntária, era possivelmente uma referência ao chapéu-de-puck, a alimentação básica dos residentes inferiores dos Boroughs, como Fred e Patsy. Ela continuou:

— Estava pensando agora mesmo em quanto tempo faz que não sinto algo quente dentro de mim. Conhecendo você, provavelmente quer comer alguma coisa. Por que não vem comigo até a cozinha, bem aqui? Vamos ver se encontramos algo para satisfazer os seus desejos.

Fred estava de pau duro agora, de verdade. Ouvindo passos no caminho de terra atrás de si, virou a cabeça a tempo de ver a pequena Phyllis Painter, com seus oito anos, passar pelo parquinho em direção ao fim da Bath Street. Ela olhou para ele e Patsy e deu um risinho malicioso, e então seguiu seu caminho e desapareceu nas nuvens sépia, rumo a sua casa na Scarletwell Street, ao lado da escola. Fred não sabia se o sorriso da menina era porque ela sabia o que aprontaria com Patsy, ou se a jovem Phyllis era uma aparição revendo a cena, assim como ele, e sorria porque sabia que aquilo era um círculo no qual Fred e Patsy Clarke estavam presos, por mais que agissem por vontade própria. Phyll Painter e seu bando corriam soltos pelo comprimento, a largura, a profundidade e quandura dos Boroughs. Corriam por volta de vinte e cinco, quando aquela mulher, aquela que chamavam de santa, que era negra com o cabelo pixaim e a cicatriz feia sobre o olho, fazia todo o trabalho dela, ou então Phyll Painter e seus vândalos atravessavam pela casa da amiga dele no Spring Lane Terrace na calada da noite em suas aventuras. Poderiam muito bem estar roubando chapéus-de-puck por todo o caminho até vinte e oito, mas por outro lado Phyll Painter teria oito anos no tempo normal de vida naquele ano, e não tinha seu bando consigo quando passou correndo por eles. Era muito provavelmente Phyllis Painter como criança viva, ou ao menos a memória dela naquela tarde antiga, em vez da pequena arruaceira que se transformou quando não estava mais em vida.

Ele se virou para Patsy, com o rosto agora apontando para o mesmo lado que o pinto. Ele disse a última frase com um duplo sentido involuntário... "Eu nunca digo não, você me conhece..." antes de arrastá-lo pela viela, ambos aos risos agora, e pelo quintal da terceira casa à direita, que tinha como vizinho o matadouro atrás do açougue do sr. Bullock, que ficava ao lado do Destruidor. Pelo som, alguns porcos estavam sendo pendurados e sangrados na casa vizinha, o que, como sempre, encobriria o barulho que ele e Patsy faziam. Ela abriu a porta de trás e puxou Fred para dentro da cozinha, estendendo o braço e acariciando seu pau duro dentro das cuecas e calças grosseiras assim que entraram, longe de olhares curiosos. Seguiram assim para a sala entulhada, sem luz, onde Patsy havia acendido a lareira. Tinha sido um dia revigorante de março, pelo que Fred se recordava.

Ele foi beijá-la, mesmo sabendo que estava com um bafo com o cheiro de alguma coisa morta. Não foram apenas algumas das coisas que disseram naquela tarde que terminaram por ter outro significado. Foram todas. De qualquer modo, Patsy estava decidida: nada de beijos. Como em todas as outras vezes.

— Não leve pro lado pessoal. Nunca consigo fazer essas coisas assim melosas. Tira pra fora e enfia, é o que sempre digo.

Estavam os dois com a respiração mais ofegante, ou ao menos pareciam. Fred conhecia Patsy desde que eram crianças de joelhos sujos na Escola Spring Lane. Subindo as saias até a cintura ao se virar para a lareira, olhando para Fred por sobre o ombro, seu rosto se avermelhou. Ela não usava calcinhas debaixo da saia.

— Vamos, Fred. Seja um demônio.

Fred achava que deveria ser. Veja onde estava. Ela virou o rosto de novo e colocou as mãos na parede, uma de cada lado do espelho que pendia sobre a cornija. Ele podia ver o rosto dela e o seu, ambos no espelho, ambos excitados. Freddy se atrapalhou com os botões da braguilha, então soltou o membro rijo. Cuspindo uma substância cinza na palma suja, ele a esfregou na ponta brilhante e bulbosa e então o enfiou na xoxota de lábios protuberantes de Patsy, já encharcada com fluidos fantasmas próprios. Ele a apertou na altura da cintura para se alavancar e então começou a bater o corpo contra o dela, com o máximo de força que conseguia. Era tão maravilhoso quanto Fred se recordava. Nem mais, nem menos. Era só que a experiência foi se apagando a cada repetição, até que quase todo o contentamento acabou desparecendo, como um velho guardanapo torcido tantas vezes que a estampa tinha se apagado. Era melhor que nada, apenas. No mesmo momento de sempre, tirou a mão direita do quadril de Patsy e chupou o dedão para umedecê-lo antes de enfiá-lo até o talo no cu dela. Agora ela gritava, acima dos guinchos do quintal do vizinho.

— Ai, meu Deus. Ai, me fode, estou no céu. Me fode, Freddy. Me fode até me matar. Ah, ah, caralho.

Freddy baixou o olhar do rosto tenso e contraído de Patsy no espelho para onde seu membro grosso, atiçado... aqueles eram os bons tempos... brilhava cinzento como areia molhada em uma foto de praia, entrando e saindo do buraco sugador ladeado de pelos de Patsy. Não sabia de qual visão gostava mais, nem mesmo depois de todos esses anos, então continuou alternando entre uma coisa e outra. Estava feliz que, daquele ângulo, não podia ver o próprio rosto no espelho, já que sabia que pareceria bobo, ainda de chapéu, e daria risada e isso tiraria seu tesão.

Foi só então que Freddy notou algo de canto de olho. Não podia virar o rosto para olhar diretamente porque não tinha feito isso na primeira ocasião. Fosse o que fosse, não havia acontecido daquela vez. Era uma novidade que poderia apimentar a velha rotina.

Ele logo determinou que era o efeito tremeluzente que tinha notado antes quando Patsy o cumprimentou, de pé na viela continuava virando para um arco com grades. Era algo que acontecia às vezes, quando você cavava seu caminho de volta ao passado. Como se o presente o colocasse em um elástico e ficasse tentando puxá-lo de volta, tornando possível ver pedaços dele entrando para interromper o tempo para o qual você tivesse cavado de volta. Naquela ocasião, Freddy podia ver, de canto de olho, uma moça negra bonita e magra, sentada em uma poltrona com as tiras de baixo arrebentadas. Tinha os cabelos em cristas, com listras calvas entre elas, e usava um tipo de roupa impermeável brilhante, embora estivesse dentro de casa. A coisa mais estranha era que estava ali olhando para ele e Patsy com um sorrisinho e uma mão descansando casualmente no colo, virada para dentro, parecendo que não só podia vê-los, mas que também estava gostando. O pensamento de que eram observados por uma moça deu a Freddy uma excitação a mais, embora soubesse que isso não o faria gozar cedo demais, antes que chegassem ao tempo marcado. Além disso, um sentimento de culpa relacionado à idade dela contrabalanceou o leve choque de excitação que a moça havia proporcionado. Apesar de um tanto debilitada, ela parecia ter dezesseis ou dezessete anos, e mal parecia ter saído da infância. Por sorte, logo na sequência, quando Fred recuou o suficiente da foda com Patsy para poder espiar de canto de olho, a moça já tinha ido embora e ele podia se concentrar em fazer seu trabalho direito.

Onde ele a tinha visto pouco antes, aquela garota? Conhecia o rosto dela de algum lugar, com certeza. Havia cruzado com ela mais cedo naquele dia? Não. Não, ele sabia agora onde foi. No dia anterior, por volta da hora do almoço. Estava debaixo do pórtico na igreja de St. Peter. Havia um menino ali, um menino vivo, adormecido e bêbado, então Freddy se esgueirou para o lado dele. Era um rapaz jovem, de cabelo loiro-acinzentado, com um grande suéter de lã largo e aqueles sapatos que chamavam keds nos pés, então Freddy imaginou que o adormecido não se importaria se ele se deitasse ao lado só para ouvi-lo respirar, um som de que sentia falta. Estava ali fazia uma hora ou duas quando ouviu saltos altos descendo pela Marefair e passando pela frente da igreja, cada vez mais perto. Ele se sentou e a viu passar, a garota que tinha acabado de ver em sua poltrona fantasma, olhando para ele e Patsy. Ela não estava olhando para ele quando passou com as pernas escuras nuas balançando para a frente e para trás, mas algo lhe dizia que ela poderia tê-lo visto, e concluiu que era melhor ir embora antes que acontecesse de novo. Foi quando a viu. No dia anterior, e não naquele.

Seu momento estava chegando. Patsy começou a gritar ao atingir seu clímax.

— Isso! Ah, isso! Ai, caralho, estou morrendo! Vou morrer, caralho! Ai, meu Deus!

Freddy pensava na garota negra de pernas longas e saia escandalosamente minúscula enquanto disparava três ou quatro jatos frios de ectoplasma em Patsy. Ele jurava por sua vida, ou por assim dizer, que não conseguia se recordar do que estava pensando quando soltou sua carga pela primeira vez, quando seu líquido ainda era quente. Tirou o dedão do traseiro dela e o pênis que pingava e desinchava, refletindo enquanto isso que, embora o que esguichasse do pau nesses dias fosse um líquido muito mais frio que seu sêmen havia sido, parecia a mesma coisa. Enfiou a arma brilhante e flácida de volta para dentro da cueca e das calças, abotoando a braguilha, enquanto Patsy puxava as saias para baixo e se recompunha. Ela se virou do espelho e da cornija para ele. Havia só mais duas linhas de diálogo a serem ditas.

— Nossa, foi tão bom... mas nada de achar que pode aparecer todas as tardes. Essa foi uma vez só e pronto. Agora vá, é melhor ir embora antes que os vizinhos comecem a xeretar. Vejo você por aí, provavelmente.

— Nós nos vemos por aí, então, Patsy.

E foi isso. Fred saiu pela cozinha e pelo quintal, onde o barulho dos abates do outro lado do muro alto de tijolos havia acabado. Abrindo o portão do quintal, saiu para a viela, então andou até a área de lazer coberta de fumaça, o Pomar. Era por onde sempre saía de suas memórias de volta para sua existência no presente, do lado de fora da abertura da viela, olhando para o parquinho de crianças em meio às brumas, com o escorregador e o mastro elevando-se indistintamente pela fumaça ondulante. O mastro do próprio Freddy não estava tão impressionante agora como alguns minutos antes, quando foi exposto pela última vez. Ao olhar para baixo, notou que a barriga de cerveja estava voltando. Estalando a língua, resignado, Freddy deixou que o cenário em torno de si se recompusesse em 26 de maio de 2006. Houve uma correria vertiginosa de paredes e balanços derretendo, de tijolos cobertos de fuligem que espumavam até o nada para construir os prédios de apartamentos, e então Fred estava novamente ao lado do arco gradeado, olhando através do gramado para a avenida principal, pela qual o cão desgrenhado que tinha visto mais cedo ainda andava. Para Freddy, parecia agitado, trotando para lá e para cá, como se não evacuasse havia um bom tempo.

Fred sentiu empatia. Supreendentemente, era uma das coisas das quais mais sentia falta, aquele sentimento abençoado de alívio quando todos os venenos fedidos e o que havia de ruim em uma pessoa simplesmente caíam em um grande fluxo e podiam ser despachados com uma descarga. O que Fred tinha, ele imaginava, era como uma constipação do espírito. Era o que o mantinha ali embaixo e o impedia de seguir adiante, o fato de não conseguir se desapegar assim e se livrar de toda a massa fétida. O fato de levar dentro de si toda a sua merda e de a cada década que passava se sentir mais letárgico e irritável. Em mais um século, duvidava que fosse capaz de reconhecer a si mesmo.

Atravessou o gramado e flutuou até a avenida em direção à rampa, passando pelo cão sarnento, que pulou para trás e latiu duas vezes antes de concluir que ele não representava perigo e recomeçar a andar para lá e para cá, desconfortavelmente. Entrando na Castle Steet no topo da rampa, Freddy seguiu para onde a passagem de pedestres se unia à Horsemarket, então virou à esquerda. Até poderia ter prometido a Mary Jane que passaria pelo Jolly Smokers mais tarde, mas aquilo podia esperar. Antes veria seu bilhar, no centro, nos baixos da Horseshoe Street, para onde mandara o velho capelão mais cedo.

Desceu a Horsemarket e se lembrou, com uma pontada de vergonha, que um dia, antes da rua de duas pistas do presente estar ali, havia casas elegantes, propriedades de doutores e advogados e gente assim. A vergonha que sentia agora era ocasionada pelas belas filhas que alguns dos cavalheiros que viveram ali tinham criado. Uma, em particular, era a filha de um doutor chamada Julia, pela qual Freddy alimentava uma paixonite, mas sem nunca falar com ela, apenas observando-a de uma certa distância. Sabia que ela jamais falaria com ele, nem em um milhão de anos. Foi por isso que tinha pensado em estuprá-la.

Ele sentia seu rosto queimar ao pensar nisso agora, embora jamais tivesse concretizado o plano. Bastava a ideia de ter considerado fazer aquilo, de ter chegado ao ponto de pensar em esperar até que ela atravessasse a Horsemarket a caminho do trabalho na Drapery uma manhã e então agarrá-la enquanto ela tomasse a rota costumeira pelo St. Katherine's Gardens. Tinha até se levantado ao amanhecer um dia e ido até lá para esperar, mas quando a viu, voltou a si e fugiu, chorando consigo mesmo. Tinha dezoito anos. Aquele era um dos toletes mais duros e pesados que mantinha dentro de si e não conseguia evacuar, o mais pesado e mais duro.

Atravessou para a Marefair na parte baixa, esperando que as luzes mudassem de cinza para cinza para que pudesse atravessar com todas as outras pessoas, embora ele não precisasse disso. Seguiu para a continuação de cataratas de metal roncador da Horseshoe Street, que descia da Horsemarket, então virou à direita e seguiu para o centro e o salão de bilhar. Nisso, passou por, e parcialmente através de, um camarada gorducho com cabelo branco encaracolado e uma barbinha, com olhos que pareciam alternar entre a arrogância e a furtividade por trás dos óculos. Era outro que Fred reconhecia, e precisou puxar pela memória de onde. Havia sido algumas noites atrás, lá pelas quatro da manhã. Freddy estava circulando preguiçosamente pela Marefair antes do amanhecer, apenas aproveitando o vazio, quando ouviu a voz de um homem chamá-lo, amedrontada e trêmula.

— Oi? Você aí? Consegue me ouvir? Eu estou morto?

Freddy tinha se virado para descobrir quem interrompia suas andanças noturnas e visto o homenzinho gordo, o mesmo em que havia acabado de dar um encontrão em plena luz do dia na esquina da Gold Street. O homem de cinquenta e tantos anos, óculos e barba tinha ficado de pé, de madrugada, na corcova sem trânsito da Black Lion Hill, vestindo apenas colete, seu relógio de pulso e cuecas. Olhava ansioso para Freddy, parecendo perdido e assustado. Fred chegou a pensar, apenas por um instante, que o homem tinha acabado de deixar a vida, e era por isso que parecia tão confuso, ali de pé entre a luz do poste e as sombras com a rua e os prédios talhando para dentro e para fora de diferentes séculos ao seu redor. Então, quando prestou atenção em como o idiota estava vestido, apenas com as roupas de baixo, Fred soube que era alguém sonhando. Os moradores de rua que se via por ali estavam todos vestidos da maneira como se lembravam melhor que faziam em vida, e mesmo os que não estavam mortos havia mais de dez minutos não andariam por aí de cuecas velhas e manchadas. Se estivessem nus, ou de cuecas ou pijamas, então certamente eram pessoas ainda em vida, que foram parar por acidente naquelas paragens em seus sonhos.

Fred, naquele dia, tomou antipatia pelo sujeito que havia interrompido seu belo passeio solitário e decidiu que iria pregar uma peça nele. Era raro ter a chance de causar uma impressão real nos que ainda estavam nos sufocos da existência e, além disso, o bostinha cheio de si estava pedindo. Pensando nisso ao descer a ladeira da Horseshoe Street na direção do salão de bilhar, ele sabia que tinha sido maldoso com o homem que sonhava naquela noite, correndo na direção do camarada em uma nuvem terrível e agitada de imagens, embora pensar a respeito ainda o fizesse rir. Aquilo era vida, concluiu por fim. As pessoas não deveriam se lançar nela se não conseguiam aceitar uma brincadeira.

Ele entrou desapercebido no salão de bilhar e então foi até a parte dos fundos e subiu para o andar superior. Dali, subiu mais um andar, para o andar de cima de verdade, usando o que os tipos como ele chamavam de porta-torta, que, no caso, sem o conhecimento dos proprietários vivos do estabelecimento, estava escondida nos cantos de um depósito no andar de cima. Passando a dobradiça de quatro lados da porta-torta, havia uma Escada de Jacó com velhos degraus de madeira que, Fred sabia, levavam por fim até o patamar. Ele começou a subi-lo de qualquer modo, sabendo que o lugar que queria ficava no meio do caminho. Não precisaria se aventurar perto das sacadas superiores, os Sótãos do Alento. Não precisaria sentir que estava acima dos outros.

A Escada de Jacó, uma construção ao que tudo indicava deliberadamente inconveniente, algo entre uma escadaria ladeada e uma escada de pedreiro, continuava tão difícil e exaustiva de subir como sempre. Os degraus não tinham mais que sete centímetros e meio de profundidade, enquanto todos os espelhos tinham uns bons cinquenta centímetros de altura. Isso significava que era preciso subir como uma escada de encosto, meio de quatro, usando pés e mãos. Por outro lado, você estava cercado por paredes grosseiras de reboco branco dos dois lados, e a escada não tinha mais que um metro e vinte de largura, com um teto inclinado bem acima da cabeça, também de reboco branco. A impraticabilidade ridícula de um ângulo assim na escadaria a fazia parecer algo saído de um sonho, o que Fred imaginava que fosse. O sonho de alguém, em algum lugar, em algum tempo. Sobre os degraus de madeira finos como prateleiras sob os dedos dos pés e das mãos, de novo um detalhe de sonho, havia um antigo tapete de escadas marrom, com os contornos escuros da estampa floral desbotados até quase a invisibilidade, presos por hastes desgastadas de bronze. Bufando com o que achava que fosse esforço espiritual, Fred continuou a subir.

Por fim, chegou ao verdadeiro piso de cima, o salão de bilhar superior, e passou por um alçapão para dentro de um pequeno escritório entulhado e empoeirado de um dos lados do piso principal, com sua única mesa gigantesca de sinuca, extralarga e extralonga. A julgar por todas as pegadas na poeira lunar um tanto fosforescente nas tábuas sujas do chão e pelo rebuliço que ouviu no salão principal ao abrir a porta rangente do escritório, aparentemente estava atrasado. O jogo daquela noite já tinha começado. Freddy seguiu nas pontas dos pés pelas beiras do imenso salão de jogos escuro, tentando não tirar ninguém de seu lugar, e se juntou à pequena multidão de espectadores de pé na área destinada a eles no fim do cômodo, observando os profissionais jogando.

Era assim que funcionava. Aquelas eram as regras da casa. Os moradores de rua como Freddy eram bem-vindos para virem ali torcer, mas não para jogar. Sinceramente, nenhum deles iria querer, não com apostas como aquelas. Era angustiante o suficiente apenas olhar entre os dedos para a disputa na vasta mesa, no pilar brilhante de luz que caía de cima. Em torno da baeta verde, os construtores participantes deslizavam para lá e para cá com confiança, passando giz nos tacos de alabastro e inspecionando com cautela ângulos capciosos, andando de um lado para outro das beiradas da mesa, sete metros e meio de largura e três metros e meio de comprimento. Apenas os construtores tinham permissão para seu jogo de sinuca, ou fosse qual fosse o nome da versão esquisita que jogavam. A ralé, como Freddy, ficava ali de pé em uma turba que se movia em silêncio no canto, fazendo um esforço para não arquejar ou gemer alto demais.

Havia várias pessoas na multidão de espectadores daquela noite que Freddy reconhecia. Tunk Três Dedos, que teve uma barraca no Mercado de Peixe, para começar, e Nobby Clark, todo vestido com a fantasia de "Dirty Dick"[31] usada no desfile de bicicletas, segurando a velha placa com o anúncio do Sabão Pears: "Dez anos atrás usei seu sabão e desde então não usei nenhum outro". Como Nobby tinha conseguido subir a Escada de Jacó, era um mistério para Fred. Ele viu Jem Perrit de pé no perímetro da aglomeração, olhando com gosto para a sinuca. Freddy pensou em se juntar a ele.

— Oi, Jem. Vi você na Mayorhold hoje na hora do jantar. Sua Bessie
o levava para casa, e você roncava.

Bessie era o cavalo espectral de Jem.

— Eita. Fui no Smokers pro meu ponche de chapéu-de-puck. Acho
que foi o trabaio que tô fazeno que me deixou cansado. Foi quando cê
me viu na Merruld.

Jem falava com a vibração real de Northampton, o sotaque verdadeiro dos Boroughs, que já não se ouvia mais. Vendedor de madeira,
foi como Jem ganhou a vida quando ainda tinha uma vida para ganhar,
um camarada magro com cara de cigano e nariz adunco, uma figura
escura e triste empoleirada na carroça, atrás das rédeas. Naqueles dias,
a linha de trabalho de Jem, se não seu modo de vida, era como a de
um sucateiro fantasmagórico excepcionalmente empreendedor. Ele e
Bessie andavam pelos territórios menos substanciais do país, com Jem
pegando artefatos-aparições que encontrasse no caminho. Podiam ser
velhas roupas-espectrais descartadas, ou uma memória vívida de uma
caixa de chá da infância de alguém, ou coisas que não faziam o menor
sentido e eram restos de um sonho de alguém. Freddy se lembrou de
uma vez em que Jem encontrou um tipo de trompa alpina curvada feito
para parecer como um peixe alongado e intrincadamente detalhado,
mas com uma tromba parecida com a de um elefante, e coisas que pareciam olhos de vidro em tiras, uma de cada lado. Tentaram tocá-la, mas
o cilindro estava cheio de serragem, com pequenos enfeites engraçados
entalhados na superfície. Com certeza tinha se juntado às outras curio-
sidades na sala da frente fantasmal da casa de Jem, na metade fantasmal
da Freeschool Street. Naquele momento, fosse quando fosse, porque
nunca se sabia de fato ali em cima, a trompa-peixe provavelmente estava
à mostra na janela da frente de Jem, com o casaco de granadeiro fantasma e os restos de cadeiras.

O ponche de chapéu-de-puck que Jem tinha mencionado era exatamente o que parecia: um tipo de bebida alcoólica ilegal que podia ser
destilada a partir dos vegetais superiores e ingerida. Fred nunca gostou
e tinha ouvido histórias sobre alguns ex-condenados à vida que enlou-
queceram, então ficava bem longe daquilo. Pensar em se escangalhar e
mal conseguir manter uma identidade real pelo resto de sua existência
quase-infinita fazia um calafrio subir pela espinha que Fred já não tinha.
Mas Jem não parecia mal. Possivelmente, se Fred estivesse a fim, mais

tarde, ao sair, quando fosse para o Jolly Smokers, como havia prometido a Mary Jane, iria experimentar o ponche, para ver o que achava. Um copo não faria mal, e até lá ele poderia relaxar e assistir ao jogo.

Ficou de pé nas sombras perto de Jem e de todos os outros, partilhando do silêncio reverente da congregação esfarrapada. Freddy apertou os olhos para a mesa larga como uma casa em seu brilho e viu imediatamente por que os espectadores pareciam excepcionalmente extasiados naquela noite. Os quatro jogadores reunidos em torno da mesa não eram construtores comuns, como se fosse possível existir construtores comuns. Aqueles eram os quatro melhores homens, os Mestres de Obras, e isso significava que a partida daquela noite era importante. Era um campeonato de alto nível.

Conforme progrediam em torno do imenso palco de bilhar, descalços e usando longas batas brancas, todos os construtores superiores deixavam trilhas atrás de si, embora não como Freddy e seus amigos. Fred e eles tinham fotos cinzentas e desbotadas de si mesmos em um fio evaporante que arrastavam atrás de si, enquanto os construtores deixavam imagens brancas recortadas em fogo no ar onde estavam, formas brilhantes como as que se vê quando olhamos para o sol ou o filamento de uma lâmpada e depois fechamos os olhos. Isso com os construtores "comuns", mas aquele quarteto naquela noite era dez vezes pior, especialmente em torno das cabeças, onde o efeito era mais forte. Para dizer a verdade, era doloroso olhar para eles.

A mesa enorme na qual jogavam tinha apenas quatro caçapas, uma em cada canto. Como era posicionada em paralelo às paredes do clube, Fred sabia que os cantos estavam em linha com o que poderia ser visto, aproximadamente, como os cantos dos Boroughs. Em madeira pesada e envernizada, acima de cada caçapa havia um símbolo distinto. Tinham sido esculpidos grosseiramente no centro dos discos de madeira que decoravam as quatro quinas da mesa, entalhados em um estilo rústico como marcas de andarilhos, mas eram incrustados de ouro, como se fossem o manuscrito sagrado mais adorado e reverenciado. O símbolo no canto sudoeste era o esboço infantil de uma torre de castelo, enquanto havia um grande caralho, como os que se veem em paredes de banheiro, na ponta noroeste. Uma figura solta de um crânio marcava o nordeste, e Fred via uma cruz torta inscrita no sudeste, no canto mais próximo de onde ele e Jem estavam. Já que era uma mesa maior, havia muito mais bolas no jogo, e ainda bem que os construtores cantavam as cores das bolas que alvejavam, já que todas eram cinzentas, pretas ou brancas para Freddy e seus amigos.

Para ser sincero, Fred nunca entendeu de fato o jogo que os construtores jogavam, não intelectualmente, de modo que pudesse explicar as regras ou algo assim, embora intuísse no fundo do seu ser, por assim dizer, o que a disputa envolvia. Eram quatro jogadores de uma vez, e cada um tinha sua própria caçapa de canto; a ideia era matar todas as bolas possíveis no próprio buraco e tentar tornar mais difícil que os oponentes encaçapassem as que queriam. Parte da emoção de assistir eram as trilhas que as bolas deixavam atrás de si ao rolarem pela baeta ou colidirem umas com as outras, ricocheteando do canto da mesa em pentagramas pontudos de trajetória sobreposta. A outra parte, da diversão, a que provocava mais trepidação, era o fato de cada bola ter sua própria aura, então estava na cara que representava alguém, ou alguma coisa. Simplesmente aparecia em meio aos pensamentos o que cada bola significava, ao vê-las se chocar e deslizar pela mesa. Freddy se concentrou no jogo diante de si.

A maior parte da ação parecia acontecer no lado leste da mesa, que por sorte era onde Fred e seus companheiros de plateia estavam todos. Os construtores do lado oeste, perto das caçapas do castelo e do caralho, não pareciam ter muito a fazer no momento e se apoiavam nos tacos, observando atentamente enquanto os colegas dos cantos do leste disputavam entre eles. Enquanto Fred assistia a tudo prendendo a respiração, o construtor que jogava na caçapa sudoeste, com a cruz em cima, estava para dar sua tacada. Dos quatro Mestres de Obras que jogavam naquela noite (e pelo que Freddy sabia eram apenas quatro naquela liga, de qualquer modo), o do sudeste era o mais popular com todos os locais, já que os outros três, ao que parecia, vinham de fora da cidade e normalmente não eram muito vistos por ali. O favorito local era um cara robusto, que parecia forte, com cabelos brancos, embora o rosto fosse jovem. O nome dele era Poderoso Mike, ou pelo menos foi assim que Fred achava que tinha ouvido o camarada ser chamado. Era tão famoso pelo modo como jogava sinuca que até os rapazes lá embaixo, ainda em vida, tinham ouvido falar dele, haviam até colocado uma estátua sua no telhado de duas águas da prefeitura deles.

Agora ele se curvava sobre a baeta, debruçado sobre o taco e espremendo o olho na direção do que até Fred podia ver que era uma bola branca. Aquela bola branca representava, Freddy entendeu, alguém branco, que ele não conhecia, que provavelmente não era da área. O construtor de cabelos brancos conhecido como Poderoso Mike gritou "preta no canto da cruz" e então deu uma tacada forte na bola branca, mandando-a a toda velocidade através da largura da gigantesca mesa, com a trilha atrás de si como um colar cheio de pérolas brancas brilhantes. Ela acertou o lado oeste da mesa... Freddy pensou que ela poderia representar todos os que foram embora dali para a América depois da guerra civil com Cromwell... então ricocheteou em uma colisão com a bola preta que o artesão de cabelos brancos na verdade tinha como alvo, uma batida certeira ressoando pelo salão mal iluminado ao colidir. A bola preta, Freddy entendeu com súbita clareza, era Charley George, Black Charley, e ele sentiu um grande e inexplicável alívio quando ela correu e entrou direitinho na caçapa sudeste, onde a cruz malfeita estava entalhada em ouro na protuberância redonda no canto da mesa.

O herói local de cabelo branco como giz fez aquela coisa que todos os construtores faziam sempre que um deles acertava uma boa tacada, levantando os dois punhos no ar sobre a cabeça, com o taco ainda preso em uma delas, e gritando um exultante "Isso!" antes de deixá-los cair novamente aos lados do corpo. Com os dois braços deixando suas trilhas brancas frescas ao subirem e descerem pelo espaço de cada lado dele, o efeito era de duas rêmiges incandescentes abanando para criar as formas de asas brilhantes totalmente estendidas. O estranho era que todos os construtores faziam isso cada vez que um deles conseguia uma tacada de sucesso, como se a natureza do jogo não envolvesse competir uns contra os outros. Todos eles, nos quatro cantos da mesa, levantaram as mãos e gritaram "Isso!" em júbilo quando a bola preta caiu na caçapa do canto sudeste. Agora parecia que o construtor na caçapa nordeste ia dar sua tacada, para o canto decorado com uma caveira.

Esse construtor era estrangeiro, e nem um pouco amado pelo povo de casa como o Poderoso Mike. Seu nome era Yuri-alguma-coisa, Fred tinha ouvido falar, e em seu rosto havia uma rigidez e uma determinação que ele achava que bem poderiam ser russas. Era moreno, com cabelo mais curto que o favorito da casa e, após tomar o caminho mais longo em torno do canto da mesa até a posição mais favorável, curvou-se sobre o taco e mirou a bola branca. Como acontecia com a voz de todos os construtores, quando ele falou, houve um eco engraçado que se partia em pedacinhos e seguia estremecendo até o nada.

— Cinza no canto da caveira — era uma boa aproximação do que ele dissera.

Aquilo estava ficando interessante. Freddy não sabia bem em quem a bola cinza o fazia pensar. Era alguém careca, mais ainda que Freddy, e alguém cinzento, em um sentido moral, talvez ainda mais que Freddy também. O construtor de rosto-grave-e-aparência-russa deu sua tacada. A bola branca correu com seu rabo de cometa pálido através da mesa para ressoar alto contra outra bola cuja cor Freddy não conseguia saber. Era a cinza que Yuri-alguma-coisa queria acertar, ou outra coisa? Fosse qual fosse a cor, essa segunda bola disparou na direção do canto marcado com a caveira.

Ah, não, pensou Fred. Tinha acabado de lhe vir à cabeça quem a bola em disparada deveria representar. Era a pequena menina negra com as belas pernas e o rosto duro que havia visto perto da igreja de St. Peter na outra tarde e naquele dia de novo, sentada observando seu encontro com Patsy na Bath Street. Ela ia entrar na caçapa da caveira, e Fred sabia que isso não significava nada de bom para a pobre menina.

A um palmo de distância da queda da cabeça da morte, a bola em disparada bateu com outra. Aquela, pensou Freddy, deveria ser a bola cinzenta que aquele jogador de aparência russa tinha declarado como alvo. Foi jogada dentro da caçapa que Yuri-alguma-coisa queria, ao que ele e os outros Mestres de Obra levantaram os braços em uma extensão ofuscante de raios emplumados e gritaram em uníssono seu "Isso!", com todas as suas reverberações que se estilhaçavam e iam diminuindo. De modo igualmente súbito, no entanto, o alvoroço cessou quando todos notaram que a bola que Yuri tinha usado para jogar a cinza dentro do buraco agora estava sobre a beirada da caçapa noroeste. Aquela era a bola que Freddy havia associado com a garota negra que viu antes. Aquilo não parecia nada bom. O jogador de rosto grave que tinha acabado de dar a tacada olhou para a bola, agora oscilando na beirada da caçapa de caveira que ele escolheu como sua, e então através da mesa para o Poderoso Mike, o favorito local de cabelos brancos. O camarada de aparência russa deu um sorrisinho gelado e começou a passar enfaticamente o giz no taco. Fred o detestou. Assim como os demais espectadores. Era como Mick McManus ou um vilão de luta livre do tipo, alguém vaiado pela plateia, com a exceção de que, claro, não fariam isso naquele caso, não importava como se sentissem. Ninguém vaiava os construtores.

Agora era a vez do favorito robusto de cabelos brancos dar sua tacada, mas ele parecia preocupado. Seu oponente claramente planejava derrubar a bola ameaçada na sua própria caçapa de caveira na próxima tacada, a não ser que o Poderoso Mike pudesse de algum jeito tirá-la da posição de perigo. Estava tão perto do buraco, no entanto, que o mais leve toque poderia fazer com que caísse. Era uma droga. Fred estava tão envolvido que quase imaginou que podia sentir o coração bater dentro do peito. O herói local andou lenta e deliberadamente em torno da mesa de sinuca monstruosa até um lugar no lado mais distante, onde se curvou para dar sua tacada tensa e crucial. Bem nesse momento, olhou diretamente através da mesa para os olhos de Freddy, o que lhe provocou um sobressalto. Era um olhar sóbrio, duro e obviamente intencional, tanto que até Jem Perrit se aproximou de Fred, virou e sussurrou para ele:

— Presta tenção, Fred. O grandão tá te olhando. O que cê fez agora?

Fred balançou a cabeça apaticamente e disse que não tinha feito nada, ao que Jem inclinou a cabeça para trás e o encarou com suspeita e malícia.

— Certo, então, o que cê *vai* fazê?

Quando Fred não soube responder, os dois se viraram para ver o construtor dar sua tacada. Ele não olhava mais para Freddy, mantendo os olhos fixos com firmeza na bola branca que mirava. No grupo de espectadores, era possível ouvir até um alfinete cair. Aquilo tudo tem a ver comigo, pensou Fred. O jeito que ele me olhou agora mesmo. Isso tem a ver comigo.

— Marrom na caçapa da cruz — disse o Mestre de Obras de cabelos brancos, embora o que de fato disse fosse um tanto mais complicado.

A tacada veio seca e veloz — um soco de boxeador — e mandou a bola branca ricocheteando pela mesa, com a imagem residual em um fluxo de bolhas que explodiam em seu rastro. Bateu explosivamente em uma bola cujo cinza parecia um tanto quente, o que levou Freddy a achar que pudesse ser vermelha, e a enviou como um foguete para bater entre a bola marrom e a caçapa de armadilha mortal com um barulho que soava doloroso, fazendo todo o público já escaldado se encolher ao mesmo tempo. A bola marrom correu para a caçapa sudoeste na quina marcada com a cruz como um relâmpago, e todos no salão, e não apenas os quatro homens de bata que jogavam, levantaram os braços para cima das cabeças e gritaram "Isso!" em uma só voz. A única diferença entre os jogadores e os espectadores era que as formas em leque que aqueles faziam quando levantavam os braços eram brancas ofuscantes, enquanto as do público eram cinza e pareciam mais com asas de pombo. Após aquele feito espetacular, o construtor de cabelos brancos olhou mais uma vez através da mesa diretamente nos olhos de Freddy. Dessa vez, sorriu antes de desviar os olhos, e um tremor revigorante percorreu Fred por inteiro.

Com as possibilidades de jogo esgotadas do lado leste da mesa, chegou a vez dos dois Mestres de Obras do lado oeste conduzirem o jogo. Freddy não tinha ideia do que havia acabado de acontecer entre ele e o jogador de cabelos de gelo, mas se sentiu empolgado de qualquer maneira. Ele esperaria para ver como aquele campeonato acabaria, depois iria para o Jolly Smokers, na Mayorhold, para cumprir o que havia dito a Mary Jane. Fred sorriu e olhou em torno de si para os outros mortos maltrapilhos, que também sorriam e cutucavam uns aos outros enquanto cochichavam espantados sobre a deslumbrante tacada que tinham acabado de ver.

No fim, parecia que seria uma noite daquelas.

O X MARCA
O LOCAL

No seu retorno, depois de passar pelos penhascos brancos, veio andando pela estrada romana ou, quando teve sorte, chacoalhando em carroças. Tinha visto uma fileira de forcas, como varas de pescar, ao lado de um rio, sustentando o peso de suas presas. E também um grande cavalo vermelho de palha em chamas em um campo escuro, além de um número aprazível de tetas nuas quando prostitutas zombaram dele de dentro de uma estalagem perto de Londres. Em outra estalagem era exibido um dragão, preso em uma poça de lama onde parecia amuado, um tipo de cobra encouraçada que havia sido achatada, com dentes e olhos horrendos, mas pernas mais curtas que as de um escabelo. Ele tinha visto um rio estreito represado por esqueletos. Ele tinha visto um conclave de gralhas, mais de cem, atacar e matar uma delas em meio a fileiras de cevada balançantes, e um teixo que tinha o rosto de Jesus no tronco. Seu nome era Peter, mas antes tinha sido Aegburth, e na França o chamavam Le Canal, pelo tanto que ele transpirava. Isso foi no ano de nosso Senhor de oitocentos e dez, perto do equinócio vernal.

Ele havia se aventurado por meio mundo e voltado, pisado na bainha da saia de Bizâncio e caminhado no rastro confuso de Carlos Magno, buscado a sombra de domos pagãos na Espanha, de interiores com uma miríade de estrelas azuis sem nem uma cruz à vista. Agora voltava de novo para estes horizontes fechados e cingidos, para esta terra preta e este céu cinzento, esta terra rústica. Tinha voltado à Mércia e para as *hundreds* de Spelhoe, embora ainda não para Medeshamstede, sua casa na pradaria ali nos brejos de Peterboro, onde a essa altura deveriam pensar que estava morto e já teriam permitido que sua cela fosse passada a outro. Logo voltaria para lá, mas em suas viagens tinha sido incumbido de uma obrigação, que

precisava honrar antes de tudo. O conteúdo do saco de juta jogado sobre
o ombro direito, onde havia crescido um calo por carregá-lo por tanto
tempo, deveria ser entregue ao seu destino preciso e de direito. Aquelas
eram suas instruções, dadas por um amigo que encontrou quando estava
em outro lugar, e foi sua determinação em vê-las agora cumpridas que o
levou para aquele caminho de barro seco, com lâminas de grama afiadas
como lanças e mato por todos os lados, na direção de uma ponte distante.
O orvalho da manhã gelava seus dedos dos pés, levantando o cheiro de
sebo da barra de lã molhada de seu hábito, que se arrastava. Ele seguiu
sem reclamar pela trilha, entre os zumbidos e a agitação, em meio ao fedor
verde da vegetação que chegava na altura do peito e o cercava. Adiante, a
passagem de madeira que o levaria ao povoado em Hamtun pelo lado sul
ia lentamente se tornando mais próxima e maior, e ele ordenou aos pés
cobertos de bolhas, calçados em sandálias grosseiras de corda, para segui-
rem adiante sabendo que a jornada deles estava muito perto do final, seus
dez pequenos soldados com os rostos vermelhos de carne viva naquela
marcha forçada, avançando em uma falange ordenada de cada vez, passo
após passo, quilômetro após quilômetro. Sob baixas nuvens, o dia estava
abafado, de modo que dentro de sua batina ele fluía, com uma cobertura
salgada que cobria as costas todas e a barriga, fitas mornas gotejando nas
dobras de suas virilhas e correndo pela parte interior de cada uma das
coxas. Como um homem que parecia assado em seu próprio caldo, ele
seguia lentamente na direção da beira do rio, cinzento como pedra contra
o verde que o cercava.

Perto da ponte, havia um quadrado elevado de terreno com as linhas
e cantos suavizados por alguns séculos de grama e mato alto. Em torno
disso, havia uma vala, tudo o que restou de um fosso retangular. A terra
em ribanceira parecia uma cama confortável onde poderia descansar um
pouco, mas ele negou a si mesmo essa indulgência. Ela tinha, pensou
Peter, por volta de vinte e cinco passos de cada lado e lhe parecia ter
sido a base de um forte no rio, talvez na época remota dos romanos,
quando fortes como aquele eram colocados como berloques no colar
deste rio Nenn. Acumulada no fundo da vala, havia uma trilha sinuosa
de lixo formada por objetos variados como o crânio de um carneiro
e um pequeno sapato de couro partido, pedaços de um barril quebrado e
um broche barato sem a presilha. Aqui e ali entre os joios, as poças estagnadas. Assim passam as glórias deste mundo, observou Peter, mas em

seu coração duvidava que o novo Sacro Império Romano fosse, apesar de suas aspirações, durar tanto tempo quanto seu antigo homólogo secular tinha sido capaz. Chegaria o dia, em sua opinião, em que manuscritos com suas iluminuras e vestes principescas estariam naquela mesma vala, junto com cajados quebrados e rosários de merda de coelho, o dia quando o tempo teria transformado o mundo em um mesmo esterco.

Passando entre os mourões altos de carvalho, ele pisou nos troncos pensos da ponte, com uma das mãos apertando forte o corrimão de corda grossa para se firmar e a outra presa, como sempre, no pescoço do saco de juta. No balanço e no rangido do meio da construção, parou por um instante olhando para o rio calmo e marrom a oeste, onde fazia uma curva em torno de chorões pendentes e sumia de vista. O que pareciam ser vários meninos brincavam na margem ali na curva do rio, as primeiras pessoas que avistava em dois dias de caminhada, mas estavam longe demais para uma saudação, então levantou uma das mãos e eles acenaram de volta, de um modo que pareceu auspicioso para Peter. A nuvem de mosquitos formava uma desdenhosa auréola em torno de sua cabeça e só se dispersou quando ele passou pelo outro extremo da ponte e foi se afastando do rio, por um caminho que levava, em meio a um punhado de casas, na direção do portão sul do povoado.

Cavadas na terra, cada qual com seu teto de taipa empilhado até um ponto sobre a trincheira confortável, estavam submersas em nuvens sujas que saíam dos buracos de chaminé, mais parecendo construídas de fumaça do que de argila e gravetos. Saindo para o mundo de um desses ninhos de fumaça, vinha uma velha, sorrindo para ele com os poucos dentes que lhe restavam, subindo dolorosamente as três ou quatro pedras chatas nos degraus de terra batida que levavam para fora de seu buraco coberto. Sua pele era rachada como o barro do fundo de um lago na seca, e madeixas cinzentas que desciam até a cintura faziam lembrar salgueiros encurvados, de modo que a fazia parecer uma coisa do rio, uma habitante mais do vão da ponte do que de sua moradia naquele caminho poeirento. A voz, também, quando ela falou, era espessa, catarrenta e tinha o som de água se arrastando sobre pedras. Seus olhos eram pequenos caracóis endiabrados, úmidos e brilhantes.

— Vossemecê trove?

Aqui ela apontou com a cabeça, duas vezes para ênfase, para o saco que ele carregava sobre o ombro. Algo pulou entre os nós pálidos do cabelo da mulher. Ele estava perplexo e achou que ela de alguma forma sabia da sua missão; então pensou novamente que ela o havia confundido com alguém designado para trazer algo para sua cabana humilde, ou que era louca. Sem saber o que pensar, apenas olhou e sacudiu a cabeça, perplexo, ao que ela mostrou o horrível sorriso desdentado novamente, achando graça onde ele não via nenhuma.

— Que coisa, essa que se espalha por todos os quatro cantos, mas marca o meio. Vossemecê trove?

Ele não conseguiu entender o que a mulher disse, só evocar uma vaga imagem que nada significava, de uma página de manuscrito em que todos os cantos foram dobrados na direção do centro. Peter deu de ombros nervosamente, pensando que deveria parecer estúpido.

— Boa mulher, não sei do que falas. Venho de longe atravessar tua ponte. Não estive antes por estas partes.

Foi a vez de a velha abanar a cabeça, com as tranças rançosas balançando como cortinas de contas mouriscas e o sorriso arruinado ainda fixo no lugar.

— Não atravessou minha ponte, ainda não. Ainda nem passou pelo meu forte. E vos conheço há muito.

Com isso, ela estendeu a mão como uma garra trêmula e acertou com força um tapa em suas bochechas rosadas e brilhantes.

Ele se sentou.

Estava descansando na beira da vala que corria em torno da relíquia do forte no rio, com a extremidade sul da ponte a alguma distância à sua esquerda. Um besouro ou aranha o havia picado no lado do rosto que tinha apoiado na grama ao cochilar, e sentiu um caroço inchado debaixo do dedo quando o levantou para inspecionar a fonte do latejamento insistente. Assustou-se por um instante ao perceber que não estava mais segurando o saco de pano, mas tranquilizou-se ao vê-lo na encosta atrás de si, embora ainda estivesse desnorteado com o acontecido. Levantou-se com esforço, as túnicas todas encharcadas na parte de trás pela grama molhada, franzindo o rosto primeiro para os restos do forte e então para a ponte próxima, até que por fim deu risada.

Pois essa era Hamtun, então. Aquele era seu caráter, sua noção de uma pilhéria com viajantes que julgavam conhecer o lugar. No coração ancestral do país, aquela curiosa natureza essencial se escondia e fazia de si um segredo, dissimuladamente maravilhosa e perigosa em seus caprichos, como se não percebesse sua força apavorante, ou fingisse não perceber. Atrás do louco brilho do seu olhar, atrás do sorriso podre, ele pensou, havia um conhecimento que tinha decidido esconder com travessuras, sustos e fantasmas. Ao mesmo tempo monstruosa e brincalhona, burlesca mesmo em seus horrores, havia algo em sua natureza que Peter achava que deveria admirar ou temer, porém ainda rindo maravilhado com sua estranheza desafiadora. Agora balançando os cabelos grisalhos e encaracolados reconhecendo, bem-humorado, o fato de ter sido comicamente confundido, colocou de novo o saco no ombro e partiu na direção da ponte, em sua segunda tentativa, ou assim lhe parecia.

Dessa vez a estrutura era toda feita de madeira, uma corcova robusta que se curvava sobre o curso barrento, apoiada por vigas grossas por baixo, em vez de presa por cordas, como em seu sonho. Podia se consolar, no entanto, por ainda haver mosquitos em torno formando uma nuvem zumbidora, e quando fez uma pausa na parte central e olhou para o oeste, ainda havia salgueiros pendendo sobre a curva da água, embora nenhuma criança brincasse debaixo deles. Acima, o grande disco dos céus girava, uma lã encardida que se desfiava em trapos esvoaçantes no horizonte, e ele seguiu atravessando o rio com a barba de mosquitos em seu encalço.

Nas beiras do caminho de terra que se estendia entre a ponte e o portão sul não havia casas atocaiadas, apenas campos de nabos de ambos os lados, com olmos e bétulas em uma franja logo além. Eram interrompidos aqui e ali por tocos podres, de modo que a linha de árvores trazia à mente uma imagem fantasmagórica do sorriso da bruxa velha de seu sonho, com sua zombaria astuta agora insinuada na paisagem que o cercava, ou ao menos era o que imaginava. Peter achou melhor não dar corda àquele teatro de sombras interno e redirecionou os pensamentos, notando em vez disso a campina verdadeira e substancial, clara e sem mistério, por onde passava. Em brotos trêmulos assentiam prímulas, verde ouro como o excremento das vacas, e escutava cotovias trinando na grama em torno das plantações. Era um belo dia para concluir sua jornada, e ali não havia aparições, a não ser as que ele mesmo arrastava consigo como companhia.

Aquele pedaço de terra ficava onde o rio que seguia do oeste para o leste fazia uma curva súbita para o sul, deixando um bojo de terreno antes de retomar seu curso original, um inchaço como aquele em seu rosto picado.

Quatro valas estreitas tinham sido abertas pelo promontório, talvez para irrigação, atravessada por troncos grossos sobre os quais era obrigado a cambalear de modo desajeitado, com uma das mãos apertando a carga preciosa ao peito, a outra estendida para o lado oscilando para cima e para baixo para lhe dar equilíbrio, antes de chegar ao portão sul de Hamtun. Este ficava entreaberto na cerca de postes altos e robustos que formavam o muro sul do assentamento, e havia um único homem, magro e de aparência sombria, segurando uma lança, como guarda. Tinha talvez um dia de barba crescida em uma mancha cinza em torno da boca, parecendo de certa forma um cão surrado e indiferente. Em vez de gritar um cumprimento, se inclinou ociosamente ali contra o portão e observou o monge se aproximar com um olhar apático, obrigando Peter a se anunciar.

— Salve, camarada, desejo-te bom-dia. Sou irmão do abençoado Bento, cuja ordem está em Medeshamstede, perto de Peterboro, não muito longe daqui. Viajei muitas léguas sobre o mar e agora sou enviado a Hamtun, para onde trago um sinal...

Ele mexia dentro do saco, a ponto de tirar a coisa de dentro para a luz do dia e ilustrar o que dizia, quando o vigia virou a cabeça para um lado, escarrando uma gosma de um verde vivo na palha mais clara atrás do portão, e olhou de novo para Peter, interrompendo-o bruscamente.

— É unu machado?

A voz do guarda era ao mesmo tempo monótona e sem nenhum interesse real, falada em parte por seu nariz de bico comprido. Peter olhou da boca escura do saco de juta para seu interrogador, intrigado e surpreso.

— Um machado?

O guardador do portão soltou um suspiro elaborado, como alguém explicando exaustivamente a uma criança.

— É. Unu machado. E se te deix'entrar, vais quebrar as cabeças das pessoas com el e foder m'ninos e molieres antes de tocar fogo em tod's?

Aqui Peter apenas piscou, sem compreender, então notou pela primeira vez que tanto o muro como a coluna do portão mais próxima tinham línguas ondeantes de fuligem que se estendiam de perto da base quase até o topo. Olhou de volta para o guardião abatido e balançou a cabeça em negação veemente, colocando de novo a mão dentro do saco para tirar seu tesouro, dessa vez para tranquilizar.

— Ah, não. Não é um machado. Sou um homem de Deus e tudo o que quero pegar aqui é...

O sentinela, com uma expressão dolorosa, fechou os olhos tristes e ergueu a palma da mão que não estava em torno da lança na direção do peregrino, acenando de um lado para outro ao declinar de ver o que havia dentro do embrulho de Peter.

— Não m'importa se for a p'rna de João Batista se non usar p'ra esmagar a cabeça dos homes, nem acender a ponta p'ra usar de tocha e tocar fogo. Nem mês passado 'steve aqui um como tu co'a caveira d'Senhor, e quando perguntei com'era tão p'quena, disse qu'era a caveira de Cristo quando bebê. Ouvi dizer que o bom povo qu' mora perto d'igreja de St. Peter enfiou as bolas del no piche e o mandou p'ra casa aos prantos.

Agora os olhos dele estavam abertos para mirar o monge sem piscar, como se suas palavras não fossem mais que puro fato, não exigindo resposta de Peter a não ser seguir e deixar o sentinela em sua vigia tediosa da plantação de nabos.

— Então fico grato pelo aviso. Hei de me certificar de não vender relíquias aqui, e do mesmo modo certamente não vou esmagar cabeças ou submeter ninguém a estupro ou fogo até ter passado por Hamtun, mesmo em caso de engano genuíno.

O guarda olhou na direção dos olmos distantes e murmurou algo ininteligível que terminava com as palavras "adiante e ordenha o touro", então Peter pendurou novamente o saco no ombro calejado e seguiu em frente, entrando pela abertura no portão, para o caminho colina acima, que subia até as partes mais altas do povoado. Ali podia ver casas com telhados de palha em fileiras ao lado da rua oblíqua, não muito diferente da toca da bruxa no sonho, ainda que não as tenha achado tão cobertas de fumaça. Nem as várias pessoas que viu serem os habitantes das cabanas pareciam estranhas do mesmo modo que ela, em vez disso tinham semblantes de homens e donzelas comuns, usando chapéu ou véu na cabeça, puxando filhos, carroças e cães de caça atrás de si pelas vielas, ou viajando em mulas que espalhavam merda. Ele ainda estava consciente da visão escorregadia oferecida a ele e decidiu que não julgaria as pessoas dali como comuns até passar em segurança por entre elas e por todas. Seguiu pelo caminho, rodeando uma fossa perto de sua parte inferior, onde tanto a chuva recente como os cavalos que passavam haviam conspirado para fazer uma lama imunda. À direita, não muito longe, atrás de algumas cabanas, os postes que formavam o muro leste do assentamento subiam a colina ao lado na direção da parte mais alta, ao norte.

Atrás das casas afundadas, mais além na escarpa de grama crescida, havia moradias mais altas também, embora não muitas, e não muito depois do muro do portão ele passou por um terreno onde a uma certa distância havia um barracão para doentes da peste, onde colocavam os que gemiam e os piores, que não gemiam, entre pequenas fogueiras acesas para limpar os humores venenosos do ar. Algumas das figuras estavam incompletas por causa de partes degradadas, ou talvez em alguns casos cortadas em um acidente, e para lá e para cá entre os tapetes andavam velhas esposas cuidando deles, com rostos marcados por enfermidades a que haviam sobrevivido e das quais agora serviam de prova. Ele se sentiu grato pelo vento naquele dia vir do oeste, mas por precaução desviou o rosto do campo pestilento ao passar e seguiu na direção do topo, onde seres se juntavam às dúzias, de um modo que não via fazia muito tempo. A subida lenta o fazia arfar, naquele dia com todo o calor preso debaixo do estofado baixo do céu, fazendo-o suar sobre o suor que já estava ali, e no entanto sentia felicidade por estar novamente na companhia dos homens e seguiu para eles com alegria e animação, maravilhando-se como se não estivesse acostumado a tanta diversidade.

Velhos, cujos narizes de pastinaca quase encontravam os queixos protuberantes, puxavam trenós com pilhas de carvalho vermelho vivo, cheias de formigas do lado de baixo. Peter foi obrigado a esperar pacientemente em um canto em um cruzamento, ao lado de uma viela com muros altos de pedra, até que uma carroça puxada por um cavalo carregada de calcário recém-extraído passou, deixando uma nuvem de poeira branca que pareceu envelhecer uns dez anos quem foi atingido por ela. Quando por fim atravessou a rua lateral para continuar até o topo da colina, se aventurou a olhar para baixo, atrás do cavalo e da carroça que partiam. Havia várias moradias pobres nas beiras, e então uma sebe de urze negra, onde Peter viu uma mãe e um bando de crianças colhendo diligentemente algo nos arbustos espinhosos, enfiando o que encontravam dentro de um saco que a mulher carregava. Imaginou que estivessem pegando lã, e que bem poderiam ser a família de um mercador que vivia por ali, de tão movimentada e arrojada lhe pareceu a cidadezinha da colina.

De fato, ficou surpreso ao descobrir isso, ao subir o aclive até um cruzamento no topo. Quando era um rapaz chamado Aegburth, criado em Helpstun, perto de Peterboro, e depois um monge chamado Peter, enclausurado naquele lugar, tinha ouvido sobre Hamtun, ainda que não com frequência. Tinha a impressão de que era um lugar que sempre existiu sem existir, um lugar notável apenas por nunca ser notado. Era evidente que houve alguma presença romana naquelas partes e talvez assentamentos primitivos antes daqueles tempos, mas Hamtun sempre havia sido um desses lugares aos quais ninguém havia ido. Vendo-a agora fervilhante, era forçoso se perguntar de onde tudo aquilo tinha surgido. Era como se, quando enfim terminou a noite invernal que tomara aquela terra depois da queda de Roma, Hamtun simplesmente havia aparecido ali, desenvolvendo-se para sua forma atual, emergindo do nada para ocupar aquele local vantajoso e ser próspera desde então. E ainda assim ninguém falava a respeito.

Ele sabia que o rei Offa, quando não estava construindo sua grande vala na borda da Mércia com Gales, tinha plantado novas cidades naqueles territórios que iam bem, embora Hamtun não fosse uma delas e tivesse as marcas de vindimas anteriores. Offa mantinha também uma vila, uma moradia de campo perto da ponta norte da cidade, com Hamtun como ponto de comércio mais próximo, embora Peter fosse da opinião de que a proeminência do povoado vinha antes do tempo de Offa. Ele se recordava do avô em Helpstun mencionando o local como se fosse de alguma importância quando quem reinava era o predecessor de Offa, Aethebald, e ainda antes, nas brumas da antiguidade perdida, havia ali um local sobre o qual os homens sabiam, embora fosse difícil determinar o que sabiam. Talvez fosse como ocorria com um círculo, riscado por um pedaço de giz preso em um barbante, no qual apenas o perímetro era notado, com o centro do qual a forma dependia fora das vistas, ou considerado um buraco, como em um bolo com um furo no meio. Como, porém, em um buraco vazio, havia uma atividade tão vigorosa?

Quando passou pela última vez por Woolwych para o leste de Londres, tinha conhecido um vaqueiro daquelas partes que disse ter ouvido falar de Hamtun, assim que soube que era esse o destino de Peter. Aquele homem conhecia a cidadezinha principalmente pelos rebanhos de ovelhas pastoreados ali, mas disse que um parente de Offa estava na casa senhorial do povoado, que tinha uma bela igreja própria por perto. Se isso fosse verdade, Peter imaginava que ficasse em alguma parte da cidade que ainda não tinha visto, embora pudesse ser que a maior parte das moradias ao seu redor fossem tributárias de um lugar assim, provavelmente pagando uma pequena parte de sua produção para a casa senhorial por meio da agência do que era chamado de um Tercê Borh, que era o homem do dízimo. Sua intuição havia funcionado bem, pensou, em trazê-lo até aquele local, quando tudo o que recebeu como orientação foram instruções em uma língua estrangeira que não tinha certeza de ter entendido, súplicas urgentes e vagas de que o objeto em seu saco deveria ser entregue "ao centro de sua terra". Sabia que a Mércia era certamente o coração da Inglaterra e, ao ver multidões trabalhando ou em lazer ao seu redor, estava convencido de ter vindo ao coração da Mércia. No entanto, ele se perguntou, onde estava o coração de Hamtun?

Agora tinha alcançado a encruzilhada do caminho que vinha da ponte, uma área em que a escarpa estava mais nivelada, antes de continuar a subir para o norte. Pôs no chão a bagagem e olhou ao redor, para recuperar o fôlego e constatar sua localização, e limpou a umidade da testa com a manga de lã. À sua frente, depois de um pedaço em sua maior parte plano, o caminho que seguia recomeçava a subida íngreme passando por cabanas e pátios que eram principalmente de curtumes, a julgar pelo cheiro, enquanto à esquerda, descendo a colina no que era a outra perna da encruzilhada, havia galpões com forjas fumegantes, de onde vinha o barulho de metal quente sendo martelado. À direita, passando pelas casas que tinham terreiros com porcos, galinhas e cabras, estava aberto o portão leste do povoado, e além da abertura de madeira havia um tipo de igreja, fora dos limites de Hamtun, construída em madeira. Ele sorriu para cumprimentar uma mulher que passava e, ao ver retribuído o gesto, perguntou se ela conhecia a igreja e se era a que ficava perto da casa senhorial. Viu na garganta dela um pingente de pedra, com uma runa que reconheceu como sagrada ao demônio Thor, embora achasse que não fosse mais do que um talismã camponês para afastar tempestades. Ela balançou a cabeça.

— Estás a pensar na St. Peter, ali embaixo.

Ela fez um gesto para o caminho por onde tinha vindo, ao longo do outro caminho do cruzamento, perto das forjas que expeliam e cintilavam, então olhou de volta na direção da construção pouco adiante dos portões do lado leste, sobre a qual Peter havia perguntado.

— Esta 'li é a de Tod's os Santos, erguida quando mi'a mãi era criança. Se buscas uma igreja, temos a de Sunt Gregory, perto da Sunt Peter, ou o antíguo templo na trilha das ovelhas, não muito longe no caminho qu'estás a sigir.

Peter agradeceu a senhora e a deixou passar, enquanto se perguntava se aquele poderia ser o centro que buscava, pensando que uma encruzilhada ou coisa assim poderia servir ao item crucial que levava em seu saco. Ele perguntou, murmurando, para que as pessoas em torno dele não achassem que era lunático:

— É este o lugar?

Não obtendo resposta, ele tentou novamente, porém mais alto, fazendo os meninos que vadiavam do outro lado da rua caírem na risada.

— É este o centro?

Nada aconteceu. Peter não tinha certeza de quais sinais esperava que lhe mostrassem o local que buscava, se é que haveria sinais, mas seu instinto dizia que não era ali. Observado com divertimento pelas pessoas, ele agora sentia as bochechas ficarem ainda mais vermelhas, então pegou seu pacote e continuou, atravessou a encruzilhada correndo para evitar as carroças barulhentas, e seguiu colina acima, onde curtidores e tecelões da cidade faziam bons negócios.

Depois de sua longa peregrinação em que as novidades haviam sido escassas ou inexistentes, encontrava ali uma fantástica quantidade de coisas a chamarem sua atenção. Além das tinas de curtume fedidas, cujo mau cheiro ele tinha sentido já ao pé da colina, havia tábuas expondo sapatos, luvas, botas e perneiras de couro, em mais estilos, tons e tamanhos do que imaginava existir no mundo todo. Só o cheiro daquele caldo bastava para intoxicá-lo enquanto se esforçava na subida entre barracas e vendas, levando o saco pesado que batia em sua espinha encurvada.

Seus olhos e ouvidos pareciam próximos de entrar em colapso, com todas as visões e barulhos que havia, o rumor e a conversa. As pessoas se amontoavam excitadas em torno de uma tenda onde vestes eram expostas, com os itens que eram de menor qualidade e mais baratos arrumados em torno de uma armadura de couro tingido de negro adornada com crânios de pássaros trabalhados com prata. Peter duvidava que aquela peça fosse um dia encontrar um comprador ou ser usada, mas estimava, pela multidão ao redor, que ela deveria ter recuperado diversas vezes seu custo pelo tanto de gente que, atraída pela curiosidade, acabava por comprar outros produtos menores. Aproveitando que os locais estavam distraídos e podiam ser observados sem que se ofendessem, Peter viu mais rostos feios ou comuns na multidão do que belos, e ficou surpreso ao constatar quantos homens exibiam desenhos selvagens perfurados na pele dos braços, que estavam descobertos para resistir à umidade do dia. Não eram apenas padrões, desenhados desse modo na carne, mas imagens grosseiras de prostitutas ou do Salvador ou de ambos ao mesmo tempo, juntos ombro a ombro, usando apenas um pano para os quadris para os dois. Ele riu consigo mesmo disso e seguiu pelo caminho onde homens com mãos manchadas de tinta vendiam tecidos, de um vermelho mais vivo do que qualquer um dos que viu na Palestina.

Depois de um tempo, passou da rua do mercado para um terreno mais alto, embora não o mais alto de todos, havia áreas mais altas no sudeste. O muro do lado leste do povoado, com algumas poucas aberturas aqui e ali, continuava a subir a encosta ao seu lado, não muito distante à sua direita, enquanto do lado esquerdo havia muitos caminhos e passagens colina abaixo. Embora reconhecesse que vagava sem rumo, Peter imaginou que, talvez, se seguisse o muro da cidade dessa maneira, teria uma ideia de sua extensão e suas dimensões, o que permitiria determinar o centro com maior exatidão. Era um plano tão vago e tênue que mal existia, e Peter agora sentia fome e uma pressão na bexiga, distraindo-o ainda mais. Ainda seguia no mesmo caminho para o norte por onde vinha desde a travessia da ponte, mas novamente chegou a uma campina de chão plano, sobre a encosta que tinha a tapeçaria. Ali, um rebanho lanoso era dirigido para currais por homens silenciosos que mascavam talos de grama ao lado de cães barulhentos, o que o fez lembrar que a dama que usava a pedra de Thor havia falado de um antigo templo em uma trilha de ovelhas, mais adiante naquele caminho. Embora ainda não tivesse visto uma igreja, tinha certeza de que aquela deveria ser a trilha mencionada por ela, a julgar pelo movimento.

Foi descendo para uma pequena depressão enquanto ouvia o berreiro dos animais vindo de todos os lados, criaturas trazidas desde o oeste da Mércia e de Gales e além, em hordas tão grandes que desafiavam a imaginação e deixavam branca toda a paisagem, de um horizonte a outro, e isso em pleno verão e não no inverno. Agora que pensava nisso, Peter tomou consciência de que desde criança soube que a trilha de rebanhos do oeste terminava em algum lugar não muito distante de Helpstun, ou Peterboro, nas vilas do meio do país, mas nunca havia pensado que o fim ficava em Hamtun. Dali os tropeiros levavam os rebanhos para outras partes, ao longo da estrada romana que o trouxe de Londres e da costa branca, ou para além do distrito de St. Neot ou para Norwych e o leste, entregando cordeiros por todo o país dessa maneira. Todas as linhas emaranhadas da Inglaterra se encontrariam ali, ele se perguntou, amarradas em um nó em Hamtun por alguma parteira gigante, como o umbigo do país? Peter caminhou por uma maré de lã e desceu a rua larga ladrilhada de merda preta, ainda seguindo para o norte, com o saco agora pendendo de uma das mãos ao lado do corpo, para que o ombro dolorido pudesse descansar.

Quando tinha quase atravessado a grande absurdez de animais, viu em uma elevação à sua direita uma espécie de igreja miserável, feita de pedras, que Peter suspeitou ser o templo citado pela mulher, embora parecesse sem uso e ninguém estivesse por lá. Pensando em fazer uma pausa para urinar e comer o pão e queijo escondidos com algumas moedas em um bolso oculto em sua batina, ele se virou para o leste do atoleiro malcheiroso do caminho de ovelhas e deu uma breve caminhada à sombra de galhos dos quais se desprendiam flores que caíam em um belo bombardeio até o que pensava ser a igreja, no topo da subida.

Algumas das criaturas lanosas de caras chatas e indiferentes pastavam ao abrigo do arvoredo, onde Peter largou a bagagem e puxou o hábito de lado para soltar um fluxo menor do que esperava na chuva empoçada entre as raízes nodosas de uma faia. Tinha pouco líquido, de uma aparência forte e alaranjada, e ele imaginou que uma grande medida de seus fluidos já tinha sido perdida pelos poros, que jorravam. Balançou as últimas gotas de seu fluxo parco da ponta do membro e arrumou as vestes, olhando ao redor para um lugar onde pudesse comer. Por fim se decidiu por uma relva verdejante perto de um velho carvalho, no qual poderia se recostar, a poucos passos da estrutura desgastada do templo.

Agora que olhava para ela, sentado descansando no gramado com o saco também descansando ao seu lado, mastigando a côdea retirada de seu compartimento na batina, tinha menos certeza da procedência cristã da construção baixa e estava mais alerta às suas peculiaridades. Ele se recostou em seu trono de carvalho e lentamente transformou o pão e o queijo de cabra em uma massa empapada e indistinta entre os dentes enquanto pensava o que a construção solitária era ou um dia havia sido. As velhas colunas de pedra de cada lado da porta tinham dragões-serpentes sinuosos entalhados em torno, muito mais longos que a pobre criatura que tinha visto presa em seu poço de lama perto de Londres. Se de fato fosse lar de veneração cristã, Peter sabia que era uma cristandade mais antiga que a sua, vinda das tradições de trezentos anos, quando os predecessores da sua ordem foram forçados a uma conciliação com os seguidores dos deuses camponeses, misturando os ensinamentos de Cristo com as tradições rudes e supersticiosas deles, pregando em montes onde santuários aos demônios um dia foram erguidos. Os entalhes que serpenteavam pelos pilares eram uma imagem da serpente enrolada em torno da terra nas velhas religiões em que nosso reino mortal era tido como o ponto intermediário, com Hel abaixo e o céu nórdico construído do outro lado de uma ponte vinda de cima.

Deixando de lado o detalhe da ponte, não era tão diferente de sua própria fé em uma vida além daquele breve período e, de certo modo, acima, em uma altura superior de onde as armadilhas e ciladas deste mundo eram vistas e entendidas mais claramente. Embora jamais tenha dito isso enquanto estava no mosteiro beneditino, não considerava muito importante se era uma ponte ou escadaria que levava ao paraíso, ou por quais nomes os personagens que moravam lá eram conhecidos, ou mesmo se os deuses se originavam de histórias diferentes. Achava uma falha do cristianismo na Inglaterra que as pessoas se importassem tanto com a veracidade de escritos que em outras terras seriam admirados apenas como parábolas, e nada era visto como inapropriado. Pelo que sabia dos maometanos, a bíblia deles era um livro de lendas com o único propósito de iluminar e ensinar através do exemplo, e não deveria ser confundida com um relato histórico. Aquele também era o entendimento de Peter da Bíblia cristã, que tinha lido inteira, assim como a história de Beda e também, secretamente, a história do monstro da Dinamarca que era comentada por todos, mas quando tentava ensinar a doutrina cristã via-se confrontado por uma tacanhice, por exigências estúpidas de saber se de fato toda a Criação foi feita em seis dias.

A fé de Peter estava no valor de um ideal radiante, encarnado no Cristo, que era uma figura de instrução. Fé, em sua concepção, era uma afirmação volitiva do sagrado. Caso se tornasse mais ou menos que isso, então era mera crença, assim como as crianças acreditam na lenda do duende, que dura apenas pelo tempo em que é contada. Ter crença em um fato material era apenas vaidade, facilmente destruída, mas o ideal era uma verdade eterna em qualquer forma que fosse expressa. A crença, na visão particular de Peter, contava pouco. O ideal eterno, insubstancial, era o importante, a luz que ordens como a sua haviam protegido

durante a escuridão e agora tentavam estender sobre um mundo decaído, ofuscado. Não acreditava em anjos como formas substanciais e não
tinha necessidade de acreditar neles como ideais: ele os conhecia. Havia
se encontrado com eles em suas viagens e os visto, não importava se com
seus olhos mortais ou com o olhar ideal de uma visão. Tinha encontrado anjos. Não acreditava. Ele sabia e esperava que seu credo, nos cem
anos seguintes, não fosse se afogar em um pântano de crentes. Tinha
sido isso o que aconteceu com os velhos deuses, ao lado de cujo templo
ele agora se agachava para comer seu pão com queijo?

Concluídas as ruminações, tirou as migalhas da barba, que eram suficientes para todos os pombos que estavam nas ruínas. Levantando-se e
colocando novamente o saco sobre o ombro, desceu o pequeno morro
que levava de volta à trilha de ovelhas, com os passos de suas surradas sandálias de corda levantando nuvens de flores caídas das árvores do entorno.
A trilha dos rebanhos agora estava vazia, a não ser por seu tapete de esterco
e pelas marcas de cascos em todos os lugares, como um pote decorado com
riscos. Seguiu por ali pela breve distância até chegar à muralha norte da
cidade e à madeira besuntada de piche do portão norte, que estava entreaberto, como seu equivalente ao sul, ao lado do rio.

Havia um ar diferente naquele quadrante do povoado, algo perigoso
e maligno, para o qual ele achava que as várias cabeças decepadas colocadas nas estacas sobre o portão poderiam ter contribuído. Pelo cabelo
claro que ainda restava sobre os crânios em decomposição, usado no
estilo longo, supunha que eram açougueiros vindos da Dinamarca ou
arredores, que pareciam surpresos por terem descoberto que havia açougueiros em Hamtun também. Uma das cabeças estava borrada, o que o
fez pensar que seus olhos estavam errados, embora fossem apenas vare-
jeiras em um enxame saído da boca aberta dos restos mortais.

Portanto, já tinha andado da extremidade sul do povoado até a
norte. A distância não era muito grande. Confrontado pela barreira de
estacas, ele se virou para o oeste, à sua esquerda, e começou a descer,
para encontrar um dos limites de Hamtun que ainda não tinha visto.
Descendo pelo lado do vale, novamente na direção do rio, conforme
descobriu, viu a gloriosa extensão de terras que seguia na direção onde
redemoinhos de fumaça subiam para marcar um distrito a oeste de
Hamtun, na margem mais distante do Nenn. O rio era uma trança
cinzenta e prateada que serpenteava por campos amarelos ou cor de

limão sob as árvores distantes, e contava com uma ponte, um arco de madeira que, pelo que pôde avaliar, seria por onde todas as ovelhas vinham de Gales. Viu um muro alto, também, não muito distante da margem mais próxima do rio, construído de estacas como a muralha da cidade. Talvez fosse um claustro ou as terras do senhorio, onde o muro do leste servia para marcar o limite oeste da cidade.

O pensamento, ainda que fugaz, de que pudesse haver monges por perto lhe trouxe à mente seu mosteiro nos campos silenciosos perto de Peterboro, que não visitava havia três anos. Recordar-se de sua cela e de seu catre em Medeshamstede lhe causou uma pontada de dor, assim como sua recordação daqueles entre os irmãos que eram seus amigos, o que o fez decidir viajar de volta para lá quando seu trabalho em Hamtun estivesse feito e tivesse se desincumbido de sua obrigação. Aquilo só aconteceria, pensou consigo mesmo, quando o centro do assentamento fosse encontrado e o talismã envolto em juta de Peter fosse entregue. Seu anseio por estar outra vez em seu lar relvado não o aproximaria em nada do local pretendido, servia apenas para atrasar a rápida realização de sua tarefa.

À esquerda havia agora entradas estreitas em fileiras de casas bem próximas, que faziam revolteios e sumiam de vista para se emaranhar em um nó que Peter agora suspeitava ser as entranhas de Hamtun, enfileiradas e de cores surpreendentes, sendo que em sua caminhada pelo perímetro das muralhas nada tinha visto além da camada externa de pele estampada e pigmentada de Hamtun. Sentiu-se tentado pelo ímpeto de se aventurar pelo labirinto de vielas, confiando que poderia encontrar o local que buscava apenas por instinto, mas seu lado mais sábio prevaleceu. Ali se recordou de algo dito pelo tropeiro em Woolwych, aquele que já tinha ouvido falar de Hamtun: "É tudo um monte de caminhos e trilhas cruzadas como um ninho de coelhos. Talvez não aches tão fácil entrar, embora possa te dizer que sair de novo é mais difícil que assassinato". Peter poderia perder o rumo entre as vielas estreitas, e seria melhor andar pelos limites do povoado, conforme planejado, porque assim teria uma medida do lugar. Assim, continuou descendo a colina até quase chegar ao muro que avistou quando estava no topo, notando que Hamtun não parecia tão extensa do leste para o oeste quanto era do sul ao norte, presumindo que seu formato era como um pedaço estreito de casca de árvore ou um pergaminho. Se havia uma mensagem escrita nele, ou se teria a inteligência de entendê-la, não tinha como saber.

O muro de estacas, que corria ao longo da margem mais próxima do rio, terminava na ponte que ia do povoado até Gales. Sob o vão de madeira, o Nenn também se curvava naquela direção, e o muro entre Peter e a beira do rio, que também seguia para oeste, era substituído por grandes sebes negras que serviam como fortificações. Tendo assim chegado a outro canto de Hamtun, ele se virou e saiu para o que agora sabia ser o caminho mais longo antes de atingir o limite sul, onde havia chegado fazia algumas horas. À direita, havia o quadrante prateado do céu cinzento e baixo onde o sol se escondia e já iniciava sua longa queda até a noite. Peter percebeu que era bem depois do meio-dia.

Andando para o sul, viu que não havia tantas casas ali no flanco inferior do assentamento, apenas chácaras, cada qual com uma casa humilde. Acima dos declives suaves à frente, fios estreitos de fumaça subiam e se trançavam em uma cortina, levando-o a concluir que os pastos mais altos eram mais densamente povoados. Abaixo, porém, na direção das margens do rio, onde Peter caminhava, via em seu caminho apenas uma moradia, que parecia construída na esquina de uma trilha, a mais distante de duas que levavam para um ponto mais alto da rota que ele seguia e iam para o leste, ladeadas por pastos vazios.

Ele foi até a trilha mais próxima, para fazer uma pausa na caminhada e observar sua extensão. Conforme subia e se tornava mais distante, estava bem desgastada e tinha uma aparência ancestral, como a vala bem ao lado, em que gorgolejava um pequeno fluxo d'água, vindo, conforme ele imaginava, de uma fonte ou nascente perto do topo. Cruzou a parte mais baixa do caminho, com o saco balançando nas costas, e seguiu na direção da casinha de pedra no local onde a segunda trilha lateral encontrava sua estrada. A construção pobre parecia deserta, isolada na extremidade oeste do povoado, sem nenhum sinal de que havia fogo aceso em sua lareira. Do outro lado da entrada enlameada para a casinha, à direita de Peter, havia um monte grande de pedras com um eixo giratório de madeira, do qual pendia uma corda e um balde. Ele não matava a sede desde sua passagem por um lago de água doce no romper do dia, algumas léguas ao sul de Hamtun, então se desviou de seu caminho na direção da fonte, assoviando uma cantiga da qual se recordava em parte de algum lugar.

Quando chegou ao poço, constatou que era maior do que pensara, na altura da cintura, onde as pedras foram colocadas em um círculo de

aproximadamente dois passos de lado a lado. Ele girou o cabo da manivela, desenrolando mais corda e fazendo com que o balde de madeira
pintado com uma cor viva descesse pelo buraco insondável. Depois de
alguns momentos, veio um som fraco de água lá debaixo, e logo depois
ele já subia um recipiente muito mais pesado do que aquele que havia
descido. O cabo molhado rangia, e ele podia ouvir e sentir os respingos
contra as beiradas do recipiente balançante conforme era içado da escuridão para a luz do dia. Amarrando a corda, ele puxou o balde para si e
olhou lá dentro, sedento e ávido.

Era sangue.

O choque o atingiu como um soco e fez o mundo girar, deixando-o
sem saber o que pensar. Era como se uma cavalaria de diferentes inter-
pretações o pisoteasse, atropelando a razão em sua pressa desorientada
e assustadora. Era seu próprio sangue, onde sua garganta havia sido cortada e ele não sabia. Era o sangue de Hamtun, de gerações de seu povo,
derramado morro abaixo para ser drenado até aquele reservatório subterrâneo. Era o sangue dos santos que São João, o Divino, disse que seria
tragado no fim do mundo, quando dali a duzentos anos ocorresse. Era
o sangue do Salvador, um sinal anunciando a Peter que aquela terra e o
próprio solo eram carne de Jesus — afinal, como a cevada e as coisas da
terra, ele não foi ceifado para crescer novamente? Era a seiva do coração
de um Mistério temível e de um vermelho mais vivo que o da baga do
azevinho, uma maravilha de tal magnitude que os cristãos de uma era
ainda por vir conheceriam, e saberiam dele, e diriam que ele tinha sido
de fato agraciado com a visão de Deus, que a ele havia sido revelado
aquele milagre, aquela visão...

Era corante.

Como poderia ter sido um tolo tão completo? Tinha visto os panos
de tons vivos à venda na rua dos mercadores de lã e no entanto não
pensou em qual seria sua origem. Tinha deixado o balde vermelho vivo
descer pelo poço, mas achando que havia sido pintado para vedação, e
não manchado pelo uso incessante. Aqueles sinais eram claros como o
dia, a não ser para um idiota, e ainda assim, em seu fervor, não os enxergou e quase pensou que já estava santificado. Decidiu que não contaria
aos irmãos em Medeshamstede sobre seu erro vergonhoso, nem mesmo
como uma piada a respeito de si mesmo, de sua tolice emproada e de sua
vaidade, para que não o tomassem por um imbecil.

Rindo agora por ter sido enganado por Hamtun pela segunda vez, derramou o conteúdo do balde de volta na garganta escura e gorgolejante de onde tinha sido tirado. Lembrado de seu irmão Matthew, lá pelos lados de Peterboro, que havia feito iluminuras em manuscritos e falado de sua arte a Peter, considerou provável que a cor da água fosse proveniente de óxido de ferro no solo. Embora aquilo não fosse lhe causar grandes males, se sentia estranhamente feliz por não ter bebido antes de olhar. O ocre-vermelho, afinal, não era a única coisa que poderia produzir aquela cor. Havia, por exemplo, óxido de mercúrio, e na propriedade dos irmãos beneditinos na pradaria tinha ouvido falar de monges que levaram à boca os pelos de um pincel nos quais ainda havia pigmento vermelho, para umedecê-los e formar uma ponta. Dia após dia, inadvertidamente, os monges fizeram isso até se envenenarem. Diziam que um deles ficou com os ossos tão frágeis que quando jazia morrendo e um mero cobertor foi colocado sobre ele para seu conforto, cada parte sua se quebrou com o peso, matando-o esmagado. Se a história era verdadeira, Peter não sabia, nem achava provável que a água naquele poço estivesse contaminada, mas ainda assim se sentia feliz por não ter testado sua sorte, para que seu engano tolo não terminasse se revelando um erro mortal.

Agora que a perplexidade do acontecimento havia passado e ele tinha pensado a respeito, Peter não se julgava tão tolo quanto momentos antes. Embora o sangue sagrado, como supunha, fosse nada além de corante em sua verdade material, não havia também uma verdade ideal a ser considerada, em que a tonalidade terrena era apenas uma figura feita para representar o sobrenatural, e portanto sem forma mundana? Uma coisa não podia ter mais de um aspecto, na medida em que poderia ser considerado ferrugem se examinado pela razão, e no entanto ser o verdadeiro vinho de Cristo de acordo com as medidas do coração? Jamais tinha ouvido falar antes de um poço de corante naquele tom, então não era muito menos espantoso do que se fosse o líquido que havia pensado no início. Fosse qual fosse a fonte, era um sinal a ser percebido.

Ao levantar novamente o saco, percebeu que tinha sido muito lento e cauteloso nos pensamentos e também na busca. Andando com cuidado por seu perímetro, Peter havia considerado Hamtun como uma forma ou esboço plano mapeado em pergaminho, quando agora, ao contemplá-la, era mais como uma coisa viva que tinha seus humores e fluidos mortais, menos um território a ser percorrido do que um estranho com o qual travava uma conversa. A cidade poderia se mostrar mais amistosa se ele não fosse tão rígido e limitado em suas abordagens? Voltando para a trilha que seguia para o sul, pensou nisso e decidiu ir para o leste, passando pela moradia solitária no caminho da colina em direção ao povoado de fato, aquele labirinto de casas baixas acima e à direita dele, cujas lareiras abertas deixavam as nuvens encardidas ainda mais encardidas.

Passou pela cabana de pedra ao começar a subida e, quando o fez, recaiu sobre ele a sensação de que um dia ouvira ser chamada de "recém-familiar", como quando alguma circunstância nova trazia a convicção estranha de que aquilo já havia sido vivido antes. Não se tratava, observou, de apenas ter conhecido em algum lugar um momento parecido com aquele, passando por uma única cabana enquanto subia e em um lugar inabitual. Na verdade, era aquele instante em seus detalhes mais ínfimos que ele sentia não vivenciar pela primeira vez: as sombras pequenas e pálidas na grama, causadas por um sol encoberto, não muito além do zênite, o musgo crescido na forma da mão de um homem ao lado do batente da porta da cabana silenciosa; cantos de pássaros soando nas sebes escuras a oeste bem naquele momento, três sons agudos e uma queda lamentosa; o cheiro azedo de porco que o suor tinha quando o vapor escapava de sua batina; seus pés doloridos, os perfumes do rio oculto distante e as saliências duras no saco que batia sobre sua espinha curvada.

Afastou o pensamento e passou pelo lugar de pedras de calcário empilhadas, subindo a colina. Não conseguia ver nada nas cavidades escurecidas que eram os buracos das janelas, mas eles lhe provocavam uma sensação de tanto assombro que meio que pensou ser vigiado. Uma parte perversa de sua mente, que queria assustá-lo, disse que era a bruxa de olhos de lesma de seu sonho, morando sozinha na sombra da cabana silenciosa e observando o que ele fazia. Por mais que soubesse que aquilo não era mais que um fantasma que havia conjurado para atormentar a si mesmo, ainda assim estremeceu e se apressou para deixar logo o lugar bem para trás. Saindo agora da trilha em aclive para o leste, Peter entrou em um caminho secundário para o sudeste, que era apenas uma estreita passagem em meio ao mato na altura das coxas.

O que mais o tinha irritado na cabana de pedra era a noção de que passar por ela não era um acontecimento único, mas que estava dentro de uma linha de repetições, e em sua mente havia a imagem de uma infindável fila formada por vários Peters, todos passando pelo mesmo lugar ermo, mas muitas vezes, todos naquele instante dando-se conta uns dos outros e do caso estranho de sua recorrência, de que o mundo e os tempos em torno deles também eram recorrentes. Era como um sentimento fantasma pairando em torno dele, como se fosse alguém já morto revisando as aventuras de sua vida, mas que tivesse esquecido que não havia nada para uma segunda ou de fato centésima leitura, até que topasse com uma passagem que reconhecia pela descrição de uma cabana solitária, o canto do melro-preto ou um grumo de líquen parecido com uma mão. Aqueles pensamentos eram novos para ele, que ainda não estava convencido de que os tinha em sua totalidade. Como um cego, tateava suas beiradas e suas estranhas protuberâncias, embora soubesse que o formato total estava além de sua compreensão.

Subindo com esforço o caminho que de novo enveredava para o leste, Peter teve a impressão de que as noções peculiares que se abateram sobre ele eram um ar ou miasma que havia se levantado naquela localidade, cujos efeitos se tornavam mais fortes conforme se embrenhava mais por lá. Isso deu ao seu humor uma coloração que não conseguia nomear, como se fosse um tom formado pela mistura de vários, de medo e também maravilha, de alegria esperançosa, mas tristeza também, e um augúrio que era difícil de localizar ou descrever. O dever representado em seu saco de juta parecia ao mesmo tempo fazer sua alma jubilante levantar voo e se tornar uma matéria de tal peso que deveria estar quebrado e amassado debaixo dela. Em meio àquelas contradições, o sentimento dentro dele era como todos os sentimentos humanos enrolados em um e o preenchia de tal forma que pensou que fosse explodir. Aquela sensação empolgante, e no entanto desconfortável, ele concluiu, deveria ser a encontrada por todas as criaturas quando realizam as obras de Deus.

Havia atravessado a grama alta e estava agora em outro caminho de terra que subia direto para a encosta, do mesmo jeito que a viela do poço de corante, mas bem longe dela. Essa nova trilha diante dele tinha um conjunto de moradias que eram buracos cobertos de ambos os lados, onde cães com pelagem emaranhada farejavam entre homens aos risos ou mulheres ralhando e carregando bebês. Na parte de cima, podia ver os tetos das construções mais altas, e abaixo, um tráfego formado por muitas carroças, então supostamente aquele lugar deveria ser um tipo de praça principal no povoado. Não muito acima do lado direito de sua trilha, onde estavam as casas mais simples e sua população, Peter viu que era preparada uma grande fogueira, onde havia um pedaço de terra nua e escurecida. Ali as pessoas levavam, em trenós e sacolas, o que era muito grande ou repugnante demais para ser queimado em casa. Viu montes opacos de roupas, supôs que contaminadas pela peste, serem descarregadas com um ancinho. Havia uma carreta de dejetos, que o condutor alinhou com muitos gritos e paradas na direção das chamas, de modo que o estrume fosse jogado na fornalha com mais facilidade pelos velhos que trabalhavam ao redor do fogo. Como havia pouco vento, o fedor e a névoa se erguiam em uma torre imunda subindo das chamas, embora Peter soubesse que um clima diferente faria todas as moradias agrupadas ali se perderem em uma neblina fétida.

Pensando em desviar da pior parte daquela imundície, saiu do caminho para o leste, entrando em uma ruazinha paralela. Havia algumas choupanas construídas de ambos os lados, mas sem tantas pessoas e sem fogo. A uma certa distância adiante no caminho, viu um teto de colmo largo que imaginou ser de um grande salão, com o terreno murado dos fundos virado em sua direção. A parte iluminada do céu estava novamente à sua direita, o que significava que tinha ido em direção ao sul novamente, embora não demorasse a encontrar outro obstáculo bloqueando sua passagem. Mais ao longe na sua direção, havia um pátio do qual subia uma grande nuvem, como no pátio em que o lixo era queimado, mas, enquanto a fumaça daquele era negra, a deste era toda branca. Viu uma carreta de cuja parte de trás cargas de calcário eram retiradas e colocadas em um montinho dentro de um pedaço cercado, e lembrou-se de que um veículo como esse havia cruzado seu caminho naquela manhã quando vinha da ponte ao sul, com os restos daquela poeira branca ainda no cabelo e nas dobras das vestes. Preferia permanecer da cor que tinha quando chegou a Hamtun, e não ficar vermelho de corante ou ser fumegado até ficar preto ou branco, então parou e observou para saber melhor para onde poderia virar.

Estava novamente em uma espécie de esquina, com um caminho subindo para o leste, saindo da trilha em que andava no momento. Para marcar a junção das trilhas, havia um monte como um quadrado com um dos lados mais curto que os outros. Ao redor havia uma vala, cavada havia tanto tempo que agora estava coberta de grama, como com o forte romano no rio que tinha visto. O outeiro cheio de tufos mantinha a sensação de que era algo importante, ou tinha sido um dia, embora não houvesse construções sobre ele, apenas grumos dourados de dentes-de-leão que ainda não tinham se transformado em bolas brumosas de sementes.

Enquanto observava o cume, Peter percebeu, de soslaio, uma agitação no lado de baixo de onde estava, portanto entre ele e o pátio de calcário. Parado ao lado da trilha havia um cavalo e uma carroça com um homem feio nas rédeas. O rosto dele era largo, com olhos separados, e ele parecia forte, mas atarracado, como se tivesse sido comprimido. Empoleirado no assento baixo da carroça, conversava com uma criança, uma menina de não mais que doze anos, que hesitava na grama ao lado da vala ao redor e olhava para o sujeito com incerteza. Parecia temer o homem como se não o conhecesse, balançando a cabeça e fazendo um gesto de que iria se afastar, no que o carreteiro atarracado deu um bote e a pegou rapidamente com um punho rechonchudo para que não fugisse.

Peter teve apenas um momento para decidir o que faria. Se aquilo fosse uma disputa entre um pai envergonhado e a filha teimosa, então seria execrável interferir, embora não achasse que era disso que se tratava, e em suas viagens tinha visto estupros suficientes para não conseguir em sã consciência olhar para o outro lado e meramente esperar que tudo estivesse bem.

Quando queria usá-la, Peter tinha uma voz retumbante, tanto que seus irmãos em Medeshamstede, embora gostassem dele, não apreciavam quando tomava parte nos cânticos com eles. Era esse bramido que ele agora usava para chamar o homem que segurava a jovem donzela, ribombando como um trovão pela grama inculta entre eles.

— Eis tu! Para um momento! Camarada, quero falar-te!

Ele correu na direção da carroça com passos largos e agora levava o saco balançando pesadamente na mão ao lado do corpo, de modo que não se podia olhar para ele sem pensar na maça apavorante em que poderia se transformar se fosse girado a qualquer velocidade. Peter era um homem pacífico, mas sabia como podia parecer, com membros grossos e rosto avermelhado, quando queria: só havia viajado em segurança por metade do mundo por saber usar aquela aparência medonha em seu favor. Na carreta, o homem cujo corpo parecia amassado virou a cabeça em um ângulo agudo para olhar Peter, que corria em sua direção entre o junco com um esmagador de crânios pendendo de um punho vermelho.

Soltando a jovem, o escroque estava assustado e parecia ansioso para escapar. Dando um grito para atiçar a mula, ele a fez disparar, com o veículo batendo no lado mais baixo da elevação no chão ao fazer a curva, de onde, na esquina, olhou para trás, amedrontado, para o monge, e então seguiu em frente até sair de vista.

A jovem donzela que ele havia soltado estava na beira da vala circular e observou enquanto seu atormentador fugia, então se virou para Peter, que havia parado no meio do caminho, inclinado e bufando alto pelo esforço, com uma das mãos levantada na direção dela como se pensasse em acalmar a criança apavorada. Ela levou um instante para avaliar seu salvador, com o rosto pingando como uma beterraba e o barulho monstruoso de seu arfar, antes de decidir correr por outro caminho em uma direção diferente daquela que seu agressor tinha acabado de tomar, seguindo morro abaixo como se fosse para a estrada sul, a da cabana solitária e do poço sangrento. Ele a viu ir enquanto se recuperava entre os talos caídos e não se importou que tivesse medo de seu libertador. Nem todos os monges eram como ele e, embora soubesse que a maioria das músicas obscenas sobre freis no cio fosse mentirosa, também já conhecera irmãos com apetites desagradáveis que planejavam tornar verdadeiras tais calúnias. A criança era sábia por correr e não confiar em ninguém nesses novos tempos preocupantes, de modo que não tomou ofensa com a partida dela, mas ficou feliz pela graça de Deus por estar ali a tempo de prevenir um malfeito.

Ele, portanto, estava de bom humor quando decidiu tomar novamente o caminho para o leste que havia deixado para contornar a fogueira de lixo e seus vapores. Com o fôlego recuperado, começou a percorrer o caminho que subia pelo lado norte do monte e, enquanto andava, pensava no que havia acabado de ocorrer. Se ao chegar ao poço tivesse tomado um caminho diferente, a menina poderia ter se tornado vítima de um assassinato e encontrada de um modo horrendo em uma sebe. Quem poderia saber agora dos filhos e netos que ela poderia gerar, ou de todas as mudanças nas circunstâncias do mundo que poderiam ter resultado daquele ato? Se os motivos que o levaram a ir parar ali se revelassem apenas um delírio seu, alimentado por um excesso de sol estrangeiro, teria aquele acontecimento para dizer que ainda assim havia cumprido o propósito do Senhor. Embora batesse como um tambor, seu coração estava alegre ao seguir pela subida pedregosa, com o saco sobre o ombro e o suor em cascata em sua testa.

Ele observava consigo mesmo que o dia estava ainda mais abafado quando levantou os olhos e viu outro peregrino maltrapilho descendo em sua direção. Não era tão velho quanto Peter e vestia-se de uma maneira estranhamente cômica. Tinha sobre a cabeça um chapéu que parecia uma forma de pudim virada, com uma aba se estendendo pela cabeça inteira, e no seu vestuário nada combinava com nada, era como se estivesse usando roupas descartadas por pessoas variadas, mas que tipo de pessoas Peter não conseguia nem imaginar, tão estranhas eram cada uma das peças. Havia um pequeno casaco e culotes feitos de tecido leve, enquanto nos pés o estranho calçava pequenas botas de couro feitas de um jeito que Peter nunca tinha visto, nem mesmo nas barracas dos curtidores perto do portão leste de Hamtun. Tão engraçado era o aspecto daquele pobre transeunte que o monge não conseguiu conter um sorriso quando se aproximaram um do outro. Embora o homem tivesse um aspecto pálido e acinzentado, não tinha aparência de ser perigoso como o condutor da carroça que havia tentado levar a menina alguns momentos antes. Era um pobre homem que talvez tivesse feito pequenas malandrices, mas parecia de bom coração, e quando seus caminhos se encontraram e eles pararam, ambos já sorriam um para o outro, mas, se era por amizade ou porque um achava a aparência do outro ridícula, nenhum deles sabia. Peter foi o primeiro a fazer os cumprimentos e falar.

— Está um dia quente para sair, era o que eu dizia para mim mesmo neste momento. Como vai o mundo para ti, meu bom e honesto camarada?

O outro homem inclinou a cabeça para trás e espremeu os olhos para olhar para Peter, como se achasse que o monge zombasse dele, mas por fim decidiu que não e respondeu de modo alegre.

— Ah, parece um dia quente, é verdade, e imagino que o mundo esteja indo até que bem. E você? Essa sua sacola parece um fardo.

Aquilo foi dito com uma piscadela malandra e um aceno de cabeça para o saco de juta que Peter levava sobre o ombro, como se achasse que pudesse haver coisas de valor roubadas escondidas ali dentro. Sorrindo, o monge colocou a bagagem na trilha grosseira aos seus pés. Ele deu um grande suspiro de alívio e balançou a cabeça.

— Deus te abençoe, mas não... ou, se for, não é um fardo que me incomode.

O camarada levantou uma sobrancelha como se demonstrando interesse, ou como se esperasse mais comentários, ao que Peter achou que

poderia ser uma oportunidade de ser guiado até o lugar que buscava.
Parecia que seus encontros fortuitos no fim da tarde eram como que diri-
gidos por uma força maior, e então talvez aquele também fosse. Muito
encorajado depois dessas considerações, ele fez a pergunta que pensou
que ninguém além de si mesmo pudesse responder, fazendo um gesto
para o embrulho no chão ao perguntar.

— Me disseram para levá-lo ao centro. Tu sabes onde isso poderia ser?

A pergunta de Peter provocou um retorcer dos lábios e vários murmúrios pensativos em seu novo camarada, que tirou o chapéu bizarro mostrando um trecho calvo e olhou para os céus de um certo jeito e então de
outro, como se achasse que o local sobre o qual lhe perguntaram ficava
lá em cima. Por fim, bem quando o monge achou que acabaria se decep-
cionando, recebeu sua resposta. O homem se virou da direção de Peter
e indicou a passagem atrás dele, na direção que o monge já seguia. Ali,
a colina que subia fora aplainada, de modo que sua trilha agora passava
entre algumas casas escavadas no chão e pastos até uma rua mais larga
adiante, que cruzava descendo a colina do norte para o sul e onde havia
o movimento de animais e carretas distantes. Um olmo grosso ficava
onde os caminhos se cruzavam, e era para lá que a atenção do monge
era agora dirigida.

— Se for onde estou pensando, então você precisa virar à direita
naquela árvore ali perto do final. — Tentando aspirar de volta uma espécie de catarro, o homem cuspiu, em vez de se valer de uma pontuação,
ao que parecia. — Desça por aquele caminho até chegar ao cruzamento
lá embaixo. Se for direto e seguir descendo, fica à esquerda atravessando
a rua, é bem ali no meio.

Peter se viu tomado de alegria e igualmente maravilhado com a
grande providência de Deus, para que seu enigma encontrasse solução
tão depressa e de modo tão simples. No fim, tudo o que lhe havia sido
exigido, pelo rumo que as coisas tomaram, foi perguntar. Olhou com
gratidão para o pobre maltrapilho que lhe proporcionou o livramento,
e foi então que viu de fato pela primeira vez o que era incomum no
homem. Ele não era apenas cinza ou pálido como Peter tinha pensado
no início, mas sim sem cores de nenhum tipo, mais como uma imagem
feita com carvão do que uma coisa viva e de sangue quente. Também
não era apenas pálido, mas como água turva, de modo que, quando o
monge olhou de perto, podia ver manchas escuras se movendo através

da figura, na verdade o tráfego na rua abaixo da colina que corria por trás, como se o pobre homem fosse constituído de tal forma que se podia ver através dele, embora não claramente. Com um formigamento que era como um riacho gelado que corria pelas suas costas doloridas, Peter soube que conversava com um espectro.

Tomou cuidado para que o pavor súbito que o acometeu não ficasse aparente em seu rosto, para que não afrontasse alguém que até então vinha se mostrando muito gentil e com disposição para ajudar. Além disso, o monge não tinha certeza do que era o ser com quem conversava, embora achasse que não fosse nada de ruim. Talvez fosse uma alma perdida, nem abençoada, nem condenada, e assim vivendo em outro estado, em seu refúgio assombrado havia muito. Especulou se era obrigado a vagar eternamente daquela maneira, ou se o espírito conhecia algum destino além, fosse o céu ou um lugar diferente, e por isso perguntou para onde ele seguia.

— Confio que tua jornada seja na direção de um final puro e bom...

Primeiro o fantasma pareceu culpado, depois, furtivo, e por fim, tranquilo. Peter observou consigo mesmo que as expressões da aparição eram tão facilmente vistas como sua forma. A criatura hesitou um pouco ao responder.

— Eu... bem, vou visitar uma amiga agora, se quer saber a verdade. Uma pobre velha alma que vive sozinha na esquina da Scarletwell Street, sem família para visitá-la. Agora lhe desejo um bom dia, padre, ou seja como for que prefere ser chamado. Boa sorte nessa sua caminhada com esse saco até o centro.

Com isso, a aparição passou por Peter e seguiu descendo a colina, na direção do lugar onde o monge acabara de intervir entre o cafajeste na carroça e a menina. O monge ficou onde estava e o observou ir embora, e enquanto isso se perguntou que acaso estranho havia feito com que o espírito fosse para a pequena cabana perto do poço de tinta, já que, pela descrição que havia feito, não podia ser outro lugar. Desde que Peter chegou a Hamtun, nada que havia acontecido era, aos seus olhos, apenas um acaso sem rumo. Em vez disso, parecia que os acontecimentos já tinham sido colocados em seus lugares e seu tempo, com todas as juntas e decorações ordenadas havia muito. Se na esquina perto do poço havia sentido que apenas via novamente uma narrativa lida muitas vezes antes, agora pensava mais em uma planta sobre um pergaminho, desenhada por um carpinteiro. Cada passo seu traçava as linhas pelas quais tomava parte em um desenho que não podia adivinhar. O fantasma andarilho que o ajudou agora estava um tanto distante e mais difícil de ser avistado, então Peter levantou novamente sua carga e a pendurou nas costas, seguindo pela viela na qual estava o olmo. Ali, virou para o sul e desceu ao lado da rua larga na qual muitos cavalos eram conduzidos, na direção da encruzilhada que ficava perto da ponta mais baixa, como lhe disseram.

Em volta dele, em seus currais que ladeavam o caminho ou então trotando para se juntarem no lamaçal imundo da encosta, havia potros, mulas e crias de toda sorte, o que o levou a supor que ali deveria ser onde os mercadores de carne de cavalo faziam seus negócios. O cheiro de todo o esterco era doce ou como uma maçaroca com frutas, embora não fosse agradável em sua doçura e moscas negras estivessem em todo lugar, como nuvens de tempestade sussurrantes. O ar malcheiroso e o crescente abafamento do dia traziam inundações salgadas em seus braços e pernas, faziam seu coração bater rápido e dificultavam sua respiração, ou pelo menos essa foi sua conclusão. Olhando para cima, viu que o cobertor de nuvens acima parecia mais próximo, ou mais que isso, agora estava mais escuro. Peter torceu para que sua missão pudesse terminar logo, para que pudesse encontrar abrigo e estar debaixo de um teto o mais rápido possível se chovesse.

A encruzilhada, quando chegou lá, transmitiu novamente a sensação de já ter sido vista antes, e Peter sentia-se zonzo agora, com um tipo de eco ressoando em seus ouvidos. Apesar de tudo que tinha urinado e transpirado, não havia passado uma gota de água entre seus lábios desde o amanhecer. Ficou na esquina noroeste da encruzilhada e olhou para a nova rua ao seu lado, para o leste. Ali viu uma cena que reconheceu ser toda fumaça e centelhas, e no mesmo instante entendeu onde devia estar. Aquela era a outra ponta da rua onde estavam as forjas, que tinha visto do alto naquela manhã, ao chegar e passar pela ponte. Se perto do lugar onde estava agora ficava de fato o centro da Inglaterra, então quantas horas tinha passado a uma curta distância dele? Mas nesse caso teria ido direto para lá e não teria visto as ruínas do templo na trilha de ovelhas, nem o poço sangrento, nem estaria lá para salvar a criança do perigo. Ele olhou como se tivesse se tornado surdo para a viela reluzente e fumegante e ficou maravilhado com o lugar aonde o destino o havia conduzido.

Ali Peter viu homens cobertos de fuligem que trabalhavam com ouro derretido e velhos quase cegos pelos anos encurvados sobre filigranas de prata. Um homem que parecia anão estava de pé com as bochechas infladas e os lábios unidos sobre o cabo de um longo cachimbo ou uma trombeta, do qual surgia uma bolha crescente que inflava como uma de sabão, mas tudo em chamas, o que Peter reconheceu como uma bola soprada em vidro quente. Viu os vendedores sorridentes que tinham olhos mais brilhantes do que todas as gemas que guardavam nas bolsas, que espalhavam como fluxos de gotas cintilantes sobre as palmas magras viradas para cima. Viu as riquezas do mundo recém-saídas da fundição e soube que, entre aqueles esplendores, o que levava em seu saco de juta era uma pérola sem comparação.

Virou-se para o outro lado e olhou para o oeste, para uma rua pela qual eram levados muitos dos cavalos que vira no alto da colina. Mais para baixo de onde estava viu um telhado imponente de colmo, e imaginou ser o grande salão cuja parte de trás vira quando estava perto do pátio fumegante do mercador de calcário. Do outro lado, na ponta da rua, havia uma torre de igreja sobre os topos das construções. Talvez o salão de telhado de colmo fosse a casa do senhorio, onde um príncipe parente de Offa vivia e tinha mandado erguer uma igreja para ele em sua terra. A boa mulher que conversou com ele na ponta da rua dos ferreiros disse que havia uma igreja ali batizada de Saint Peter, que poderia ser a construção que via agora.

O fantasma havia dito para ele descer até o cruzamento, atravessá-lo diretamente e continuar em frente até encontrar o lugar que procurava à sua esquerda, do outro lado da rua. Com o coração ainda palpitando, sob a luz fraca que conseguia chegar através das nuvens de chuva, ele cruzou a estrada agitada com cautela, para evitar suas carroças em disparada, até chegar em segurança ao outro lado. Desse novo ponto de vista, olhou ansioso para a estrada que descia na direção leste, para ver se podia identificar através de algum sinal onde ficava o centro que a pobre alma lhe tinha apontado. Não havia nada ali, a não ser mais pasto e um pátio cercado que, pelo barulho, parecia ser uma ferraria, embora não estivesse na metade da inclinação, como havia sido levado a pensar que o centro estaria. Com uma preocupação pesando no estômago ele desceu a colina, com os olhos cansados se movendo de um lado para outro, cheios de expectativa, sobre o chão em seu caminho.

Tal como imaginara, a ferraria ficava perto do sopé, e do outro lado da encruzilhada, na esquina com a rua dos forjadores, havia outra ferraria. Entre as duas forjas escurecidas não existia outra coisa além de um gramado vazio e sem cultivo. Então Peter sentiu no rosto um dos primeiros pingos de chuva, grosso e gelado.

Foi até o que lhe parecia a metade do caminho inclinado e parou do lado para olhá-lo, para onde havia apenas mato. As batidas em seu peito estavam mais altas, e ele sabia que tinha estado ali antes uma ou muitas vezes sempre sem encontrar nada. Estava sempre nessa ação de chegar e não encontrar nada. Nada além dos tropeiros e suas montarias andando para lá e para cá no caminho largo em meio a uma chuva que agora ficava mais pesada. Nada a não ser o homem desocupado do lado da ferraria, na esquina daquela rua com a dos ourives. Nada além de cardos e uma árvore e um pouco de terra nua, onde esperava encontrar, entronizada, a alma de toda aquela terra. Ele não sabia se eram lágrimas, suor ou chuva que corriam agora por seu rosto, enquanto se inclinava desesperançado na direção do céu carregado e perguntava de novo o que havia perguntado na outra encruzilhada, mas agora sua voz estava raivosa e cansada, como se não se importasse com quem o ouvia.

— É aqui o centro?

Tudo naquele momento parou para ele. Em seus ouvidos, o eco se tornara um tipo de zumbido, como se o momento em suspenso fosse em si reverberante e ressoasse com todas as pérolas do acaso que eram seus componentes. A chuva pendia imóvel ou então caía lentamente, seu líquido como incontáveis botões de opala que estavam em todos os lugares, fixos no ar, e nas pelagens dos cavalos cada pelo era um filamento ardente de cobre. Havia um brilho até no esterco, que o fazia parecer o prêmio de toda a terra, a dádiva dos campos, as asas das moscas que revoavam em torno dele se erguiam semelhantes às janelas das mais belas igrejas. No terreno abandonado do outro lado da descida de tesouros em suspenso que era a rua, no meio da relva convertida em uma chama esmeralda, havia um homem todo de branco, que em uma das mãos segurava uma vara de madeira clara. O cabelo era como leite, assim como sua túnica, tornando-o um luzeiro naquele cenário e a fonte de toda a luz, que projetava um brilho maravilhoso nos olhos de cada criatura. O olhar gentil dele encontrou o do monge, e Peter soube que era o amigo que havia aparecido para ele na Palestina, aquele que o encarregara da tarefa e o fizera partir. O alfa de sua jornada se transformava em seu ômega, e agora em seus ouvidos havia um rugido, como a batida de grandes asas, que Peter sentia ser amplificado pelo próprio pulso. A resposta à sua pergunta foi anunciada.

Em meio ao encanto que tomara a rua, a figura ardente levantou os braços de alegria, e plumas brilhantes e ofuscantes se abriram de cada lado. Exultante, gritou como se fosse uma voz poderosa entre montanhas altas, fazendo seus sons rodopiarem mil vezes, todos ao mesmo tempo. Era a língua estrangeira que Peter tinha ouvido uma vez antes, com palavras que explodiam como cogumelos se abrindo em seus pensamentos, para espalhar novas ideias como os esporos flutuando.

— Eusimexcesisto!

Sim! Sim! Sim, sou eu! Sim, eu existo! Sim, é aqui neste lugar de excessos que com uma cruz o centro deve ser marcado. Sim, é aqui onde está a saída de tua jornada, onde nos unimos. Sim, sim, sim, nos próprios limites da existência, sim!

O ser agora segurava a vara redonda como se a apontasse para Peter. Era longa e clara como pinho, e ele viu que a ponta mais próxima tinha sido afiada onde, na extremidade, para fins decorativos, havia um azul de centáurea. Aqui o monge ficou perplexo e não sabia por que foi assim indicado, mas viu que não era para ele que apontava o cajado, e sim para um lugar atrás de si. Então se virou, e ao fazê-lo, seu movimento desfez o feitiço. O zumbido que ouvia não diminuiu, mas o mundo se movia novamente, e a chuva caía veloz sobre tudo onde antes apenas tocava.

Atrás dele, entre o que era um barracão para cavalos e outra ferraria, ele viu um muro de pedras com algumas violetas crescendo em suas rachaduras, onde havia um portão de madeira com detalhes em ferro que estava um pouco aberto. Através da abertura, Peter viu uma clareira com covas inchadas e lápides levantadas de seus torrões, e mais além havia uma construção humilde feita de pedras escarpadas, ao lado da qual dois monges conversavam entre si. Ele tinha chegado a uma igreja. A dama que usava a pedra de Thor e o havia aconselhado antes disse que havia outra igreja perto da de Saint Peter, que era de Saint Gregory. O braço da esquerda, que segurava o saco, estava dolorido agora, então passou a bagagem pesada para o lado direito, embora isso não fizesse a dor parar. Como se estivesse entorpecido, cambaleou pelo que tinha se transformado em um temporal e foi para o portão do pátio da igreja, logo adiante em seu caminho. Os clérigos interromperam o diálogo e, com rostos preocupados, o viram nesse momento, vindo em sua direção primeiro lentamente, depois mais depressa. Peter tinha caído de joelhos, não para agradecer em prece por sua libertação, e sim por sentir que não conseguia mais ficar de pé.

Os dois frades, que logo chegaram até ele, fizeram o melhor que podiam para ajudá-lo a se levantar e sair do dilúvio, mas eram homens jovens e mirrados, para quem ele era pesado demais. Tudo o que conseguiram foi deitá-lo de costas para um maior conforto, com a cabeça apoiada na lateral estufada de uma cova. Eles se agacharam com os hábitos abertos, para evitar que a chuva caísse sobre ele, embora aquilo fizesse com que parecessem corvos e não o protegesse muito. Acima deles, Peter viu as nuvens de uma tempestade que aumentava, como pérolas escurecidas que ferviam e borbulhavam e se transformaram em um fantástico lago encrespado.

Tudo naquele momento se acendeu, e então um trovão pavoroso ribombou, fazendo os dois monges gritarem e apressarem as perguntas a respeito de onde ele era e o que o trazia. Os relâmpagos vieram novamente inundar o céu todo com seu brilho, e Peter levantou o braço, mas não o esquerdo, que estava dormente, e fez um gesto para o saco sobre a grama encharcada ao seu lado.

Quando o compreenderam, os dois puxaram a boca do pano largo de juta e tiraram o que havia dentro para fora, no vento e na chuva. Tinha um palmo e meio de cada lado, e era talhado grosseiramente em pedra amarronzada, pesado demais para ser levantado com facilidade com uma só mão. A chuva prateada caía em seus ângulos e cantos, e os padres agora estavam perplexos e maravilhados.

— O que é isso, irmão? Pode nos dizer onde achou?

Peter falou, embora fosse difícil e, pelos rostos deles, soava como delírio. Pelo que ouviram, era o homem que tinha viajado longe atravessando o mar e passado perto de um local cheio de crânios, onde havia achado seu tesouro enterrado. Ao desenterrar, foi como se um anjo tivesse aparecido para ele e dito que deveria levar a relíquia e entregá-la no centro de sua terra. Os dois tiveram a impressão de que ele disse que um momento antes havia encontrado com aquele anjo novamente, que tinha confirmado aquela pequena igreja como o destino do peregrino. Muito do que o pobre homem disse se perdeu entre os rugidos dos céus, e por fim os frades imploraram que dissesse onde era a terra pela qual passou, que tinha esse lugar cheio de crânios e onde havia sinais sagrados saindo do solo.

As vozes deles se tornaram parte da imensa palpitação que o tomava, como se viessem de longe, e ele mal os ouvia. Estava morrendo. Não voltaria a ver Medeshamstede, e sabia disso agora. Mais acima, as massas ondulantes de céu encharcado eram uma seda negra do Oriente amarrotada em uma superfície cheia de vincos e rugas mutáveis. Agora via o que antes passou despercebido, que as nuvens tinham um formato grotesco porque tinham sido presas e astuciosamente comprimidas. Viu que, se estivessem desdobradas, teriam um formato ao mesmo tempo mais regular e mais difícil de ser abarcado pelo olhar. Não tinha o menor entendimento do que aquela ideia estranha podia significar, nem por que seu sentimento era o de que seus anos de jornada não haviam sido nada além de um único e pequeno passo, que agora estava concluído.

Pensava ter fechado os olhos em seus últimos momentos, e ainda assim parecia ver, talvez meros sonhos ou memórias de visão que estavam dentro das pálpebras piscantes. Olhou para os irmãos preocupados agachados sobre ele e para a igrejinha mais atrás. Com sua compreensão recém-adquirida sobre o firmamento acima, que se agitava e o bombardeava, também notou pela primeira vez que os cantos de uma construção eram feitos de um jeito inteligente, de modo que podiam ser desdobrados para que a parte de dentro ficasse para fora. O que tinha tomado erroneamente como entalhes nos parapeitos da igreja agora via serem pessoas pequenas como mosquitos, e no entanto sabia que eram grandes como ele, mas de algum modo estavam longe. Acenaram e esticaram os braços para ele, os homenzinhos. Tinha a impressão de que sempre os conheceu. Não conseguia mais ver os dois monges ao seu lado, embora ainda os ouvisse conversando com ele, perguntando de novo e de novo de onde tinha vindo, trazendo aquele símbolo perfeito.

A última palavra que disse foi Jerusalém.

TEMPOS
MODERNOS

Sir Francis Drake inclinou-se contra uma parede de pôsteres do lado de fora do Palace of Varieties e deixou a cabeça oleosa se recostar sobre os nomes gigantes em preto e vermelho. De acordo com seu relógio de bolso, tinha uma boa meia-hora antes de precisar pintar o rosto com rolha queimada para fazer o Ébrio. Podia então se dar ao luxo de ficar alguns instantes por ali, com um cigarro Woodbine como companhia, observando as charretes e bicicletas e todas as moças bonitas passando.

Tinha seis anos de idade, quando, na escola em Lambeth, os outros meninos passaram a chamá-lo de Sir Francis Drake. Sua mãe deslizava para a pobreza, ele havia sido forçado a usar um par de meias de dança dela e, ainda que elas tivessem sido cortadas na tentativa de parecerem meias comuns, seus plissados e brilhos carmesins eram tão evidentes que deram o apelido a ele. Em diversos sentidos, pensou, tinha se safado do pior. Sydney, seu irmão mais velho... ou seu "antecessor", como chamavam os irmãos mais velhos na Escola Hanwell para Destituídos... foi obrigado a usar um blazer, antes um casaco de veludo da mãe, que tinha mangas com listras vermelhas e pretas. Com dez anos e mais inibido que o irmão mais novo, Sydney era conhecido como "José e sua túnica de muitas cores"[32].

Parado na junção da avenida, ele se pegou rindo entredentes dos apelidos, ou ao menos do de Sydney, embora não parecessem tão engraçados na época. Ainda sorrindo, ele se consolou pensando que Francis Drake tinha sido uma figura notoriamente bonita e com um traço heroico, enquanto José havia sido jogado em um buraco fundo e largado para morrer pelos irmãos indignados com seu senso de estilo. De qualquer modo, Sir Francis Drake era melhor que outros nomes que lhe inventaram ao longo dos anos e que duraram muito mais. Oatsie era um deles, uma gíria para *oats and barley*, aveia e cevada, que rimava com seu nome. Tinha tolerado aquilo, mas não gostava muito. Sempre achou que o fazia parecer um caipira, e aquela não era exatamente a imagem de si mesmo que tentava apresentar às pessoas.

De cima da colina em direção à sua esquina, veio uma carroça de cervejeiro com as cores da Phipps e um cavalo Shire malhado, com patas peludas e grandes como pratos, arrastando sua carga que tilintava e retinia até parar na frente dele no cruzamento. Uma tampa traseira gasta e acorrentada mantinha a carga no lugar: velhos caixotes deixados do lado de fora dos bares, chovesse ou fizesse sol, com a madeira molhada salpicada de verde com mofo, agora cheios novamente com carga marrom e reluzente indo para alguma outra estalagem, alguma outra esquina com um pátio de paralelepípedos castigado pelo vento e cheirando a cerveja. A carroça parou na encruzilhada, esperando uma carreta de mudança e um jovem rapaz em uma bicicleta cruzarem para o outro lado, antes de seguir ladeira acima. Ele ficou encostado nos pôsteres, olhando para a carroça parada, e só por diversão pensou em entrar em seu papel de Ébrio.

Apertou os olhos, baixando as pálpebras para parecer meio adormecido, e contorceu a boca em um sorrisinho torto malicioso. Mesmo sem a rolha, aquilo vincava seu rosto, fazendo-o aparentar ter uns dez anos a mais que sua idade real, que era de vinte anos. Gorgolejando no fundo da garganta com um desejo incoerente, fixou o olhar embaçado na carroça da cervejaria e começou um andar de bêbado cambaleante, porém determinado, na direção do veículo, como se tentasse desesperadamente fingir um caminhar normal, mas com pernas que mal funcionavam. Deu três passos de lado ladeira abaixo, mas se recuperou e espremeu os olhos, mirando outra vez seu prêmio, cambaleando da sarjeta para a rua de paralelepípedos quase vazia ao se aproximar da carga de bebidas pelo lado mais distante. Estendendo as mãos para todas as garrafas tilintantes, falou arrastado "Devo estar no Céu", no que o condutor assustado o viu e fez o cavalo andar, fazendo-o contornar a traseira da carreta de mudança, que ainda não tinha atravessado por completo a rua, e seguiu tinindo ladeira acima, na maior velocidade possível. Andando casualmente pela avenida para retomar seu lugar apoiado no muro da esquina, observou a partida da carroça e sentiu orgulho do sucesso de sua atuação, e um pouco de vergonha pelo mesmo motivo. Ele era bom demais em representar bêbados.

Obviamente, os bêbados eram todos seu pai, Charles, de quem tinha herdado o nome e que morreu de hidropsia apenas uma década antes, em 1899. Quinze litros. Era o tanto de líquido drenado do joelho de seu pai, e era por isso que, quanto melhor o Ébrio parecia, mais culpado ele se sentia. Observou enquanto o sol de setembro descia oblíquo sobre as construções velhas e sujas de Northampton, encurvadas em torno das esquinas do cruzamento, deixando os tijolos tingidos de um fogo alaranjado, e pensou na última conversa com o pai. Tinha sido em um bar, ele relembrou sem muita surpresa. Não era o Three Stags da Kennington Road? O Stags, o Horns, o Tankard, algum daqueles, de qualquer forma. Era por volta daquela hora do dia, fim da tarde ou começo da noite, no caminho de volta para a casa em que vivia com Sydney e a mãe em Pownall Terrace. Passando pelo bar, sentiu o estranho impulso de abrir a porta de vaivém e olhar para dentro.

O pai estava sentado em um canto sozinho, e pela abertura de cinco centímetros na porta do bar o filho teve a rara chance de observar, sem ser visto, o homem que o criou. Era uma visão horrível. Charles Senior estava em seu canto com o estofamento desbotado, debruçado sobre um copo baixo de vinho do Porto. Uma das mãos estava pousada no colete, como se para controlar a respiração irregular. Ainda parecia com Napoleão, como sua mãe sempre dizia, mas inchado, como se tivesse sido inflado com uma bomba de encher pneu de bicicleta. Antes tinha uma silhueta mais delgada, bem alimentada, mas havia se transformado em um grande saco de água, com sua antiga beleza submersa e perdida em algum lugar. Sua antiga aparência era de rosto oval e macio como o de Sydney, embora o pai de Sydney fosse outro, algum lorde desterrado na África, ao menos de acordo com a mãe deles. Mesmo assim, o irmão ainda se parecia muito mais com Charles Senior do que Charles Junior, saído mais à mãe, com seus cachos escuros e olhos bonitos e expressivos. Os olhos do pai estavam afundados na massa empapuçada que era seu rosto naquela tarde no Three Stags, mas tinham se iluminado de alegria, para sua surpresa, quando pousaram no menino olhando na direção dele através da porta parcialmente aberta e as marés ondulantes de fumaça suspensas no ar entre os dois.

Mesmo agora, parado na parte baixa da tal Gold Street, na localidade sem futuro de Northampton, na metade de outra turnê decepcionante encenando *Mumming Birds*[33], de Karno, nem mesmo hoje deixava de se emocionar ao se lembrar de como o pai tinha ficado feliz em vê-lo naquela última ocasião. Deus era testemunha de que ele nunca havia demonstrado muito interesse no filho antes, e Charles Junior já estava com uns quatro anos quando se deu conta pela primeira vez de que tinha um pai. No Stags naquela noite, no entanto, o outrora notável artista de vaudeville havia sido apenas sorrisos e palavras afetuosas, perguntando sobre Sydney e a mãe deles, inclusive tomando o filho de dez anos nos braços pela primeira e última vez para beijá-lo. Em poucas semanas seu velho estaria à beira da morte no hospital, o St. Thomas, onde aquele maldito evangelista McNeil ofereceu apenas "plantamos o que colhemos" como consolo, como o bom filho da puta cruel com cara de cachorro que era. "Velho". Charles Junior deu uma risadinha pesarosa e sacudiu a cabeça. O pai tinha trinta e sete anos, no Cemitério de Tooting naquela caixa de cetim branco, com o rosto pálido emoldurado pelas margaridas que Louise, sua amante, tinha arrumado em torno das beiradas do caixão.

Talvez seu pai soubesse, no ar abafado e no murmurejo do Three Stags, que abraçava o filho pela última vez. Talvez de alguma forma todo mundo tenha uma premonição, como se já estivesse tudo arranjado, de como será o fim. Olhou para a nuvem de pássaros que mergulhava, girava e se achatava como uma flâmula cinza contra o pôr do sol, voando sobre as estalagens e lojas de ferragens antes de todos pousarem, e pensou que era uma pena que não se pudesse saber antes como sua vida seria, imaginou que seria mais fácil não se preocupar com a morte. As coisas poderiam tomar qualquer rumo naquele momento, e era imprevisível e aleatório, como os movimentos daqueles pombos que, no fim, sempre se empoleiravam. Seguiria rodando sem descanso por aquelas cidades do norte até que seus sonhos tivessem todos se esvaído, mostrado que eram só fogo de palha desde o início. Então não haveria nada além de viver o vaticínio sombrio que sua mãe fazia a cada vez que ele voltava para casa com bafo de bebida: "Vai terminar na sarjeta como seu pai". Ele sabia que estava em diversas encruzilhadas ao mesmo tempo.

Havia mais veículos circulando agora, e mais pessoas perambulando para lá e para cá no cruzamento, como se a cidade estivesse voltando do trabalho para casa, para o jantar. Mulheres com carrinhos de bebê e homens com mochilas, meninos barulhentos disputando uma cruel e agonizante brincadeira de socos enquanto esperavam a época das casta-

nhas-da-índia[34], todos num empurra-empurra pelas ruas que apontavam
para os quatro pontos cardeais e atravessando onde elas se encontravam,
em um passo apressado entre as carroças de carvão e atóis formados por
esterco de cavalo e, bem naquele momento, um bonde vermelho com
uma propaganda das luvas Adnitt na frente. O bonde veio do oeste,
pela rua bem à sua frente, com o sol murchando logo atrás, e continuou em seu trilho de ferro passando por ele e seguindo pela direita,
para zunir pela Gold Street. Sem dúvida vivia em um mundo moderno,
mas nem sempre sentia que pertencia àquele tempo, os primeiros anos
daquele século novo e atemorizante. Achava que a maior parte das pessoas de vez em quando se sentia tão apreensiva e deslocada como ele,
e que todos os novos eduardianos otimistas de que tanto se ouvia falar
existiam apenas nos jornais. Olhando em redor para os transeuntes,
a julgar por seus rostos e o modo como se vestiam, não seria possível
saber que a rainha estava morta havia oito anos, mas os pobres sempre
tiveram a tendência de parecerem sempre os mesmos na passagem de
um reinado para outro, ou de uma era para outra. A pobreza era eterna
e confiável. Nunca saía de moda.

E jamais sairia de moda, não na Inglaterra. Por exemplo, havia o
negócio do Orçamento Popular, como foi chamado, determinando que
algum dinheiro fosse tirado do imposto de renda e usado em melhorias
para a sociedade. Acabou que a proposta foi descartada pela Câmara
dos Lordes. Não havia como eles aprovarem, pensou, e fuçou na jaqueta
atrás do maço de cigarros. A Inglaterra estava indo pelo ralo e ele não
achava que aquele século XX seria tão generoso com o país quanto o
XIX tinha sido. Havia os alemães, para começo de conversa, com seus
berros e seus navios feios. No ano anterior, tinham se gabado da quantidade de amoníaco que haviam produzido, agora se vangloriavam da
quantidade de bombas. E havia a Índia fazendo barulho e querendo
reformas. Não que ele os culpasse, mas era um sinal de que poderia não
haver mais tantos territórios rosados nos atlas escolares nos anos vin-
douros[35]. O Império Britânico parecia estar decaindo, por mais inconcebível que aquilo pudesse parecer. Era mais provável que tivesse morrido, ao que lhe parecia, com Vitória, e agora estava no longo e lento
processo de aceitar a morte e silenciosamente se desmantelar.

Pensando nos velhos tempos, observando enquanto um sucateiro xin-
gava o rapaz de uma quitanda cuja bicicleta tinha cruzado na frente do

cavalo e da carroça dele, se recordou da primeira vez que esteve em Northampton. Tinha nove anos? Então era o quê? 1898? Sacando o maço de dez Will's Woodbines do bolso, pegou um dos seis cigarros restantes e o equilibrou no lábio inferior enquanto recolocava a embalagem estreita no casaco. Tinha sido naquele mesmo teatro que se apresentou mais de dez anos antes, com a trupe de dançarinos mirins de sapateado, os Eight Lancashire Lads. Ele ficava em seu canto com seu melhor amigo da companhia, Boysie Bristol, e os dois conversavam sobre o número em dupla com o qual fariam sucesso, o dos Vagabundos Milionários, adornados com falsas suíças e grandes anéis de diamante. O teatro ainda se chamava Grand Variety Hall na época, e Gus Levaine era o diretor, mas tirando isso não parecia tão diferente. Era o mesmo lugar onde estiveram, Boysie e Oatsie, encurtando os ensaios para vadiar naquela esquina e pensar na fama e na fortuna que podiam ver diante deles, do mesmo jeito que ele ainda fazia hoje em dia, tantos anos depois. Contrariando o que pensou sobre o pai saber que iria morrer logo, agora parecia mais provável que as pessoas simplesmente fizessem tentativas inúteis de adivinhar como as coisas terminariam. Apesar de não poder falar por Boysie Bristol, que não via fazia cinco anos, de sua parte estava bem certo de que, fossem quais fossem os papéis que o destino lhe reservava, o de Vagabundo Milionário não seria um deles. Pegou uma caixa de fósforos do outro bolso, virando de lado e puxando a lapela para barrar o vento enquanto acendia o cigarro.

Exalou uma pequena nuvem de fumaça azul e o vento leste para o qual estava virado a levou para trás, por cima do seu ombro, para a Gold Street. Ele olhava para um pequeno terreno baldio na metade do caminho ladeira abaixo na rua para onde estava virado e pensava vagamente nos Eight Lancashire Lads — quatro deles não vinham de Lancashire e um era uma moça de cabelos curtos, mas, de fato, eram oito — quando, do nada, veio a recordação. Foi de quando viu um homem negro, o primeiro que viu de fato e não em fotografias de enciclopédias.

Ele e Boysie estavam escondidos ali, debatendo os aspectos logísticos de seu número em dupla, decidindo que os anéis de diamante deles deveriam ser feitos de pedras falsas até que se tornassem de fato milionários, quando ele veio descendo a colina montado em sua bicicleta engraçada, atravessando o cruzamento e vindo na direção deles. A pele do sujeito era preta como carvão, e não de um tom de marrom escuro. Tinha alguns fios grisalhos no cabelo e na barba, de modo que os meninos acharam que ele devia estar na casa dos cinquenta. Pilotava uma geringonça que nenhum deles tinha visto antes. Era uma bicicleta com um carrinho de duas rodas preso na traseira, mas o que a tornava uma esquisitice eram as rodas, as duas do veículo em si e as do carrinho que arrastava atrás. Tinham sido feitas com corda. Presos em torno dos aros expostos de ferro havia pedaços das mesmas amarras outrora brancas usadas para fixar o carrinho na bicicleta, agora tendo passado por tantas poças cheias de fuligem que as cores não eram mais claras que a do próprio ciclista.

O negro, vendo que os meninos o olhavam boquiabertos enquanto atravessava o cruzamento, sorriu e parou a bicicleta-e-carrinho no meio--fio um pouco depois deles. Para isso, usou pequenos blocos de madeira que tinha prendido debaixo dos sapatos para servir como breques, tirando os pés dos pedais e os raspando pelos paralelepípedos da rua até parar. O condutor olhou por cima do ombro, sorrindo para os dois meninos que o encaravam sem a menor cerimônia, e gritou um cumprimento amigável para eles.

— 'Spero que vocês mininos num estejam aprontan'o alguma.

A voz do homem era maravilhosa, diferente de tudo o que tinham ouvido antes. Os dois correram para onde ele estava e contaram que estavam esperando a vez de se apresentarem no sapateado, o que era quase verdade, e então lhe perguntaram de onde vinha. Hoje ele não teria o despudor, pensou, de perguntar aquilo para um negro, mas criança fala tudo o que vem à cabeça. O camarada tinha pele negra e sotaque estrangeiro. Era natural que perguntassem de onde era, e naturalmente foi como ele ouviu a pergunta, sem ofensa nem nada do tipo. Contou que era da América.

Isso obviamente fez com que os dois meninos disparassem um grande fluxo de perguntas sobre índios e caubóis, e sobre todos os prédios nas cidades serem tão altos como tinham ouvido falar. Ele riu e falou que Nova York era "bem grande", embora, olhando para trás, não tivesse nem a metade da empolgação dos dois meninos sobre suas origens. Disse a eles que vivia em Northampton fazia cerca de um ano, "ali em Scarl't Well", onde quer que fosse, e depois de mais um pouco de conversa avisou que precisava trabalhar. Piscou para eles e disse para ficarem longe de encrencas, e então levantou os blocos de madeira e desceu colina abaixo na direção em que o ornamentado tambor cinzento de um gasômetro se levantava contra o céu. Depois que o homem foi embora, os dois continuaram por um tempo naquela excitação a respeito da América, então imitaram como o sujeito negro falava, e a sua imitação deixou a de Boysie no chinelo. Depois voltaram para todos os sonhos impossíveis de Vagabundo Milionário, e ele nunca mais tinha pensado sobre o encontro curioso daquele dia até aquele momento.

Deu um trago que era mais como um gole em seu Woody e soltou a fumaça pelo nariz, como via os outros fazerem e achava muito estiloso. Havia agora um bom número de pessoas perambulando para lá e para cá no cruzamento, em veículos ou a pé, e ele ficou imaginando o que mais poderia haver daqueles tempos de que não se lembrava. Não a senhora Jackson de rosto de caveira, mulher do ex-professor lancastriano que fundou a companhia, sentada amamentando seu bebê enquanto supervisionava os ensaios da trupe de sapateadores. Ele se recordaria daquela visão mesmo se vivesse até os cem anos. Pensando bem, era mais que provável que não houvesse muitas coisas como aquele sujeito negro, das quais se esqueceu por acidente, embora soubesse que havia toda uma miríade de coisas das quais se esqueceu de propósito, na verdade.

Não que tivesse vergonha de onde tinha vindo, mas em seu ramo muita coisa dependia das aparências. Ele sabia como queria que as coisas fossem relatadas se algum dia conseguisse se dar bem. Ter sido pobre no passado não era problema: "da pobreza à riqueza" era uma história que todos amavam. A parte da pobreza, no entanto, tinha de ser mostrada de um certo modo, retocado e mais pitoresco, com todos os detalhezinhos desagradáveis apagados. Ninguém teria derramado uma lágrima pela Pequena Nell se ela tivesse morrido no parto ou de sífilis[36]. O público era ávido por tristeza e sentimentalismo, e pelo que consideravam o exotismo das classes menos abastadas, mas ninguém queria sentir o gosto imundo da miséria. O Ébrio só era apreciado enquanto estava abraçado a um poste, com o qual conversava como se fosse um amigo. O esquete acabava muito antes que ele cagasse nas calças ou fosse para casa e mandasse a mulher para a enfermaria por espancá-la com o cinto até deixá-la incapaz de andar.

As brigas e os espancamentos eram outros dentre os elementos que deveriam desaparecer para apresentar uma história de pobreza na luz certa. Se em algum ponto incerto de seu futuro incerto lhe pedissem para relembrar, digamos que para alguma revistinha sobre teatro, falaria sobre *Mumming Birds*, sobre *The Football Match*, em que contracenara com Harry Weldon, e até falaria sobre os Eight Lancashire Lads. O ano em que ele e Sydney foram mascotes dos Elephant Boys, porém, não receberia uma menção. Nem um pio.

Uma rajada súbita de vento no lado oeste da encruzilhada soprou a fumaça de cigarro de volta para os olhos dele, que se encheram de lágrimas por um segundo e não o deixavam ver nada. Esperou um pouco e então os limpou com o punho da manga, esperando que as pessoas que passavam não pensassem que estava chorando, que tinha levado bolo de uma moça ou algo assim.

Não havia nada além de gangues em toda Londres quando ele era criança. Não era estritamente necessário fazer parte de uma delas e, se quisesse ficar longe de confusão, era melhor não se envolver, mas ter amizade com uma gangue e orbitar em torno dela tinha suas vantagens. Se você escolhesse um bando que tinha uma reputação temida o suficiente, então, com um pouco de sorte, as outras gangues lhe deixariam em paz. Não havia uma turma em toda a cidade ou em seus distritos tão assustadora quanto os meninos de Elephant and Castle, e esse foi o motivo por que ele e Sydney se aproximaram deles.

Ele e o irmão mais velho já sabiam cantar e dançar com aquela idade, e com frequência rodavam as ruas para ganhar um trocado quando a sorte da mãe andava ruim, o que acontecia sempre. Os Elephant Boys, capazes de desfigurar ou roubar homens adultos sem nem vacilar, tinham ficado impressionados com ele e Sydney, notando astutamente o óbvio valor de entretenimento dos irmãos. Eles foram escalados como os micos de circo da gangue, fosse como um modo de conseguir alguns cobres quando o dinheiro andava curto ou para levantar o moral antes e depois de alguma briga de arrepiar os cabelos com um grupo rival de rapazes, talvez os Meninos Pedreiros de Walworth, alguém do tipo. Sua especialidade era enfiar os pezinhos nas alças de um par de tampas de lixeiras e então sapatear sobre um bueiro de metal apenas pelo barulho ensurdecedor que faziam. Eles chamavam a dança de Batida de Oatsie. Na verdade, os Elephant Boys foram os primeiros a chamá-lo de Oatsie, pensando bem.

Era um horror. Ele fazia a Batida de Oatsie, com Sydney o acompanhando com colheres ou pente e papel, o que estivesse por perto, diante dos maiores brutamontes da gangue, que afiavam cuidadosamente os ganchos de trabalhadores do mercado nas pedras do meio-fio, às vezes olhando e assoviando ou batendo palmas se achassem que ele e Stakey estavam fazendo uma boa apresentação. Stakey era como chamavam seu irmão naqueles dias, um jogo de palavras com "steak and kidneys", bife e rim. E lá iam eles, Stakey e Oatsie, escondendo-se na esquina, observando a discussão ou o massacre que acontecia, e depois ambos eram chamados de volta, abalados com tudo o que tinham acabado de ver — meninos correndo para casa com uma orelha pendurada na cabeça, um rapaz de catorze gritando com sangue escorrendo das pernas, depois de ser espetado com um gancho na bunda —, e ele pensava em tudo aquilo enquanto batia num bueiro de ferro as tampas das lixeiras enfiadas em seus pés, fazendo uma barulheira como a do Juízo Final, com faíscas quentes saindo do metal que até chamuscavam seus joelhos nus. Ele tinha o que, sete, oito anos?

Se aprendeu alguma coisa com aquilo tudo foi que considerava intolerável a ideia de sofrer um ferimento, ou ficar com uma marca permanente no corpo, especialmente no rosto. Ele contava com aquilo para tirá-lo daquele ciclo de humilhação que era seu ganha-pão. Se algo acontecesse com seu corpo ou seu rosto, seria o fim dessa esperança. E dele. Uma vez, enojado de vergonha, tinha visto Sydney levar uma surra de um membro mais velho da gangue que se ressentiu com algo que Syd dissera. Ele sabia, e Sydney confirmou depois, que não havia nada que pudesse ter feito para ajudar, mas continuou se sentindo um covarde do mesmo jeito. Poderia ao menos ter dito algo, mas nesse caso poderia ser o próximo, então ficou parado, vendo Stakey ter a bochecha rasgada. Se, por mais que parecesse improvável, um dia escrevesse suas memórias, nada daquilo seria incluído. Discussões ou desentendimentos aos berros, com isso não se importava, mas uma altercação física era algo que faria o possível para evitar. Alguns dos artistas mais velhos com quem viajava pelo circuito achavam que as coisas pareciam ruins entre a Inglaterra e a Alemanha e sentiam que cedo ou tarde haveria guerra. Ele faria apenas vinte e um anos no próximo mês de abril, e então teria a chave de casa e tudo mais, porém ainda estaria na idade do alistamento no Exército se alguma coisa estourasse. Não gostava nem um pouco da ideia, e ainda esperava que houvesse algum modo de estar em segurança em outro país, se e quando isso acontecesse. Tinha sido contratado por um mês para atuar no Folies Bergère para Karno mais cedo naquele ano, e gostou tanto que não queria voltar para casa. Tinha visto mais mulheres bonitas do que sonhava ver, o que não era pouco, levando em conta os sonhos *dele*. Havia encontrado o sr. Debussy, o compositor, e entrado na única briga de verdade de sua vida, com o lutador profissional Ernie Stone no quarto de hotel dele depois de muito absinto. Stone levou a melhor, claro, mas ele não se saiu tão mal, considerando que só se rendeu quando o boxeador peso-leve o acertou na boca, o que significava o risco de perder os dentes. Voltar às velhas rotinas de *Mumming Birds* e sair em turnê pelas cidades lúgubres do norte depois de tudo aquilo era uma decepção, e ele esperava que não demorasse muito para retornar ao exterior, e de preferência não com um chapéu de lata, como recrutado do Exército. Karno andava falando sobre a América, mas até aí Fred Karno falava sobre muitas coisas e apenas algumas delas dariam frutos algum dia. Ele manteria os dedos cruzados e veria o que iria acontecer.

Oatsie deu mais umas tragadas rápidas no cigarro e então o jogou no chão e o amassou sob a bota, girando-a antes de chutar a guimba do meio-fio. As sarjetas do cruzamento estavam cheias de maços vazios de cigarro, Woodbines, Passing Clouds, e uma salada pouco apetitosa de folhas mortas. Precisou espremer um pouco os olhos antes de ver as árvores das quais caíram, um tanto adiante a oeste do cruzamento, portanto via apenas as copas douradas sob o sol que se punha. Olhando melhor, viu que havia também arvorezinhas brotando de um par de chaminés mais perto dele, enraizadas no tijolo imundo, além de uma que crescia acima do perfil do telhado do pub do outro lado da rua, o Crow and Horseshoe, corvo e ferradura. Notando uma placa de rua fixa na esquina mais distante, quase ilegível pela fuligem e a ferrugem, viu que a ladeira na qual estava era chamada de Horseshoe Street, o que explicava ao menos a segunda parte do nome do pub. E, se aquelas árvores distantes cujas copas ele mal conseguia avistar estivessem em um cemitério, então isso poderia explicar a primeira parte, concluiu. Imaginou aves carniceiras rechonchudas empoleiradas nas lápides em que os nomes tinham sido apagados pelo musgo, e então desejou não ter feito isso.

Tinha apenas vinte anos, afinal de contas. Não precisava pensar em todo aquele negócio mórbido por um bom tempo, embora alguns rapazes mortos na Guerra dos Bôeres fossem só um tanto mais jovens do que ele era agora. E, por falar nisso, sabia de meninos em Lambeth que não chegaram nem ao décimo aniversário. Desejava ainda poder acreditar em Deus do mesmo jeito que naquela noite em Oakley Street, no porão onde se recuperava de uma febre, quando a mãe interpretava as cenas mais dramáticas no Novo Testamento para mantê-lo distraído. Ela empregou todo o talento e o que aprendera na carreira no palco recém-abandonada, fazendo um trabalho tão bom que, em algum momento da noite, criou nele a esperança de ter uma recaída da febre, para morrer e encontrar esse Jesus sobre o qual tanto ouviu falar. O fervor da mãe foi tamanho que ele não duvidou de nenhuma das histórias nem por um instante. Mas aquilo tinha sido antes que ele e o irmão fossem arrastados para o asilo de pobres com a mãe, e antes que ela fosse internada em um hospício por um tempo. Ele não tinha tanta certeza hoje em dia sobre o céu que ela descreveu naquela noite, tão vividamente que ele mal podia esperar para tocá-lo.

Hoje em dia, porém, tinha diminuído as expectativas e, se pensasse no que poderia haver depois da morte, a questão toda girava em torno de como seria lembrado, ou então esquecido. O que queria era que seu nome continuasse vivo depois dele, e não apenas como um personagem dos pubs de Walworth e Lambeth, como o pai foi rotulado postumamente. O que queria era ser bem-visto e que falassem bem dele quando morresse, do mesmo jeito que aconteceria com alguém como Fred Karno. Bem, talvez fosse um pouco de ambição demais, considerando a envergadura de Karno no ramo, mas ao menos gostaria de ser relembrado como alguém que fazia parte daquele mesmo mundo, mesmo sendo bem menos estimado do que Fred. Pensando no futuro, quando haveria mais gente em todos os lugares, concluía que o Music Hall poderia ser muito maior e muito mais importante do que hoje, e Oatsie achava que havia uma chance que escrevessem a seu respeito em algum lugar como um colaborador dos primórdios daquela tradição, se ele conseguisse não ser morto em uma guerra antes de chegar ao seu primeiro sucesso.

As ideias que matutava começaram a deprimi-lo. Passeou com os olhos femininos de cílios longos pela multidão, na esperança de ver um busto grande ou um rosto bonito que pudesse distraí-lo de sua própria mortalidade, mas estava sem sorte. Havia algumas mulheres com uma aparência até boa, mas não o que se chamaria de notável. Quanto aos bustos, a mesma coisa. Não havia nada que se destacasse, e então ele voltou para suas contemplações inquietas.

O que o preocupava na morte era que o fazia se sentir como se estivesse amarrado em uma linha de bonde com apenas um destino, com o caminho de ferro já traçado diante dele, que era tudo inevitável, embora na verdade aquela também fosse a questão que o preocupava na vida, pensando bem. A vida às vezes parecia um esquete escrito de antemão, com uma conclusão pré-definida. Tudo o que se podia fazer era tentar acompanhar suas reviravoltas enquanto o fluxo da história o arrastava, cena após outra. Você nascia, seu pai fugia, você cantava e dançava no palco para tentar manter a família fora do asilo de pobres, que era onde acabavam mesmo assim, seu irmão lhe arranjava um lugar com Fred Karno, você ia a Paris, voltava para casa, perdia a oportunidade de substituir Harry Weldon como astro principal de *The Football Match* por causa de laringite, ficava preso em *Mumming Birds* em vez disso e terminava de volta em Northampton, e então, um tempo depois, um longo tempo, se tivesse sorte, você morria.

Era todo aquele "e então e então e então" que o assustava, uma cena após a outra, os acontecimentos determinando como todos os atos posteriores se desenrolariam, como uma grande fileira de peças de dominó caindo, e parecia impossível fazer qualquer coisa para mudar a forma como caíam, sua precisão pré-arranjada, sua regularidade de um mecanismo de relógio. Era como se a vida fosse um grande maquinário impessoal, como todas aquelas coisas nas fábricas que continuavam rolando, não importava o que acontecesse. Nascer era a mesma coisa que ter a barra do casaco presa em suas engrenagens. A vida o puxava para este ou aquele caminho, e era isso, você estava enredado em todas as suas circunstâncias, em todas as suas engrenagens, até que chegasse ao outro lado e fosse cuspido, em uma caixa chique se tivesse sorte. Parecia haver pouquíssima escolha em tudo aquilo. Metade de sua vida havia sido ditada pela situação financeira da família, e a outra metade por suas próprias compulsões, por sua necessidade de ser adorado do jeito que a mãe o adorava, sua luta frenética para chegar a algum lugar e ser alguém.

Mas aquela não era a história toda, certo? Oatsie sabia o que todos pensavam dele em seu íntimo, todos os seus pretensos amigos do ramo, que o viam como um arrivista, sempre perseguindo algo — perseguindo

mulheres, perseguindo qualquer fiapo de trabalho que farejasse, perseguindo fama e fortuna —, mas sabia que o entendiam errado. Claro
que queria todas aquelas coisas, e desesperadamente, mas o resto das
pessoas também, e nunca tinha sido de fato a busca por reconhecimento que o impulsionava pela vida, e sim a grande explosão negra de
seu passado rosnando atrás dele. A mãe passando fome até enlouque-
cer, o pai inchando até se tornar um balão de água fedido e bêbado,
todas as imagens passando ao som de uma percussão feita de punhos
contra carne e tampas de lixeiras em bueiros, martelando e ressoando
nas faíscas que subiam. O que o impelia a se mover, sem dúvida, não
era o destino que perseguia, mas a sina da qual fugia. Aquele que as
pessoas viam como um alpinista autoconfiante era apenas alguém que
tentava evitar a própria queda.

O fluxo de veículos e pessoas na encruzilhada se movia como as
lançadeiras em um tear, primeiro puxando para a frente e para trás,
do norte para o sul, acima e abaixo da ladeira diante dele, então cho-
calhando do oeste para o leste pela rua onde ficava o Crow and Horseshoe e a Gold Street. Todos os cheiros do dia se misturavam em sua
esquina, cozidos pela tarde de sol fora de época e condensados sobre a
junção, agora, ao entardecer, como a manta de um cachorro. Esterco
de cavalo era o predominante entre os aromas mesclados, servindo
como base para o perfume, mas havia outras essências misturadas
naquele buquê: pó de carvão com um cheiro vago de eletricidade e
pimenta, cerveja choca soprada dos pátios dos bares e outra fragrância
doce, mas pestilenta, algo entre morte e balas de gomas sabor pera
que no início não conseguiu identificar, mas por fim concluiu que
os vários curtumes de Northampton, provavelmente, eram o lugar de
onde vinha o odor. De qualquer maneira, tirou tudo aquilo da mente,
pois bem naquele minuto, subindo a Horseshoe Street do lado onde
estava, havia algo que não faria ele torcer o nariz.

Mesmo à distância, dava para ver que ela não tinha aquilo que chamam
beleza clássica, não aquele tipo de beleza que ele tinha visto na Champs
Elysées. No entanto, ela irradiava um certo esplendor. Subia a ladeira
na sua direção, vindo dos baixios, e exibia um certo volume que poderia ficar mais pronunciado quando envelhecesse, mas que no momento
se manifestava em um arranjo irresistível de curvas bem equilibradas e
voluptuosas. Seus contornos eram tão generosos e convidativos aos olhos

quanto um jardim verdejante, com um pouco do jardim ou pomar também no balanço de seu andar sob o tecido barato e fino de uma saia
esvoaçante de verão, as coxas grossas afinando em panturrilhas robustas
e pezinhos de porcelana, que se moviam preguiçosamente para a frente e
para trás abaixo da bainha esvoaçante enquanto ela subia a ladeira.

As roupas eram sem graça e na maior parte marrons, mas lisonjeiras
à paleta da paisagem pela qual ela gingava: as folhas que sufocavam as
sarjetas com uma mescla de fogo e chocolate e os cartazes sépia desbotados se descolando da fachada do antigo teatro rival, no pé da Horseshoe
Street. Realçando a composição, no entanto, havia o cabelo da mulher.
Castanho-avermelhado escuro como uma vasilha de castanhas polidas e
como lava onde refletiam a luz do anoitecer, os cachos caíam em torno
de suas bochechas rosadas como um punhado balançante de biscoitos de
gengibre. Com um pouco mais de um metro e meio de altura, uma deusa
de bolso, ardia como a chama de uma lamparina baixa, mas que ainda
assim iluminava os recintos enfumaçados por onde passava.

Conforme aquele pedaço de juventude se aproximava, ele conseguiu
perceber que ela carregava alguma coisa perto do ombro esquerdo, algo
que apertava contra o peito e envolvia com a outra mão para manter
próximo, como seria levada uma sacola de compras que tivesse perdido
as duas alças. Ainda na metade da ladeira íngreme onde Oatsie estava,
ela parou para se ajeitar com o pacote, levantando-o nos braços antes
de seguir. Um afloramento cabeludo na parte superior do item pareceu
subitamente se soltar e girar para apontar diretamente para ele, no que
percebeu que era uma bebê.

Para ser mais exato, apesar do tamanho e da idade, talvez fosse... não,
não talvez... era com certeza a criatura humana mais bela que já tinha
visto. Não parecia ter muito mais que um ano de idade, com cachos
de ouro branco que caíam em uma chuva de alianças e olhos enormes
do azul tranquilizante da lanterna da polícia em uma noite de perigo.
A menininha era como um filhote de anjo, olhando-o nos olhos sem
piscar, empoleirada ali no abraço da mulher que se aproximava. Se ele
algum dia pensou que sua própria beleza poderia tirá-lo do atoleiro de
suas origens, ali estava uma glória da natureza de quem certamente fala-
riam com o mesmo fervor dispensado a Helena. Nada impediria aquela
criança de crescer e se tornar um diamante de sua era, um rosto que
bastaria te encarar de um cartaz uma vez para te assombrar para sempre.

Jamais em sua vida seria pouco valorizada ou não amada, e já era possível ver no seu ar modesto e despretensioso que ela já tinha a confiança inviolável de uma orquídea celestial crescida entre trevos e mato. Se sabia alguma coisa da vida, era que a criança terminaria como um nome maior que o dele e de Karno juntos. Era inevitável.

O fato de a menininha ser carregada pela baixinha e formosa não significava necessariamente que eram mãe e filha, ele refletiu, tentando ser otimista, embora mesmo daquela distância fosse impossível não notar a semelhança. Ainda assim, havia uma chance de que aquela belezinha de mulher fosse a tia daquela pequena visão, cuidando da bebê enquanto os pais estavam no trabalho, e portanto poderia ser solteira, apesar das aparências. Mas isso não tinha muita importância no longo prazo, tudo o que ele queria era passar dez minutos em alguma conversa agradável em clima de flerte, não fugir para Gretna[37] com ela, mas de algum modo sempre ficava desconfortável em passar uma cantada em uma mulher casada.

Subindo a ladeira, a mulher olhava para o terreno baldio que ele havia notado antes, contemplando com ar sonhador o arbusto-das-borboletas que irrompeu das pilhas de tijolos velhos caídos, aparentemente ignorando o fato de ser observada. Ele já tinha a atenção da bebê, no entanto, então pensou em investir nisso e ver até onde chegaria. Baixou o queixo até que tocasse o colarinho e o nó gordo de sua gravata, então olhou para a bebê por sob os cílios encurvados de avestruz e dos hífens negros das sobrancelhas. Ele abriu para a pequena beldade que o olhava bem séria o que sabia ser seu sorriso mais endiabrado, acompanhado de um breve e tímido bater de pálpebras. Subitamente, irrompeu em uma explosão estrondosa de sapateado nas pedras gastas, que durou não mais de três segundos antes de terminar, e então ficou imóvel e desviou o olhar para cima, fingindo repudiar seu próprio interlúdio terpsicórico como se não tivesse acontecido.

Em seguida, de tempos em tempos, lançou olhares tímidos e furtivos sobre o ombro, como se para ver se a criança querúbica estava olhando para ele, embora soubesse que estaria. A cada vez que encontrava o olhar dela, que agora parecia levemente mais feliz e entretido, escondia o rosto, como que envergonhado, e se virava enfaticamente para o outro lado por um momento antes de deixar o olhar voltar, fingindo relutância, para outra espiada nela por cima dos ombros, como em um jogo de esconde-esconde. Na terceira vez que fez isso, viu que a mulher bonita carregando a criança havia sido alertada pelos gorgolejos de sua carga e olhava para ele também, com um sorriso de sabedoria que parecia de apreciação, mas ao mesmo tempo era desafiador de algum modo, como se ela o avaliasse de acordo com uma medida que ele não conhecia. A brisa agora subia, e o dia esfriava, destruindo as cabeças de dente-de-leão que cresciam no terreno baldio e espalhando as sementes pela rua. O vento balançava os cachos da mulher como amentos lustrosos enquanto ela o estudava, decidindo se aprovava o que via.

Parecia que sim, embora talvez não sem reservas. Agora a apenas alguns passos dele, chamou Oatsie alegremente da pequena distância restante.

— Você tem uma admiradora.

Ficou claro que falava da bebê.

Estranhamente, a voz dela era como geleia de cassis, uma paixão dele na época. Ao mesmo tempo trivial e frutada de forma encorajadora, com notas sugestivas, sua doçura tinha uma qualidade de fartura escura gotejante e, bem, a sugestão de uma certa pungência. O sotaque, porém, não tinha a entonação estranha de Northampton que ele esperava ouvir. Se Oatsie não fosse um especialista no sotaque do sul de Londres, poderia jurar que ela era de lá.

Àquela altura ela tinha chegado à esquina, onde parou, a uns trinta centímetros dele. Mais de perto, agora que podia ver a mulher e a bebê com mais detalhes, elas não o desapontavam. Se a criança fosse mais bonita ou perfeita, ele teria chorado, enquanto a acompanhante adulta, em quem seus olhos estavam pousados, tinha um brilho e uma afetuosidade que melhoravam a primeira impressão que deixou nele lá de baixo da ladeira. Parecia ter sua idade, e o verão quente que se aproximava do fim havia deixado sardas em seu rosto e seus braços que eram versões em miniatura das manchas nos lírios. Ele percebeu que a encarava e decidiu que era melhor dizer alguma coisa.

— Bem, desde que minha admiradora saiba que eu estava aqui a admirando antes que ela me admirasse.

Aquilo não era tão claramente sobre a bebê, essa ambiguidade o agradou. A mulher riu, e foi como música, mais como a do piano de um bar numa noite de sexta do que a de Debussy, mas ainda assim música. O céu poente estava pintado de outras cores agora, pilhas melancólicas de ouro como tesouros públicos perdidos sobre o gasômetro, manchas em tons pastel de violeta pálido e malva de hematoma nas extremidades, enquanto ela respondia.

— Aaaah, para co' isso. Vai deixar ela convencida, e aí vai ficar mimada e ninguém vai querer nada com ela.

Nisso ela mudou o modo que segurava a criança, jogando o peso para o outro braço, permitindo que ele visse sua mão esquerda e a aliança simples no terceiro dedo. Ah, tudo bem. Ele percebeu que estava gostando da companhia e não se importou muito com o fato de que não levaria a lugar nenhum. Mudou o rumo de conversa elogiosa, de modo que agora era dirigida apenas à bebê, e, livre da necessidade de deixar uma boa impressão na mulher, Oatsie ficou surpreso em perceber que, para variar, estava sendo sincero em cada palavra.

— Não acredito. Ela tem cara de quem precisa de mais que um pouco de adulação para ficar mimada, e aposto cinco contos que vai atrair gente aonde quer que for. Como é o nome dela?

A mulher virou o rosto na direção da menininha em seus braços, para sorrir com afeição e com orgulho ao fazer suas testas se tocarem suavemente. Havia gansos sobre o gasômetro.

— O nome dela é May, que nem o meu. May Warren. Qual é o seu, aliás, parado aqui na esquina do Vint's Palace, com esses olhos de cafetão?

Oatsie ficou tão chocado que sua boca se abriu. Ninguém nunca tinha descrito daquele jeito o que ele ainda considerava ser seu olhar ardente. Depois de um instante de silêncio estupefato, no entanto, riu com admiração genuína da percepção da mulher e de sua sinceridade brutal. O que serviu para deixar o insulto muito mais engraçado foi que, bem no momento em que foi dito, a bebê da mulher virou a cabeça e olhou diretamente para ele, com um olhar empático e intrigado, como se a criança ecoasse a pergunta da mãe, também imaginando o que ele fazia ali na esquina com olhos de cafetão. Isso fez com que ele risse mais e por mais tempo, com a mulher soltando risinhos junto deliciosamente, e por fim com a filhinha se juntando a eles também, sem querer parecer que não tinha entendido.

Quando enfim pararam, ele percebeu com um certo espanto como era bom, depois de meses e anos de comédia roteirizada, dar uma risada real, espontânea, em especial de uma brincadeira cujo alvo era ele. Uma brincadeira que lhe dizia que ele estava ficando cheio de si,

e que as sérias preocupações profissionais que o angustiavam há cinco
minutos provavelmente deveriam ser também exageradas e infladas.
Tinha colocado as coisas em perspectiva. Ele considerou que era para
isso que os risos serviam.

Apontou com o rosto, com a menor soberba de que era capaz, na
direção de seu nome no pôster no qual se apoiava, mas disse a ela para
chamá-lo de Oatsie. Afinal, era assim que todos os amigos o chamavam
e Charles soaria muito esnobe para uma garota como aquela. No início, quando ele e Sydney eram crianças, a mãe, bem de vida, gostava
de desfilar seus meninos pela Kennington Road em roupas que sabia
que ninguém por ali poderia comprar nem em seus sonhos mais loucos.
Aquilo tinha feito a queda para a pobreza e a meia improvisada a partir
da meia-calça vermelha plissada da mãe algo ainda mais insuportável.
Desde então ele temia que as pessoas o achassem cheio de si, e por isso
fossem ainda mais cruéis se algum dia estivesse por baixo. Oatsie ser-
viria, pensou. Os nomes deles até tinham um toque rural de festa da
colheita. Oatsie e May, aveia e maio.

A mulher olhou para ele, espremendo os olhos interrogativamente,
com leques em miniatura de rugas decorativas se abrindo e fechando
nos cantos.

— Oatsie. *Oats and barley*. Cê é londrino.

Ela inclinou a cabeça um pouco para trás e para o lado, mirando-o
com o que parecia uma careta de profunda suspeita, deixando-o preocupado por um minuto. A moça tinha algo contra Londres? Então o rosto
dela relaxou em um sorriso de novo, mas agora com algo de sabedoria,
uma qualidade felina.

— De Lambeth. West Square, saindo da St. George's Road, em Lambeth. Estou certa?

A bebê tinha perdido o interesse em Oatsie e agora se divertia usando
suas pequenas mãos para puxar os emaranhados cabelos vermelhos da
mãe, que, aparentemente, sentia dor a cada puxada. Ele ficou de boca
aberta pela segunda vez em poucos minutos, embora dessa vez não fosse
um prelúdio para a hilaridade. Francamente, tudo aquilo o deixara nervoso. Quem era essa mulher que sabia coisas que não poderia saber? Era
uma cigana? Aquilo tudo era um sonho que estava tendo na idade de
seis anos, sobre o mundo esquisito em que estaria quando fosse mais
velho, em um sono agitado, com a cabeça raspada esfregando no pano

áspero do travesseiro do asilo de pobres? Ali e então sentia-se como se tivesse deixado a noção do que era real escorrer pelos dedos, e uma vertigem momentânea caiu sobre ele, fazendo as ruas que partiam da encruzilhada parecerem girar como a agulha de uma bússola quebrada. Fumaça de chaminé e nuvens douradas giravam em círculos esvoaçantes de mais de um quilômetro e meio, presos no arranque centrífugo do horizonte. Não sabia mais onde estava e o que acontecia entre ele e aquela mãe belíssima. Mesmo a uma certa distância, sabia que ela seria especial, mas a verdade ia muito além do que havia previsto. Ela era mais do que surpreendente, ela e a filha sobrenatural.

Vendo o pânico e a confusão nos olhos dele, ela riu de novo, um borbulhar gutural que era astuto e também levemente lascivo. Ele teve a impressão de que ela gostava de assustar as pessoas de vez em quando, tanto para se divertir como para mostrar seu poder. Enquanto seu respeito por ela subia a cada segundo, o desejo sentido quando a viu pela primeira vez evaporava em proporção direta. Aquela era alguém que, apesar da estatura modesta, era uma pessoa maior do que ele se considerava. Aquela garota, pensou, poderia devorá-lo e então arrotar alto e seguir seu caminho sem pensar duas vezes.

Por fim, no entanto, ela ficou com pena dele. Desembaraçando os anéis de cabelo dos dedos do bebê enquanto a jovem May era devidamente distraída por outro bonde deslizando e tilintando, ela provou que não era nenhuma mágica profissional explicando como sua leitura de mente fora conquistada.

— Sou de Lambeth, saindo de Lambeth Walk em Regent Street, aquela fileirinha de casas. Vernall. É meu nome de solteira. Eu lembro que nossa mãe e nosso pai nos levavam para lá quando eu era uma menininha. Tinha um bar que eles frequentavam, na London Road, e na volta para casa pegávamos um atalho pela West Square. Eu vi você lá uma ou duas vezes. Você tinha um irmão mais velho, não?

Ele ficou aliviado, embora não menos admirado. A memória prodigiosa da mulher, embora fosse muito além de suas próprias capacidades, não era atípica daqueles que haviam crescido em pequenas vizinhanças apinhadas de gente, onde todos pareciam saber o nome de todos em um raio de mais de três quilômetros, junto do nome de todos os filhos e os nomes dos pais e todas as peculiaridades e os filamentos desconcertantes do acaso que interligavam as gerações. Jamais tendo aprendido o truque,

talvez por ter sempre esperado que não ficaria preso por muito tempo
por ali, ele foi pego desprevenido quando se viu como alvo naquele local
improvável, naquela cidade afastada. Ao contrário da mulher, não conseguia se lembrar de nenhum dos encontros de infância.

— Sim. Você está certa, eu tinha um irmão, Sydney. Ainda tenho, por
sinal. Quando esteve por lá, então? Quantos anos você tem?

Naquele ponto, ela levantou uma sobrancelha reprovando aquela
falta de modo, de perguntar sua idade, mas por fim respondeu.

— Tão velha quanto a minha língua, só que mais velha que os dentes.
Tenho vinte, se quer saber. Nasci em dez de março de 1889.

Quanto mais ela o tranquilizava que havia uma explicação natural
para que soubesse o seu endereço de infância, mais misterioso o encontro casual lhe parecia. Aquela mulher surpreendentemente impositiva
tinha nascido com um mês de diferença dele e vivido talvez a menos
de duzentos metros quando eram crianças. Agora ali estavam eles, a
noventa e seis quilômetros e vinte anos de distância do local de origem, justamente naquela esquina entre tantas centenas e justamente
naquela cidade entre tantas centenas. Isso fez com que ele repensasse
suas opiniões anteriores sobre predestinação e se as pessoas de fato
tinham uma pista do caminho que havia diante de si. Agora percebia
que na verdade eram duas questões distintas, que exigiam duas respostas diferentes. Sim, achava que provavelmente havia um padrão na
forma como as coisas aconteciam, esboçado com antecedência, ou ao
menos parecia haver, mas por outro lado também considerava que, se
um esquema como esse existisse, seria grande demais e bizarro demais
para ser lido ou entendido, então ninguém poderia prever como todos
os seus arabescos se desenrolariam, a não ser por acidente. Você poderia tentar prever todas as formas que uma nuvem roxa assumiria antes
de sumir no crepúsculo, ou qual carroça abriria caminho para qual
quando se encontrassem nas esquinas do cruzamento. Era tudo complicado demais, ia além da compreensão, por mais que todos os profetas e leitores de folhas de chá pudessem fingir entender. Ele sacudiu a
cabeça, respondendo a ela, murmurando um comentário inadequado
sobre ser um mundo pequeno.

A linda bebê agora se mexia sem parar, e Oatsie temeu que a mãe
usasse aquela desculpa para levá-la para casa e encerrar a conversa, mas
em vez disso ela perguntou o que ele fazia no Palace of Varieties, ou

Vint Palace, como insistia em chamá-lo. Ele contou que geralmente fazia um pouco disso e daquilo, mas que naquela noite interpretaria o Ébrio em *Mumming Birds*, de Fred Karno. Ela respondeu que parecia uma coisa muito divertida, e que sempre achou que deveria ser ótimo trabalhar no mundo do entretenimento.

— Veja só, o nosso menino, nosso Johnny, ele sempre fica falando de palco. Meu irmão caçula. Acha que vai terminar no teatro ou tocando música com alguma banda, mas só sabe falar. Não quer fazer aula, nem se a gente pudesse pagar. Para ele, aula é muito parecido com trabalho de verdade.

Ele assentiu em resposta, observando uma carroça de leite voltando para o depósito na parte baixa da rua, atrás dela. De onde ele estava, parecia ter dois centímetros e meio, arrastada por sua mula encolhida e desconsolada pelo ombro direito da garota, perdendo-se na floresta de outono de seu cabelo por um bom tempo antes de reemergir do lado esquerdo e então sumir cansadamente das vistas.

— Bem, se seu irmão não quer investir seu tempo, não vai muito longe como artista. Mas, veja bem, ele pode ganhar dinheiro como agente ou empresário, e assim vagabundear o quanto quiser.

Ela riu daquilo e disse que iria passar adiante o conselho. Ele tirou vantagem da pausa para perguntar a ela por que chamava o lugar de Vint Palace.

— Ah, foram muitos nomes ao longo dos anos. Nosso pai tem família em Northampton desde que me entendo por gente, sempre indo de lá para cá entre aqui e Lambeth, então ele ia se inteirando das mudanças. Começou como Alhambra Music Hall, pelo que ele disse, e então mudaram para Grand Variety na época que eu nasci. De acordo com nosso pai, teve um tempo difícil depois, quando deixou de ser teatro por um tempo. Por uns cinco anos foi um negócio diferente a cada mês. Um dia era uma quitanda e no outro era uma loja que vendia bicicletas. Foi um bar chamado Crow que depois se mudou pro outro lado da rua pra ser o Crow and Horseshoe, e eu lembro que quando era menina, faz uns dez anos, era um café. Todos os livres-pensadores, como chamavam, frequentavam o lugar, e alguns eram uns belos de uns tontos, vou te dizer. Enfim, no ano que a rainha morreu, foi quando reformaram e batizaram de Palace of Varieties. O velho senhor Vint, ele comprou o lugar faz um ano, mas ainda não mudou a placa.

Oatsie assentiu, olhando para o velho estabelecimento sob uma nova luz. Por ter se apresentado ali como um Lancashire Lad tantos anos antes, e era um teatro de variedades na época, achava que havia continuado a ser um desde então, e que sempre tinha sido, e provavelmente sempre seria. A lista apresentada casualmente pela jovem das atividades a que haviam dedicado o lugar naquele meio-tempo o deixou desconfortável, embora não pudesse especificar o motivo. Oatsie imaginava que era porque o mundo em que foi criado, por mais horrível e sufocante que fosse, ao menos ficava como estava de um ano para o outro, e em muitos casos de um século para o outro. Até naquela esquina maltratada de Northampton, um lugar tão precário quanto a Lambeth em que ele nasceu, era possível ver que as construções ao redor ainda abrigavam os mesmos negócios de cem anos antes, ainda que os nomes e os donos tivessem mudado. Era por isso que a descrição feita pela garota das reviravoltas do salão o preocuparam, porque era uma história ainda relativamente rara, embora aparecessem outras a cada semana. Como tudo seria, ele se perguntou, quando esses pulgueiros efêmeros fossem a regra, e não a exceção? Se voltasse ali em, digamos, quarenta anos, e visse que era um lugar que vendia, sabe-se lá, armas elétricas ou algo assim, e não mais um teatro de variedades? Talvez a essa altura nem existissem teatros de variedade. Ora, era um exagero, obviamente, mas era como a narrativa improvisada de May o fez se sentir, incomodado com o modo como as coisas eram naqueles dias, no mundo moderno. Mudou de assunto, perguntando algo sobre ela.

— Enfim, você parece conhecer bem o lugar, garota. Há quanto tempo está morando aqui?

Ela olhou pensativa para os restos de uma nuvem cirrus lilás naquele campo de azul cada vez mais profundo, enquanto sua bebê surpreendentemente bem-comportada e tranquila chupava um dedão brilhante e olhava, com aparente indiferença, para Oatsie.

— Noventa e cinco, acho que era, viemos pra cá quando eu tinha seis anos, mas nosso pai, ele sempre ficou indo e vindo, para conseguir trabalho. Ele vai andan'o, o velho diabo, de lá pra cá até Londres. Muitas vezes, quando a gente não tinha notícia dele por seis semanas, nem sinal, aí ele voltava dançan'o, meio bêbado, com presentes, coisinhas pra todo mundo. Não, não é um lugar ruim. Esse pedaço aqui é bem parecido com Lambeth, o jeito que o povo é. Às vezes nem sinto que mudamos.

Algumas das lojas estreitas do outro lado da Horseshoe Street acendiam suas luzes agora, um brilho fraco tingido de verde em torno das bordas, que saía por entre os arranjos esparsos e cheios de sombra nas vitrines da frente. Baixando os olhos das chaminés, a May mais velha olhou com orgulho para a mais novinha, aninhada em seus braços robustos, de lírio pintado.

— Acho que estou aqui pra ficar, pelo menos espero que sim, e espero que a pequena aqui também fique. São um povo honesto aqui nessas partes, no geral, e tem umas figuraças. Aqui foi onde conheci meu homem, meu Tom, e casamos na prefeitura. Toda a família dele, são todos daqui, todos os Warren, e temos muita família aqui do lado dos Vernall também. Não, é bom, Northampton é bom. Fazem uma boa torta de porco, e tem uns parques lindos, Victoria, Abington e Beckett. Foi onde acabei de levar ela, ali perto do rio. Vimos os cisnes e fomos na ilha, não fomos, minha patinha?

Aquilo havia sido dirigido para a bebê, que finalmente começava a mostrar sinais de inquietude. A mãe fez bico com o lábio inferior e levantou as sobrancelhas em um ângulo trágico, imitando a expressão desalentada da filha.

— Ela deve estar com fome. Indo para o parque, parei no Gotcher Johnson para comprar cinquenta gramas de gotas de chocolate, mas eu comi uma ou duas também, então acabaram faz um tempo. Melhor levá-la para casa, em Fort Street, para o lanche dela. É carne enlatada, o que ela mais gosta. Foi bom conhecer você, Oatsie. Espero que seu número saia bem.

Com isso, ele se despediu de ambas as Mays e disse que havia sido igualmente bom conhecer as duas. Apertou a mão minúscula e molhada da bebê e disse a ela que esperava ver seu nome em um grande cartaz um dia. Para a mãe, apenas disse "Cuide dela", e então a mulher riu e assegurou que faria isso, e ele se perguntou o porquê de ter dito aquilo. Que coisa estúpida de se dizer, meio que insinuando que ela não fosse cuidar de uma criança como aquela. A bebê e a mãe esperaram até o tráfego ficar livre, então atravessaram no pé da Gold Street e subiram na direção norte. Ele ficou ali em sua esquina e admirou a bunda da mulher se movendo sob a saia, balançando conforme ela subia a ladeira, com o traseiro imaginado como dois rostos apertados enquanto seus donos dançavam um two-step vigoroso. Ou talvez dois lutadores musculosos se atracando, cada um por sua vez empurrando alguns centímetros o oponente, que imediatamente empurrava de volta, criando um impasse que fazia parecer que apenas estavam balançando de um lado para o outro. Neste ponto ele notou a bebê, olhando sobriamente para ele sobre o ombro da mulher, enquanto era levada à distância. Sentindo-se estranhamente mortificado ao pensar que a criança o flagrou olhando para o traseiro da mãe, ele se voltou rapidamente para o terreno cheio de mato no meio do caminho da ladeira, e quando olhou de volta, apenas um minuto depois, elas tinham desaparecido.

Ele olhou para ver que horas eram, então pescou outro Woody do maço cada vez mais vazio e o acendeu. Havia sido uma conversa engraçada, pensando bem. Tinha causado um impacto nele que apenas agora começava a entender. Aquela mulher, May, era nascida apenas semanas depois dele e criada nem meia dúzia de ruas adiante, e de algum jeito ambos se encontraram em uma esquina de outra cidade vinte anos depois. Quem acreditaria nisso? Era um daqueles acontecimentos improváveis que aconteciam de vez em quando, mas quando aconteciam sempre eram desconcertantes. Havia sempre a sugestão de um padrão no modo como as coisas funcionavam que era possível entender, porém quando se tentava identificar que significado ou sentido poderia ter, tudo se desmanchava, e não restava muito mais clareza do que antes.

Talvez o único significado dos acontecimentos fosse o que damos a eles, mas saber disso sinceramente não ajudava muito. Isso não impede ninguém de caçar significados, esgaravatando-se atrás deles como furões através de um labirinto de tocas em nossos pensamentos e às vezes ficando perdido no escuro. Ele não conseguia deixar de pensar na mulher que tinha acabado de conhecer, na forma como o encontro com ela havia agitado sedimentos de vinte anos em seu leito, e como se sentia a respeito. O cerne da coisa, pensou, era que as similaridades entre o seu passado e o da mulher fizeram todas as diferenças entre os dois se destacarem como que em alto-relevo.

Para começar, estava a ponto, ou pelo menos assim esperava, de escapar da prisão suja de fuligem das origens comuns dele e da mulher, da pobreza, da obscuridade e de ruas como aquela, onde agora o céu era cortado em diamantes de um azul profundo pelos suportes de ferro do gasômetro. Escapar da Inglaterra, inclusive, se pudesse. No caso de uma briga vindoura com a Alemanha, Sir Francis Drake esperava estar deitado em uma rede, a mil quilômetros de distância. Quanto à vivaz jovem mãe, May, ela não tinha aquelas oportunidades. Sem os talentos que ele herdou ou aprendeu de seus pais artistas, tinha vivido uma vida mais limitada em termos tanto de expectativas quanto de probabilidades, e seus horizontes, dos quais não sentia necessidade de ir além, eram muito mais próximos do que os limites em torno da vida dele. Ela mesma tinha dito que viveria ali no distrito a vida toda, e sua filhinha maravilhosa também. Não havia esperanças ou sonhos que ela buscasse, Oatsie sabia. Em vizinhanças como aquela, essas coisas não eram práticas, eram apenas inconveniências opressivas e dolorosas. A jovem vivaz estava resignada a viver e morrer, ao que parecia, dentro da pequena jaula de suas circunstâncias; nem parecia saber que tinha uma jaula, ou ver suas grades sujas. Ele agradeceu ao eventual anjo da guarda que pudesse ter por lhe dar ao menos uma pequena chance de evitar uma sentença perpétua como aquela sob a qual ela existia. Cada mulher, homem ou bebê que passava por ele sob o crepúsculo degradado e infuso com curtumes era um condenado para todos os propósitos e intenções, cumprindo suas penas em condições duríssimas, sem nenhuma perspectiva de indulto ou perdão. Todos estavam seguros, preservados na lavanda da mortalha.

Mas May parecia contente, e nem um pouco resignada. May parecia mais contente do que Oatsie se sentia.

Ele pensou nisso, soprando uma samambaia de fumaça que oscilava em tons ardósia e sépia, através dos belos lábios em bico. O lápis-lazúli dos céus foi se tornando gradualmente mais profundo e algumas das carruagens que passavam pela junção agora tinham acendido as lanternas. Como caracóis luminosos, subiam morro acima e brilhavam no anoitecer sem saída.

Ele entendeu que havia um outro lado de ser pobre, não ter nada, nem mesmo ambições. Era verdade que May e todos os outros como ela não tinham sua motivação, seus talentos ou suas oportunidades para progredir, mas também não tinham suas dúvidas, seus medos de fracasso ou aquele penoso e persistente sentimento de culpa. Eram pessoas que, de cabeça baixa, iam pisando o desgastado pavimento outonal, e não fugiam de nada, não fugiam das ruas de onde vinham, então não precisavam sentir o tempo todo que eram desertores. Os pobres conheciam seus lugares de mais de uma maneira. Sabiam exatamente onde estavam em relação à sociedade, e, mais que isso, conheciam seu lugar; conheciam os tijolos que os cercavam tão intimamente que era quase uma forma de amor. A maioria das pobres almas passando pelas comportas daquele cruzamento vinham de famílias que, ele sabia, tinham vivido por aquelas partes por gerações, apenas porque a distância que se podia viajar era mais limitada antes da existência de trens. Seguiam por aqueles atalhos sabendo que os avós e bisavós tinham feito a mesma coisa cem anos antes, deixavam os problemas de molho nos mesmos pubs e depois os despejavam nas mesmas igrejas. Cada detalhe miserável daquela vizinhança estava no sangue deles. As vielas emaranhadas e as casas de tortas caindo aos pedaços eram o corpo disperso do qual emergiram. Conheciam todas as ruelas emboloradas, todos os galões que recolhiam água da chuva onde as bicas de metal haviam enferrujado até ficarem finas como papel. Todos os cheiros e manchas da região eram familiares para eles como as verrugas de suas mães e, mesmo se seu rosto estivesse enrugado e sujo, jamais iriam embora e a deixariam. Mesmo se ela ficasse louca, eles...

Havia lágrimas em seus olhos. Ele piscou para contê-las e então deu três tragos rápidos no cigarro antes de limpar o excesso de umidade com a ponta dos dedos, fingindo que a fumaça os tinha irritado. Seja como for, nenhum dos passantes olhava para ele. Sentiu uma raiva súbita de si mesmo por todos os sentimentos piegas que ainda acalentava e com a facilidade com que as lágrimas brotaram. Ele era um homem agora, de vinte anos, embora às vezes sentisse que tinha trinta, e não deveria mais choramingar feito uma criancinha. Não tinha seis anos. Não estava chorando por causa dos cachos tosados no Asilo de Pobres de Lambeth, e não era 1895. Embora soubesse que ainda não havia assimilado totalmente o fato, aquele era o século XX. Uma época que precisava de pessoas inteligentes, atualizadas e com visão de futuro, não de gente lacrimosa pensando no passado. Se quisesse fazer algo da vida, era melhor se recompor, com firmeza. Tragando profundamente o cigarro, segurou a fumaça e olhou ao redor, na interseção que lentamente escurecia, tentando olhá-la de um ponto de vista moderno e realista, em vez de sentimental e nostálgico.

Sim, era possível olhar para a coleção aleatória de trambolhos desgastados pelo tempo como uma mãe, isso ele conseguia ver. Ao mesmo tempo, assim como uma mãe, não era uma coisa que duraria para sempre. A idade tinha trazido as mudanças, que estavam longe de acabar. Como havia pensado poucos momentos atrás sobre as gerações anteriores terem oportunidades restritas de viajar, entendia que as coisas seriam muito diferentes nessa nova era iluminada. A locomotiva a vapor havia alterado tudo, e nas ruas de Londres agora se viam carruagens motorizadas, e ele achava que haveria mais com o tempo. Comunidades com décadas a perder de vista como aquela em torno dele talvez não parecessem tão bem unidas se os habitantes tivessem uma chance, fácil e barata, de ir para onde havia trabalho melhor sem andar noventa e seis quilômetros, como o pai da garota fazia. Mesmo sem uma guerra para dizimar seus jovens, duvidava que os laços que conectavam as pessoas a um lugar como aquele durariam outros cem anos. Distritos como aquele estavam morrendo. Não era nenhuma traição querer pular fora deles para algum lugar seguro antes que finalmente fossem destruídos. Por que alguém que tivesse visto o mundo, que se sentia livre para ir e vir conforme achasse conveniente, iria querer ficar preso em um depósito de lixo, uma cidade, até um país, que era daquele jeito? Qualquer um com juízo e meios sairia rápido como um tiro, o mais depressa que pudesse. Não havia nada a mantê-lo ali, e...

Por entre o brilho assentado sobre a ladeira vinha um velho negro, em uma bicicleta que tinha cordas presas nas armações em vez de pneus, puxando um carrinho com o mesmo tipo de rodas atrás. Chacoalhava sobre os paralelepípedos como um esqueleto de histórias de fantasmas.

Oatsie se perguntou, pela segunda vez em meia hora, se estava sonhando. Era o mesmo homem, pilotando a mesma caranguejola esquisita, como na tarde doze anos antes quando esteve ali com Boysie Bristol, naquela mesma esquina, dizendo "Sim, mas se eles são milionários, por que agem como vagabundos?".

O negro parou a estranha geringonça no topo da Horseshoe Street, na esquina oposta à de Oatsie, esperando que um ônibus puxado a cavalo fosse para o outro lado. Ele tinha envelhecido naquele meio-tempo, claro, e o cabelo e a barba agora eram muito brancos, mas sem dúvidas era o mesmo homem. Dessa vez, ele não notou Oatsie, ficou escanchado no selim, esperando o ônibus passar para que pudesse seguir ladeira acima. Tinha uma aparência distante e levemente perturbada nos traços fortes e largos e não parecia estar no mesmo estado de humor expansivo de quando se encontraram pela última vez, quando a velha rainha ainda estava viva e era um mundo diferente. Mesmo se Oatsie ainda fosse um menino de oito anos ansioso e boquiaberto, duvidava que o negro o teria notado, pensativo e distraído como parecia estar.

Tendo o ônibus já passado, o homem levantou os pés, que ainda tinha blocos de madeira presos debaixo dos sapatos. Ele os colocou nos pedais, ficando ereto e inclinando-se para a frente enquanto fazia força, gradualmente adquirindo o impulso que o levaria com seu carrinho além do cruzamento e para o alto da ladeira através da escuridão que caía, na qual logo seria perdido de vista.

Observando o sujeito negro desaparecer, ele sugou o cigarro sem perceber o quanto já estava consumido, chamuscando as pontas dos dedos e o fazendo urrar ao jogar a brasa no chão, pisando sobre ela em uma retribuição raivosa. Enquanto estava ali xingando, sacudindo os dedos para que a brisa acalmasse a queimadura, experimentou uma sensação de perplexidade com o que havia acabado de acontecer, toda a atmosfera daquele local peculiar no qual coisas assim pareciam acontecer o tempo todo. Pensar que nos doze anos desde sua última passagem por ali, depois de rodar os quatro cantos da Inglaterra e ter sua aventura parisiense, de todas aquelas noites diferentes passadas em todas aquelas vilas e cidades, durante todo aquele tempo o negro ainda estava ali, indo para lá e para cá, fazendo o mesmo caminho todos os dias. Ele não saberia dizer por que achava aquilo tão maravilhoso. Por acaso pensava que as pessoas desapareciam quando não estava olhando para elas?

Porém, um camarada como aquele, que já tinha visto a América pela qual Oatsie tanto ansiava, e apesar disso decidira ficar ali... podia não ser motivo para ficar maravilhado, mas sem dúvida era um enigma. Levantando as sobrancelhas e os ombros ao mesmo tempo em um movimento teatral exagerado de perplexidade dirigido a ninguém em particular, deu uma última olhada no cruzamento enquanto o local se afogava em anil e então caminhou os poucos passos até a porta da frente diminuta do Palace of Varieties. Ele a empurrou e adentrou seu espaço levemente mais quente, passando pela bilheteria com um aceno de cabeça e um grunhido para o grandalhão indiferente que estava lá dentro. Ele se perguntou a respeito de como seria a plateia, se teriam muita gente naquela noite, mas nunca era possível adivinhar. A questão ali não era bem as dádivas dos deuses lá de cima, e sim quantos traseiros conseguiriam colocar nos assentos dos balcões lá de cima.

O pequeno depósito caiado que servia como camarim ficava embaixo de uma série curta, mas intricada, de corredores de tábuas e depois de um pátio abarrotado e de aparência antiquíssima, com um banheiro e poças estagnadas que haviam assumido uma posição permanente nas pias sobre as pedras que afundavam. Tinha entrado no camarim um pouco antes para guardar uns equipamentos e objetos cenográficos, mas ainda não tinha dado uma boa olhada no lugar. Para sua surpresa, as instalações aparentemente inabitáveis contavam com um lampião a gás colocado na metade de uma parede descascando, no qual rapidamente colocou um fósforo, para que pudesse jogar um pouco de luz sobre o local em questão.

Já tinha visto coisa pior. Havia uma pia de pedra amarela no canto, com a torneira de lata curvada para um lado, toda retorcida, e veios de azinhavre cor de espinafre corriam pelo metal, fazendo-o parecer um queijo pútrido. Encontrou um espelho quebrado do tamanho de um livro em uma moldura de madeira, pendurado em um prego torto na parte de dentro da porta, e ficou de pé diante dele enquanto apalpava o interior do bolso do peito do paletó atrás de um pedaço de rolha. Com ela em mãos, acendeu outro fósforo e segurou a parte já escurecida na chama, para obter uma fuligem nova e não muito desbotada, que pudesse ser vista da última fileira. Afastando a fumaça e esperando apenas um momento para que seu bastão improvisado de maquiagem esfriasse, olhou-se no espelho quebrado. Ignorando a fissura preta que corria em uma diagonal íngreme sobre seu reflexo, permitiu que seus traços relaxassem na inclinação turva de sabujo do Inebriado, seu sorriso bêbado e torto, com olhos ramelosos que mal conseguia manter abertos.

Primeiro esmagou um pouco da cinza gordurosa da rolha em uma poeira entre os dedos e começou a passá-lo debaixo da linha da mandíbula, trabalhando o pó preto em torno da boca apertada e no rosto abaixo dos ossos das bochechas, onde ficava a barba por fazer acinzentada de um sujeito saído de uma bebedeira que estava sem se lavar e se barbear por alguns dias. Usando o toco da rolha, enfatizou os vincos abaixo do queixo puxado para trás até que se visse a aparição de um queixo duplo, então começou a trabalhar nas órbitas dos olhos para conseguir a aparência extenuada de um vagabundo, antes de progredir para as sobrancelhas pesadas e de arcos dissolutos. Pintou um bigode caído e fatigado no lábio superior onde não havia nenhum, deixando as pontas descerem pelos lados da boca em linhas soltas. Quase satisfeito com a aparência do rosto, limpou o carvão dos dedos diretamente no cabelo seboso, bagunçando-o de propósito, deixando partes de pé e cachos que se espalhavam em todas as direções, como grandes ondas oleosas em um mar agitado.

Verificou a imagem no espelho fraturado, olhando nos próprios olhos. Avaliou que estava quase lá. Começou a cuidar dos detalhes menores, aprofundando as rugas nos cantos da boca e dos olhos, com o rosto todo começando a ganhar uma palidez acinzentada graças à generosa aplicação de fuligem. Podia ser assustador, às vezes, sentar-se em um local silencioso, vazio e estranho encarando os próprios olhos enquanto se transformava em outra coisa. Isso fazia com que percebesse que sua opinião sobre si mesmo, sua personalidade, a maior parte daquilo estava apenas em seu rosto.

Observou enquanto o personagem que havia construído cuidadosamente saía das vistas. O olhar animado que usava para conquistar a simpatia das mulheres ou comunicar seu entusiasmo ou sua inteligência, tudo aquilo desapareceu no olhar atordoado do bêbado. O jeito cuidadoso com que mantinha os traços para expressar a confiança entusiasmada de um jovem de um século jovem, tudo isso estava apagado, borrado por um dedão fuliginoso no olhar malicioso da Lambeth dos velhos tempos. Todas as marcas de sua cultura adquirida e das melhorias promovidas em si mesmo, em um esforço para sair do atoleiro ancestral, estavam apagadas. No semblante dividido que o olhava de volta do espelho partido, seu presente restrito e seu grande futuro haviam caído na lama funda e pegajosa que era seu passado. Ali estava seu pai e as centenas de portas de bar nas quais tinha enfiado a cabeça em sua infância quando era mandado para encontrá-lo. Os pequenos vasos sanguíneos estourados nas bochechas dos bêbados, pressionadas no travesseiro gelado de uma sarjeta. O sangue seco lavado em cochos de cavalo. Tudo isso ainda estava à sua espera se ele relaxasse aquele sorriso simpático e alegre por apenas um instante, apenas uma fração de um centímetro.

Havia um aroma de umidade e abandono pairando no cômodo. Sob aquela luz mortiça e vacilante, Oatsie já não distinguia a cor do próprio rosto por baixo das cinzas. Cabelos e olhos negros se destacavam na pele que era cinza-prata. Contida na moldura do espelho, era a fotografia desbotada de alguém preso para sempre em um certo tempo, um certo lugar, em uma identidade inescapável. O retrato de um parente ou de um ídolo de teatro, alguém de um tempo perdido, de quando seus pais eram jovens. Uma imagem eternamente congelada nas emulsões pálidas.

Vestiu o casaco grande demais e amarfanhado que usava como o Ébrio e encheu sua garrafa de "San Diego", feita de vidro verde, na torneira. Em algum lugar não muito longe, torcia para que uma plateia o aguardasse. O lampião a gás sibilou em uma premonição lúgubre.

CEGO, MAS
AGORA VEJO

A marca de um grande homem, achava Henry, estava no jeito que ele lidava com as coisas quando ainda estava vivo, e na reputação que deixava para trás quando morria. Foi por isso que não se surpreendeu ao descobrir que Bill Cody entrou para a Eternidade na forma de um ornamento de telhado feito com pedras encardidas sobre as quais os pássaros vinham fazer suas necessidades.

Quando olhou para cima e viu o rosto que se erguia dos tijolos alaranjados na última casa da fileira, esculpido em um tipo de placa perto do telhado, inicialmente achou que fosse o Senhor. Havia o cabelo comprido e a barba, e um halo que Henry depois percebeu ser a aba de um chapéu de caubói vista de baixo, como se o sujeito estivesse com a cabeça inclinada. Foi quando se deu conta que era Buffalo Bill.

A fileira de casas, que chamavam de geminadas, tinha a rua na frente, e no fundo muitos acres de gramado verdejante, onde faziam corridas e coisas assim. Havia uma espécie de viela indo para o fundo até o terreno das pistas, e era em uma das cumeeiras de frente para essa passagem que estava o rosto esculpido na parede. Henry tinha ouvido falar que o Wild West Show de Cody havia passado pelo terreno onde aconteciam as corridas em Northampton, talvez cinco ou dez anos antes de sua chegada à cidade, o que foi em noventa e sete. Annie Oakley tinha feito sua performance, e alguns índios bravios estiveram ali, segundo os relatos. Ele imaginou que uma das pessoas abastadas que moravam naquelas casas devia ter se afeiçoado por Cody e decidido que ele ficaria bem ali, preso no telhado. Não havia nada de errado com isso. Para Henry, as pessoas podiam gostar do que quisessem, desde que não fosse nada de ruim.

Dito isso, aquela escultura não se parecia muito com Cody, não como Henry se recordava da vez ou duas que tinha visto o homem. Aquilo havia ocorrido fazia muito tempo, era preciso admitir, em Marshall, Kansas, no quarto dos fundos da lavanderia de Elvira Conely. Devia ter sido em setenta e cinco, setenta e seis, algo assim, quando Henry tinha vinte e poucos anos e era um belo jovem, pelo menos em sua opinião. O caso é que ele não tinha prestado muita atenção em Buffalo Bill na época, já que era mais em Elvira que estava de olho. Ainda assim, não achava que o William Cody que conheceu poderia ser confundido com Jesus Cristo Nosso Senhor, não importava o quanto se olhasse de baixo para ele ou o quanto parasse com o chapéu inclinado para trás. Tinha sido um homem vaidoso, ou pelo menos foi essa a impressão de Henry, para ser bem sincero. Duvidava que Elvira teria se aproximado de Cody se isso não fosse importante para sua imagem em Marshall. Mulheres de cor não costumavam ter muitas oportunidades para fazer amizade com brancos famosos.

Henry empurrou a bicicleta e o carrinho pela viela de paralelepípedos vindo da pista de corridas, com as cordas no aro das rodas amassando as folhas que se acumulavam nas sarjetas. Deu uma última olhada para o coronel Cody, onde a fumaça de uma chaminé próxima fazia com que parecesse que o chapéu dele estava em chamas, então subiu no selim com seus blocos de breque nos pés e começou a atravessar as ruas laterais até a via principal que seguia para Kettering, que o levaria de volta para o centro de Northampton.

Não tinha planejado ir para esses lados naquele dia. Seu plano original era pedalar pelas vilas do lado sudoeste da cidade. Um homem que encontrou, no entanto, disse que havia boas lajotas de ardósia em um quintal com grade de ferro ao lado da pista de corrida, onde um barracão tinha quase caído, mas o tal homem devia ser um idiota, porque as lajotas estavam todas quebradas e não valiam nada. Henry suspirou, pedalando para sair da Hood Street e descer na direção do centro, então achou que era melhor animar as ideias e parar de reclamar. Afinal, o dia ainda não podia ser considerado um desperdício total. A leste, o sol aparecia grande e vermelho, pendendo baixo em uma névoa leitosa que se dissiparia assim que a manhã de setembro despertasse de fato e tomasse seu rumo. Ainda tinha tempo para ir aonde queria e voltar para a Scarletwell antes que a noite chegasse.

Na verdade, nem era preciso pedalar para chegar ao centro pela Kettering Road. Tudo o que Henry precisava fazer era descer ladeira abaixo e, de vez em quando, tocar os blocos de breque nos paralelepípedos da rua para não ganhar muita velocidade e sacudir demais o carrinho que puxava atrás de si. As casas e as lojas, com seus letreiros e janelas, iam passando por ambos os lados como a corrente de um rio, enquanto ele descia chacoalhando para o centro. Basicamente, naquela hora da manhã, tinha a rua toda para si. Um pouco além havia um bonde que também ia para o centro, com apenas um par de pessoas no andar de cima, e subindo a ladeira na sua direção vinha um sujeito puxando um carrinho cheio de escovas de chaminé. Além disso, só mais uma ou duas pessoas pelas calçadas, cuidando dos seus assuntos. Uma velha senhora pareceu surpresa quando Henry apareceu pedalando ao lado dela, e dois sujeitos usando boinas que pareciam a caminho do trabalho o olharam fixamente, mas ele estava naquela área por tempo demais para dar atenção a isso. Mesmo assim, gostava mais de onde morava, na Scarletwell. As pessoas ali, muitas delas, estavam em situação pior que a sua, então não havia ninguém o olhando de cima, e quando o viam andando por lá todos se limitavam a gritar "Ei, Black Charley. Como vão as coisas?", e nada mais.

Agora havia uma leve brisa dedilhando os fios dos bondes presos mais acima enquanto ele passava por baixo. Desceu contornando a igreja na esquina da Grove Road à direita e desviou da merda de cavalo espalhada pela rua ao seguir na direção da praça. Fez outra curva quando passou pela capela unitarista do outro lado, e então só havia lojas e bares e o velho depósito de couro atrás da estátua do sr. Bradlaugh. O couro era importante para os negócios por ali, sempre tinha sido, mas Henry ainda achava curioso o fato de que, fora isso, a cidade se compunha basicamente de bares e igrejas. Talvez toda aquela costura de sapatos deixasse as pessoas de um jeito que elas passavam todo o tempo livre enchendo a cara de bebida ou rezando.

Naquele momento em que Henry passou, tinha inclusive um bêbado dormindo aos pés do bloco em que ficava a estátua. Henry imaginou que o sr. Charles Bradlaugh não aprovaria aquilo se estivesse olhando para baixo lá do Céu, considerando suas opiniões tão rígidas contra o álcool, mas até aí, como o sr. Bradlaugh não tinha fé no Todo-Poderoso, era provável que também não aprovasse a ideia de estar no Céu. Henry não sabia como lidar com Bradlaugh ou formar uma opinião sobre ele. Por um lado, o homem era ateu e, para Henry, ateu era apenas outra maneira de dizer tolo. Só que, por outro lado, havia o jeito como se colocava contra bebidas fortes, o que Henry admirava, e também seu apoio aos povos de cor na Índia e ao povo pobre ali da Inglaterra. Tinha falado o que pensava e feito o que considerava a coisa certa, Henry imaginava. Bradlaugh tinha sido um bom homem, e o Senhor provavelmente iria perdoar seu ateísmo, quando levasse tudo em conta, então Henry considerou que precisaria deixar aquilo de lado também. O homem merecia sua bela estátua com o dedo apontado para oeste, para Gales, e o Atlântico e a América atrás, do mesmo jeito que se poderia dizer que Buffalo Bill merecia seu pedaço gasto de pedra. Só porque um sujeito dizia que não era cristão, isso não o impedia de agir como um, e, embora Henry não gostasse de pensar nisso, o contrário também era verdade.

Ele passou pela loja que tinha o chocolate Cadbury e o anúncio do bálsamo de pulmonária da Storton pintado na parte de cima da parede. Havia tido problemas com tosse ultimamente e pensou que talvez devesse tentar um pouco daquele negócio, se não fosse muito caro. Depois tinha a loja de coisas de senhora, então a do sr. Brugger, com todos os relógios de parede e de pulso na vitrine. Adiante, tinha quase alcançado o bonde, que agora via que era o número seis, que ia para St. James's End, que chamavam de Jimmy's End. Na parte traseira tinha um anúncio de óculos de aumento, com dois grandes olhos redondos debaixo do nome da marca, o que fazia parecer que a parte de trás do bonde tinha um rosto. O veículo chegou até o cruzamento do qual se aproximavam e o atravessou diretamente, com o sino ressoando, olhando de volta para ele como se estivesse surpreso ou assustado ao descer a Abington Street, onde Henry virou à esquerda e deslizou pela York Road na direção do hospital, tocando os blocos de madeira nos paralelepípedos de vez em quando para desacelerar.

Havia outro cruzamento ao lado do hospital, na metade do caminho, com a rua que ia na direção de Great Billing. Ele o atravessou e seguiu descendo a ladeira pelo mesmo caminho. Na esquina do pátio da frente do hospital, enquanto passava, perto da estátua da cabeça do rei que havia ali, alguns meninos riram de suas rodas com cordas. Um deles gritou que Henry precisava tomar um banho, mas ele fez que não tinha escutado e desceu para o parque Beckett, que costumava ser chamado de Cow Meadow. Eram ignorantes, criados por gente ignorante. Era só não dar atenção que logo encontravam outra bobagem para rir. Não iam enforcá-lo nem atirar nele e, sendo assim, podiam gritar o que quisessem. Desde que não se incomodasse, tudo o que faziam era dar uma de idiotas, em sua opinião.

Virou para a esquerda na parte mais baixa, fazendo a curva no velho muro de madeira amarelo e entrando na Belford Road bem ao lado do parque, onde baixou os blocos de madeira e levou a bicicleta e o carrinho até o bebedouro que havia ali em um recesso. Desceu do selim e encostou tudo contra as pedras castigadas pelo tempo, com dentes-de-leão crescendo entre elas, enquanto ia até a fonte e bebia. Não que sentisse sede, mas, se estava por ali, gostava de dar uns goles na água, apenas para boa sorte. Aquele era o lugar onde diziam que são Thomas Becket havia saciado a sede quando passou por Northampton fazia muitos anos, e aquilo já era um motivo bom o suficiente para Henry.

Curvando-se dentro do recesso, Henry pressionou uma palma pálida na torneira de latão gasta, com a outra em cunha para apanhar o fluxo prateado e torto e levá-lo aos lábios, uma ação que repetiu três ou quatro vezes até conseguir um bom gole. Era boa, e tinha gosto de pedra, bronze e seus próprios dedos. Para Henry, aquilo tinha um sabor santo. Limpando as mãos molhadas na perna das calças brilhantes, ele se endireitou e subiu de novo na bicicleta, de pé sobre o selim para colocar a coisa em movimento. Desceu para o sudoeste, pela Belford Road, primeiro com o parque e todas as árvores do outro lado, e então os campos vazios que se estendiam até a abadia em Delapre. Os muros e as esquinas de Northampton ficavam para trás como pesos saindo de suas costas, e tudo o que havia era um gramado plano entre ele e as vilas em miniatura na névoa do horizonte. Nuvens se empilhavam como purê de batata em molho azul, e Black Charley percebeu que assoviava uma das marchas de Sousa[38] enquanto seguia.

A melodia marcial o fez pensar de novo em Buffalo Bill, sempre todo pomposo, o que o levou de volta a pensamentos sobre o Kansas e Elvira Conely. Senhor do Céu, aquela mulher tinha brio, montando a lavanderia em Marshall bem antes do grande êxodo e saindo-se tão bem. Ela havia conhecido Bill Hickok também, mas Hickok já estava no túmulo no fim dos anos 1870, quando Henry e os pais chegaram ao Meio-Oeste. Pelo que Elvira falava do sujeito, dava a impressão de que Wild Bill tinha muita bondade dentro dele, e que sua reputação era merecida. Mas em privado e entre os seus, ela admitia que Britton Johnson, que também havia conhecido e também estava morto na época, poderia, fácil, ter derrubado Wild Bill Hickok com apenas um tiro. Tinha sido necessário um grupo de vinte e cinco guerreiros comanches para derrubar Britton Johnson, não foi um bêbado solitário em um saloon qualquer acertando um tiro por pura sorte[39]. No entanto, aqui até crianças pequenas conheciam Buffalo Bill e Wild Bill Hickok, mas ninguém tinha ouvido falar de Johnson, e não era preciso pensar muito para entender o motivo. Parecia um faraó egípcio, do jeito como Elvira falava dele. Ele ficava muito bem sem a camisa, foram suas palavras exatas.

Ladeira acima, à esquerda, através da grama cercada e das manchas negras de floresta, Henry podia ver os tetos do hospital chique que fizeram lá para pessoas com problemas mentais que podiam pagar a estadia. Para os que não podiam, havia o que se chamava de asilo de pobres na velha paróquia de St. Edmund, saindo da Wellingborough Road, ou então o hospício Berry Wood ali na esquina, no caminho que passava por Duston. Deixando aquilo para trás, Henry pedalou com mais força onde uma ponte atravessava um braço do rio, e sentiu um frio na barriga, como se não tivesse peso, quando desceu do outro lado na direção de Great Houghton. Pensava ainda em Elvira, admirando-a de um modo mais compreensivo e respeitoso do que quando mais jovem.

Claro que ela era apenas mais uma das moças notáveis naquelas paragens na época, mas tinha sido a primeira, subindo para o Kansas sozinha em sessenta e oito, e Henry pensou que aquele monte de outras boas mulheres apenas seguiu a trilha de Elvira, não que isso diminuísse o que tinham feito. Houve a sra. St. Pierre Ruffin, que ajudava os necessitados com dinheiro da sua Associação de Auxílio. Houve a sra. Carter, a mulher de Henry Carter, que convenceu o marido a ir andando com ela desde o Tennessee, ele levando as ferramentas, e ela, os cobertores. Pensando bem, foram principalmente as mulheres que estiveram por trás de toda a migração, mesmo quando seus homens davam de ombros e faziam de conta que estavam bem no lugar onde viviam. Henry agora percebia o que não percebeu na época, que o motivo era porque as mulheres tinham aguentado o pior no Sul, com os estupros, e tendo que criar os filhos no meio de tudo aquilo. A própria mãe de Henry disse ao pai dele que, se ele não era homem o suficiente para levar a esposa e o filho para algum lugar seguro e decente, então iria simplesmente pegar Henry e ir para o Kansas sozinha. Disse que iria andando até lá feito os Carter se fosse preciso, mas, quando o pai de Henry enfim cedeu, foram de carroça como todo mundo. Pensar naqueles tempos fez o ombro de Henry coçar, como sempre acontecia, então ele tirou uma mão do guidão para se coçar através do casaco e da camisa da melhor maneira que podia.

Um moinho d'água passou à sua direita, com patos grasnando ao subirem de uma lagoa próxima, que refletia a luz da manhã com tal força que não dava nem para olhar. Sheridan, perto de Marshall, tinha sido onde Elvira Conely foi morar depois que rompeu com o soldado com quem havia se casado em St. Louis. Naquela época, Sheridan era considerada pior que Dodge, por toda a jogatina e os assassinatos e as mulheres perdidas, mas Elvira se portava como uma rainha, costas eretas, alta e negra como ébano. Quando, depois, foi empregada como governanta do velho e rico sr. Bullard e a família dele, os filhos de Bullard espalharam que ela era parente da realeza na África ou algo assim, e Elvira jamais disse ou fez qualquer coisa que pudesse ser usada para contradizer aquilo. A última coisa que soube a respeito dela é que estava em Illinois, e Henry esperava que estivesse bem.

Ele seguiu com o sol subindo diante de si e as poças nas beiras da rua brilhando em seus olhos. As sombras das nuvens que se moviam deslizavam pelos campos cada vez mais desleixados, como se o verão estivesse em seus últimos dias, sem se barbear e cambaleando como um vagabundo. O mato nas valas havia subido e se espalhado pela rua ou engolido mourões inteiros, nos quais abelhas moribundas tropeçavam nas madressilvas moribundas, tentando arrastar a estação mais um pouco e não deixar que fosse embora. Pela sua direita passou a viela estreita que o levaria para Hardingstone, e ele pedalou até o lado mais alto de Great Houghton, onde encontrou um par de carroças de fazenda seguindo para o outro lado, carregadas de palha. O sujeito da primeira carroça desviou o olhar de Henry, como se não quisesse deixar transparecer que podia vê-lo, mas a segunda era conduzida por um agricultor de cara vermelha que o conhecia de suas visitas anteriores àquelas partes, e ele puxou as rédeas do cavalo, sorrindo ao parar para dizer oi.

— Ora, Charley, seu preto safado. Cê veio pra cá pra roubar nossas coisa de valor de novo? Ah, é um espanto que ainda temos dois gravetos no nosso nome, com tudo o que cê já roubou.

Henry riu. Ele gostava do homem, cujo nome era Bob, e sabia que Bob gostava dele. A zombaria era só o jeito das pessoas daqui para mostrar que havia intimidade para brincadeiras, então ele respondeu no mesmo tom.

— Bem, você sabe que estou de olho naquele seu trono de ouro, aquele grandão em que você senta quando manda os criados trazerem a carne de veado e tudo mais.

Bob gargalhou tão alto que assustou a mula. Depois que ela se acalmou de novo, os dois homens perguntaram um ao outro como estavam as esposas e famílias e coisas do tipo, então apertaram as mãos e seguiram com seus caminhos. No caso de Henry, não demorou muito até que virasse à direita na rua alta de Great Houghton, passando pela escola com as sebes de amoreiras pendendo sobre o muro da frente. Seguiu ao lado da igreja da vila, e então virou a bicicleta para o recinto cercado em forma de bolsa em que ficava o presbitério, onde a velha senhora que cuidava da casa às vezes lhe dava coisas que não queria mais. Descendo do selim, Henry considerou que o presbitério ficava grandioso com o jeito que a luz se refletia nas pedras marrons ásperas e na hera espalhada em uma asa verde sobre a entrada. O recinto era sombreado por um carvalho, que fazia o sol atravessar as folhas como peças ardentes de quebra-cabeça espalhados sobre os paralelepípedos e caminhos. Os pássaros pulando pelos galhos não pareceram preocupados e nem pararam a cantoria quando ele levantou a aldrava com uma cabeça de leão e a deixou cair na grande porta pintada de preto.

A mulher, que ele conhecia como sra. Bruce, atendeu e pareceu feliz em vê-lo. Pediu para que Henry entrasse, mas que tivesse a gentileza de deixar as botas na soleira, e serviu uma xícara de chá fraco e um prato de pequenos sanduíches na sala enquanto procurava todas as miudezas que havia separado. Ele não sabia por que, ao pensar na sra. Bruce, pensava nela como uma senhora idosa, quando na verdade não poderia ser muito mais velha que o próprio Henry, que ia perto dos sessenta anos de idade. O cabelo dela era branco como a neve, mas o seu também, e Henry acreditava que deveria ser o jeito como ela se comportava que o fazia pensar nela como uma idosa, havia algo nos modos dela parecido com os de sua mãe. Ela sorria enquanto lhe servia o chá e perguntava coisas sobre religião, como sempre fazia. Era frequentadora da igreja como ele, mas a sra. Bruce era do coral.

Ela sempre citava seus hinos favoritos enquanto andava para lá e para cá no cômodo e juntava as roupas gastas que ele poderia levar.

— "The Day Thou Gavest, Lord, Is Ended"[40]. Esse é outro que gosto. Eles cantavam hinos lá de onde você veio, sr. George?

Afastando a louça de casa de bonecas dos lábios, Henry confirmou que cantavam.

— Sim, senhora. Mas não tínhamos igreja, então meu povo cantava enquanto tavam trabalhando, ou ao redor do fogo de noite. Eu amava aquelas músicas. Elas me botavam para dormir à noite.

Alisando as toalhinhas de crochê ou o que fosse que recobrisse os braços da poltrona, a sra. Bruce olhou para ele com um rosto pesaroso.

— Pobre alma. Havia algum hino favorito?

Henry deu uma risadinha enquanto assentia, baixando a xícara vazia sobre o pires branco.

— Senhora, para mim só tem uma música no páreo. Era aquela "Amazing Grace" que eu gostava mais, não sei se já ouviu.

A velha senhora abriu um sorriso de deleite.

— Ah, sim, é uma música linda. "How sweet the sound, that saved a wretch like me"[41]. Ah, sim, eu conheço essa. Linda.

Ela olhou para cima, na direção dos quadros pregados pouco abaixo do teto, e franziu a testa, como tentando lembrar-se de algo.

— Sabe, acho que o sujeito que compôs esse vivia não muito longe daqui, a não ser que eu esteja confundido com outra pessoa. John Newton, era o nome dele? Ou foi Newton que cortou a macieira e disse que não conseguia contar uma mentira?

Depois de passar um instante assimilando aquilo e desvendando tudo, ele disse que, pelo que sabia, foi um homem chamado Newton que tinha sentado debaixo de uma macieira e descoberto por que as coisas caíam em vez de subir. O camarada que falou que não conseguia contar uma mentira havia sido George Washington, o presidente, e até onde Henry sabia, o que ele cortou foi uma cerejeira. Ela ouviu, assentindo.

— Ah. Foi aí que errei. A família dele vinha daqui também, aquele general Washington. O que escreveu "Amazing Grace", esse seria o sr. Newton. Pelo que ouvi, ele era o pároco ali em Olney, mas eu não posso garantir.

Henry sentiu-se instigado por aquilo de uma forma que o surpreendeu. Tinha sido sincero ao dizer que era sua música preferida e não estava apenas querendo agradar a velha senhora. Ele se recordou das mulheres cantando nos campos, com sua mãe entre elas, e teve a impressão de que metade de sua vida tinha ficado presa naquele refrão. Ele ouvia aquele hino ser cantado desde o berço, e achava que devia ser uma música de negros de muito tempo atrás, como se sempre tivesse existido. Ouvir sobre esse pastor Newton fez a cabeça de Henry girar, pensar no quanto tinha percorrido do mundo desde que escutou aquela canção pela primeira vez, só para terminar por acidente na soleira da porta do homem que a compôs.

Nunca teve certeza do motivo por que ele e sua Selina sentiram um ímpeto tão grande de se assentar em Northampton e criar os filhos, depois de chegarem com um grande rebanho de ovelhas vindo de Gales, trabalhando em um mar cinza de animais mais vasto do que qualquer coisa que Henry tivesse ouvido falar na terra onde nasceu. A vida tomou conta dele, que sempre considerou que tudo era parte do plano do Todo-Poderoso, plano cujo propósito não cabia a ele saber. Do mesmo modo, a sensação que ele e sua Selina tiveram quando viram os Boroughs pela primeira vez, o que havia abaixo da Sheep Street, aonde ambos chegaram e foram direto para o lugar na Scarletwell Street em que por fim fariam seu lar, quando viram todas as cumeeiras, tiveram a impressão de que havia alguma coisa naquele lugar, algum tipo de coração debaixo da fumaça da chaminé. Isso fazia um certo sentido para Henry agora, ao saber do sr. Newton e de "Amazing Grace" e de tudo o mais. E se fosse um tipo de lugar santo, que tinha pessoas assim santas vindas de lá? Com certeza estava exagerando as coisas, como de costume, como um tonto, mas as notícias fizeram com que Henry sentisse uma empolgação que não sentia desde que era pequeno, e estaria mentindo se dissesse que não.

Ele e a sra. Bruce falaram sobre mais uma coisa ou outra na sala enquanto terminavam o chá e o pão, com partículas de poeira brilhando na luz através das cortinas e um relógio de pêndulo fazendo seu tique-taque de cemitério num canto. Quando acabaram, ela lhe deu as roupas de lã indesejadas que tinha separado e então o acompanhou até a porta da frente, onde ele as colocou no carrinho que puxava atrás da bicicleta. Ele a agradeceu gentilmente pelas roupas e pelo chá e pela conversa, e disse que certamente passaria de novo quando estivesse naquela área. Os dois acenaram e se despediram, e Henry foi chacoalhando de volta pela rua alta sobre suas rodas revestidas de corda, deixando para trás uma "Amazing Grace" cantada fora de tom, através das folhas que rolavam e dos raios brilhantes da tarde.

Quando saiu da rua alta e voltou para a Bedford Road, desceu para o lado leste. O sol estava bem acima dele agora, mal fazendo sombra enquanto Henry seguia em frente, bufando ao pedalar e cantando ao deslizar no embalo. À direita, enquanto saía de Great Houghton, podia ver o cemitério da vila, com lápides brancas, claras como fronhas, contra um cobertor feito de verde adormecido. Um pouco depois, apareceu à sua esquerda a viela que o teria levado até Little Houghton, mas não tinha nada para fazer lá e passou direto, seguindo a curva sudeste que a rua fazia na direção de Brafield. Havia sebes ao longo do caminho, às vezes tão altas que, nos trechos do caminho em que havia uma depressão, a escuridão o envolvia por completo. Observou aqui e ali buracos nas partes baixas das paredes de samambaias que provavelmente davam em tocas feitas por animais ou meninos da vila ou qualquer outro tipo de seres selvagens. Algo com sangue nos focinhos e terra negra nas patas.

As terras por ali eram em sua maior parte propriedades rurais, e bem planas também, então seria de se pensar que poderia parecer com o Kansas, mas não era bem assim. Para começar, a Inglaterra era muito mais verde e parecia ter mais flores de tipos diferentes, talvez por causa de toda a jardinagem que o povo ali gostava de fazer, até gente como a que morava na Scarletwell Street, com seus jardinzinhos murados. Outra coisa era que tinham tido muito mais tempo ali para se dedicarem com meticulosa engenhosidade até às questões mais simples, como o jeito de fazer as pilhas de feno, de assentar a palha para fazer um telhado, ou de encaixar pedaços de pedra sem argamassa para levantar um muro que iria durar trezentos anos. Por todo o condado ele via esses detalhes, coisas que o tata-tata-tataravô de alguém tinha descoberto que podiam fazer na época em que a rainha Elizabeth, ou gente assim, estava no trono. Pontes e poços e canais com comportas, onde homens usando botas até as coxas andavam pelo lodo para consertar os trechos onde havia rompimentos. Havia muitas evidências de aprendizado, mesmo onde se podia pensar que não havia nada feito pelo homem por perto. As árvores solitárias pelas quais passava, que pareciam ter se erguido apenas por obra da natureza cega e selvagem, tinham sido plantadas por alguém, anos antes, por alguma razão bem considerada, Henry sabia.

Talvez como quebra-vento para proteger uma plantação que não estava mais lá, ou pelas maçãzinhas verdes e duras para fazer a lavagem dos porcos. Uma colcha de campos se estendia diante dele, e cada uma daquelas linhas irregulares estava ali com um propósito.

Passou por Brafield quando o sino na igreja de St. Lawrence bateu uma vez para marcar uma hora e ficou preso ali por alguns minutos por ovelhas que obstruíam a passagem, então precisou esperar enquanto eram pastoreadas pela viela até o campo delas antes que pudesse seguir adiante. O homem que andava com todas aquelas criaturas balindo não falou com Henry, não de verdade, mas fez um tipo de aceno com a cabeça e levantou a aba da boina um pouco para mostrar que apreciava sua paciência. Henry sorriu e assentiu de volta, como se para dizer que não era nenhuma inconveniência, o que era verdade. O sujeito tinha uma collie inglesa ajudando a controlar os animais, e Henry achou que aquilo era uma alegria de se ver. Não conseguia evitar, tinha um ponto fraco por cães de caça desde que os tinha visto pela primeira vez quando chegou a Gales, em noventa e seis. Aquele único olho azul e o modo como entendiam o que as pessoas diziam o encantaram. Não existiam cães como aqueles de onde Henry vinha, que era Nova York, e antes disso Kansas, e antes disso Tennessee. Coçou o ombro enquanto esperava e observou as últimas ovelhas tirando as bundas cagadas do seu caminho e entrando no portão do pasto ao qual pertenciam, e então foi em frente. Não havia ninguém morando ali em Brafield que pudesse dizer que conhecia e, além disso, antes que o dia terminasse pretendia percorrer a longa estrada até Yardley, uma perspectiva muito melhor em sua avaliação.

As nuvens sobrevoavam o céu qual navios, fluindo como você faria se de algum modo fosse imune ao afogamento e conduzisse sua bicicleta e o carrinho sobre o leito de um oceano cristalino. Henry tinha aquele ritmo vibrante de suas rodas abaixo dele, e o clique regular e reconfortante daquele raio solto. A estrada era bem plana ao passar por Denton, então não teria que pensar em seu pedalar e podia apenas ouvir o fuxico das árvores enquanto seguia em frente, ou um corvo à distância, rindo de algo ruim com uma voz que parecia tiros de rifle.

Ele não tinha gostado de sua temporada sobre as ondas do oceano, a bordo do *Pride of Bethlehem*, saindo de Newark para Cardiff. Henry era um homem com quarenta e muitos anos na época, e aquilo não era idade de sair fugindo pelo mar. Era o jeito como as coisas tinham acontecido, só isso. Tinha ficado em Marshall com a mãe e o pai enquanto eles tavam vivos, gastado o que alguns diriam que eram os melhores anos cuidando deles, mas não se ressentia de nenhum dia. Depois que eles se foram, porém, não havia nada para mantê-lo no Kansas, onde não tinha família e ninguém por quem tivesse sentimentos. Elvira Conely, àquela altura, estava trabalhando para os Bullard, viajando de férias com eles metade do tempo, então Henry não a via mais por lá. Partiu para o leste em vagões de trem que guinchavam e tremiam até a costa, e quando teve a oportunidade de trabalhar em troca da viagem no velho cargueiro de aço imundo que ia para a Grã-Bretanha, ele a agarrou. Não tinha pensado duas vezes, embora não tanto por conta de coragem, e sim por não entender o quanto esse lugar Grã-Bretanha se mostraria distante.

Não sabia de fato quantas semanas havia passado navegando, poderia não ser mais que só um par, mas pareceu ter durado para sempre, e às vezes ele se sentia tão enjoado que achou que fosse morrer sem ver a terra firme novamente. Para evitar a visão das infinitas ondas gigantes de ferro, ficou abaixo do convés tanto quanto pôde, enfiando carvão nas caldeiras. Seus colegas brancos perguntavam por que ele não tirava a camisa como eles e se ele não sentia calor e tudo o mais. E Henry apenas sorria e dizia que não, senhor, não estava com calor, estava acostumado com lugares mais quentes, embora obviamente não fosse essa a razão por que não trabalhava de peito nu. Alguém espalhou o rumor de que ele tinha um mamilo extra do qual tinha vergonha, e ele achou melhor não retrucar, na esperança de que aquela história desse fim a todas as perguntas.

No *Pride Of Bethlehem* levava chapas de aço e, como lastro, todo tipo de coisa, de barras de chocolate a romances baratos. Na época, os Estados Unidos produziam mais aço que o Reino Unido, então isso significava que podiam vender mais barato, mesmo com o custo de mandar de navio. Além disso, no caminho de volta iam trazer lã de Gales para casa, de modo que os donos conseguiam um belo lucro nas duas pernas da jornada. Quando não estava pegando no pesado ou enjoado, Henry passava o tempo lendo histórias do Oeste Selvagem nas páginas já amareladas de folhetins que seguiam para lojas de quinquilharias. Buffalo Bill era o herói de várias delas, atirando em foras da lei e protegendo os trens contra renegados, quando tudo o que havia feito foi bancar o palhaço em seu circo viajante. William Cody. Se existia um homem mais merecedor de terminar como um rosto de pedra com uma chaminé soprando ar quente como companhia, Henry não conhecia.

Campos enegrecidos pela recente queima do restolho estavam agora à sua direita, e ele sabia que pertenciam à Fazenda Grange, logo adiante. Os pássaros que saltavam entre os sulcos chamuscados pareciam gaivotas, embora estivessem tão longe do mar quanto era possível na Inglaterra. À sua frente, a estrada se bifurcava, onde o que chamavam de Northampton Road saía na direção da praça da vila de Denton. Denton era um lugar agradável, mas não era grande coisa para coletas. Para valer a pena, era melhor que Henry passasse ali apenas uma ou talvez duas vezes por ano, por isso ele pegou a pista da direita para rodear a vila pelo sul, na direção de Yardley — era assim que costumavam chamar Yardley Hastings. Tinha acabado de passar por Denton quando pegou uma pancada de chuva tão pequena que a atravessou de um lado a outro sem sentir mais que duas gotas na testa. As nuvens brancas acima dele se transformavam agora em blocos de marfim liso e cinza, mas a maior parte do céu estava azul limpo, e Henry duvidou que aquilo fosse virar um pé d'água ou alguma coisa assim.

Bem adiante à esquerda, Henry podia vislumbrar a colcha de retalhos mais escura das matas em torno de Castle Ashby. Na única vez em que esteve lá conheceu um camarada local ansioso para lhe falar tudo sobre o lugar. O homem contou que, na antiga Londres, quando quiseram esculpir Gog e Magog, dois gigantes de madeira para ficar nos portões da cidade, foi em Castle Ashby que conseguiram as árvores. O sujeito tinha orgulho de onde vivia e de sua história, como muita gente por ali. Disse a Henry que para ele o condado era um lugar santo, e que era por isso que Londres queria árvores dali. Henry não tinha certeza da santidade de Northampton, nem na época nem agora, nem mesmo depois de ficar sabendo sobre o reverendo Newton e "Amazing Grace". Parecia sem dúvida especial, mas santo não era a palavra que Henry teria usado. Para começar, a santidade, na opinião de Henry, era um tiquinho mais limpa que a Scarletwell Street. Mas, por outro lado, achava que o camarada estava certo também, de certo modo; se havia algo naquele lugar que era santo, então provavelmente eram as árvores.

Henry se recordou da árvore que viu quando chegou à região com a mulher com quem acabara de se casar. Estava na Grã-Bretanha há menos de seis meses. Saiu do navio em Cardiff decidido a não enfrentar de jeito nenhum a volta para casa por mar, e conseguiu hospedagem em um lugar chamado Tiger Bay, onde havia umas pessoas de cor morando. Não era, porém, o que Henry queria. Era como se tivesse ido parar no Kansas, com o povo de cor todo em um distrito abandonado a ponto de parecer quase em ruínas, o que fazia o Kansas ficar parecido demais com o Tennessee. Sim, gostava de sua gente, mas não quando eram separados das outras pessoas como se estivessem num maldito zoológico. Henry tinha partido para o interior de Gales a pé, e no caminho havia conhecido Selina em um lugar, Abergavenny, que ficava à beira do rio Usk. Haviam se apaixonado e casado tão depressa que sua cabeça até ficava zonza quando pensava nisso. E também em como tinham ido sem demora para Builth Wells, para a condução do rebanho. Quando Henry se deu conta, estava casado com uma bela moça branca com a metade de sua idade, deitado ao lado dela debaixo de um pedaço de lona esticado enquanto as cem mil ovelhas que estavam ajudando a levar para a Inglaterra gritavam e se mexiam na noite lá fora. Tinham ficado na estrada por quase tanto tempo quanto o *Pride of Betlhlehem* havia levado para viajar até a Grã-Bretanha, mas por fim chegaram ao que ele agora sabia que era a Spencer Bridge, e então subiram a Crane Hill e a Grafton Street até a Sheep Street, que foi onde viram a árvore.

Henry tinha atravessado o rebanho que passava pela rua larga, encontrando o líder dos tropeiros nos portões do que chamavam de Santo Sepulcro, que era a igreja mais velha e remendada que já tinha visto. O chefe lhe deu o bilhete e disse a Henry que deveria levá-lo a um lugar que chamavam de Welsh House, na praça do mercado, onde ele receberia seu pagamento. Ele e sua Selina saíram da Sheep Street para o centro da cidade, e foi em um jardim aberto à direita deles que estava a árvore: uma faia gigantesca, tão grande e velha que não resistiram à ideia de parar e se maravilhar com ela, mesmo com o bilhete do pagamento queimando nas calças de Henry. Era tão larga que seria preciso quatro ou cinco homens para dar as mãos em torno do tronco, e depois ele ficou sabendo que a árvore tinha setecentos anos de idade ou mais. Ao pensar em uma árvore tão velha, era impossível não pensar em tudo que ela poderia ter visto, em tudo o que aconteceu em torno dela durante esse tempo. Os cavaleiros medievais, e todas as batalhas, como a Guerra Civil da Inglaterra, que aconteceu bem antes que na América. Não era possível ficar ali olhando, como ele e Selina fizeram, sem começar a imaginar de onde tinha vindo cada marca e cada cicatriz, se de um pique ou talvez de uma bala de mosquete. Apenas olharam para ela por um tempo e então pegaram o pagamento de Henry antes de fuçarem pela cidade e encontrarem o lugar deles na Scarletwell, que tinha suas próprias vistas maravilhosas, mas sua sensação era que aquela árvore teve mais importância para ele e Selina acharem que deveriam se assentar ali do que qualquer consideração prática. Havia algo na árvore que fez a cidade parecer sólida e bem enraizada. E não havia ninguém enforcado nela.

Passava das duas quando chegou a Yardley. Tomou a primeira rua à esquerda, chamada Northampton Road, como em Denton, até a praça da vila, onde ficava a escola. Era uma construção bonita com pedras cor de manteiga e um belo arco que levava ao pátio do recreio, e ele podia ver, por uma janela inferior, crianças ocupadas com suas lições, pintando em folhas de papel de embrulho em uma mesa comprida. O negócio de Henry era com o zelador, então deixou a bicicleta do outro lado da rua do prédio principal, perto de onde ele morava. Era um sujeito com uns bons anos a menos que Henry, embora com o azar de ter perdido quase todo o cabelo, então parecia mais velho. Respondeu à batida de Henry, mas não o convidou para entrar, embora tivesse guardado um saco de coisas, que trouxe até a soleira e disse que era de Henry, se quisesse. Havia duas molduras de foto vazias que fizeram Henry se perguntar quem esteve nelas um dia, um par de sapatos velhos e calças feitas de veludo cotelê rasgadas nos fundilhos, quase separadas ao meio. Ele agradeceu o zelador educadamente, colocando tudo no carrinho, junto do que pegou em Great Houghton, e estava a ponto de cumprimentá-lo com um aperto de mãos e seguir seu caminho quando lhe ocorreu perguntar qual a distância até Olney.

— Olney? Bem, você está quase lá.

O zelador limpou poeira das molduras de fotos com o macacão e então apontou para o outro lado da praça da vila, pela esquerda.

— Está vendo a Little Street ali? O que você tem que fazer é ir até a High Street, que leva de volta para a Bedford Road. Siga nela saindo de Yardley e não demora muito até chegar na viela que sai da rua principal à sua direita. Chama-se Yardley Road, você entra nela e aí é só seguir até Olney. Eu diria que são uns cinco quilômetros de ida e uns oito quilômetros de volta, considerando como é íngreme.

Não parecia muito longe, considerando que conseguiu chegar até ali tão depressa. Henry agradeceu as orientações e disse que veria o zelador de novo antes do Natal enquanto montava outra vez na bicicleta. Os dois disseram suas despedidas e então ele acionou com força os pedais e desceu a Little Street, entre as mulheres nas portas das lojas e tal, coques escuros encimados por chapéus, farfalhando em calçadas douradas pela tarde.

Virou à direita na High Street, que o levou de volta à Bedford Road, assim como o zelador tinha dito. Saiu da vila passando pelo pub Red Lion, perto da virada, onde os trabalhadores das fazendas que já saíam dos campos com grandes sedes olhavam em silêncio para ele enquanto passava. Poderia ser por causa dos seus pneus de corda, e não pela sua cor de pele. Henry achava engraçado que as pessoas ali, apesar do jeito inteligente de construir muros e sebes e tudo aquilo, reagiam como se a corda nos aros de sua bicicleta fosse a coisa mais esquisita que já tinham visto. Se tivesse cascavéis treinadas em vez de pneus, a surpresa daquela gente não seria maior. E, afinal, era apenas um macete que tinha visto outros sujeitos de cor usando no Kansas. Corda era mais barato, não gastava como a borracha, nem furava, e servia bem para Henry. Não havia nada de mais naquilo.

Do outro lado da Bedford Road, bem na frente da esquina com a High Street, tudo virava descida, e onde o braço do rio caía também havia uma cachoeira. As gotas que se levantavam dela refletiam a luz inclinada e formavam um arco-íris, pequenininho, pairando no ar, cujas cores eram tão tênues que apareciam e desapareciam de vista. Virou à esquerda na rua principal e seguiu por mais quatrocentos metros a partir de Yardley, onde encontrou, à direita, uma viela íngreme indicada por uma placa que dizia Olney. A palavra "íngreme" não fazia jus àquela ladeira. Ele a desceu voando como o vento, levantando lençóis vítreos de água quando não podia desviar das poças, como na terra fofa a um terço do percurso, onde havia lagoinhas com mosquitos pairando em uma nuvem insalubre sobre eles. Na velocidade que ia, não pareceu levar cinco minutos até ver os telhados da vila mais adiante. Deixou os blocos de breque esfolarem a rua de terra, desacelerando aos poucos, para que não tivesse acidentes antes de conseguir o que queria ali. No fundo da mente de Henry havia o pensamento de que seria um esforço subir a ladeira de volta, mas deixou isso de lado para se concentrar na grande aventura na qual entrava como um busca-pé de vareta, com as rodas de corda apitando entre bosta seca de vaca.

Ao chegar em Olney, constatou que o lugar era maior do que achou que seria. A única coisa que viu que poderia ser o pináculo de uma igreja estava do outro lado da cidade, então foi para lá que Henry se dirigiu. Todas as pessoas por quem passava na rua o olhavam, já que nunca tinha ido até lá antes e sem dúvida era para a mente deles uma tremenda novidade. Manteve a cabeça baixa, olhando os paralelepípedos sobre os quais pedalava, com cuidado para não ofender ninguém. As ruas estavam silenciosas, sem muito tráfego de cavalos naquela tarde, pelo que podia ver, então estava envergonhado com o barulho que o carrinho fazia quando ribombava nas pedras atrás de si. Levantou os olhos uma vez e teve um vislumbre de seu reflexo, correndo pela vitrine da loja do ferreiro, um homem negro de cabelo e barba brancos sobre uma máquina que atravessava todos os potes e panelas pendurados ali como se não fosse mais sólido que um fantasma.

Quando chegou até a igreja, porém, valeu a pena. A parte mais baixa de Olney, com o rio Grande Ouse e seus lagos espalhados ao sul, era uma visão imponente e inspiradora. Sendo sexta-feira, não estava aberta, então Henry apoiou a bicicleta contra uma árvore e andou uma ou duas vezes em torno da construção, admirando as janelas altas com seus velhos vitrais e espremendo os olhos na direção daquele pináculo tão alto que dava pra ser visto do outro lado da vila. O relógio na torre disse que estava quase dando três e meia, ou "passado vinte e cinco das duas", como diziam na Scarletwell. Achava que podia dar uma olhada por um tempo e ainda voltar para casa antes que ficasse muito escuro e Selina começasse a se preocupar.

Ficou um pouco desapontado por não haver nada na igreja que falasse do pastor Newton ou de "Amazing Grace". Talvez fosse uma tolice de Henry, com certeza era isso, uma concepção equivocada de como as pessoas na Inglaterra faziam as coisas, mas esperava que pudessem ter uma estátua do homem ou algo assim, talvez de pé com a caneta de pena ou alguma coisa parecida. Não tinha nem uma imagem ruim pendurada perto de uma chaminé. Do outro lado da rua, no entanto, Henry viu um cemitério. Embora não soubesse se o pastor Newton tinha sido enterrado ali também, imaginou que existia pelo menos uma chance, e então atravessou a rua e entrou no cemitério pelo portão de cima, saindo de uma entradinha ao lado de um gramado. Coisas pulavam e se atracavam na grama comprida perto de seus pés e, como nos Boroughs, não tinha certeza se eram ratazanas ou coelhos, mas não se importava muito também.

A não ser por Henry e os mortos da vila, o cemitério parecia vazio. Ele se surpreendeu, então, ao virar uma esquina dos caminhos que passavam entre as lápides, bem onde havia um anjo sem metade do nariz, como o veterano de alguma guerra, e ali, ajoelhado ao lado de um túmulo, para arrancar as ervas daninhas, estava um homem corpulento de colete e mangas de camisa, com uma boina na cabeça prateada. Ele olhou para cima, mais surpreso por ver Henry do que Henry ficou ao vê-lo. Era um homem idoso, Henry percebeu, mais velho que ele e talvez próximo dos setenta. Também era robusto, com grandes suíças brancas de cada lado do rosto vermelho de sol. Abaixo da aba da boina, tinha óculos pequenos de arame na ponta do nariz, que empurrou para cima para dar uma olhada melhor em Henry.

— Deus do céu, rapaz, você me deu um susto. Pensei que fosse o Sete-Peles vindo para me pegar. Nunca vi você antes por essas partes, não é? Me deixe olhar para você.

O homem se levantou com dificuldade ao lado do túmulo, e Henry ofereceu a mão, que o velho sujeito aceitou agradecido. Quando ficou de pé, tinha pouco menos que um metro e setenta, um pouco mais baixo que Henry. Os olhos azuis cintilavam através das lentes dos óculos enquanto olhava para Henry, sorrindo como se estivesse encantado.

— Bem, você parece um sujeito decente. O que o trouxe aqui para Olney, se não se importa com a pergunta? Está procurando alguém enterrado aqui?

Henry admitiu que estava.

— Venho da Scarletwell Street, em Northampton, senhor, onde quase todo mundo me chama de Black Charley. Soube só hoje de um reverendo que um dia pregou aqui em Olney, de nome Newton. Parece que ele foi o homem que compôs "Amazing Grace", que é uma música que eu admiro. Estava só olhando a igreja ali do outro lado, esperando algum sinal dele, quando me ocorreu que poderia estar sepultado em algum lugar por perto. Se conhece o cemitério, senhor, ficaria agradecido se pudesse me dizer onde fica o túmulo dele.

O velho sujeito apertou os lábios para fora em uma careta e balançou a cabeça.

— Não, sinto muito, ele não está aqui. Creio que o reverendo Newton está em Londres, na St. Mary Woolnoth, para onde foi quando saiu de Olney. Mas vou lhe dizer uma coisa. Por acaso, sou o administrador da igreja. Dan Tite, sou eu. Estava só arrumando os terrenos para ter o que fazer, mas ficaria feliz em voltar para a igreja com você e deixá-lo entrar e dar uma olhada. Estou com a chave aqui no bolso do colete.

Ele mostrou uma grande chave de ferro preto e a segurou para que Henry pudesse vê-la. Certamente era uma chave. Não havia dúvida a respeito. Do mesmo bolso, o administrador tirou um cachimbo de barro e uma bolsinha com tabaco. Encheu o cachimbo e o acendeu com um fósforo enquanto caminhavam na direção do portão, então um aroma doce de coco e madeira espalhou-se atrás deles, através de teixos e tumbas. Dan Tite tragou forte em seu cabo de barro até estar certo de que o cachimbo queimava bem, e então recomeçou a conversa com Henry.

— Que sotaque é esse que você tem, então? Não posso dizer que já ouvi antes.

Ele assentiu enquanto Dan fechou o portão atrás de si e começaram a subir o caminho de volta para a Church Street. Podia ver agora que o movimento na grama era de coelhos, com os focinhos para dentro e para fora dos buracos cavados no gramado e as orelhas como pantufas de bebê deixadas no relento.

— Não, senhor, não imagino que tenha. Vim para cá da América há doze ou treze anos. Foi no Tennessee que nasci, então depois disso morei no Kansas por um tempo. Para mim, eu acho que falo muito parecido com o povo de Northampton agora, mas minha mulher e minhas crianças, elas me dizem que não.

O velho administrador da igreja riu. Estavam caminhando de volta através da viela de paralelepípedos, na direção da igreja, onde a bicicleta e o carrinho de Henry estavam encostados em uma árvore.

— É melhor ouvi-las. Estão certas. Essa voz que você tem, não parece nada com Northampton, e penso que seja melhor assim. Eles são preguiçosos para falar, o pessoal ali no entorno. Não se importam com as letras no fim das palavras, ou até a maioria das que estão no meio, então sai tudo uma maçaroca só.

O administrador fez uma pausa na metade do caminho na direção da grande porta da igreja e colocou os óculos de volta para o lugar de onde tinham escorregado de novo, então podia observar a bicicleta de Henry e o carrinho que levava atrás, escorados no álamo. Olhou da geringonça para Henry, então de volta para ela e então apenas balançou a cabeça e foi abrir a porta, para que pudessem entrar.

A primeira coisa que se notava era o frio vindo do chão de pedra e o leve eco que ressoava depois de qualquer coisa. No cômodo na frente da igreja, que chamavam de vestíbulo, havia um grande arranjo de flores e feixes de trigo e potes de geleia e coisas assim, que Henry imaginou que as crianças tivessem trazido para o Festival da Colheita. Isso conferia uma espécie de aroma da manhã ao ar, ainda que o lugar estivesse frio e cinzento de sombras. Pendurada em uma moldura acima do arranjo havia uma pintura e, assim que a viu, Henry soube de quem era, não importava que fosse uma imagem escura em um cômodo ainda mais escuro.

O homem tinha uma cabeça que parecia um quadrado e era quase grande demais para o corpo, embora Henry soubesse que poderia ter sido culpa do pintor. Usava as vestes de pároco e uma peruca como as dos tempos do século XVIII, curta em cima e com tranças de lã cinza enroladas de cada lado, como os chifres de um carneiro. Um dos olhos parecia meio preocupado e ainda assim cheio do que se poderia chamar de esperança cautelosa, enquanto do lado do rosto que estava virado para longe da luz o olho parecia fosco e morto, com o olhar de alguém carregando um fardo triste do qual não podia se livrar. Poderia ser que seu colarinho de pároco estivesse muito apertado, fazendo a gordura debaixo de seu queixo estufar para fora em um pequeno rolo, e havia uma boca que parecia não saber se chorava ou ria. John Newton, nascido em mil setecentos e vinte e cinco, morto em mil oitocentos e sete. Henry olhou para o retrato com seus olhos que ele sabia ser da mesma cor do marfim de um piano, arregalados e quase luminosos ali na escuridão.

— Ah, sim, é ele. Você o encontrou, o reverendo Newton. Sempre achei que ele parecia uma alma velha e cansada, um pouco como uma pobre ovelha abandonada à própria sorte no pasto.

Dan Tite estava em um canto, tirando algo de uma pilha de hinários, enquanto Henry observava a imagem obscura de Newton. O administrador se virou e andou de volta até Henry sobre as placas que rangiam e sussurravam, tirando o pó da capa de algum livro velho ao andar.

— Aqui, dê uma olhada nisso. É o *Olney Hymns*, o primeiro que imprimiram antes de mil oitocentos e quarenta. Esses são todos os que ele compôs com seu grande amigo, o poeta sr. Cowper, de quem talvez já tenha ouvido falar, não?

Henry confessou que não. Embora não visse motivos para dizer isso naquele momento e lugar, a verdade era que não sabia ler muito bem, exceto placas de rua e hinos da igreja dos quais já conhecia a letra, e nunca conseguiu aprender a escrever. Dan não se importou, no entanto, que ele não conhecesse aquele fulano Cooper e apenas continuou virando as páginas de cheiro amarelado até encontrar o que estava procurando.

— Bem, imagino que não tenha importância, a não ser que o Sr. Cowper foi outra pessoa de Olney e que compuseram tudo isso juntos, embora o sr. Newton tenha feito a parte mais importante. Esse aí, o que você gosta, temos quase certeza de que é obra só do Newton.

O administrador deu o hinário para Henry, que o pegou cuidadosamente com as duas mãos, como se fosse alguma relíquia religiosa, o que imaginava que fosse. A página em que estava aberto tinha um título que lhe tomou tempo para entender, que não era "Amazing Grace", como esperava. O que dizia, em vez disso, ele finalmente entendeu, era "Faith's Review and Expectation"[42], e então, debaixo daquilo, havia uns versículos da Bíblia, do primeiro livro de Crônicas, em que o rei Davi perguntou ao Senhor "e qual é minha casa, para que me tenhas trazido até aqui?". Por fim, debaixo de onde dizia isso, havia as palavras todas de "Amazing Grace". Ele as olhou, meio que as cantando dentro da cabeça, para identificá-las com mais facilidade. Estava indo bem até a última estrofe, que não era como a que conhecia. Aquela, a que conhecia, falava que, quando estivéssemos aqui por dez mil anos sob o sol brilhante, cantando louvores a Deus, mal teríamos começado. Aquela no livro não era como esperava, não falava de dez mil anos e não antecipava nada brilhante ou iluminado.

> A terra como neve logo derreterá
> O sol não brilhará tanto assim;
> Mas Deus, que me chamou para cá,
> Estará para sempre em mim[43]

Depois de alguma consideração, Henry pensou que a última estrofe que conhecia era melhor, embora entendesse que não era o que o reverendo Newton tinha escrito. Era mais provável, imaginava, que aquela dos dez mil anos e do sol brilhante tivesse sido escrita na América, que era um país mais jovem que a Inglaterra e com uma visão mais radiante de tudo. Ali, onde a terra era mais velha e tinham visto todo tipo de grandes reinos irem e virem, aquele era um país em que o Fim do Mundo parecia próximo, onde o chão abaixo de seus pés poderia virar pó com a idade, o sol acima de sua cabeça podia apagar a qualquer minuto. Henry gostava mais da música do jeito como aprendeu, com a sensação que dava de que tudo ficaria bem, mas em seu coração sabia que o jeito do sr. Newton era provavelmente mais verdadeiro. Ficou ali por mais alguns minutos enquanto terminava de ler tudo e então devolveu o hinário a Dan Tite, murmurando que o sr. Newton era um grande homem, um grande homem.

O administrador pegou o *Olney Hymns* de Henry e o colocou de volta onde estava antes. Perscrutou Henry por um momento, como se tentasse descobrir algo e, quando falou, tinha um tom mais suave que era mais íntimo, como se estivessem realmente falando das coisas que eram importantes agora.

— Ele era. Ele era um grande homem, e acho muito cristão que diga isso.

Henry assentiu, embora não tivesse certeza do motivo. Não tinha entendido direito como fazer simples elogios era visto como um ato cristão, mas não queria que Dan Tite pensasse nele como um negro sem educação, então não disse nada. Ficou ali parado, arrastando os pés, enquanto o administrador o examinava através dos pequenos óculos. Dan olhou para os olhos incertos e inquietos de Henry e soltou uma espécie de suspiro.

— Charley... era Charley, não era? Bem, Charley, deixe-me perguntar algo. Você ouvia muito sobre o sr. Newton de onde veio, sobre a vida dele e tal?

Henry admitiu, envergonhado, que não tinha ouvido o nome de Newton antes daquela tarde, nem que era quem compôs "Amazing Grace". O administrador o assegurou de que não tinha importância e então seguiu com o que estava dizendo.

— O que você precisa compreender sobre o sr. Newton é que ele não ouviu seu chamado religioso até estar com quase quarenta anos, então tinha andado um pouco por aí até aquela idade, se entende o que quero dizer.

Henry não tinha certeza de que entendia, mas Dan Tite continuou de qualquer modo.

— Sabe, o pai dele era comandante de um navio mercante, sempre no mar, e o jovem John Newton era um rapaz de apenas onze anos quando

foi com ele. Fez algumas viagens com o pai, por assim dizer, até que o
pai se aposentou. Acho que ele não tinha ainda vinte anos quando foi
recrutado à força para serviços em um navio de guerra, de onde desertou
e foi açoitado.

Henry coçou o braço e se encolheu. Tinha visto homens chicoteados.
Dan Tite continuou sua história, com seu eco murmurando no canto do
vestíbulo como um velho parente meio ruim da cabeça.

— Ele perguntou se poderia ser colocado a serviço de outro navio.
Era um navio negreiro, indo para Serra Leoa, na costa oeste da África.
Ele se transformou no criado do mercador de escravos e era tratado de
uma maneira brutal, como seria de se imaginar que aconteceria com um
rapaz daquela idade. Mas teve sorte, e um capitão do mar que conhecia
seu pai apareceu e o salvou.

Henry entendia agora por que Dan Tite lhe dizia tudo aquilo, por
mais doloroso que fosse. Tinha ficado surpreso ao descobrir que um
homem branco era o compositor de "Amazing Grace". Sempre achou
que só um homem negro poderia conhecer a tristeza que existia naquela
música, mas aquilo explicava aquele fato. O sr. Newton tinha sido prisioneiro em um navio negreiro, como o pai e a mãe de Henry. Tinha
sofrido na mão de demônios e diabos, assim como eles. Foi assim que
terminou por escrever aquelas palavras, sobre como era doce encontrar
o alívio de todo aquele sofrimento no Senhor. O administrador da igreja
queria que ele soubesse que as convicções em "Amazing Grace" tinham
vindo da experiência difícil do sr. Newton, isso estava claro. Henry ficou
agradecido. Isso o fez respeitar ainda mais o bom homem por trás da
composição. Quando cantasse "Amazing Grace" agora, poderia pensar no pastor Newton e nas provações que tinha superado. Ele sorriu e
estendeu a mão para Dan Tite.

— Senhor, fico muito agradecido por essa informação, e por permitir
que eu tome seu tempo me contando tudo isso. Parece que o sr. Newton
teve alguns problemas, certo, mas graças ao Senhor sobreviveu a todos
eles e compôs uma música linda. Isso só aumentou minha estima por
ele, ouvir o que o senhor disse.

O administrador não apertou sua mão. Apenas estendeu a dele, com
a palma virada para Henry como se fosse um aviso. O velho homem
tinha um olhar realmente sério em seu rosto rosado agora. Ele sacudiu a
cabeça, fazendo suas suíças brancas esvoaçarem como velas.

— Você ainda não ouviu tudo.

Um relógio batia as quatro e meia em algum lugar, em Yardley, mais adiante, ou Olney, mais atrás, quando finalmente subiu com a bicicleta e o carrinho por toda a ladeira íngreme que era a Yardley Road, agora passando com dificuldade pelas poças que havia atravessado voando na descida.

Henry estava despedaçado, não sabia o que pensar. Andava um pouco e então parava e esfregava a parte grossa das mãos nos olhos, limpando as lágrimas do rosto, assim podia ver para onde ia e não era tudo só uma névoa marrom e verde. No topo da viela, bem quando o relógio batia, subiu de novo em seu selim e começou a longa jornada de volta à Scarletwell.

John Newton tinha se tornado um mercador de escravos. Foi o que Dan Tite havia dito. Mesmo depois de ser resgatado de um escravagista, mesmo quando sabia como era lá dentro dos navios, foi e conseguiu um barco, para ele mesmo exercer aquele negócio. Enriqueceu com isso, enriqueceu com a escravidão, e depois fez seu grande arrependimento e se transformou em pastor e compôs "Amazing Grace". Meu Senhor, meu querido doce Senhor na cruz, foi um escravagista que compôs "Amazing Grace". Precisou colocar os blocos de madeira no chão, para poder limpar os olhos de novo.

Como podia ser? Como era possível ser açoitado quando era um menino de dezenove anos, sofrendo sabe Deus o que como criado de um escravagista, como era possível passar por aquilo tudo, e então ver fazerem com outra pessoa por lucro? Sabia agora o que era aquele olhar, o que viu nos olhos do retrato. John Newton era um homem culpado, um homem com sangue, piche e penas nas mãos. John Newton era um homem provavelmente condenado.

Tinha controlado um pouco os sentimentos agora, então começou a pedalar a bicicleta e continuou subindo a Bedford Road de volta e passando pelo Red Lion que tinha visto antes, a não ser que estava do lado direito dessa vez. Parecia cheio, o pub, com todo o barulho que vinha de lá, sujeitos rindo, cantando trechos de músicas que pairavam pelas ruas vazias. À esquerda, o arco-íris acima da cachoeira barulhenta não estava mais lá. O sol estava ficando baixo no oeste, à frente dele enquanto pegou a segunda curva da Yardley e foi para Denton com todo tipo de considerações revirando em seu coração.

Henry podia entender, depois de ruminar isso por um tempo, que não era apenas a questão de Newton ter ido de um lado do pelourinho diretamente para o outro. Pensando bem, Henry admitia que provavelmente tinha havido muitas outras pessoas que fizeram a mesma coisa. Ora, ele próprio conhecia pessoas que foram maltratadas e então descontaram nos outros por sua vez. Aquilo não era o que havia de excepcional ém John Newton, ter começado em uma situação que não era melhor que a dos escravos e então ter entrado naquele ramo de negócio. A questão que dominava a mente de Henry era mais como Newton poderia ter participado de um trabalho tão nefasto e então composto "Amazing Grace". Era tudo lorota, os versos que emocionaram tanto Henry e sua família? Não era melhor que o Show do Oeste Selvagem de Buffalo Bill, a não ser por estar em uma igreja e falar de belos sentimentos, enquanto Cody exibia peles-vermelhas?

À esquerda, mais longe ao norte, um borrifo de pássaros empoleirados se levantou em pintas negras sobre as matas escuras perto de Castle Ashby, parecendo cinzas sopradas de um incêndio. Seguiu pela Bedford Road, encurvado como um corvo sobre o guidão. Imaginava que, bem lá de cima, deveria ter uma semelhança com uma das novidades de lata que tinha visto, aquelas que você girava a manivela e um sujeitinho sentado em uma bicicleta seguia centímetro por centímetro em um fio reto, movendo apenas os joelhos, indo para cima e para baixo nos pedais.

Mesmo sabendo o que sabia sobre Newton, Henry não conseguia entender como palavras tão sentidas podiam ser um total fingimento. Dan Tite contou que a maioria das pessoas achava que a música era sobre uma terrível tempestade que Newton e seu navio negreiro haviam atravessado na viagem de volta para casa que fizera em maio de mil setecentos e quarenta e oito. Chamou aquilo de seu grande livramento e disse que tinha sido a graça de Deus descendo sobre ele, embora quase sete anos tivessem se passado antes que desistisse da escravatura. Tratava os escravos com decência, pelo que falou o administrador da igreja, embora Henry não soubesse direito como se podia usar uma palavra como decência ao lado de uma palavra como escravos. Era a mesma coisa que dizer que as aranhas tinham consideração por suas moscas, na opinião de Henry. Mesmo assim, ele sabia que só porque um sujeito não tinha se convertido de uma só vez, ou de repente, não significava que essa conversão não fosse sincera. Poderia ser que, quando Newton compôs "Amazing Grace", tinha arrependimentos de muitas coisas que fez. Podia ser isso que ele queria dizer quando falava que tinha sido um desgraçado. Henry antes imaginava que a música se referia a um pobre desgraçado como quase todos eram, mas agora percebia que John Newton poderia ter tido a intenção de dar um significado mais forte para aquelas palavras, que para ele eram pessoais. Um desgraçado como eu. Um desgraçado escravagista, fornicador, bêbado, putanheiro, boca suja como eu. Henry jamais tinha pensado na música nesses termos antes, apenas ouvia as coisas bonitas que existiam nela, não ouvia nada que fosse selvageria ou dor. Antes daquele dia, jamais tinha ouvido a vergonha.

Agora se aproximava de Denton, com sua sombra ficando mais longa na trilha atrás de si. A estrada se bifurcava ali, como no outro lado da vila, e Henry pegou o caminho mais à direita, assim poderia passar pelo local. Seguiu pelo caminho lateral que descia para Horton e então passava pelas corcovas de colmo da fazenda Grange, que ficava só um pouco adiante. Os sulcos negros que cortavam os campos tinham dourado nos topos onde batiam os raios baixos do sol. Todas as pequenas molas e repuxos em suas costas estavam dando problema, e ele agora sentia a idade enquanto pedalava na direção de Brafield, com cavalos observando-o do outro lado das sebes, despreocupados.

De acordo com Dan Tite, John Newton havia desistido da navegação e do escravagismo alguns anos depois de se casar, o que aconteceu em mil setecentos e cinquenta. Mesmo assim, parecia que tinha sido a doença que o colocou na linha, e não sua convicção. Então, em mil setecentos e sessenta ou por aí, foi ordenado pároco da igreja em Olney, onde encontrou o tal poeta sr. Cooper, que se escrevia Cow-per, que se mudou para a vila uns anos depois. Do pouco que Dan Tite tinha falado sobre Cowper, pareceu a Henry que o poeta era um homem perturbado no coração e na mente, e entendia agora por que talvez John Newton tivesse gostado tanto dele. Compuseram canções para as missas e encontros de orações e tal, com Newton fazendo a maior parte do trabalho, compondo quatro para cada uma de Cowper. Parecia que o pastor Newton era grande por sua escrita, não apenas compondo os versos dos hinos, mas também escrevendo diários e cartas. O administrador da igreja disse que, se não fosse pelos escritos de Newton, ninguém saberia nada hoje sobre como o escravagismo era nos tempos do século XVIII. Henry imaginou que o que ele quis dizer foi ninguém branco.

Newton compôs "Amazing Grace", pelo que achavam, talvez só em mil setecentos e setenta, quanto tinha quarenta e cinco anos, por aí. Uns dez anos depois, foi de Olney para Londres, onde se tornou reitor em um lugar que chamavam de St. Mary Woolnoth. Deu alguns sermões que eram bem considerados, e então ficou cego antes de morrer, quando tinha oitenta e dois. Talvez considerasse ter sido expiado, mas Henry não conhecia um crime pior que vender os outros para a escravidão. Até o Senhor em toda sua misericórdia enviou pragas ao Egito por causa da escravização dos hebreus, e Henry não tinha certeza do que era necessário para expiar um pecado assim tão grave.

Estava tão imerso em seus pensamentos que chegou a Brafield quase sem perceber e agora seguia para oeste na direção dos Houghtons, com o sol vermelho baixo como um tição, parecendo prestes a botar fogo nas árvores do horizonte na frente dele. Henry pensava em Newton e como era peculiar que tivesse ficado cego, quando em "Amazing Grace" dizia exatamente o contrário.

Também estava remoendo outra coisa que Dan Tite falou de quando Newton estava em Londres, na St. Mary Woolnoth, dando os seus sermões. O velho administrador da igreja contou que lá naquela congregação estava o sr. William Wilberforce, que foi um abolicionista e fez muita coisa para a escravidão terminar de vez. Parecia que, nesse aspecto, achava que os sermões do pastor Newton eram geralmente inspiradores. Talvez, se não fosse por Newton e seu grande arrependimento, não importava se genuíno ou não, a escravidão poderia não ter sido revertida tão cedo quanto tinha sido, ou talvez nem fosse. Os certos e errados da situação iam e vinham enquanto Henry pedalava pelas esquinas para Little Houghton, à sua direita, e então, depois de mais ou menos um quilômetro e meio, a que seguia para Great Houghton, à sua esquerda. O céu acima de Northampton era como um tesouro em uma cama de rosas.

Henry sabia qual era a coisa cristã a fazer, perdoar o sr. Newton pelo que fez, mas escravidão não era só uma palavra, saída de livros de história que ele não conseguia ler. Coçou o braço e pensou no que se recordava daqueles dias. Tinha uns treze anos, pensou, quando o sr. Lincoln ganhou a guerra civil e libertou todos os escravos. Henry tinha sido marcado como escravo seis anos antes, embora daquele acontecimento, de quando tinha sete anos, não se lembrasse de nada além da mãe chorando, pedindo para ficar quieto. O que mais lhe voltava era como todo mundo estava assustado no dia em que ouviram que estavam emancipa-dos. Era como se dentro do coração eles soubessem que era o povo de cor que acabaria encrencado por ser liberto, e isso foi o que aconteceu. Os velhos feitores das fazendas gostavam de dizer que todos os escravos eram mais felizes antes que fossem soltos, e eram os feitores das fazendas e seus amigos que faziam disso uma verdade. Nos dez anos que Henry e seu pessoal tinham passado no Tennessee, antes de irem para o Kansas, só o que acontecia eram estupros e espancamentos, enforcamentos, mor-tes, incêndios. Henry ficava enjoado só de pensar. Todos estavam sendo punidos por terem sido soltos, aquela era a verdade verdadeira.

As chamas morriam sobre as nuvens no oeste, e azuis mais escuros man-chavam os céus atrás quando passou ao lado de Midsummer Meadow, a caminho do Beckett's Park. Cow Meadow, era assim que o povo da Scarle-twell ainda chamava os campos por ali, embora dissessem Medder, em vez de Meadow. Contaram para Henry que ali outra das guerras inglesas tinha sido resolvida. Essa não era a Guerra Civil, que também teve sua última grande batalha bem perto dali. Aquela era uma guerra antes da que chama-vam de Guerra da Rosa, que Henry não sabia dizer sobre o que tinha sido ou onde aconteceu de verdade. Não conseguia deixar de pensar que, se a Inglaterra fosse a América, e se você tivesse um lugar onde tanto a Guerra de Independência quanto a Guerra Civil tivessem acabado, algo maior ia ter acontecido. Talvez fosse só o jeito daqui, sempre minimizando as coisas, embora parecesse a Henry que os ingleses gostavam de exaltar seus tempos passados como todo mundo, e consideravelmente mais que a maioria. Era como se o povo que escrevesse os livros de história de algum modo não enxergasse Northampton, como se existisse um véu através dela, ou como se fossem cavalos usando antolhos com a cidade toda no lado cego.

Quando chegou ao cruzamento, com o hospital à sua direita e o que chamavam de Dern Gate diante dele, parou ali perto do bebedouro no poço de são Thomas Becket e novamente encostou a bicicleta no muro áspero enquanto se inclinava e bebia, do mesmo modo que havia feito mais cedo. A água não parecia tão boa quando naquela manhã, embora Henry admitisse que seus próprios sentimentos podiam ter influência naquilo. Tinha um gosto amargo, depois de ter sido engolida. Era possível sentir o gosto de metal nela.

Subiu novamente na bicicleta e no cruzamento virou à esquerda, pela Victoria Promenade, que agora descia pelo lado norte do parque.

Pedalou entre carretas, bondes e tudo o mais, com todos voltando para casa sob um céu quase púrpura, passando pelas folhas caídas na sarjeta enquanto deixava as pradarias para trás e seguia o fedor já conhecido dos currais de animais. Estes ficavam à esquerda de Henry, e de quando em quando se ouvia algum mugido ou balido através da escuridão. Conforme passava por ali, pensava em como, à luz do dia, se via como todas as ovelhas, vacas e o que fosse eram marcadas com tinta, tinham pequenas marcas nas costas, tanto vermelhas quanto azuis. Jamais tinha visto uma marcada a ferro, agora que pensava nisso, não em todo o tempo que estava ali. Deixou aquele pensamento assentar enquanto seguia em frente, passando pelo Plough Hotel, que ficava no cruzamento da Bridge Street, à sua direita, e foi adiante por onde a estrutura de ferro do gasômetro se levantava contra a luz cinzenta da Gas Street. Ali, esticou a mão direita para sinalizar que ia virar, e então seguiu para o norte na Horseshoe Street, com o coração pesado no peito.

Era ainda o pastor Newton que chateava Henry. Ele não tinha certeza de que poderia apreciar "Amazing Grace" do mesmo modo de novo, sabendo o que sabia. Ora, não tinha nem certeza de que poderia louvar em uma igreja de novo, não se os homens da igreja pudessem ter ganhado dinheiro fazendo sabe Deus o quê. Não que Henry duvidasse de sua fé, pois aquilo jamais aconteceria, era mais como se tivesse começado a duvidar dos párocos que a proclamavam. Poderia ser que, no futuro, Henry precisasse voltar a rezar em barracões e celeiros, o que fosse mais tranquilo, do jeito que ele e seu povo faziam lá no Tennessee. Quando você se ajoelhava em um celeiro, sabia que Deus estava ali, do mesmo jeito que em uma igreja. A diferença era que em um celeiro dava para ter certeza de que não havia um demônio no púlpito.

Henry sabia que não era correto julgar todos os reverendos pelos pecados de um, mas sua confiança naquela profissão tinha sido abalada. Não tinha nem certeza de que podia julgar John Newton com justiça, com todas as contradições que existiam na história dele, mas sentia do mesmo modo que tinha o direito de estar realmente decepcionado com o homem. O padrão pelo qual Henry julgava essas coisas era o de pessoas comuns, e sabia que nem ele nem ninguém que conhecia tinha algum dia vendido outra pessoa viva para a escravidão.

Claro que ninguém que ele conhecia tinha composto "Amazing Grace" nem influenciado o sr. William Wilberforce e tudo o mais. Isso era algo para pensar. Batendo nos paralelepípedos enquanto fazia o grande esforço de subir a Horseshoe Street, os argumentos iam e viam dentro dele sem que chegassem a nenhuma conclusão que se pudesse dizer real. Ali no topo, onde sua rota cruzava a Gold Street, havia um grande e velho ônibus puxado a cavalo saindo da Marefair, de modo que precisou colocar os blocos de madeira na rua e parar enquanto o veículo passava.

De canto de olho enquanto esperava parado ali, podia ver um jovem magrelo, à toa na esquina onde ficava o Palace of Varieties. O homem olhava muito para Henry, que, vendo que estava com a mente meio deprimida, decidiu que era mais provável que fosse porque era negro ou tinha corda nas rodas ou alguma coisa assim boba. Fingiu não notar o jovem rapaz de boca aberta para ele, e então, quando o ônibus puxado por cavalos havia passado pelo cruzamento e subia a Gold Street, Henry ficou de pé nos pedais e continuou atravessando o cruzamento e seguindo ladeira acima, pelo que chamavam de Horsemarket. A escuridão descia sobre os Boroughs, fina como fuligem, enquanto Henry pedalava por sua extremidade leste, e havia lampiões a gás em algumas janelas agora. Os vagões todos acendiam suas lanternas, deixando-o feliz por ter ao menos o cabelo e a barba brancos, e o povo o veria, e assim não seria atropelado.

A Horsemarket lhe pareceu mais íngreme que de costume. Do lado esquerdo estavam as confortáveis casas de doutores, e do outro lado da rua as árvores pendiam, crescidas demais, dos jardins do Saint Katherine. Quando chegou a Mary's Street, entrou. Retinindo e rangendo, chegou ao emaranhado acinzentado da vizinhança realmente antiga, que antes era toda a cidade.

Por mais que Henry gostasse do distrito onde morava, não podia dizer que apreciasse muito vê-lo no crepúsculo. Era quando todas as coisas perdiam suas beiradas e formatos, e o que se sabia que não era real sob a luz do dia parecia muito mais possível. Diabretes, demônios e coisas assim, aquela era a hora em que eram vistos, quando a tinta descascada de um portão de madeira fazia um formato como se tivesse alguém ali de pé, ou os trechos de sombra em uma touceira de urtigas viravam um grande rosto se movendo no vento, com os olhos cheios de veneno se apertando. O anoitecer pregava peças como essas em toda parte, Henry sabia, embora às vezes tivesse a impressão de que os Boroughs tinham sido erguidos de um jeito torto especialmente para abrigar todas as escuridões e assombrações em seus recantos; ninhos em que fantasmas pobres e maltrapilhos eram criados. Suas rodas de corda vibravam através das vielas da noite, onde havia fadas feias se contorcendo em reservatórios de água e assombrações agachadas nas caleiras, pelo que Henry sabia. As casas e lojas de costas curvadas se inclinavam em torno dele, pálidas contra o anoitecer, como se fossem picos de calcário crescidos em uma caverna. Doce pelas manhãs, preguiçoso pelas tardes, vinha a escuridão e aquele era totalmente outro lugar.

Não era porque ali fosse um lugar em que se poderia ser atacado e roubado, como Henry sabia que era a opinião sobre os Boroughs de pessoas de partes melhores da cidade. Para Henry, não havia um lugar mais seguro que ali, onde ninguém roubava ninguém porque todos sabiam que eram iguais, sem um centavo no nome deles. Quanto a ataques e espancamentos, não havia como negar que aconteciam, mas não eram nem de longe como no Tennessee. Para começar, o que se tinha nos Boroughs era muitas pessoas tão furiosas por dentro que apenas queriam se embebedar e brigar umas com as outras, assim podiam botar a raiva para fora. Aquilo não era uma coisa agradável de se ver, e era difícil não tomar uma atitude enquanto jovens homens, e mulheres também, simplesmente se destruíam daquela maneira, mas não era o Tennessee. Não era um grupo de pessoas que detinha todo o poder se vingando de um monte de gente indefesa que não tinha nada. Eram pessoas pobres que não iam machucar ninguém além deles mesmos, embora Henry admitisse que podiam se machucar terrivelmente.

Não era como se os Boroughs estivessem lotados de degoladores. Não era isso que tornava o lugar meio assustador depois do anoitecer, não era nada tão razoável assim. Sobrenatural, era isso o que era depois que a luz do dia sumia, a luz do dia que barrava o outro mundo, onde qualquer coisa era possível. As crianças, claro, elas adoravam isso, e sempre havia grande grupos delas gritando para lá e para cá nas ruas escuras sob a luz dos lampiões a gás, brincando de esconde-esconde ou algo assim. Henry não duvidava de que os menininhos e menininhas soubessem que o lugar era assombrado, assim como todos os adultos. A questão era que as crianças estavam todas em uma época da vida em que os fantasmas eram tão naturais quanto qualquer outra coisa. Os fantasmas eram só parte da emoção, para uma criança. Quando você

ficava mais velho, no entanto, estava mais perto da cova e havia tido
tempo para pensar um pouco na vida e na morte, bem, aí os fantasmas e o que significavam, isso ficava tudo diferente, de alguma forma.
Aquilo, para Henry, era o motivo por que ninguém nos Boroughs saía
muito depois de escurecer, a não ser beberrões ou crianças, ou então a
polícia. Quanto mais velhas as pessoas ficavam, mais fantasmas havia
ao redor, as sombras de lugares e pessoas que não estavam mais aqui.
Henry sabia que essas vielas remontavam a tempos ancestrais, então
não deveria se surpreender se todas as assombrações tivessem se amontoado, como uma espécie de sedimento.

Pedalou até a Saint Mary's Street, onde o Grande Incêndio havia começado um par de séculos antes, seguiu pela Pike Street até a Doddridge
Street, onde desmontou de sua geringonça, de modo que pudesse
ser empurrada pelo campo-santo esburacado que descia da igreja
Doddridge. Conduziu a bicicleta sobre os montes de grama e depres-
sões negras e escuras de terreno baldio, imaginando não pela primeira
vez por que chamavam aquele pedaço de solo de campo-santo, e não de
cemitério ou necrópole. Talvez porque não houvesse ali lápides ou cru-
zes, e isso o intrigava, porque eram seres humanos que estavam enterrados. O melhor que podia imaginar tinha a ver com o sr. Doddridge,
um pároco em Castle Hill que havia sido o que as pessoas chamavam
de não conformista. Henry tinha ouvido falar de cemitérios não conformistas em outros lugares da Inglaterra, onde também havia valas
comuns para os pobres, que não podiam pagar por um enterro decente
ou uma lápide. Poderia ser isso o que aconteceu ali. Poderia estar passando com seu carrinho agora mesmo sobre ossos todos misturados de
pessoas que não tinham mais nem o próprio nome. Ciente da presença
de fantasmas que podia sentir naquela luz mortiça, murmurou umas
desculpas para os esqueletos que poderia estar desrespeitando, para
saberem que não era nada pessoal.

Depois que Henry atravessou o chão grosseiro de Chalk Lane, perto
das casas recuadas na rua que chamavam de Long Gardens, subiu de
novo no selim e pedalou ladeira acima na direção de Castle Terrace e
da própria igreja Doddridge, no lado de sua mão direita. Ao passar pela
capela, notando aquela porta engraçada na metade da parede de pedras
dando para lugar nenhum, considerou o que sabia do sr. Doddridge, o
que por sua vez o fez considerar o sr. Newton.

O sr. Philip Doddridge, pelo que o povo contava, tinha sido um homem de saúde ruim que desejava que as pessoas menos afortunadas sentissem que tinham uma fé cristã que lhes pertencia. Quando veio para Castle Hill e começou seu ministério, parece que enfrentou a Igreja Anglicana dizendo que as pessoas deveriam ter o direito de louvar como desejavam, e não como os bispos e os outros queriam. Tinha vindo para Northampton quando era um jovem na casa dos vinte anos, por volta de mil setecentos e trinta, e ficou por mais de vinte anos, antes que sua saúde o levasse. Não tinha vivido muito depois disso, mas em seu tempo mudou todo o modo como as pessoas pensavam em religião naquele país, talvez em todo o mundo cristão. Tudo isso a partir daquele pequeno monte de terra ao lado do qual Henry agora pedalava. Doddridge também havia composto hinos, só não eram tão famosos quanto "Amazing Grace", e no único velho retrato do homem que Henry tinha visto um dia, seus olhos eram claros e brilhantes e honestos como os de uma criança. Não mostravam nenhuma vergonha, nenhuma culpa. Não mostravam nada daquilo, a não ser gentileza e grande determinação.

Henry podia imaginar o sr. Doddridge por ali, caminhando em uma noite, tomando o mesmo ar, olhando para as mesmas estrelas vespertinas, mais provavelmente pensando exatamente no que aquela porta tola fazia na metade da parede. Provavelmente sentiria, como todos os homens, que estava vivo por um tempão e, como todos os homens, provavelmente achava difícil imaginar as coisas de outro jeito a não ser como eram, com ele vivo, para poder apreciar tudo. No entanto ali estávamos nós com o sr. Doddridge morto fazia mais de cento e cinquenta anos e com a igreja que batizaram com o nome dele ainda de pé, e ainda fazendo o bem pelo povo pobre. John Newton nunca teve nenhuma igreja celebrando o que fez, e William Cody só tinha sua placa ao lado das chaminés. Henry considerou tudo aquilo e pensou que poderia ser que as coisas talvez fossem justas, no fim das contas. A conclusão básica de Henry foi a de que provavelmente era melhor presumir que o Todo-Poderoso sabia o que Ele fazia nesses assuntos.

Foi avançando pelo Castle Terrace, na direção de onde ficavam a Castle Street e a Fitzroy Street e a Little Cross Street, todas juntas, indo diretamente para a Bristol Street, que era o caminho mais direto para sua casa. Adiante dele, à esquerda, viu uma mulher de saia comprida, cami-

nhando sozinha, ao que Henry pensou, até ver o bebê que ela carregava.
Na luz dos lampiões a gás, os cachos todos na cabeça da criança brilhavam feito uma mina de ouro, então soube que era May Warren e sua
mãe, que também se chamava May Warren. Baixou um pé para arrastar
o bloco pelos paralelepípedos, desacelerando até parar ao lado delas.

— Ora, sra. May e srta. May! As senhoras andaram passeando pela
cidade toda, aposto, e estão voltando para casa só agora!

A May mais velha parou e se virou, surpresa, e então riu ao ver que
era Henry. Era um riso grosso, ribombando lá embaixo no que Henry
admitia que era um grande peito que a moça tinha.

— Black Charley! Diacho, você me deu um susto, seu tonto. Deveriam
fazer uma lei para fazer você andar com estrelinhas depois que escurecer.
Olha, May. Olha quem é, vindo assustar a sua mãe. É o tio Charley.

A menininha, que era sem dúvida a criança branca mais bonita que
Henry já tinha visto, olhou na direção dele e disse "Char" um par de
vezes. Ele sorriu para a mãe do bebê.

— É um anjo que você tem aí, May. Um anjo que caiu do Céu.

A jovem May Warren balançou a cabeça de modo desdenhoso, como
se já tivesse escutado aquele elogio tantas vezes que estava começando
a se incomodar.

— Não diga isso. Todo mundo sempre diz isso.

Continuaram a conversar por um tempo, então Henry disse a May
que era melhor levar a filhinha para casa, para o calor. Todos disseram
suas despedidas, então as duas Mays foram para a Fort Street, onde
moravam ao lado do pai da May mais velha, que era Snowy Vernall. De
acordo com a história que contaram a Henry, o avô de May, cujo nome
era Ernest, viu o cabelo ficar branco de susto uma vez, e isso havia sido
suficiente também para fazer a mesma coisa com o filho pequeno. O
cabelo de Snowy era mais branco que o de Henry, e alguns diziam que
ele era meio maluco, embora Henry apenas o conhecesse como um
homem que gostava de beber e tinha talento com as mãos para fazer
desenhos e coisas assim. A mãe e a bebê, elas desceram para a Fort
Street, que não era uma rua de verdade, mas só uma trilha pavimen-
tada. Segundo diziam, ali era o local de um forte nos tempos antigos.
A rua tinha uma espécie de aparência de calabouço, ao menos para os
olhos de Henry. Sempre parecia uma rua sem saída, não importava se
você soubesse que tinha uma viela por trás.

Henry seguiu para onde o sr. Beery, que era como chamavam o acendedor ali nos Boroughs, esticava a longa vara para acender os lampiões em Bristol Street. Ele gritou para Henry, animado, e Henry gritou de volta. Esperava que as crianças não subissem naquele poste para assoprar a chama assim que o sr. Beery se afastasse, embora definitivamente houvesse uma chance que aquilo pudesse acontecer. Henry pedalou pela Bristol Street a caminho da Bath Street. Fez a curva para a esquerda que o levaria por Bath Row e então para a Scarletwell Street, onde morava. Ali a escuridão era bem espessa, pois o sr. Beery ainda não tinha chegado até aquele ponto. Era como se toda a noite tivesse escorrido morro abaixo para criar aquela grande poça negra no fundo. Os lampiões que se viam brilhavam através de cortinas fechadas, pareciam aqueles bulbos que brilhavam no escuro pendendo das cabeças dos peixes grandes e feios que às vezes apareciam, trazidos dos abismos do mar por barcos de pesca de arrasto e similares.

Henry saiu da Bath Street para a Scarletwell bem do outro lado da via que as pessoas ali chamavam de viela, no local onde descia atrás de Scarletwell Terrace. A grande St. Andrew's Road estava a uma curta distância à sua esquerda. Mas ele desceu da bicicleta e a empurrou ladeira acima, para o outro lado. A casa em que vivia com Selina e as crianças ficava um pouco acima, em frente ao pub chamado Friendly Arms, que ficava do outro lado. Henry se recordou de quando ele e sua Selina chegaram ali pela primeira vez, vindos de Gales, depois de recolher o pagamento na Welsh House, no mercado, de quando desceram até lá e deram uma olhada. Não tinham certeza do que o povo acharia de ter um sujeito negro casado com uma moça branca, se fossem morar por ali. Talvez não fosse um lugar que aceitaria duas cores diferentes, lado a lado. Aquilo foi quando vieram pela primeira vez para a Scarletwell Street e o Friendly Arms, onde tinham recebido um sinal. Amarrado do lado de fora do bar e bebendo cerveja de um copo estava o que depois souberam que era o animal de Newt Pratt. O sinal havia deixado ambos espantados, por ser tão improvável, que decidiram ali na mesma hora que era um lugar em que poderiam montar uma casa. Não importava o quanto fossem diferentes, duas raças casadas para viver como marido e mulher, ninguém na Scarletwell Street olharia duas vezes para eles, não com a criatura espantosa de Newt Pratt amarrada e se embebedando do outro lado da rua daquele jeito.

Ele sorriu ao pensar nisso, empurrando a bicicleta e o carrinho ladeira acima, com os blocos de madeira tirados dos pés e nos bolsos de seu casaco, onde sempre ficavam quando não os usava. Alcançou o que era uma pequena viela à sua esquerda, que o levaria diretamente para seu próprio quintal. Levantou o trinco do portão, então fez uma barulheira terrível colocando a geringonça no quintal, como sempre fazia. Selina saiu à soleira, com a primeira filha deles, Mary, que tinha pele branca, pendurada nas saias. Sua esposa não era alta, e estava com o cabelo todo escovado, chegando aos joelhos com ela ali de pé na soleira da porta, sorrindo para ele com o calor do lampião logo atrás.

— Olá, Henry, amor. Entre, e pode contar para nós como foi.

Ele a beijou na bochecha, então pescou todas as coisas que as pessoas tinham lhe dado de dentro do carrinho, que ficaria em segurança no quintal.

— Puxa, estive em todo lugar. Consegui umas roupas velhas e umas molduras de fotografias. Acho que se tiver alguma água fervendo eu podia me lavar, antes de nosso jantar. Foi um dia cansativo, em vários sentidos.

Selina inclinou a cabeça para um lado, observando-o enquanto ele passava, levando todas as coisas que tinha recolhido para dentro da casa.

— Mas você ficou bem, não? Algum problema?

Ele sacudiu a cabeça e abriu para ela um grande sorriso tranquilizador. Não queria ainda falar sobre o que tinha descoberto em Olney, a respeito do pastor Newton e "Amazing Grace". Não tinha certeza em sua própria cabeça de quais eram suas opiniões a respeito da questão, e imaginou que contaria a Selina depois, quando tivesse tido a chance de pensar um pouco mais. Levou as molduras e tudo mais até a sala da frente que dava para a Scarletwell, e as colocou ali com os outros itens que tinha conseguido, então voltou para o cômodo onde estavam Mary e Selina. O menino deles, que se chamava Henry como ele e era negro como o pai, estava dormindo no andar de cima em seu berço agora, mas Henry daria uma olhada nele antes de ir para a cama. Deixou Selina fazendo um bule de chá na mesa de jantar e voltou para a pequena cozinha, para que pudesse se lavar.

Ainda havia água morna no caldeirão de cobre, e ele pegou um pouco em uma tigela de esmalte branco que havia colocado na pia funda de pedra. A pia ficava abaixo da janela da cozinha, de frente para o jardim onde tudo estava escuro agora, então não dava para ver. Tirou o casaco e o colocou na cesta de roupas que havia ao lado da porta, e então começou a desabotoar a camisa.

Ainda pensava no pastor Newton. O homem tinha feito um bem tremendo, na cabeça de Henry, e do mesmo modo cometido um tremendo pecado. Henry não estava certo de que tinha envergadura suficiente para julgar um homem cujos vícios e cujas virtudes tinham tamanha dimensão. Porém, quem iria exigir a prestação de contas de homens como aqueles, se não Henry e seus parentes e todos os outros que foram tratados de modo tão injusto? Aqueles homens tão importantes, com seus hinos e estátuas e suas igrejas vivendo além deles e dizendo ao povo o quanto eles eram bons. Henry tinha impressão de que aqueles monumentos eram todos como a placa do coronel Cody no telhado, que tinha visto mais cedo naquele dia. Só porque um sujeito era bem lembrado, isso não significava que havia feito alguma coisa para merecer isso. Henry se perguntou onde estava a justiça em tudo aquilo. Perguntou-se quem, no fim das contas, decidia o que era a marca de um grande homem, e como sabiam que não era apenas a marca de Caim? A camisa e o colete tinham sido retirados agora, pendendo com o casaco na cesta ao lado da porta da cozinha. Lá fora, na noite escura, embora o vapor subisse da vasilha de esmalte e passasse pelos vidros da janela, via o próprio reflexo de pé no breu do quintal, despido até a cintura e olhando para ele.

Sua própria marca estava bem ali no ombro esquerdo, onde a fizeram a ferro quando tinha sete anos. Tanto seu pai quanto sua mãe tinham uma igual. Ele não lembrava da noite em que o ferro foi colocado nele e, mesmo depois de tantos anos, ainda não fazia ideia da razão por que fizeram aquilo. Não havia nenhum roubo de crioulos acontecendo, pelo que podia recordar.

Era uma coisa engraçada, a marca, não muito diferente de um desenho feito por alguma criancinha. Tinha dois montes com uma ponte entre eles, ou tachos presos em uma balança para pesar ouro. Abaixo disso havia um pergaminho, ou poderia ser uma estrada sinuosa. As linhas eram pálidas e violetas, macias como cera na carne roxa do braço de Henry. Ele levantou a outra mão e passou os dedos sobre o desenho. Esperava pela sabedoria e o entendimento que responderiam todas as questões em seu coração, sobre John Newton, sobre tudo. Esperava pela graça para que pudesse colocar de lado todos os pensamentos ruins, embora soubesse que para isso teria de ser algo realmente incrível.

Do lado de fora, o céu de azul real sobre a Capela Doddridge, e as estrelas começavam a sair, e os pássaros noturnos, a cantar. A esposa e a filha estavam na sala ao lado, servindo seu chá. Ele pegou água morna com um pouco de sabão nas palmas das mãos, jogando-a sobre o rosto e os olhos, para que tudo fosse lavado em um véu cinza e misericordioso.

ATLÂNTIDA

Teu pai estoura a cinco bufas, e insossos hoje são curral. Ha ha ha ha. Ah, saco, que ele fique embaixo da água nas correntes de linho mornas e suadas que o levembalam para longe, enroscado em correntes de âncora e caranguejos que esgaravatam e sereias mirificando nos telefones celentolares, seus pentes de ossos de peixe, não o faça nadar para a luz ainda, não ainda. Cinco minutos, só mais cinco minutos, porque ali embaixo não é hora nenhuma, poderia ser mil novecentos e cinquenta e oito, e ele, uma criança de cinco anos com toda sua vida imaculada ainda a se desenrolar diante dele, ali embaixo no quente e algas e burgaus, com seus pensamentos tetras de cores vivas correndo entre os bustos tombados, os baús dos mortos, mas é tarde demais, já é tarde demais. Uma mola de colchão espeta através das areias do leito do oceano, alcançando suas costas, e ele sente seus braços e pernas, membros de água-marinha, arrastando-se atrás de si em uma extensão salgada enquanto flutua relutantemente para cima através de lodo-sonho em suspensão, de volta para o brilho mosqueado da superfície, onde sua mãe tinha ligado o rádio na cozinha. Saco. Dane-se.

Benedict Perrit entreabriu os olhos ao primeiro sinal do dia. Não era 1958. Não tinha cinco anos. Era 26 de maio de 2006. Ele era uma carcaça flatulenta de cinquenta e dois que sofria de tosse, um espécime da realeza do século XIX no exílio, perambulando pela costa de um século estrangeiro e hostil. Ha ha ha ha. Carcaça era um pouco de exagero, na verdade. Estava em melhor forma que a maioria das pessoas da sua idade, pensando bem. A questão era mais que tinha acabado de acordar, e bebido cerveja na noite anterior. Ele se recuperaria mais tarde, com certeza, mas a manhã sempre chegava como uma espécie de choque para Benedict. Ainda não havia tido a chance de acionar suas defesas naquela hora do dia. Os pensamentos que mais tarde poderia evitar ou deixar de lado atacavam como uma matilha de cães logo depois de acordar e antes do café da manhã. As verdades nuas e cruas da vida, sob a luz da manhã, eram sempre como um soco no rosto: sua adorável irmã Alison estava morta, um acidente de motocicleta havia mais de quarenta anos. Seu pai, o velho Jem, estava morto. A casa em que tinham vivido, a velha rua, a vizinhança, todos mortos também. A família que havia começado com Lily e os meninos, ele tinha estragado aquilo, estava tudo terminado agora. Tinha voltado a morar com a mãe em Tower Street, no que costumava ser o alto da Scarletwell Street, atrás dos blocos de prédios. Sua vida, em sua opinião, não tinha de fato saído conforme o esperado, e no entanto pensar que chegaria ao fim em mais uns trinta anos o apavorava. Ou ao menos quando tinha acabado de acordar. Tudo o apavorava quando tinha acabado de acordar.

Deixou que seus demônios o mastigassem por mais um ou dois minutos, então os jogou para longe junto com o lençol e as cobertas, colocando as pernas nodosas e cabeludas no chão ao lado da cama enquanto se sentava. Passou as mãos sobre o mapa montanhoso de seu rosto e os nós ainda negros dos cabelos. Tossiu e peidou, sentindo-se vagamente desrespeitoso ao fazer isso na presença de suas estantes de livros, na parede do fundo do quarto. Podia sentir Dylan Thomas, H.E. Bates, John Clare e Thomas Hardy o encarando, esperando que assumisse a má conduta e pedisse desculpas. Ele murmurou um "peço perdão", esticando o braço para pegar o roupão, pendurado em uma cadeira ao lado da escrivaninha antiga, então ficou de pé e caminhou descalço para o patamar da escada, peidando mais uma vez para asseverar sua independência pouco antes de fechar a porta do quarto e deixar os poetas pastorais encontrarem o romance em sua flatulência. Ha ha ha ha.

Uma vez no banheiro, cuidou de suas evacuações que, graças à bebida da noite anterior, foram miseravelmente angustiantes, mas concluídas de modo até que rápido. A seguir, tirou o roupão enquanto se lavava e fazia a barba, de pé na pia. O aquecimento central, isso era uma coisa da vida moderna que o agradava. Na Freeschool Street, onde tinha crescido, era frio demais para lavar mais que o rosto e as mãos todo dia. Conseguia no máximo uma boa esfregada em uma banheira de zinco nas noites de sexta, se tivesse sorte.

Benedict deixou correr um pouco de água quente na pia — ele admitia de má vontade que água quente também podia ser vista como melhoria — e então a jogou sobre si antes de ensaboar com o Camay da mãe, usando seus abundantes pelos púbicos como base de sabonete improvisada. Para se enxaguar, arrancou uma toalha do varão para pisar, assim não encharcaria o tapete do banheiro, inclinando-se para a frente, deixando os genitais penderem na pia esmaltada branca enquanto pegava água e a deixava escorrer pelo peito e pela barriga, e então deu uma esfregada quase sem sabão nas pernas e nos pés antes de se secar com outra toalha, maior. Vestiu novamente o roupão, então tirou o velho pincel e a navalha de barbear do pai do armário do banheiro.

As cerdas — pelos de porco ou texugo, nunca soube ao certo — eram suaves e reconfortantes, espalhando a espuma branca em seu rosto. Ele olhou o espelho do banheiro, viu o próprio olhar triste, e então passou a navalha aberta em ângulo sobre a garganta de seu reflexo, a uns cinco centímetros de distância da traqueia, gorgolejando mortalmente, virando os olhos e espichando a língua comprida e apenas levemente peluda. Ha ha ha ha.

Ele se barbeou, lavando a lâmina sob a torneira de água fria e deixando os restos de pequenos pelos em torno da linha da água da pia. Eram como resíduos de folha de chá, mas menores, e ele imaginou se o futuro poderia ser visto entre aqueles pontos aleatórios. Sempre costumavam dizer lá nos Boroughs que, por exemplo, se você tinha folhas de chá que pareciam um barco, significava que uma viagem marítima estava para acontecer, só que, é claro, nunca estava. Guardando o conjunto de barbear, secou o rosto e passou a mão cheia de Old Spice. Quando usou aquilo pela primeira vez, na adolescência, tinha achado o aroma frutado um tanto feminino, mas agora gostava. Tinha cheiro dos anos sessenta. Olhando para o rosto barbeado no espelho, abriu um sorriso suave de ídolo de matinê e balançou as sobrancelhas grossas para cima e para baixo sugestivamente, um gigolô bêbado tentando seduzir o próprio reflexo. Deus do céu, quem ia querer acordar ao lado daquilo, ao lado de Ben Perrit e do nariz de Ben Perrit? Ele não, com certeza. Se Benedict dependesse somente de sua aparência, achava que estava liquidado. Era um golpe de sorte, então, que fosse um poeta publicado, além de todos os seus outros charmes e virtudes.

Voltou para o quarto para se vestir, lembrando do peido apenas quando era tarde demais. Saco. Vestiu a camisa e as calças respirando pela boca, então pegou o colete e os sapatos e correu para a escada, terminando de ajustar a indumentária quando estava fora do quarto e de volta à atmosfera terrestre. Limpou os olhos lacrimejantes. Por Deus, era o tipo de coisa que servia para avisar que você ainda estava vivo.

Galopou para o andar de baixo. A mãe, Eileen, estava na cozinha, pairando em torno do fogão, cuidando para que seu café da manhã não queimasse. Começara a preparar os ovos mexidos na torrada assim que o escutou cambaleando no banheiro lá em cima. Ela puxou a grelha apenas três ou quatro centímetros para checar quão dourada estava a torrada de pão de forma branco e, com a colher de pau, cutucou as nuvens de gema engrossando na frigideira. Olhou para o filho com os velhos olhos castanhos, que eram tão amorosos quanto recriminadores, apertando os lábios e fazendo um sinal de desaprovação como se depois de todos aqueles anos ela ainda não soubesse nada a respeito de Benedict, ou o que pensar dele.

— Bom dia, mãe. Posso dizer que está particularmente radiante nesta manhã? Há certos filhos que não seriam tão galantes, sabe. Ha ha ha.

— Sei, e tem as mães de tipos como esse também. Vem cá tomar seu café antes que fique frio.

Eileen pescou a torrada, passou uma camada de margarina e jogou a massa mexida soltando vapor sobre ela, em um movimento aparentemente contínuo e fluido. Puxou para trás uma mecha cinzenta que havia se soltado do coque ao dar a Benedict o prato e os talheres.

— Tó aqui. Não deixa cair na tua camisa.

— Mãe, comporte-se! Ha ha ha ha.

Ele sentou-se à mesa da cozinha e começou a devorar o que considerava uma necessária forrada no estômago. Não tinha ideia do motivo por que tudo o que dizia saía como se fosse o arremate de uma piada ou um bordão cômico inédito. Tinha sido assim desde que todos se lembravam. Talvez a vida fosse mais fácil de encarar se fosse vista como um capítulo estranhamente longo de *The Clitheroe Kid*.

Terminou a refeição com uma xícara de chá que a mãe lhe fizera. Deu um gole na bebida... Não posso falar agora, estou bebendo... seu olhar brilhante de cigano assando porco-espinho estava focado nos ganchos de casacos na passagem onde o chapéu e a echarpe esperavam, enquanto ficava ali sentado planejando sua escapada. Escapar, porém, exceto para os poemas e as boas lembranças, era algo em que Benedict jamais fora bem-sucedido. Antes de ele colocar a xícara vazia no pires e começar sua corrida para a liberdade, Eileen deu o bote.

— Cê vai procurá emprego hoje então?

Apesar de ser algo bem diferente de sempre pensar na morte ao acordar, aquela era outra questão da manhã que Benedict achava problemática. Eram duas coisas, na verdade, em que fracassava imensamente. Escapar e encontrar trabalho. Claro, o maior empecilho para encontrar trabalho era não estar procurando, pelo menos não com muito afinco. Não era bem a questão do trabalho em si que o desanimava, era o emprego: todos os procedimentos e as pessoas que isso implicava. Ele apenas sentia não ter coragem de se apresentar para um agrupamento de novos rostos, pessoas que não sabiam nada sobre poesia ou a Freeschool Street e não teriam ideia do que era Benedict. Não poderia fazer isso, não com essa idade, não diante de estranhos, não para explicar quem era. Para ser completamente sincero, jamais se sentiu capaz de se explicar em idade nenhuma, para ninguém, ou pelo menos de forma satisfatória. Três coisas, então. Escapar, encontrar trabalho e se explicar direito. Era apenas com essas questões que tinha problemas. Com todo o resto, ele se dava bem.

— Estou sempre procurando. Você me conhece. Os olhos que nunca descansam. Ha ha ha ha.

A mãe inclinou a cabeça para um lado enquanto o olhava, com afeto e, ao mesmo tempo, exausta incompreensão.

— Ah, bem. Pena que os olhos não ensinam esse truque pro traseiro, nesse caso. Tó. Uma coisinha pro jantar. Espero te ver quando você voltar, se eu ainda estiver acordada.

Eileen apertou dez Benson & Hedges e uma nota de dez libras na mão dele. Ele sorriu para ela, como se aquilo não acontecesse toda manhã.

— Mulher, eu poderia beijá-la.

— Sei, ora, venha beijar e vai levar isso aqui ó.

Isso aqui era o punho da mãe, empurrado para cima como uma rocha aborígene assombrada. Ben deu risada, colocando a nota de dez e os cigarros no bolso, então foi para o corredor. Enquanto apertava a echarpe laranja-escuro em torno da garrafa de Carlsberg entalada que era seu pomo de Adão, apertando os olhos para a luz do dia filtrada pelo painel congelado da porta da frente, concluiu que parecia ensolarado o suficiente para deixar o casaco para trás, mas não a ponto de justificar o uso do chapéu de palha. Seu colete já parecia feito de uma cortina de bordel. Era melhor não exagerar.

Transferiu os cigarros do bolso da calça para a mochila de lona, onde também guardava alguns lenços Kleenex e uma laranja, com uma cópia de *A Northamptonshire Garland*, em uma edição organizada por Trevor Hold e publicada pela Northampton Libraries. Era apenas algo em que estava dando uma olhada no momento, só para manter o costume. Mochila sobre o ombro, Benedict se despediu da mãe, respirou fundo para se fortalecer na frente do espelho do corredor e, escancarando a porta da frente, se lançou com valentia mais uma vez na batalha, e no surrado mundo em que ela era conduzida.

Nuvens cor de cuspe se moviam sobre a Tower Street, que um dia foi o ponto mais alto da Scarletwell. A rua havia sido renomeada depois que o edifício Claremont Court bloqueou metade do céu do lado oeste à direita, uma das duas estacas de tijolo marteladas no coração morto-vivo do distrito. Em uma superfície de tijolos recém-reformada com cor de pasta de caranguejo, havia as palavras ou possivelmente uma só palavra NOVAVIDA, uma logomarca prateada ao lado, que mais parecia um rótulo para um telefone celular ou bateria de longa duração do que nome de um prédio de apartamentos. Benedict estremeceu, tentando não olhar para aquilo. Na maior parte do tempo, achava confortável ainda morar na amada vizinhança, a não ser quando notava que quem amava estava morto havia trinta anos e agora estava se decompondo. Então se sentia um pouco como alguém de um item saído da *Fortean Times*[44], um daqueles viúvos apaixonados e dementes ainda afofando os travesseiros para uma noiva há muito mumificada. Novavida: uma regeneração urbana que precisou ser literalmente explicitada para mitigar sua óbvia ausência. Como se apenas aparafusar as letras com acabamento espelhado tornasse aquilo verdadeiro. O que havia de errado com a velha vida, aliás?

Ele verificou se a porta atrás de si estava trancada, com a mãe agora sozinha lá dentro, e ao fazer isso viu o drogado gordo e grande e careca, Kenny alguma coisa, arrastando-se pela Simons Walk, que seguia além do final da Tower Street, na parte de trás de Claremont Court. Usava calça cinza e blusa esporte da mesma cor, o que, à distância, parecia uma peça só, um grande macacão, como se o traficante fosse um bebê gigante que havia ultrapassado a dose segura de paracetamol. Benedict fingiu que não o tinha visto, virando à esquerda e andando rapidamente na direção do fim da rua, uma confluência de calçadas desniveladas enfiadas atrás do vórtice de trânsito da Mayorhold. Como alguém podia ficar gordo daquele jeito usando drogas, a não ser que as comesse num sanduíche de pão frito? Ha ha ha ha.

Folhas amarelas empastadas criavam uma espécie de cobertura parcial de linóleo sobre o macadame que pisou ao passar pelo prédio do Exército da Salvação, um quartel pré-fabricado no qual ele achava que jamais tinha entrado. Duvidava que ainda seguissem tocando seus pandeiros, ou servindo de graça xícaras de chá e pães. O século XX havia sido um tempo melhor para ser um fracassado. Naquela época, a pobreza vinha acompanhada de banda de metais e uma boca cheia de bolinho se dissolvendo em chá Brooke Bond quente; peitos gentis arfando sob sarja azul-marinho e grandes botões dourados. Agora vinha com adolescentes com olhos faiscantes que supervisionam campos de morte na inescapável agência de empregos e fosse lá qual a trilha sonora que estivesse tocando nas lojas lá fora, normalmente "I'm Not In Love". A rua curta terminava no encontro da calçada com a passagem subterrânea, onde um muro alto se levantava para cercar o tanque de tubarões robôs de Mayorhold. Pintado com um código de barras de cor ocre, tangerina e ferrugem, provavelmente tinha intenção de dar uma atmosfera latina, mas parecia um ataque de vômito reencenado com peças de Lego. Benedict parou de andar para que pudesse absorvê-lo, o chão em que pisava, com toda sua grande enormidade histórica.

Para começar, era perto dali que ficava um dos bares prediletos de seu pai, o Jolly Smokers, embora isso de modo nenhum resumisse toda a extensão do pedigree histórico local. Aquele lugar era onde a primeira "Gihalda", ou prefeitura, ficava nos séculos XIII e XIV, ao menos de acordo com o historiador Henry Lee. Ricardo II havia declarado em sua carta régia que era o local onde todos os meirinhos e o prefeito ficavam. Meirinhos ainda eram vistos por lá de vez em quando, mas os prefeitos eram bem mais raros atualmente. No fim do século XIV, toda a riqueza e o poder se deslocaram para o lado leste da cidade, e uma nova prefeitura foi construída nos baixos da Arbington Street, perto de onde hoje ficava o Caffè Nero. Aquele era o ponto a partir do qual provavelmente se podia datar o declínio da área: por mais de setecentos anos, os Boroughs seguiam continuamente ladeira abaixo. Era uma descida bem longa, claro, embora, observando os azulejos eméticos, Benedict acreditasse que o fim ao menos estava à vista.

Embora a primeira prefeitura ficasse ali, não fora essa razão para que a antiga praça da cidade se chamasse Mayorhold, pelo menos não na visão de Ben. Sua teoria é que a praça ganhou esse nome depois, nos anos 1490, uma época em que o Parlamento havia colocado Northampton sob o controle de um prefeito todo-poderoso e um conselho formado por quatro dúzias de ricos sodomitas, matronas lamentosas e burgueses abastados, um grupo conhecido como os Quarenta e Oito. Benedict achava que foi aí que o povo dos Boroughs, assim como as pessoas da vizinha Leicester, começou a grande tradição de eleger um prefeito de mentira, para debochar dos processos de governo de que tinham sido excluídos. As eleições de mentira eram feitas na praça, daí o nome, e um colar ministerial de lata feito com uma tampa de panela era entregue a quem tivessem escolhido aleatoriamente, em geral alguém meio bêbado, meio estúpido ou só com meio corpo por causa de um ferimento de guerra, ou, em casos extremos, todos os casos acima. Benedict achava que o próprio avô paterno, Bill Perrit, tinha sido um dos eleitos, mas suas únicas provas eram o apelido do velho, "o Xerife", e o fato de que ele costumava passar os dias sentado totalmente bêbado no lado de fora da Missão de Mayorhold, em uma velha carriola que tratava como um trono. Benedict imaginou brevemente se poderia reclamar o cargo por ser descendente do Xerife e morar onde ficava a primeira prefeitura. Imaginou a si mesmo como mais um Tichborne, o Grande Pretendente. Um desses que gastaram mais energia tentando colocar uma coroa sobre a cabeça que garantindo que a cabeça se mantivesse sobre os ombros. Lambert Simnel, Perkin Warbeck e Benedict Perrit. Pessoas muito influentes. Ha ha ha ha.

Virou pelo caminho de baixo, que mais adiante tinha degraus que davam na esquina onde a ponta de cima da Bath Street encontrava o topo da Horsemarket. Mesmo daquele ponto baixo, podia ver os andares superiores das duas torres de apartamentos, Claremont Court e Beaumont Court, onde apareciam acima dos azulejos de omelete espanhola da enorme barragem à sua direita. As torres, para Benedict, tinham marcado o verdadeiro fim dos Boroughs, aquela rica saga de mil anos foi concluída com essa superenfática dupla de pontos de exclamação. Novavida. Dava vontade de vomitar. Dois ou três anos antes houve pedidos para destruir os monstros pouco habitáveis, em um reconhecimento de que jamais deveriam ter sido erguidos. Por um breve momento, Benedict achou que poderia viver mais que aqueles retângulos opressivos e intimidadores, mas então a Bedford Housing fez algum tipo de acordo com o governo municipal — ainda quatro dúzias de burgueses abestalhados, ainda os Quarenta e Oito depois de cinco séculos — e comprou as duas torres ao que parece por um centavo cada. As irmãs feias com cheiro de urina foram embonecadas e então transformadas, supostamente, em acomodações para "Trabalhadores Essenciais" dos quais pelo jeito Northampton precisava, a maioria jóqueis de sirene: enfermeiras, bombeiros, policiais e afins. Novavida. Nova vida trazida de paraquedas para conter os habitantes anteriores quando ficavam doentes, eram esfaqueados ou ateavam fogo uns nos outros. Mas o que aconteceu foi que as torres de apartamentos acabaram preenchidas com fluxos de restos humanos... pacientes psiquiátricos, craqueiros, refugiados... não muito diferentes das pessoas que viviam ali antes.

O esquerdista Roman Thompson, da St. Andrew's Street, uma vez mostrou a ele uma lista do conselho da Bedford Housing, que incluía o ex-vereador trabalhista, James Cockie. Isso possivelmente explicaria o preço de um centavo. Benedict virou à esquerda antes de chegar aos degraus para a esquina de Bath Street, pegando o túnel de pedestres sob a Horsemarket que tinha uma placa para o centro da cidade. Ali o mosaico bilioso laranja-amarronzado o rodeava por completo, subindo até o teto arqueado do túnel, onde as luzes de sódio emitiam, em intervalos, um brilho âmbar de pouca ajuda.

A silhueta magra e mal iluminada de Ben atravessou a catacumba nauseante que parecia farfalhar com os fantasmas de assassinatos futuros. Um carrinho de supermercado abandonado veio de encontro a ele de modo ameaçador por talvez uns trinta centímetros, mas então pensou melhor, rangendo em uma parada amuada. Foi apenas quando passou debaixo de uma lâmpada que os traços de proporções heroicas de seu sorriso cansado e resignado ficaram evidentes, algo como um busto de Boz[45] iluminado por um fósforo. A lembrança incômoda a respeito do vereador Jim Cockie, em combinação com aquele ambiente subterrâneo, parecia ter trazido à tona um sonho antes esquecido no qual o sujeito aparecia. Um sonho da noite anterior de que agora, subitamente, Ben se lembrou, ainda que apenas como uma série de fragmentos crípticos e confusos.

Vinha vagando pelas fileiras de casas genéricas de tijolo vermelho e terrenos baldios que terminavam nos arcos de estradas de ferro que pareciam ser o cenário padrão de seus sonhos. Em algum lugar naquela paisagem assombrada e familiar havia uma casa, uma velha casa dos Boroughs, prestes a desmoronar junto às suas escadas e passagens que nunca faziam muito sentido. As ruas estavam escuras. Era noite alta. Sabia que familiares ou amigos esperavam por ele no porão do prédio, mas tinha sofrido todas as costumeiras frustrações oníricas para encontrar o caminho até lá, pedindo desculpas ao passar por apartamentos e banheiros de outras pessoas, circulando por saídas de lavanderia parcialmente bloqueadas por carteiras de madeira antiga que reconhecia serem da escola de Spring Lane. Por fim, chegou a um tipo de sala da caldeira ou porão com sangue, palha e serragem no chão, como se o espaço tivesse sido usado como um abatedouro recentemente. Havia uma atmosfera de horror sórdido e, no entanto, aquilo estava de algum modo ligado à sua infância, e era quase reconfortante. Então se deu conta de que o vereador Jim Cockie, alguém que ele mal conhecia, estava de pé ao seu lado no porão ensanguentado, uma forma corpulenta, de óculos e cabelos brancos, vestindo apenas cuecas, com o rosto contorcido em uma máscara de pavor. Ele disse: "Este é o lugar com que todos sonham. Conhece a saída?" Ben sentiu-se pouco disposto a ajudar o homem aterrorizado, um dos Quarenta e Oito que historicamente tinham destruído os Boroughs, e respondeu apenas: "Ha ha ha. Estou tentando adentrar mais". Nesse ponto, Benedict acordou do que ainda parecia o pesadelo de outra pessoa. Saiu do túnel, livrando-se dos sonhos ruins com a escuridão da passagem subterrânea, e subiu bufando a rampa íngreme até a Silver Street.

Do outro lado da rua de mão dupla que a Silver Street era agora erguia-se o estacionamento municipal de cinco andares, vermelho e amarelo-mostarda, como condimentos derramados. Em algum lugar sob aquela massa velha de bolo Battenberg, Benedict sabia que estavam todas as lojas e os quintais cujos fundos um dia deram para a Mayorhold. Tinha a revistaria dos Botterill, o açougue, a barbearia de Phyllis Malin, a fachada verde e branca da Co-operative Society, Construída em 1919, Filial Número 11. Tinha os banheiros públicos escuros na esquina que sua mãe e seu pai por alguma razão conheciam como Escritório de Georgie Bumble, e a banca de peixe com fritas e o Electric Light Working Men's Club na Bearward Street e outros cinquenta lugares moídos em um pó indistinguível sob o peso dos quatro por quatro e dos Volksvulgum agora empilhados sobre eles. À direita ficava a parte de trás do velho Mercado de Peixe, que, por sua vez, havia sido construído sobre a sinagoga frequentada pelos prateiros que deram o nome à rua. Em sua mente, ele adicionou estrelas de Davi em uma filigrana brilhante ao lixão imaginário definhando debaixo dos vários andares do motor show. Ford Transit Gloria Mundi. Ha ha ha ha.

Crescendo no muro de tijolos perto do restaurante chinês onde a Silver Street se juntava à Sheep Street havia uma flor silvestre solitária, arroxeada e frágil como uma malva, embora ele não achasse que pudesse ser uma. Do pálido e mole caule verde hospital saíam fios de groselha, quase finos demais para serem detectados pelo olho adulto. Fosse qual fosse aquela variedade, era de um tipo modesto e pré-histórico, como o próprio Benedict. Por mais delicada e frágil que parecesse, havia atravessado a argamassa do mundo moderno, tinha se imposto de modo inerradicável diante de um MacSéculo deflorado e sem graça. Sabia que não era uma grande visão poética, que não se comparava a Dylan Thomas e sua "A força que do pavio verde inflama a flor..."[46], mas naqueles dias ele aceitava suas inspirações de onde viessem, até mesmo daquelas flores silvestres. Virando na Sheep Street, foi para o Bear, onde tinha intenção de dar conta novamente de seu desafio diário, que era tentar ficar caindo de bêbado usando só uma nota de dez.

Barulhento apesar do número relativamente pequeno de fregueses naquela hora do dia, o Bear fervilhava ao som de sua própria versão dos caça-níqueis: glissandos elétricos de varinha de condão e o chapinhar de sapos loucos nas telas. Mosaicos luminosos se rearranjavam em cantos borrados de sua visão, dourados, vermelhos e púrpuras, uma paleta das Mil e Uma Noites. Ele se lembrou de quando um bar pela manhã era um lugar de silêncio cauteloso e luzes leitosas decantadas por cortinas semitransparentes, interrompido por nada mais que o clique triunfal dos dominós.

O atendente do bar era um rapaz jovem, com a metade da idade de Ben, um cara que reconhecia vagamente, mas a quem se dirigiu como "Ha ha ha. Oi, meu velho amigo, meu belo", isso dito em uma boa imitação com a voz um dia associada ao hoje esquecido Walter Gabriel, da radionovela *The Archers*, camuflando muito bem, ele achava, o fato de que tinha se esquecido do nome do rapaz.

— Oi, Benedict. O que quer beber?

Ben olhou ao redor, avaliando a meia dúzia de outros clientes do estabelecimento, imóveis sobre seus bancos como peças feias de um jogo de xadrez, morosos, enfileirados. Limpou a garganta de modo teatral antes de falar.

— Quem vai pagar um quartilho de cerveja bitter para um poeta publicado e tesouro nacional? Ha ha ha.

Ninguém levantou a cabeça. Um ou dois deram um meio sorriso, mas eram uma distinta minoria. Enfim. Às vezes dava certo, se houvesse alguém que o conhecia, digamos, Dave Turvey encurvado de modo cavalheiresco em um canto com seu chapéu de penas na cabeça, parecendo um dia de outono no quarteirão boêmio de Dodge City, alguém desse tipo. Naquela manhã de Sexta-Feira Profana, o assento que Dave costumava ocupar estava vazio, e com grande relutância Ben tirou a nota de dez libras do bolso para depositá-la no balcão, para pagar o litro de John Smith que um dia esperava chamar de seu. Adeus, então, Darwin sépia. Adeus colibri verde e carmesim em 3D fascinado pela espiral do hipnoscópio[47]. Adeus, meu amiguinho amassado por essa meia-hora, agora indo embora para sempre. Eu mal conheci você. Ha ha ha ha.

Depois de servido, foi atraído para a curva aveludada dos assentos laterais, levando em uma das mãos seu quinhão gelado e translúcido, pegando as oito pratas de troco emboladas na outra. Olá para a Elizabeth Fry azul-ardósia e o que parecia um refúgio para mulheres maltratadas do século XIX, exceto pelo espectro desaprovador de John Lennon, desdenhoso no canto esquerdo da moldura[48]. Aquele era possivelmente um chique ativista do Movimento pelos Direitos dos Pais. Com a nota de cinco estavam duas moedas de uma libra e uns trocados. Fazendo uma careta, sacudiu a cabeça. Não era apenas que Benedict sentia falta do velho dinheiro, todos os quartos de pêni, meias-coroas, florins, meios xelins, porque é claro que sentia. O que mais dava saudade, no entanto, era de poder se referir a moedas pré-decimais sem soar como uma velhinha que tinha confundido o passe de ônibus com o cartão de doador de rins. Ele era, por incrível que pareça, preocupado com a questão da autoparódia.

Bebeu com sofreguidão a primeira metade do copo, mergulhando de modo indulgente no fluxo olfativo da memória e suas associações,

queijo e cebolas em conserva, maços de Park Drive rosa de cinco em
um cinzeiro verde de pub, ao lado de seu velho no mictório insalubre e
provavelmente pré-cambriano do Black Lion com a sensação de merecedor de privilégios de uma criança de seis anos. As talagadas sucessivas e rápidas eram goles diluídos de campos desaparecidos, a recreação
high-tech de uma rusticidade imaginada com afeto, mas extinta. Baixou o copo meio vazio, tentando enganar a si mesmo pensando que
estava meio cheio, e limpou quase quatro décadas de tradição oral dos
lábios no punho de manga listrado.

Levantou a aba da mochila de lona, colocada no estofamento
quente ao lado, e sacou o volume de A Northamptonshire Garland. Na
falta de Dave Turvey e uma discussão poética com os vivos, Benedict
achou por bem manter uma conversa com os mortos. O livro barato e
grosso de capa dura saiu da mochila com a capa de trás para cima. Em
uma moldura dourada ornada contra um fundo vermelho profundo
esfregado com graxa de sapateiro, estava um retrato de John Clare de
1840 feito por Thomas Grimshaw. A pintura jamais parecera certa
para Benedict, especialmente a curvatura avantajada da testa. Se não
fosse pela topiaria castanha de cabelos e suíças franjando a grande
fronte ovalada, poderia ser o rosto de um homem pintado em um
ovo de Páscoa. Um Humpty Dumpty com sua sujeira de gema e casca
espalhada pelo gramado do Andrew's Hospital, e ninguém ali para
juntar seus pedaços.

Clare posava de modo desconfortável diante de um borrão rural
genérico, uma viela verde em Helpston, Glinton, em qualquer lugar,
bem depois do pôr do sol ou possivelmente um pouco antes do
amanhecer, com um dedão preso na lapela do casaco, como se ele
fosse um estadista. Olhava para a direita, virando na direção das
sombras com um vago sorriso preocupado, os cantos da boca torcidos em um cumprimento incerto, com o mais leve ar de apreen-
são já aparente naqueles olhos desapontados. Benedict se perguntou
se seria dali que ele próprio tinha conseguido aquela sua expressão
tão característica, algo entre divertida e desamparada. Havia similaridades, imaginava, entre ele e seu herói de toda uma vida. John
Clare tinha um belo nariz, não totalmente diferente do de Ben, pelo
menos a julgar pelo retrato de Grimshaw. Havia os olhos tristes, o
sorriso hesitante, e até a echarpe. Se alguém raspasse a cabeça de

Ben e o alimentasse um pouco, ele poderia sair da fumaça de gelo seco do show *Stars In Their Eyes*, com um dedão preso no casaco, carrapichos do hospício presos nas suíças. E diria ao apresentador: "Nesta noite, Matthew, serei o poeta camponês. Ha ha ha".

Debaixo da imagem com ares de coruja, no canto inferior direito estava colada uma etiqueta descolorida, disparada por uma etiquetadora quinze anos antes: VOLUME 1 LIVRARIAS, £6.00. Para sua consternação, por um instante Benedict não conseguia nem mesmo lembrar onde a livraria Volume 1 ficava. Seria onde agora era a Waterstones? Um dia houve muitas livrarias em Northampton, seria difícil passar por todas em um só dia; a maioria tinha se transformado em imobiliárias e adegas de vinho. Na juventude de Ben, até as lojas grandes como a Adnitt tinham seus departamentos de livros. Havia caixas de livros de um xelim e três centavos tanto na loja de cima da Woolworth quanto na de baixo, e uma série de pilhas de segunda mão em lojas de bugigangas com proprietários invariavelmente idosos e tuberculosos, com clássicos pornográficos amarelados dos anos 1960 vistos através de vidro empoeirado em vitrines pouco iluminadas. Imagens de nus com icterícia de Aubrey Beardsley cobertos pelas depravadas de Hank Jansen em Technicolor, um pouco de pimenta para animar o cozido de Dennis Wheatley, Simenon e Alistair MacLean. Aqueles arquivos grudentos, laqueados de gosma, onde foram parar todos eles?

Levantou o copo para brindar com um gole, aproximadamente metade de um quarto com oito goles de um quartilho. Pegando na mochila o maço de Bensons e um isqueiro desses que se vendem a três por uma libra, prendeu um dos cigarros entre os lábios eternamente irônicos, acendendo-o com o bastão de ametista cheio de líquido. Ben esquadrinhou o salão do bar entre as primeiras baforadas de fumaça. Estava mais cheio, embora não com gente que reconhecesse. À sua esquerda, uma borbulhante cascata auditiva de moedas virtuais era pontuada por golpes de cítara de ficção-científica. Com um suspiro genérico, ele abriu a antologia de poetas locais até a seção de John Clare, onde esperava que "Joaninha", escrito da perspectiva daquele inseto, pudesse ser o antídoto para o brilho e o zunido contemporâneos do qual sentia-se tão alienado. A imagem miniaturista certamente era enlevante, embora ele não pudesse deixar de ler o poema reproduzido logo depois desse, "Eu Sou", escrito por Clare no hospício.

Lançada ao nada de uma vácua lida,
ao vivo mar dos sonhos acordados,
onde não há qualquer senso da vida,
mas o naufrágio só dos bens passados.
Até os mais caros, meu amor mais fundo,
estranhos me são, ou mais que todo o mundo[49].

Aquilo sem dúvida chegava perto demais do âmago, afundando no mesmo instante o humor de Benedict, já abaixo da linha d'água. Enfiou o livro de volta na mochila, engolindo os três goles remanescentes de seu quartilho e comprando outro antes que percebesse o que tinha feito. Aquilo o aliviou do monte de trocados e expôs sua rainha, Elizabeth Fry, ao perigo iminente. Os chuvosos olhos turquesa dela olhavam da nota remanescente para os seus, um olhar de preocupação resignada parecido com aquele que sua mãe tinha quando avaliava Ben e seu fígado injustamente castigado.

Quando viu, era meio-dia. Saía do salão estreito do Shipman, basicamente um corredor onde enfiaram um pub em um lugar que tinha o tamanho de um armário para casacos, e partia para a Drum Lane. Abaixo à sua direita, via a igreja de Todos os Santos do outro lado da viela, e à esquerda, o movimento minguante da Market Square. Elizabeth Fry, ao que parecia, o havia deixado por outro homem, um taverneiro. Notou lugubremente que ainda tinha custódia de vários pequenos órfãos de prata e cobre que somavam oitenta e sete centavos. Um protesto borbulhante de seus há muito afogados instintos de autopreservação lhe disse que provavelmente deveria investi-los em um salgado. Virando à direita, desceu a sempre sombria passagem da Drum Lane, na direção da padaria na frente da igreja de Todos os Santos na Mercer's Row.

Dez minutos depois engolia o último bocado do que achava que seria seu almoço, a língua cutucando com otimismo as valas misteriosas de sua boca para qualquer carne moída remanescente, massa obstinada ou batata recalcitrante. Com os modos que, em sua opinião, eram os de um dândi do século XIX, Benedict limpou os lábios no guardanapo de papel em que o salgado tinha vindo, depois o amassou junto à marca de seu beijo engordurado, jogando-o em uma das lixeiras de Abington Street, que era a rua pela qual subia naquele momento. Estava mais ou menos na altura da loja de material fotográfico, próxima da entrada da mais recente galeria de lojas, Peacock Place. O palácio de cristal tinha tomado o lugar de Peacock Way, uma passagem que dava no mercado. Havia passado vários momentos da adolescência nas docerias e cafés daquela passagem, mastigando melancolicamente as consoladoras *madeleines*, sonhando com alguma inesquecível garota da Notre Dame ou da Derngate que havia acabado de dizer que gostava dele apenas como amigo. Originalmente, ali ficava o Peacock Hotel, que funcionou como estalagem ou estrebaria por quinhentos anos. As pessoas ainda falavam sobre o belo pavão de vitral, uma das decorações do interior do local, caído nas garras dos selvagens negociantes de sucata durante a inexplicável demolição do hotel em novembro de 1959. Sobre os vidros da entrada da galeria atualmente havia uma esquálida imitação feita em adesivo plástico, um produto criado por uma empresa de design que cobrava mais do que merecia por seus serviços.

Passando pela Jessop, a loja de equipamento de fotografia, se perguntou se ainda tinham a foto que Pete Corr havia tirado de Benedict, enquadrada e à venda na parede. Corr era um fotógrafo local, agora casado e morando em algum lugar no Canadá, pelo que se sabia, usando um pseudônimo que soava holandês, Piet de Klicke. Antes apenas Pete Clic, tinha se especializado em retratos da fauna bizarra da cidade: a antiga colega de escola de Ben na Spring Lane, Alma Warren, posando mal-humorada de óculos de sol e jaqueta de couro, como uma ovelha vestida de Olivia Newton John; a massa e gravidade jovianas do muito saudoso deus-menestrel local Tom Hall em trajes costumeiros, pijamas de peças escolares planejadas individualmente e um chapéu com borla roubado dos otomanos; Benedict Perrit jazia entre as raízes serpenteantes de uma faia de oitocentos anos na Sheep Street, sorrindo pesarosamente. E há outro jeito de sorrir? Ha ha ha ha.

Seguiu pelo meandro rosado do calçadão da Abington Street. Sem sarjetas para limitar e definir todo o movimento frenético que passava por aquela via há pelo menos quinhentos anos, era como se atualmente a rua atraísse em especial aqueles que não tinham objetivo nem direção. Como o próprio Benedict, pensando bem. Não tinha ideia de onde achava que ia com seus vinte e sete centavos remanescentes da impulsiva compra do salgado, já pertencente ao passado, a não ser pelo ocasional arroto com um fantasma de sabor. Talvez uma longa caminhada da Wellingborough Road até a Abington lhe fizesse bem, ou ao menos não lhe custaria nada.

Subindo a ladeira, agradavelmente entorpecido contra a existência por uma névoa aconchegante, passou pela entrada do Grosvenor Centre. Tentou conjurar a entrada estreita da Wood Street, que tinha ocupado o local havia uns trinta anos, mas descobriu que seus poderes de evocação tinham sido embotados pela cerveja. A via meio esquecida com suas casas geminadas era um espectro débil demais para prevalecer sobre uma parede de vidro de portas-giratórias, o resplandecente bulevar por onde os sonâmbulos sonambulavam, iluminados como animais de cristal ornamentais pela aura do comércio que atravessavam. Todos pareciam decorativos sob a iluminação onipresente. Todos pareciam quebradiços.

Vinte e sete centavos. Não tinha nem certeza de que aquilo ainda dava para comprar uma barra de Mars, mas ajudava a saborear melhor a autopiedade. Benedict apressou um pouco o passo diante da Woolworth de cima, naqueles dias mais precisamente a única Woolsworth, esperando que a velocidade acelerada fosse endireitar seus passos. Desistiu por falta de resultados depois de uns trinta segundos, entrando em uma caminhada penosa e melancólica. Para que andar mais rápido se não ia a lugar nenhum? Mais velocidade apenas o levaria a seus problemas mais depressa, e seu estado poderia fazer com que inadvertidamente cruzasse a linha tênue entre um tropeço bêbado e um caos inebriado. A súbita visão de Ben enlouquecido na Marks & Spencer, correndo nu e gritando através de uma chuva de pudins de chocolate derretidos deveria ser preocupante, mas apenas o fez rir para si mesmo. O riso não ajudava, conforme percebeu, sua tática para não parecer bêbado. Aquilo ainda acrescentava um quarto item na lista de coisas em que ele era um fracasso: escapar, encontrar trabalho, se explicar direito e não parecer bêbado. Quatro deficiências triviais, Ben tranquilizou-se, e que nada significavam na extensão da vida de um homem.

Virou-se contra o vento leste, dando algumas gargalhadas intermitentes enquanto atravessava a fachada grande-angular art déco da Co-Op Arcade, abandonada e vazia, vitrines de olhar ausente e sem nada para exibir, ainda atordoadas pela notícia de sua obsolescência. Os centros de compras nos arredores da cidade tinham drenado o comércio do centro de Northampton, levando a uma perspectiva mais feia a cada ano. Em vez de tentar reverter a decadência, o governo municipal tinha deixado que as principais veias da cidade atrofiassem e murchassem. Spinadisc,

a longeva loja de discos independente da qual Benedict agora se aproximava desde a outra ponta da rua, tinha sido fechada para dar lugar a
um centro de recuperação de viciados, ou algo do gênero. De forma previsível, havia consideravelmente menos usuários de substâncias no lugar
agora que a música e objetos afins tinham desaparecido.

Nas férias e finais de semana, pequenas multidões de adolescentes vestindo preto ainda se congregavam em torno dos bancos públicos do lado
de fora da jukebox morta do antigo empório pop. Talvez fossem skatis-
tas-góticos, gangsta-românticos, esfaqueadores felizes ou sabe-se lá o quê.
Ben tinha dificuldades para se manter informado das novas tendências.
Desviando o olhar tristonho do bando de agasalhos com capuz pousados
no fim da Abington Street, voltou sua atenção para trás, para o lado pelo
qual vinha andando. Um vago deslocamento de pessoas se aproximava,
passando pela ainda magnífica fachada da biblioteca da cidade, e ali veio
um choque sináptico, um pequeno tremor e um rearranjo da realidade
quando Benedict percebeu que uma daquelas pessoas era Alma Warren.
Ha ha ha ha.

Alma. Ela sempre o levava de volta, era um lembrete ambulante de
todos os anos que se conheciam, desde que estiveram juntos na sala da
sra. Corrier na Escola Spring Lane, quando tinham quatro anos. Mesmo
naquela época, não a confundiriam com uma menina. Nem com um
menino, aliás. Era grande demais, determinada demais, alarmante
demais para ser qualquer outra coisa além de Alma, com um gênero
próprio. Ela e Ben, ambos freaks ao seu próprio modo, tinham sido inse-
paráveis durante longos períodos na infância e adolescência. Tremendo
nas noites de inverno passadas no sótão sobre o celeiro na serraria do
pai dele na Freeschool Street, com o telescópio de Ben cutucando a luz
estelar através de um vidro ausente na janela enquanto procuravam discos voadores. O difícil período pós-puberal quando ele começou a fazer
poesia, e ela a pintar, e quando Alma ficava furiosa e parava de falar com
ele a cada quinze dias, por causa de suas diferenças artísticas, como ela
dizia, porém mais provavelmente quando ela foi cooptada pelos comunistas. Ambos se portaram como idiotas nos mesmos pubs, nas mesmas
revistas de coletivos de arte copiadas em estêncil, mas então ela de algum
modo conseguiu transformar sua monomania em uma carreira próspera e uma reputação, ao contrário de Ben. Agora ele não a via muito,
ninguém via, exceto em ocasiões como aquela, quando ela rebolava

pela cidade vestida como motociclista, ou, se estivesse usando sua pretensiosa capa, uma freira do século XV expulsa da ordem por masturbação, com mais anéis sob os olhos do que nos dedos ostentosamente adornados.

Estes dedos estavam no momento levantados como uma aranha arterial de esmalte e pedrarias, puxando a cortina corta-fogo envelhecida de seu cabelo para trás da pantomima que era seu rosto. O olhar saturado de khol e desdém fez uma varredura pelos arredores, como se Alma fingisse ser uma câmera de segurança, dragando o estoque de imagens da decadência da Abington Street em busca de inspiração para alguma ogra-prima futura. Quando o giro lento de seus faróis de neblina que-piscavam-tão-pouco-que-pareciam-sem-pálpebras chegaram a Benedict, houve um brilho de antracito subitamente aceso no fundo das órbitas cheias de maquiagem. Lábios carmesim se retesaram em um sorriso que provavelmente tinha a intenção de parecer afetuoso, e não predatório. Ha ha ha ha. A boa e velha Alma.

Benedict começou todo um teatro quando seus olhos se encontraram, primeiro adotando uma expressão de alarme horrorizado, então virando para trás para descer a Abington Street, como se fingisse que não a tinha visto. Então transformou aquilo em uma trajetória circular que o levou de volta na direção dela, dessa vez se curvando num riso silencioso, para que ela visse que sua tentativa aterrorizada de fuga havia sido um chiste. Não ia querer que Alma achasse que de fato estava tentando fugir, porque isso poderia fazê-la correr atrás dele e derrubá-lo antes que desse cinco passos.

Os caminhos dos dois se cruzaram na frente do pórtico da biblioteca. Ele estendeu a mão, mas Alma o surpreendeu com uma investida, plantando um beijo sangrento em seu rosto, torcendo o pescoço dele em seu breve abraço de um braço só. Aquilo só podia ser uma esquisitice afetada que ela havia pegado dos galeristas americanos que montavam suas exposições. Coisa de gente exibicionista. Ela não tinha aprendido aquilo nos Boroughs, disso Benedict tinha certeza. No distrito em que ambos haviam crescido, as demonstrações de afeto nunca eram físicas. Nem verbais, nem de forma alguma relativas aos cinco sentidos tradicionais. Amor e amizade nos Boroughs eram subliminares. Ele se afastou, limpando o rosto manchado com as costas de uma das mãos, de dedos longos, como um gato envergonhado.

— Sai fora! Ha ha ha ha ha ha!

Alma sorriu, parecendo satisfeita com a facilidade com que conseguiu perturbá-lo. Ela abaixou a cabeça e se inclinou um pouco para a frente ao falar, como se para facilitar a conversa, embora na verdade só fosse um lembrete de como era alta. Era o que fazia com todo mundo. Era parte do arsenal de maneirismos sutilmente intimidantes que Alma, e só ela, acreditava ter.

— Benedict, seu inescrupuloso sedutor! Que delícia inesperada! Como estão as coisas? Ainda está escrevendo?

A voz de Alma não era apenas marrom profundo, era inframarrom. Ben riu da pergunta sobre sua produtividade, um despautério por si só.

— Sempre, Alma. Você me conhece. Ha ha ha. Sempre rabiscando.

Ele não tinha escrito um verso em anos. Era um poeta publicado no sentido transitivo, e não no sentido corrente. Não tinha certeza de que fosse qualquer tipo de poeta no sentido corrente, e aquele era seu pavor secreto. Alma assentia amigavelmente agora, contente com a resposta.

— Bom. É bom ouvir isso. Estava lendo "Área de Remoção" outro dia e pensando em como é um poema incrível.

Hum. "Área de Remoção". Ele próprio havia ficado muito contente consigo mesmo. "Quem hoje diria/ Que havia aqui outra coisa /Além de um espaço aberto/ Usado só por cães vadios/ E crianças quebrando garrafas nas pedras?" Com um susto, percebeu que tinham quase duas décadas, aqueles escritos. "O mato, os cães vadios e as crianças/ Esperaram pacientemente/ Que eles partissem/ O mato sob os pés;/ O cão e o menino/ Dentro, não nascidos".

Ele inclinou a cabeça para trás, sem saber como deveria receber o elogio a não ser com um sorriso incerto, como se esperasse que ela voltasse atrás a qualquer momento, mostrando que havia sido apenas a piada cruel pós- -moderna que sem dúvida era. Por fim, arriscou uma resposta hesitante.

— Eu não era tão ruim, né? Ha ha ha ha.

Quis se referir ao poema, mas tinha saído errado. Ficou parecendo que Benedict pensava em si mesmo como pertencente ao passado, o que não era sua intenção. Ou pelo menos achava que não. Alma agora franzia o cenho, em reprovação.

— Ben, você sempre foi muito mais que alguém "não tão ruim". E sabe que foi. Você é um bom escritor, cara. Estou falando sério.

Isso foi oferecido em resposta às risadinhas envergonhadas de Bene-

dict. Ele realmente não sabia o que dizer. Alma era no mínimo uma sub-
celebridade e havia feito sucesso, e Ben não podia deixar de sentir que,
em certo sentido, estava sendo tratado com condescendência. Era como
se ela achasse que uma palavra bondosa sua pudesse colocá-lo no prumo,
pudesse inspirá-lo, ressuscitá-lo e torná-lo inteiro outra vez com o mais
leve toque. Agia como se todos os problemas dele pudessem ser resolvi-
dos se simplesmente escrevesse, o que apenas mostrava, na opinião de
Benedict, como era raso o entendimento de Alma sobre seus problemas.
Ela por acaso tinha alguma noção, em meio a todo seu dinheiro e os
elogios do *The Independent*, de como era ter apenas vinte e sete centavos? Bem, na verdade, claro que sabia. Vinha do mesmo lugar que ele,
então não era um questionamento justo, mas não importava. Naquele
momento, a percepção perturbadora de suas finanças, ou ao menos em
relação às de Alma, havia subido dos sedimentos de cerveja assentados
no fundo da mente de Ben, e não queria saber de ir embora. Antes que
soubesse o que fazer com aquilo, havia quebrado o hábito de uma vida e
pedido dinheiro emprestado a Alma.

— Viu, você não teria uns trocos pra me emprestar, né?

Assim que as palavras saíram de sua boca, sentiu que era errado, uma
transgressão terrível. Imediatamente desejou que pudesse retirar o que
disse, mas já era tarde. Agora estava nas mãos de Alma, e ela certamente
encontraria um jeito de tornar isso ainda pior. Com a surpresa, seus cílios
de espanador de chaminé se arregalaram quase imperceptivelmente, mas
ela se recuperou com um olhar cara de pau de preocupação generalizada.

— Claro que tenho. Tô cheia de grana. Aqui.

Ela puxou uma nota... uma nota... de seus jeans superjustos e, deliberadamente sem olhar para determinar a denominação, apertou-a com
força na palma da mão aberta de Ben. Já que não tinha olhado para ver
quanto dinheiro lhe dava, Ben sentiu que seria *déclassé* de sua parte agir
de outro modo, e enfiou a nota amassada nos bolsos da calça sem olhar.
Agora sentia-se genuinamente culpado. O centro de suas sobrancelhas
projetadas subiu involuntariamente na direção de seu bico de viúva
enquanto ele protestava contra a beneficência indevida dela.

— Tem certeza, Alma? Tem certeza?

Ela sorriu, sem dar importância ao momento constrangedor.

— Claro que tenho certeza. Esquece. Enfim, cara, como você está? O
que anda fazendo ultimamente?

Benedict se sentiu grato pela mudança de assunto, embora aquilo o tivesse deixado arquejando por algo que pudesse legitimamente dizer que vinha fazendo.

— Ah, uma coisinha aqui, outra ali. Fui a uma entrevista outro dia.

Alma pareceu interessada, embora apenas por educação.

— Ah, é? E como foi?

— Não sei. Ainda não me avisaram. Quando me entrevistaram, fiquei com vontade de dizer "sou um poeta publicado", mas me segurei.

Alma tentava assentir de maneira sábia, mas também claramente se esforçava para não rir, e o resultado era que nenhum dos esforços poderia ser chamado de amplo sucesso.

— Você fez a coisa certa. Existe hora e lugar para tudo.

Ela inclinou a cabeça para o lado, espremendo os olhos de caranguejeira negra como se tivesse acabado de se lembrar de algo.

— Escuta só, Ben, acabei de lembrar. Tem umas pinturas que fiz, todas sobre os Boroughs, e vou fazer uma mostra preliminar em Castle Hill amanhã, na hora do almoço, na creche onde ficava a escola de dança Pitt-Draffen. Por que você não vem? Seria ótimo se você fosse.

— Talvez eu vá. Talvez eu vá. Ha ha ha ha.

No fundo de seu coração amargurado, ele sabia que quase certamente não iria. Para ser sincero, mal estava ouvindo, ainda tentando pensar nas coisas que tinha feito, além da entrevista, que pudesse mencionar. De repente, pensou em suas visitas ao cybercafé e se animou. Alma era conhecida por jamais chegar perto da internet, o que significava, por mais espantoso que fosse, que estava diante de alguém que, ao menos nesse quesito, era menos adaptada aos dias atuais do que Benedict. Ele abriu um sorriso triunfante para ela.

— Sabia que andei entrando na internet?

Disse isso enquanto passava uma mão sobre os cachos escuros, e com a outra ajustava uma gravata borboleta imaginária.

Alma agora ria abertamente. De comum acordo, ambos pareceram terminar a conversa, para começarem a se mover devagar, ele ladeira acima, Alma ladeira abaixo. Era como se chegassem ao fim predestinado de seu encontro e ambos precisassem ir embora naquele momento, tivessem ou não terminado de conversar. Precisavam se apressar se não quisessem perder a hora, ocupando todos os espaços vazios em seus futuros que ainda precisavam ser preenchidos, todos os horários devidamente predeterminados. Ainda com uma expressão de divertimento, ela gritou através do espaço cada vez maior entre os dois.

— Você é mesmo um homem do século XXI, Ben.

O riso jogou a cabeça dele para trás como um saco de pancadas bem socado. A vários passos de distância, estava em uma posição meio de soslaio em relação a ela, na direção da extremidade superior de Abington Street.

— Sou um Cyberman. Ha ha ha ha.

O breve nó de hilaridade e incompreensão mútua entre eles se desembaraçou em duas pontas soltas e risonhas que se arrastavam em direções opostas. Benedict havia alcançado o limite mais alto dos arredores e atravessou a York Road no sinal antes de pensar em enfiar a mão no bolso e pegar a nota amassada que Alma havia entregado. Rosa, roxa e violeta, a nota exibia um anjo azul de cuja trombeta caía uma chuva radiante de notas. A Catedral de Worcester era bombardeada por elas em uma jubilante tempestade de raios cósmicos, Santa Cecília, reclinada mais abaixo, banhava-se nos raios ultravioletas. Vinte libras. Bem-vindo às minhas humildes calças, Sir Edward Elgar. Nós nos conhecemos muito brevemente antes, e o senhor não se recordaria, mas posso dizer que "O Sonho de Gerontius" é um trabalho excepcional de visão pastoral? Ha ha ha.

Aquilo era um presente de Deus. Obrigado, Deus, e transmita meus cumprimentos a Alma, a quem o Senhor claramente tornou sua representante na Terra. Espero que Deus... bem, espero que o Senhor saiba o que está fazendo com aquela ali, então esteja avisado. Mas, ainda assim, isso foi fantástico. Ele resolveu que faria sua saudável caminhada pela Wellingborough Road até o Abington Park de qualquer modo, apesar de não precisar mais, por ter fundos suficientes para vadiar onde quisesse. Benedict podia vadiar até dizer chega quando estava a fim, mas, por ora, enfiou a nota de volta no bolso e começou a assoviar enquanto descia para a Abington Square, parando apenas quando percebeu que estava interpretando a música-tema da telenovela *Emmerdale*. Felizmente, ninguém parecia ter notado.

O pedaço por onde Benedict andava agora fora, no passado, o portal leste da cidade, chamado de Edmund's End no século XIX por causa da igreja de St. Edmund, que ficava um pouco mais adiante na Wellingborough Road até ser demolida um quarto de século antes.

Ben gostava das construções dali, antes da praça principal, desde que ignorasse as transformações espalhafatosas dos andares térreos. Do outro lado da rua havia o maravilhoso cinema dos anos 1930, chamado ABC à época e que depois virou Savoy. Nas suas matinês, ele mesmo havia exercitado sua pontaria certeira atirando palitos de sorvete e, apesar do que diziam os tantos alertas alarmantes, jamais tinha conseguido furar o olho de alguém. Hoje em dia, como um quarto ou um terço das principais propriedades da cidade, o lugar pertencia a uma seita de evangélicos conhecida como Jesus Army, que começou ali perto, em Bugbrooke, com um pequeno abrigo de mendigos, depois se espalhou como uma erva daninha crentelha e hoje seus ônibus pintados de arco-íris circulam em quase todo lugar da região central da Inglaterra recolhendo pedintes. Mas Northampton e o fanatismo religioso não eram exatamente estranhos uma ao outro. Benedict gingou na direção de Abington Square, refletindo que a última vez que aquele lugar tinha visto um Exército de Jesus fora no tempo de Cromwell, e em vez de panfletos, eles brandiam piques. Não deixava de ser um progresso, considerou Ben.

A praça quase parecia bela sob a luz do começo da tarde, a não ser que você a tivesse conhecido na juventude e pudesse fazer a dolorosa comparação. A fábrica de chinelos tinha dado lugar a uma concessionária da Jaguar chamada Guy Salmon. O velho Centro Irlandês havia sido transformado no Urban Tiger, um clube de strip-tease. Benedict jamais tinha entrado no lugar desde a troca de nome. Imaginava a clientela como hordas de tâmeis furiosos aprendendo artes marciais[50].

Charles Bradlagh estava ali brilhando em seu pedestal, dirigindo o trânsito. Benedict jamais achara que o grande ateu abstêmio e ativista dos direitos humanos parecia apenas apontar para o oeste — era mais como se estivesse em um bar tentando começar uma briga. É, isso aí! Você mesmo! Você com essa cara de cu! Pra quem mais eu poderia estar apontando? Ha ha ha ha. Ben passou pela estátua do seu lado esquerdo, enquanto no direito havia um bar novo e nada convidativo chamado Workhouse. Ben entendeu qual era a ideia: mais adiante na Wellington Road, do outro lado do espaço murado onde um dia havia sido a igreja de Edmund, estava o que restava do hospital Edmund, que na época vitoriana serviu como o asilo de pobres de Northampton. Era como colocar um bar temático chamado Pelourinho em um bairro negro, ou um Eichmann's em uma vizinhança judaica. Um tanto insensível.

Ben percebeu que vinha andando em um bom ritmo, ainda que contra um vento uivante. No que pareceu apenas instantes, a carcaça abandonada do Hospital Edmund se ergueu do lado esquerdo, um palácio assombrado coberto de trepadeiras, com os olhos quebrados cheios de fantasmas. Fantasmas e, segundo os rumores, pessoas que não conseguiram asilo, refugiados que tiveram esse status negado e que preferiram acampar em antigas alas de doentes terminais a se arriscar a serem enviados para os lugares de onde tinham vindo, enviados de volta para as mãos de qual fosse o déspota ou brutamontes com gosto por eletrodos dos quais haviam fugido. Seu lar é onde está sua dor, isso é bem verdade. Ocorreu-lhe que o asilo de pobres, embora dilapidado, deveria sentir-se abençoado nessa sua velhice. Tinha de volta seus párias amontoados e apavorados, podia sentir um conforto secreto nas fogueiras secretas deles.

Do outro lado do muro pelo qual agora passava, estava a ausência palpável da igreja de St. Edmund, um vazio de verde com lápides intermitentes que se projetavam, cariadas, descoloridas, sofrendo de acúmulo de merda de passarinho, as gengivas verdes e gramadas começando a se retrair. Pelo lado positivo, Benedict podia distinguir o canto de uma cotovia sob o grunhido do trânsito da via principal, notas borbulhantes irrompendo em uma efervescência brilhante para distrair os gatos dos filhotes de passarinhos escondidos na grama do cemitério. Era um dia bonito. O eterno ainda estava ali, uma sugestiva protuberância promissora escondida debaixo das cortinas puídas do presente.

Seguindo para leste, para fora do centro da cidade, pela sequência de bares e lojas, pensou em Alma. Com dezessete anos, ela era uma menina gigante no Liceu de Meninas, e transmitia a impressão de que seu ressentimento era pelo fato de que na verdade tinha vinte e nove anos e não conseguia encontrar um uniforme que servisse. Estava envolvida com uma revista de arte estudantil chamada *Androgyne*, fazendo ilustrações tortas em estêncil para versos meia-boca de estudantes secundaristas. Benedict estava no Liceu de Meninos na época e, apesar da distância entre os dois estabelecimentos, havia confraternizações. Os dois tinham se encontrado aqui e ali, e Alma, que passava por um período de arrogante desdém futurista pelo romantismo de Ben, havia perguntado sem muito entusiasmo se ele gostaria de contribuir com algo para o jornaleco metido e boca-suja deles.

Encorajado pelo convite de má vontade, Benedict escreveu vários movimentos do que se transformou em uma obra épica de juvenília, tendo apenas as partes mais curtas aceitas por uma Alma claramente desapontada, que desprezou o restante por ser, em sua opinião criticamente madura, "uma porra de um lixo sentimental de menininha". Ele ficou aturdido ao se dar conta de que ainda conseguia se lembrar da rejeição, palavra por palavra, uns trinta e cinco anos depois. Naquele tempo, com um sentido de proporção ainda menor do que o atual, ficou muito puto e decidiu armar pacientemente uma terrível vingança. Ele iria pegar as partes que Alma tinha jogado fora de seu ciclo de poemas e criaria com eles um novo edifício, uma obra para abalar as fundações das eras. Então, quando fosse recebido no Olimpo literário, revelaria que Alma não havia demonstrado ter capacidade e visão para apreciar sua obra-prima, e a reputação dela seria destruída. Ela seria motivo de chacota e cairia no ostracismo. Aquilo daria uma lição a ela e toda sua arte-enxaqueca de Andy Warhol e Bridget Reilly. Essa grande empreitada seria um hino de coração partido para conjurar o mundo que se perdeu, a paisagem rústica de John Clare, as vielas iluminadas de dourado que Benedict, por ter nascido tarde demais, não poderia percorrer, a não ser em sonhos. Prolongou aquilo por quase dois anos antes de perceber que não daria em nada e deixar de lado. O título era "Atlântida".

Benedict olhou para cima e percebeu que havia avançado bastante na Wellington Road desde o último lugar que registrou na mente, a fachada descascada do pub Spread Eagle, na esquina seguinte ao Hospital St. Edmund. Chegando já ao final da Stimpson Avenue, com os pés doloridos, começou a reavaliar a ideia de caminhar no parque. Clare, que tinha claudicado quase cento e trinta quilômetros partindo de Essex de volta para casa em Northampton, provavelmente teria rido dele. Os loucos líricos tinham uma constituição mais robusta na época dele. Ben pensou que poderia vagar pelo Abington Park outra hora, contentando-se no momento com uma visita ao Crown & Cushion, a uma curta distância na rua movimentada. A ideia de uma caminhada em meio ao verde tinha surgido quando não tinha mais nada para fazer, antes de encontrar Alma, mas agora as coisas eram diferentes. Agora havia um plano de negócios.

Não ia ao Crown & Cushion fazia um tempo, ainda que por uma época, bem depois de terminar com Lily, tivesse sido o local de sua preferência. Ele achava que seu relacionamento com a clientela do pub era no máximo ambivalente, mas sentia-se confortável no lugar em si. Inalterada em sua maior parte, a estalagem ainda usava o nome historicamente escolhido, não tinha se transformado em Jolly Wanker ou Workhouse ou Vole & Astrolabe. Benedict se recordava, com um misto de vergonha e orgulho, de que uma vez entrou no bar exigindo satisfações quando achou que seus colegas de copo não estavam levando a sério sua afirmação de que era um poeta publicado. Um poema de Ben havia acabado de ser publicado no *Chronicle & Echo* local e, quando entrou pela porta basculante do Crown & Cushion como um atirador que fazia parar o som do piano, jogou para o alto os trinta exemplares do jornal que por acaso estava carregando com um grito vitorioso de "Aqui! Ha ha ha ha!". Naturalmente sua entrada foi barrada dali em diante, mas aquilo tinha sido anos antes e, com um pouco de sorte, os empregados e fregueses da época estariam mortos ou com problemas de memória àquela altura.

Além do mais, aquele pub tradicionalmente sempre demonstrou uma tremenda tolerância e até afeto pelos vários excêntricos que passavam por seus portais. Aquela era outra razão pela qual gostava do lugar, Ben pensou enquanto abria a porta do salão para entrar na bem-vinda semipenumbra depois do brilho de espremer os olhos do dia lá fora. Tinha gente bem pior que ele ali. Uma história do comecinho dos anos 1980 garantia que o grande Sir Malcolm Arnold, o trompetista e arranjador orquestral de hits como "Colonel Bogey", tinha morado no quarto acima do bar do Crown & Cushion, doente mental e alcoólatra, hóspede segundo alguns relatos, quase um prisioneiro em outros, arrastado para baixo quase todas as noites para o entretenimento de um grupo de bêbados agressivos. Aquele era o homem que compôs "Tam O'Shanter", o acompanhamento delirante para o suor noturno inebriado de Burns, o libertino herói das terras altas perseguido em uma Caça Selvagem de fadas pelo escuro dos metais e instrumentos de sopro. Aquele era Sir Malcolm Arnold, que Ben achava que um dia fora Diretor de Música da Rainha, um equivalente musical ao Poeta Laureado, tirando canções do piano para uma horda de estúpidos briguentos e relinchantes. Velho e atormentado, ambisextro, então com sessenta e poucos anos, quem sabe quais diabretes e demônios, gênios e tônicas, poderiam estar à solta em seu crânio febril, brilhando de suor, curvado sobre os marfins amarelados que golpeava?

Benedict ficou junto à porta até que as pupilas se dilatassem o suficiente para localizar o balcão. A equipe e a decoração, observou, não eram as mesmas de sua última visita. Isso era bom, especialmente em relação à equipe, já que, até onde Ben sabia, não tinha feito nada que pudesse ofender a decoração. Alguns, claro, poderiam discordar. Ha ha ha ha. Benedict foi até o balcão e comprou um quartilho de cerveja bitter, batendo a nota de vinte na superfície recém-limpa e com gotas de umidade com uma certa malemolência, que acabou minada, porém, por seu grande pesar por ter dito adeus a Elgar. Parte desse pesar era puramente de Ben, mas misturada a isso havia uma preocupação genuína com Sir Edward, uma inquietação em deixar o compositor no Crown & Cushion. Era só ver o que tinham feito com Malcolm Arnold.

Levando o copo para uma das mesas vàzias, que eram estranhamente numerosas, Ben se deteve por um breve momento em uma fantasia mórbida na qual, como punição pelo episódio do jornal, era encarcerado ali, do mesmo jeito que diziam que Arnold tinha sido. Toda noite, brutamontes embriagados entrariam em seu quarto e o levariam para o salão do pub, onde seria entupido de destilados e obrigado a recitar seus sonetos mais sinceros e pranteados para um cômodo cheio de filisteus zombeteiros. Não parecia tão ruim, sendo bem sincero. Já havia passado por noites de sexta-feira como essas, sem ao menos o benefício de encher a cara antes. Agora que pensava naquilo, havia tido anos inteiros assim. O tempo após ter ouvido de Lily que deveria encontrar outro lugar para morar, quando viveu em uma casa dividida em apartamentos na Victoria Road, tinha sido como "Tam O'Shanter" tocando incessantemente por meses. Chegar em casa três da manhã sem chaves, exigindo, como poeta publicado, que o deixassem entrar e, então, colocando no Dansette, no máximo volume, a gravação de "Under Milkwood" feita pelo próprio Dylan Thomas até que todos os outros residentes ameaçassem matá-lo. O que foi aquilo, afinal? Indo sorrateiramente para a cozinha coletiva uma noite e devorando quatro pratos com frango inteiros que o casal tatuado, grosseiro e agressivo do apartamento de cima havia feito para o dia seguinte, então acordando outro inquilino do prédio para que contasse a eles. "Ha ha ha ha! Comi o jantar dos filhos da puta!" Olhando para trás, Ben percebeu que teve sorte por sobreviver àqueles dias tenebrosos sem ser linchado, totalmente ileso.

Deu um gole na bitter e, aproveitando a luz que entrava pela janela logo atrás, tirou A *Northamptonshire Garland* da mochila e começou a ler. O primeiro poema em que pousou os olhos foi "A Canção do Pescador", uma obra de William Basse, poeta pastoral do século XVII com origens contestadas, mas prováveis, ali na cidade.

Como o interior flui ao exterior na paixão,
uns incitam o galgo, outros tantos o falcão,
outros quantos preferem um discreto esporte,
vão para o tênis, ou no jogo das damas tentam a sorte,
mas esses prazeres não desejo de verdade,
nem os invejo, quando pesco em liberdade.

Ben gostava do poema, embora quase nunca tivesse pescado desde sua primeira tentativa na juventude, que envolveu espetar por acidente outra criança com o anzol ao tomar impulso para trás para jogar a linha. Ele se recordava do sangue, dos gritos e, o pior de tudo, de sua total incapacidade de refrear os risinhos inconvenientes e embaraçosos durante os primeiros-socorros que se seguiram. Na prática, aquilo marcou o fim da relação de Benedict com a pesca, embora tão atraído pela ideia. Junto de faunos e pastoras, era parte de sua mitologia arcadiana o pescador cochilando ao lado do riacho, o fluir ribeirinho da tarde, mas sua experiência prática com aquilo, e também com as pastoras, era bem pequena.

Pensando bem, esse provavelmente foi o motivo pelo qual Ben deixou "Atlântida" inacabado tantos anos atrás. Foi a sensação de que era inautêntico e de que estava batendo na porta errada. Quando o começou, era um estudante de uma soturna casa na Freeschool Street, execrando todas as fábricas imundas do jeito que imaginava que John Clare teria feito; lamentando o paraíso bucólico que, em sua imaginação, desaparecera sob as perversas ruas dos Boroughs da época. Apenas quando aqueles telhados de ardósia e paredes de chaminé de três aberturas foram removidos veio o reconhecimento tardio de que as vielas estreitas eram o habitat em perigo que ele deveria estar celebrando. Tampas de garrafa, não jacintos. Descartou sua metáfora central, as sebes monótonas que submergiam em um continente supostamente perdido, mas que na verdade jamais tinha possuído, e em vez disso escreveu "Área de Remoção". Depois que o bairro que Benedict conheceu não existia mais, por fim encontrou uma voz que era genuína e dos Boroughs. Olhando para trás, considerou que o poema que surgiu depois era mais sobre os apartamentos demolidos de suas próprias ilusões do que sobre a área de demolição em que seu distrito se transformou, embora em última análise talvez as duas coisas basicamente fossem a mesma.

Acendeu um cigarro, notando que isso o deixava com seis ainda chacoalhando soltos no maço reduzido, e folheou o compêndio organizado em ordem alfabética, deixando Clare de lado dessa vez para ouvir uma voz indiscutivelmente dos Boroughs, a de Philip Doddridge. Embora a obra fosse chamada de "Mensagem de Cristo" e baseada em uma passagem do Evangelho de Lucas, era na prática o texto do hino mais celebrado de Doddridge: "Escutai o som alegre! O Salvador vem!/ O Salvador prometido há muito tempo!". Benedict gostava dos pontos de exclamação, que pareciam expressar o segundo advento com a impostação de voz de quem narra o trailer da continuação de um filme. Em seu coração, Ben não podia dizer que estava confiante a respeito do cristianismo... o acidente em alta velocidade que levou sua irmã quando ele tinha dez anos acabou com isso... mas ainda podia escutar e respeitar a forte inflexão dos Boroughs nos versos de Doddridge, sua preocupação com os pobres e desgraçados sem dúvida intensificada pelo seu tempo em Castle Hill. "Ele vem curar o coração partido/ Curar a alma que sangra/ E com os tesouros de sua graça/ Enriquecer os pobres humildes".

Um brinde àquilo. Levantando o copo, notou que a linha da maré de espuma estava a meio mastro. Só restavam quatro goles. Muito bem. Era suficiente. Faria com que durasse. Não compraria outro, apesar das dezessete libras e uns trocados que ainda tinha. Folheou o livro até alcançar os Fane de Apethorpe; Mildmay Fane, segundo conde de Westmoreland, e seu descendente Julian. Só se deteve na dupla por se interessar pelos nomes "Mildmay" e "Apethorpe", mas logo se encontrou imerso na descrição de Julian da fortuna da família, nas palavras de admiração de John Betjeman, seu fã de Northampton. "A mansão cinza de musgo de meu pai/ De pé em um pasto inglês tão belo/ Quanto qualquer um na ilha verde galante/ Acima dela, campinas de floresta; adiante/ Pela terra aprazível um riacho solto vai..." O riacho continuou murmurando enquanto ele secou o resto do copo e comprou outro sem pensar.

De repente eram três e dez, e ele estava a oitocentos metros de distância, saindo da Lutterworth Road para a Billing Road, pouco depois daquele que um dia foi o liceu de meninos. O que fazia ali? Tinha uma vaga memória de estar de pé nos banheiros do The Crown & Cushion, de um momento fantasmagórico olhando para o próprio rosto no banheiro preso sobre a pia, mas não conseguia de jeito nenhum se lembrar de ter saído do bar, muito menos da bela caminhada que havia feito até ali vindo de Wellingborough Road. Quem sabe tivesse a intenção de voltar para o centro da cidade, mas tinha mesmo escolhido o caminho reconhecidamente mais cênico? Escolher era talvez um termo muito forte. O caminho de Ben pela vida não era tanto governado por escolhas, e mais pela ressaca poderosa de seus próprios caprichos, que às vezes o levava a locais inesperados como aquele.

Do outro lado da rua, um pouco além no seu lado direito, havia a fachada de tijolos vermelhos do antigo liceu, afastado da rua principal por gramados planos e um adro de cascalho onde havia um mastro nu, sem uma insígnia anunciando o estabelecimento. Benedict entendia a atitude reticente: naqueles dias, escolas deixavam de ser alvo de aspirações, para se tornarem alvos de tiros. Estendendo-se atrás da fachada calma e do olhar distante das janelas brancas altas havia salas de aula, salas de arte, laboratórios de física e campos de jogos, um bosque e uma piscina, todos tentando ignorar a sombra dos cadafalsos projetadas sobre elas pelas tabelas de desempenho. Não que houvesse qualquer motivo para preocupação imediata. Embora rebaixada de liceu esnobe a uma envergonhada escola comum na metade dos anos 1970, o local tinha usado sua aura restante e sua reputação residual como marcas no mercado focado na competição em que se transformara o ensino. Invocar o status antes elitista e o fantasma da elegância do passado parecia ter funcionado, transformando-a em um grande sucesso com os pais de hoje, perdidos em meio a tantas opções. Ao que parecia, pelo que Ben tinha ficado sabendo, até a abordagem monástica de não aceitar estudantes de ambos os sexos era vendida como um ponto forte. Qualquer um que submetesse o filho à candidatura para ser aceito precisava antes escrever um ensaio modesto explicando por que, precisamente, no nível ideológico e moral mais profundo, acreditava que o garoto se beneficiaria dessa formação em uma atmosfera de rígido apartheid de gênero. O que esperavam que as pessoas dissessem? Que manifestassem sua expectativa de que o pequeno Giles no máximo virasse alguém nada à vontade e pouco compreensivo em todos os seus relacionamentos com mulheres, e de que na pior das hipóteses terminaria como um assassino em série gay? Ha ha ha ha.

Benedict atravessou a rua e virou à direita, indo para o centro, deixando a escola para trás. Um dia foi um aluno ali, e não tinha gostado muito. Para começar, depois de desperdiçar a primeira década neste planeta em uma atitude que sua mãe descreveu como "se fazendo de besta", não havia passado nos exames de seleção para o secundário naquela primeira vez. Quando todas as crianças inteligentes como Alma foram para seus liceus, Benedict foi parar na Escola Spencer, no agora temido conjunto habitacional Spencer, junto de todos os seus idiotas e brutamontes. Era tão inteligente quanto Alma e os demais, apenas não tinha predisposição para levar essas coisas a sério. Depois de um ano ou dois na Spencer, no entanto, a inteligência dele começou a brilhar em meio ao rebotalho ao redor, e só então foi transferido para o liceu.

Ali ele se sentiu estigmatizado, mesmo entre a pequena minoria evanescente dos outros meninos da classe trabalhadora, que ao menos tinham sido inteligentes o bastante para marcar as respostas certas quando tinham onze anos. Em meio a uma maioria de classe média, e em especial os professores, Ben jamais sentiu que tinha uma chance. Os outros meninos em sua maioria eram até legais, falando e agindo do mesmo modo que ele, mas ainda seguravam o riso se alguém levantasse a mão durante a aula para perguntar ao professor se podia usar a privada, e não ir ao toalete. Pensando bem, Benedict refletiu, o preconceito que sofreu foi mínimo. Pelo menos não era negro como David Daniels, que estava um ano à sua frente, um rapaz sereno e de boa índole que conhecera através de Alma, com quem compartilhava o gosto por livros de ficção científica e quadrinhos americanos. Ben se recordava de um professor de matemática que sempre mandava o único aluno não branco da escola para o pátio diante da janela da classe, de modo que, em plena vista dos colegas de classe dele, podia limpar os apagadores, batendo-os uns contra os outros até que sua pele negra estivesse pálida de poeira de giz. Era vergonhoso.

Ele se recordou que todo o processo de aprendizado era injusto naquela época, com as vidas e carreiras das crianças sendo definidas por um exame que faziam aos onze anos. E não foi no ano passado mesmo que Tony Blair lançou suas metas de desempenho para alunos abaixo de cinco? Logo estabeleceriam padrões para fetos também, assim você poderia se sentir pressionado e deixado para trás se os seus dedos não estivessem totalmente separados no fim do terceiro trimestre. Suicídios

antenatais relacionados ao estresse acadêmico se tornariam lugar-co-
mum, com os embriões deprimidos se enforcando nos cordões umbili-
cais e bilhetes de adeus rabiscados na placenta.

Benedict percebeu as grades passando de maneira estroboscópica do
seu lado esquerdo para desaparecer às suas costas, com coníferas escuras
além deles, e se lembrou de que passava pelo Hospital St. Andrew. Poderia ser esse o motivo pelo qual tinha tomado aquele caminho para casa?
Uma peregrinação impulsiva até onde mantiveram John Clare por mais
de vinte anos? Talvez tivesse imaginado, em sua confusão mental, que
encarar Clare, seu herói, como uma aberração de circo mais irremediá-
vel que o próprio Ben de algum modo seria inspirador?

Em vez disso, a verdade era o inverso. Assim como antes invejara
o prisioneiro de pub Sir Malcolm Arnold — também um antigo estudante de liceu e antigo paciente do St. Andrew, agora que pensava
nisso —, Benedict se flagrou visualizando a extensiva área da instituição
além das grades e invejando John Clare. O St. Andrew reconhecidamente não era tão exuberante nos anos 1850, quando era o Hospício
Geral de Northampton, mas ainda assim tinha sido um refúgio mais
agradável, ao que tudo indicava, para almas poéticas perdidas e feridas do que um lugar como, digamos, Tower Street. O que Ben não
daria para trocar suas circunstâncias atuais pelas de um hospício do
século XIX! Se alguém perguntasse por que não estava procurando trabalho, seria possível explicar que já tinha como ocupação ser um louco
arcaico. Poderia vagar o dia todo por campos elísios, ou passear até a
cidade para sentar sob o pórtico da igreja de Todos os Santos. Com
todas as despesas pagas por um mecenas literário, teria tempo para
escrever tantos versos quantos quisesse, muitos sobre o quanto achava
que era maltratado. E, quando até o empenho da poética fosse demais
(pois certamente tempos como aquele afligiam todos, pensou Ben),
poderia abandonar sua personalidade exaustiva e ser outra pessoa, o
pai da rainha Vitória, ou Byron. Sendo bem sincero, se perdesse o
juízo, havia lugares piores para procurá-lo do que debaixo dos arbustos
no St. Andrew.

Claramente Ben não estava sozinho em sua opinião. Nos anos que
se passaram desde a época de Clare, o espaço de convívio marcado por
risinhos e choro havia se transformado em um local de má reputação.
O misógino e poeta J.K. Stephen. Malcolm Arnold. Dusty Springfield.

Lucia Joyce, uma filha do James mais famoso, cuja delicada psicologia se tornou aparente pela primeira vez quando ela trabalhava como principal assistente na obra-prima ilegível do pai, *Finnegans Wake*, então intitulado *Obra em Andamento*. A filha de Joyce havia chegado no dispendioso, mas merecidamente celebrado, retiro de Billing Road no fim dos anos 1940, e gostou tanto do lugar que ficou por mais de trinta anos, até sua morte, em 1982. Nem a morte estragou a relação de Lucia com Northampton. Ela requisitou ser enterrada na cidade, no Cemitério Kingsthorpe, onde no momento descansava a poucos metros da lápide de um tal sr. Finnegan. Ainda era estranho pensar que Lucia Joyce estava lá durante todo o tempo que Ben estudou no liceu ao lado. Distraído, se perguntou se ela não teria encontrado Dusty ou Sir Malcolm, imaginando as três figuras no palco como um trio, possivelmente por razões terapêuticas, com aparência melancólica, cantando "I Just Don't Know What To Do With Myself". Ha ha ha ha.

Benedict ouviu falar que Samuel Beckett havia sido um dos visitantes de Lucia Joyce ali no St. Andrew e então, mais tarde, no cemitério em Kingsthorpe. Parte da loucura de Lucia tinha sido acreditar que Beckett, que a substituiu como assistente na *Obra em Andamento*, estava apaixonado por ela. Por mais desastroso que fosse aquele mal-entendido para todos os envolvidos, ambos haviam permanecido amigos, pelo menos a julgar por todas as visitas. Dave Turvey, amigo de Ben e companheiro entusiástico de críquete do finado Tom Hall, havia lhe contado sobre o único registro de Beckett no almanaque Wisden, jogando críquete contra o Northampton no County Ground. No time visitante, Beckett se destacou menos no campo e mais em sua escolha de entretenimento depois. Passou a noite em uma visita solitária pelas igrejas de Northampton, enquanto os colegas tinham se contentado com as outras coisas pelas quais a cidade era famosa, ou seja, pubs e putas. Benedict considerou a conduta dele admirável, ao menos em teoria, embora jamais tivesse gostado muito de Beckett como autor. Todos aqueles silêncios longos e monólogos assombrados. Era muito parecido com a vida real.

Ele agora havia deixado para trás o St. Andrew, passando pelos altos da Cliftonville enquanto continuava seu cambalear meticulosamente calculado, descendo a Billing Road até o centro. Aquele era o caminho que fazia toda noite da semana, nos tempos de escola, para voltar para casa na Freeschool Street, montado em sua bicicleta, pedalando ao pôr do sol como se cada dia tivesse sido como um filme, o que, no caso de Ben, acontecia com muita frequência. *O Diabo a Quatro*, em geral, com Benedict tanto como Zeppo quanto como Harpo, interpretando-os, de maneira inovadora, como dois lados de uma mesma personalidade perturbada. Seguia para o centro impulsionado por um deslocamento de memórias em geral agradáveis e apenas ocasionalmente horrendas, como um passeio por um parque de diversões decorado aqui e ali com intestinos de cavalo pendurados. No local em que a Billing Roads acabava, no cruzamento com a Cheyne Walk e a York Road, perto do Hospital Geral, Ben seguiu bailando sobre a faixa de pedestres e pela Spencer Parade.

Os galhos das árvores do cemitério da St. Giles pendiam sobre a calçada, com restos entrecortados de luz farfalhando pelo concreto rachado em um pontilhismo móvel. Do outro lado do muro baixo à direita de Ben, havia grama macia e lápides duras de mármore, bancos descascados com as marcas das iniciais de centenas de relacionamentos fugazes e então as pedras cor de caramelo da igreja em si, provavelmente uma das que foram inspecionadas no passeio solitário noturno de Sam Beckett. A St. Giles era antiga, não ancestral como a Catedral de St. Paul ou o Santo Sepulcro, mas velha o bastante para ser histórica, e estava ali desde que qualquer um podia se lembrar. Estava claramente bem-estabelecida quando o tal John Speed rascunhou o mapa da cidade em 1610, do qual Benedict tinha uma cópia, enrolada em algum lugar atrás da estante na Tower Street. Embora fosse desenho técnico de ponta em seu tempo, para os olhos modernos suas fileiras de casas isomórficas um tanto tortas pareciam os esforços de uma criança talentosa, ainda que provavelmente autista. Mas a imagem de Northampton no começo do século XVII, um corte transversal de um coração com ventrículos extras, era mesmo assim um deleite. Quando a paisagem moderna urbana era demais para Benedict, digamos um dia a cada cinco, ele imaginava que caminhava pela planície simples e despovoada do diagrama de Speed, com os marcos desaparecidos escurecidos em hachuras de bico de pena inscrevendo-se ao seu redor. Ruas brancas ladeadas de meios-fios de tinta, desprovidas de complicações humanas.

Benedict continuou descendo a St. Giles Street, passando pela entrada de baixo da ainda aberta Galeria Co-Op, meio desmantelada, meio vazia, com os inúteis andares superiores olhando sombriamente para a Abington Street, que corria paralela, um pouco acima da gentil encosta do flanco sul da cidade. A alguma distância adiante, passando a boca aberta de bacalhau da Fish Street, estava o Wig & Pen, a casca desinfetada e rebatizada do que um dia fora um pub chamado New Black Lion, para distingui-lo do pub muito mais antigo com o mesmo nome em Castle Hill. Nos anos 1920, o Black Lion da St. Giles Street era um refúgio para os boêmios da cidade, uma reputação da qual o local desfrutara ou sofrera até o fim dos anos 1980, quando começou a sofrer as reformas que seguem até hoje. Outra reputação que o local teve, segundo autoridades como Elliot O'Donnell, era a de ser um dos lugares mais assombrados da Inglaterra. Quando Dave Turvey foi seu proprietá-rio, na época em que Tom Hall, Alma Warren e outras figuras estranhas retratadas por Piet de Klicke eram frequentadores do Black Lion, havia sons de passos nas escadas e objetos que eram movidos ou rearranjados. Houve aparições e animais de estimação assustados durante o período de Turvey, assim como havia acontecido com todos os proprietários anteriores. Ben imaginou se as aparições tinham sido obrigadas a passar por reformas para combinar com as sucessivas novas decorações do pub. Imaginou a cena: ouve-se o som de correntes ou gritos lamuriosos, e um dos espectros afasta seu prato, enfia a mão no casaco e tira o celular. "Desculpe, caras. É o meu. Alô? Ah, oi. Sim. Sim, estou no plano astral". Ha ha ha ha.

À direita de Ben, os largos degraus imperiais subiam na direção do palácio de cristal ascendente que parecia uma catedral saída de uma his-tória em quadrinhos do Dan Dare, mas que era aonde você precisava ir para pagar o imposto municipal. Por causa disso, não importava o quanto seu projeto fosse refinado e majestoso, o lugar tinha um persis-tente jeito de local de execução, assim como a velha Agência de Empre-gos na Grafton Street. Taxas, contas e responsabilidades adultas. Locais como aquele eram facetas visíveis da pedra de amolar que moía as pes-soas, que tirava toda uma dimensão delas. Benedict se moveu com gestos apressados, passando ao da prefeitura, e não teve certeza se o prédio tinha sido limpo nos últimos tempos ou se as pedras apenas tinham sido clareadas pelos incontáveis tiroteios de flashes de incontáveis casamen-tos civis. Estratos geológicos de confete, caspa matrimonial, haviam se acumulado nos cantos das grandiosas escadarias de pedra.

Aquele era o terceiro e muito possivelmente último local em que a prefeitura se veria localizada, depois da esquecida Mayorhold e da estadia no pé da Abington Street. Ben olhou para cima, para além de todos os santos e regentes que decoravam a fachada elaborada, para onde, no cume alto, entre dois pináculos, estava o santo padroeiro da cidade, com um bastão em uma das mãos, um escudo em outra, e as asas fechadas atrás de si. Benedict nunca soube ao certo como o Arcanjo Miguel foi transformado em um dos santos, já que, a não ser que estivesse enganado, eles costumavam ser seres humanos que alcançavam a santidade por meio do esforço, da piedade e armando uns truques milagrosos. Um arcanjo não teria uma vantagem injusta, por já ser um tanto miraculoso? De qualquer forma, os arcanjos eram superiores aos santos na hierarquia celestial, como qualquer criança de escola sabia. Como Northampton tinha conseguido recrutar um dos quatro tenentes de Deus como santo padroeiro? Que possíveis incentivos a cidade poderia ter oferecido para tornar atraente um posto tão inferior na escala celestial de honorários?

Seguiu atravessando a Wood Hill e descendo pelo lado norte da igreja de Todos os Santos, onde John Clare um dia costumava sentar-se em um recesso debaixo do pórtico, um Oráculo de Delfos em dia de folga. Ben atravessou na frente da igreja, continuando pela Gold Street e vendo as fachadas de lojas passarem ao seu lado, como se ainda tivesse dezesseis anos e estivesse andando de bicicleta. Chegando à parte mais baixa, enquanto esperava para atravessar a Horsemarket, olhou para a esquerda, onde a Horseshoe Street descia na direção da St. Peter's Way, e onde antes ficavam os pátios da Companhia de Gás. Segundo a mitologia local, por ali, onde ficava o velho salão de bilhar, a poucos metros da esquina em que Benedict agora estava, apareceu, um tempo antes da conquista normanda, um peregrino do Gólgota, do chão onde supostamente Cristo foi crucificado, em Jerusalém. Aparentemente o monge havia encontrado uma cruz de pedra ancestral enterrada no local da crucificação, e um anjo que passava o instruiu a levar a relíquia "ao centro de sua terra", o que se presumia ser a Inglaterra. Na metade do que hoje era Horseshoe Street, o anjo apareceu de novo, confirmando ao viajante que de fato estava no lugar certo. A cruz que carregou de tão longe foi colocada na cantaria da igreja de St. George, que ficava logo do outro lado da rua no tempo dos saxões, com o monge enterrado ali debaixo, para se transformar por si só em lugar de peregrinação. Eles a chamavam de a cruz na parede. Ali, naquele pedaço encardido dos Boroughs, ficava o centro místico da Inglaterra. E não era apenas Benedict que achava isso. Deus também. Ha ha ha ha.

O sinal abriu, com o homem luminoso verde agora significando que era segura a travessia dos trabalhadores da indústria nuclear. Ele andou para a Marefair, descendo para o que, para Benedict, sempre havia sido a rua principal da cidade, em uma linha reta a oeste até a igreja de St. Peter. Ainda pensava vagamente sobre anjos, depois do arcanjo empoleirado na prefeitura e aquele que tinha mostrado ao monge onde deveria cravar sua cruz na Horseshoe Street, e Ben se recordou de ao menos uma outra história de intervenção seráfica envolvendo a via pela qual andava. Na igreja de St. Peter, logo ali acima, aconteceu um milagre no século XI no qual anjos haviam guiado um jovem camponês chamado Ivalde a recuperar os ossos perdidos de são Ragener, escondidos debaixo de pedras do piso da nave. Os ossos foram desenterrados sob uma luz ofuscante e gotas de água benta aspergida pelo Espírito Santo, que se manifestou em forma de pássaro. Uma pedinte aleijada, testemunhando o acontecido, levantou e andou, ou pelo menos assim dizia a história. Tudo alimentava em Ben a convicção de que na Idade das Trevas era quase impossível andar por aí sem anjos lhe dizendo para ir até Marefair.

Benedict havia chegado ao alto da Freeschool Street, saindo de Marefair à esquerda, antes de perceber o que tinha feito. Havia sido sua excursão à Billing Road, sem dúvidas, que o levou a tomar a velha rota de bicicleta da escola de volta para a casa demolida havia séculos. Alegremente impulsionando uma canoa remendada através de seu fluxo de consciência tomado por algas, de algum modo conseguiu apagar os trinta e sete anos anteriores de sua existência, com os pés adultos se revertendo sem esforço para as trilhas feitas na calçada por seus eus anteriores, menores. Como ele era? Ha ha ha ha. Não, sério, como ele era? Seria esse o início da senilidade de calças úmidas, tentando lembrar qual era sua ala? Sinceramente, por mais que acontecesse em uma tarde ensolarada, aquilo era um tanto assustador, como descobrir que tinha andado dormindo até o túmulo do pai no meio da noite.

Ele ficou olhando para a viela estreita, com o tráfego de pedestres da Marefair se bifurcando em torno dele como um riacho, com Benedict como um carrinho de compras abandonado, totalmente alheio a todo o movimento murmurante no meio do qual estava inserido.

A Freeschool Street, por sorte, estava quase irreconhecível. Apenas as pequenas lascas possíveis de identificar ainda falavam ao coração. As pedras do calçamento que não foram trocadas, as fraturas cheias de musgo subdividindo-se em um delta dolorosamente familiar. As extensões inferiores sobreviventes de um muro de fábrica que desciam longe, até a Gregory Street, samambaias e galhos tenros enfiando-se por aberturas que um dia haviam sido janelas, agora nem mesmo buracos. Sentia uma certa gratidão pela curva da rua que bloqueava sua visão do local onde a família Perrit um dia viveu, com o pátio da companhia estendendo-se até onde riram e discutiram e mijaram na pia se estivesse frio lá fora, todos juntos naquele único cômodo porque o outro, o vestíbulo na frente, era usado como vitrine das posses mais apresentáveis da família. Aquela, ele pensou, era a verdadeira Atlântida.

Adolescente e pretensioso, tinha lamentado a perda dos estábulos e dos sulcos de plantação que jamais conheceu, que eram para John Clare lamentar. Benedict tinha composto elegias de uma Inglaterra rural desaparecida enquanto ignorava a floresta de tijolos fecunda em que vivia, e que, apesar de tudo, ainda tinha grama, ainda tinha flores e campos silvestres, bastava procurar por isso. Os Boroughs, por outro lado, um matagal único, poderia ser procurado o quanto fosse, mas aquele habitat particularmente ameaçado estava desaparecido para sempre. Aquele continente de um quilômetro quadrado e meio tinha afundado sob um dilúvio de más políticas sociais. Primeiro houve o tremor santorínico da consciência cada vez maior de que a terra dos Boroughs seria mais valiosa sem seu povo, então vieram as escavadeiras em uma onda da McAlpine. Um maremoto amarelo de capacetes caiu sobre a vizinhança para bater nas praias de Jimmy's End e Semilong, e os destroços humanos foram se dispersar em apartamentos de idosos em King's Health e Abington. Quando a maré de construção recuou, sobraram apenas imensas cracas de inúmeros pisos, as carcaças dos negócios afundados e ocasionais antigos residentes encalhados, que se debatiam e arquejavam ali em alguma passagem subterrânea que tinha voltado à tona. Benedict, um náufrago antediluviano, se transformou no Velho Marinheiro, no Ismael e no Platão daquele mundo desaparecido, catalogando feitos e criaturas tão fantásticas que pareciam cada vez mais implausíveis, até para o próprio Ben. O porão de sua casa tinha mesmo uma parede de tijolos que fechava a entrada do sistema medieval de túneis? Era verdade que toda noite o cavalo trazia para casa seu pai, Jem, quando este desmaiava de sono nas rédeas? Existiram de fato defunteiras? E vacas dentro das casas e a carroça da febre?

Alguém quase bateu em Benedict, desculpando-se apesar do quase choque ser claramente culpa dele, ali de pé, olhando para o nada e obstruindo metade da rua.

— Opa, desculpa, amigo. Não olhei para onde ia.

Era uma jovem mulata, o que hoje em dia chamavam de mestiça, uma coisinha esquelética, mas linda, que parecia ter entre vinte e cinco e trinta anos. Interrompendo o devaneio de Ben sobre um Éden submerso, tinha uma aura de ondina, ao menos em sua imaginação. A leve palidez que a pele mostrava, apesar da ascendência, parecia uma fosforescência de águas abissais, com os cabelos escovados em listras com gravetos de coral e o brilho molhado do casaco plástico somando-se à ilusão submarina. Frágil e exótica como um cavalo-marinho, Ben a colocou no papel de sultana da Lemúria, com brincos que eram como dobrões caídos de galeões naufragados. Aquela sereia bronzeada na rocha pedir desculpas ao recife feio e gasto ao qual havia chegado sem querer fez Benedict sentir-se duplamente culpado, duplamente envergonhado. Ele respondeu com um riso fino, preso, para deixá-la à vontade.

— Ah, está tudo bem, amor. Tudo certo. Ha ha ha ha.

Os olhos dela se arregalaram levemente e os lábios líquidos pintados, como duas balas de goma chupadas, mostraram algumas contorções suprimidas. Ela o encarava intrigada, com um esquema de rimas e uma métrica no olhar que eram pouco familiares a Ben. O que ela queria? O fato de que aquele encontro ao acaso acontecia na rua em que Ben nasceu, e onde se encontrava naquela tarde por nada além de um acaso induzido pela embriaguez, agora começava a cheirar perigosamente a uma sina. Seria possível... ha ha ha ha... seria possível que ela o tivesse reconhecido, de algum modo visto toda a poesia que havia nele? Teria vislumbrado sua sabedoria sob o nervosismo e o bafo de cerveja? Aquele era o momento predestinado, vadiando do outro lado do hotel ibis da Marefair, refletido nos raios de uma luz do sol eterna, com estrelas pálidas de chiclete amassado no chão em torno das botas Dr. Martens, quando encontraria sua rainha de Sabá? Músculos minúsculos nos cantos da boca trabalhavam agora enquanto ela se preparava para dizer algo, para perguntar se ele era algum tipo de artista

ou músico, ou mesmo se era Benedict Perrit, de quem tanto ouviu
falar. As pétalas brilhantes encharcadas de Maybelline finalmente se
soltaram, se desfazendo.

— Está a fim de uma transação?

Ah.

Com atraso, Ben entendeu. Não eram duas almas gêmeas que se juntavam inexoravelmente por causa do destino. Ela era uma prostituta, e
ele, um bêbado idiota, simples assim. Agora que sabia o que ela fazia
para viver, via a aparência exaurida do seu rosto e o escuro em torno dos
olhos, o dente que faltava, o desespero espasmódico.

Revisou a estimativa de vinte e cinco para cima para do meio ao fim da
adolescência. Pobre criança. Deveria ter percebido quando ela lhe falou
pela primeira vez, mas Ben havia crescido quando os Boroughs não eram
sinônimo do distrito de prostituição de Northampton; precisou consciente-
mente se recordar de que essa era sua principal função agora. Jamais
havia recorrido a uma profissional, nunca nem cogitou isso, mas não por
alguma noção de superioridade, e sim porque sempre pensava nas meninas que ganhavam a vida nas ruas como um foco de interesse da classe
média, principalmente. Por que um homem da classe trabalhadora, a não
ser por causa de incapacidade ou solidão implacável, pagaria para fazer
sexo com uma mulher da classe trabalhadora, do tipo com quem tinha
sido criado junto, e em algum nível havia deserotizado? Ben achava mais
provável que os Hugh Grants deste mundo, que tratavam adjetivos como
"bruto" ou "imundo" como conceitos excitantes, enquanto ele havia crescido em uma comunidade que geralmente reservava esses termos para
clãs aterrorizantes como os O'Rourke ou os Presley.

Sentiu-se envergonhado, já que nunca tinha passado por aquela
situação antes, com a vergonha amplificada ainda mais pela decepção
persistente. Por um momento, esteve à beira de um romance, de uma
epifania, de uma inspiração. Não, não tinha de fato achado que ela
era uma sultana da Lemúria, mas havia pensado que ela pudesse ser
alguém sensível e empática, alguém que viu o bardo que havia nele,
as villanelle e sextinas casuais em sua postura. No entanto, a verdade
era o oposto. Ela o tomou por outro cliente carente, cujos anseios
românticos não iam além de uma punheta rapidinha em uma porta
dos fundos. Como podia tê-lo entendido tão completamente errado?
Sentiu que precisava avisá-la do tamanho do equívoco, de como era

absurdo que ela considerasse Ben, logo ele, um cliente em potencial. No entanto, como sentia pena da garota e não queria que ela pensasse que estava genuinamente ofendido, escolheu comunicar seus sentimentos ao modo de uma comédia da Ealing. Achava que era a melhor abordagem para qualquer circunstância social delicada ou embaraçosa.

Benedict contorceu seu rosto de espuma de borracha em uma expressão de choque moral vitoriano, como o sr. Pickwick assustado diante de uma criança de rua vendendo vibradores, então fingiu um tremor insultado tão vociferante que suas obturações chocalharam, forçando-o a parar. A garota a essa altura estava começando a parecer levemente assustada, então Ben achou melhor ressaltar que aquele comportamento tinha intenção de ser um exagero cômico. Girando a cabeça, desviou os olhos dela para onde os telespectadores estariam se a vida fosse realmente, como ele suspeitava, um programa de pegadinhas com câmeras ocultas, e forneceu seu próprio riso enlatado.

— Ha ha ha ha. Não, não, não, tudo bem, amor, obrigada. Não, abençoada seja você, está tudo certo. Eu estou bem. Ha ha ha ha.

Essa performance tinha ao menos eliminado a certeza de que Ben era um potencial cliente. A moça agora o olhava como se genuinamente não tivesse ideia do que Benedict pudesse ser. Aparentemente desorientada, a testa enrugada em uma careta de incompreensão, ela tentou mais uma vez compreendê-lo.

— Tem certeza?

O que seria preciso para que essa mulher entendesse o recado? Teria de executar um número completo, com tábua, balde e casca de banana, para fazer com que entendesse que ele era poético demais para querer sexo atrás de latas de lixo? Uma coisa era certa: sutileza e meias-palavras não tinham funcionado. Teria de se explicar com gestos maiores.

Inclinou a cabeça para trás em uma gargalhada debochada que imaginava estar no modo John Falstaff, se este fosse mais conhecido como um tenor desengonçado.

— Ha ha ha ha. Não, amor, estou bem, obrigado. Está tudo certo. E saiba que eu sou um poeta publicado. Ha ha ha.

Aquilo funcionou. Pela expressão no rosto dela, a moça já não tinha nenhuma dúvida a respeito de quem era Ben Perrit. Com um sorriso fixo, começou a ir embora, mantendo os olhos desconfiados sobre ele ao descer pela Marefair, claramente com medo de virar as costas até que estivesse a alguma distância, para o caso de ser atacada. Ela cambaleou, passando pela Cromwell House, na direção da estação de trem, fazendo uma pausa ao chegar na igreja de St. Peter para olhar sobre o ombro para Benedict. Evidentemente, pensava que se tratava de um psicopata, então ele soltou um riso agudo, despreocupado, para assegurá-la de que não era, no que ela saiu pela frente da igreja, desaparecendo no meio da multidão que voltava para casa em Black Lion Hill. Sua musa, sua sereia, desapareceu com uma batida da cauda e um brilho de escamas verdes.

Cinco coisas, então. Apenas cinco coisas nas quais Ben era um fracasso. Escapar, encontrar trabalho, se explicar direito, não parecer bêbado e falar com uma mulher, a não ser a mãe dele ou Alma. Quanto a Lily, ela foi uma exceção, a única que enxergou de verdade seu espírito e sua poesia. Sempre sentiu que podia falar com Lily, embora, olhando para trás, fosse doloroso admitir que a maior parte do que disse eram bobagens de bêbado. Aquilo era em grande parte o que arruinou as coisas entre eles. Era a bebida e, para ser bem sincero, a insistência de Ben para que as regras de seu relacionamento com Lily fossem as mesmas que tinham dado certo para seus pais, Jem e Eileen, trinta anos antes, particularmente aquelas que agradavam a Jem. Naquela época, Ben não tinha compreendido de fato que tudo estava mudando, não apenas as ruas e vizinhanças, as atitudes das pessoas; o que as pessoas toleravam. Achava que ao menos em sua própria casa poderia preservar um fragmento da vida que conheceu na Freeschool Street, quando as esposas suportavam a embriaguez constante dos maridos e se consideravam abençoadas se tivessem um homem que não batia nelas. Preferiu fingir que o mundo ainda era daquela maneira e ficou completamente chocado quando Lily levou as crianças e demonstrou que não era.

O encontro desconfortável de Ben com a prostituta agora havia se dissolvido em uma pontada leve de melancolia. Seu olhar havia vagado de volta para a Freeschool Street, seu paraíso da meninice afundando em seu próprio futuro, com os níveis de água aumentando dia após dia, instante após instante. Queria poder mergulhar no revestimento dos prédios de escritórios e apartamentos quase vazios, gotas de tijolos vermelhos espirrando de onde ele havia atravessado a superfície. Nadaria de cachorrinho através de quarenta anos num só fôlego. Nadaria pela serraria do pai, pegando os suvenires que pudesse recuperar para trazer de volta à superfície e ao tempo presente. Bateria na janela da sala e diria à irmã: "Não saia hoje à noite". Por fim, emergiria arquejando no menisco da Marefair contemporânea, com os braços cheios de tesouros naufragados, assustando os transeuntes e sacudindo gotas de história do cabelo ensopado.

Começava a sentir uma necessidade vaga de comida. Pensou que poderia andar de volta da Horsemarket até em casa, talvez uma visita à lojinha de peixe com fritas na St. Andrew's Street. Recordou-se então de que tinha um pouco mais de quinze libras, Darwin e Elizabeth Fry enovelados em uma bola amassada de paixão em algum lugar nos recessos profundos das suas calças. Aquilo bastaria para um peixe com fritas e também para mais uma bebida à noite, se quisesse, embora achasse que não fosse querer. A melhor coisa que poderia fazer era comer e então voltar para a Tower Street, para uma noite sem gastos em casa. Assim ainda teria todo o dinheiro que restava amanhã e não precisaria se submeter à pantomima humilhante de aceitar a caridade de Eileen pela manhã. Estava decidido, então. Era o que faria. Preparando-se para sair do lugar e ir para a Horsemarket, Benedict tentou tomar as rédeas de sua atenção dispersa, que estava em algum lugar nas ruínas destruídas da Gregory Street. Dentes-de-leão ilhados se empoleiravam nos restos de parapeitos a mais de sete metros e meio de altura, suicidas hesitantes com cabelos dourados como Chatterton...

Eram onze e trinta e cinco. Estava saindo do Bird In Hand na Regent's Square, para a escuridão escandalosa da noite de sexta. Derrames arteriais de luzes do trânsito se refletiam nas pedras da calçada da Sheep Street, onde pelo visto havia chovido em algum ponto da noite.

Garotas de saias curtas em grupo de quatro ou cinco apoiavam-se umas nas outras para manter o equilíbrio, uma multidão de pernas de meia fio quinze segurando uma estrutura, transformando-se inadvertidamente em componentes de um só inseto gigante que soltava risinhos ou uma peça de mobília tão lindamente estofada que se tornava inutilizável. Rapazes se moviam como cavalos do xadrez em convulsão, camundongos bailantes com Tourette, grupos errantes deles subitamente explodindo em uma bonomia assassina ou em garrafadas bem-intencionadas, e nem estava perto da hora de fechar. Não havia hora de fechar. Os horários de venda de álcool tinham sido estendidos ao infinito por decreto governamental, segundo o discurso oficial para que as pessoas não bebessem tanto em tão pouco tempo, mas na verdade para que turistas americanos perdidos não fossem incomodados por costumes ingleses esquisitos. As bebedeiras não diminuíram, obviamente. Só tiveram seus intervalos de lucidez removidos.

Ben se recordava de comer linguado com fritas algumas horas antes, e de alguns momentos no interior penumbroso de um bar — tinha conversado com alguém? — mas, fora isso, era como se tivesse nascido naquele instante, expelido naquela rua ventosa, naquelas sarjetas, ignorante de como foi parar ali. Pelo menos dessa vez, Ben observou com gratidão, não estava soluçando nem nu. Com menos roupas do que deveria, talvez, com o frio da noite agora começando a penetrar o pôr do sol enlouquecido que era seu colete, atravessando o torpor isolante da cerveja para causar calafrios, mas ao menos não estava nu. Ha ha ha ha.

Uma mexida com dedos incertos nos bolsos o reassegurou de que aquela puta traiçoeira da Elizabeth Fry ao menos desta vez não havia trocado Benedict por algum taberneiro mal-educado que só a usaria, que não a amaria nem precisaria dela como Ben. Dito isso, encontrá-la levantou a possibilidade tentadora de voltar para o bar para comprar uma bebida para viagem, umas latas, mas não. Não, melhor não. Vá para casa, Benedict. Vá para casa, filho, se tiver alguma noção do que é bom para você.

Virou à direita, subindo a Sheep Street até o semáforo, onde se encontrava com a Regent Square, a hachura feia de vias que séculos antes havia sido o portão norte da cidade. Era onde os crânios dos traidores eram colocados em estacas, como trolls em lápis, para decoração. Era onde os hereges e as bruxas foram queimados. Agora, a junção no final da Sheep Street era marcada apenas por uma casa noturna pintada de um roxo sinistro, cor herdada do Macbeth, que fechara um ou dois anos antes. O Macbeth havia sido um ponto de encontro de góticos, tentando criar uma atmosfera que combinasse com a esquina já pelas cabeças decepadas e os gritos das velhas bruxas. Carvão para Newscastle, acônito para a Transilvânia. Ben cambaleou sobre os vários cruzamentos necessários para conduzi-lo em segurança até os altos da Grafton Street, a qual ele começou a descer desequilibradamente. Um pouco abaixo, luzes azuis circulavam, flashes cor de safira batendo como mariposas nos prédios em torno, só que estava anestesiado demais pela bebida para dar muita importância a elas.

Olhou para os andares de cima da oficina de carros do outro lado da rua, onde era possível ver o logotipo solar da lavanderia Sunlight ainda em relevo, mesmo através da luz de sódio amarelo-mijo que banhava tudo. Fixo em seu lugar, brilhava feliz para um dia de vinte e quatro horas de bebedeira que finalmente havia chegado, quando jamais precisaria afundar de novo abaixo da lais de verga[51]. Benedict voltou a atenção novamente para as pedras irregulares da calçada logo à frente e se concentrou pela primeira vez no carro de polícia solitário estacionado no meio-fio mais adiante, a fonte de todas aquelas luzes de discoteca. Um veículo de marca incerta destruído em um acidente estava sendo içado pelas rodas traseiras sobreviventes por um guincho. Homens carrancudos de coletes florescentes varriam os fragmentos do para-brisas espalhados pela rua movimentada, e a viatura estava ali piscando atrás deles para alertar os outros motoristas sobre o que acontecia. Um jato desconcertante de itens aleatórios, como brinquedos de criança e luvas de jardinagem, espalhava-se pelo asfalto, para onde, podia presumir, haviam voado de um porta-malas arrebentado. Borrifadores de plantas, toucas de banho e um único chinelo. De pé ao lado do carro, iluminado pelo estroboscópio de seu farol, o policial que atendia a ocorrência olhava morosamente para baixo, para uma marca de pneu onde o automóvel agora desintegrado parecia ter desviado para cima da calçada, talvez para desviar de algo no caminho, antes de bater no muro, no poste ou no que fosse. Com a aproximação de Benedict, o jovem guarda robusto levantou os olhos de sua contemplação da trilha de borracha queimada e, para a surpresa de Ben, percebeu que o conhecia da vizinhança.

— Oi, Ben. Olha só que puta sujeira — o guarda, bochechas rosadas de menino de coral, agora vermelhas de raiva, gesticulava para o vidro pulverizado e objetos variados que cobriam a rua. — Deveria ter visto isso há meia hora, antes dos paramédicos tirarem o pobre idiota que estava imprensado contra a coluna de direção. O pior é que nem deveria ser meu turno esta noite.

Benedict apertou os olhos para os trabalhadores varrendo os destroços. Não via sangue, mas talvez estivesse perdido entre os destroços amassados.

— Entendi. Um acidente fatal. Não pergunte por quem os sinos dobram, né? Ha ha ha ha. Ladrão de carro, foi?

Saco. Não teve intenção de dar risada, não de uma morte trágica, nem de perguntar por quem os sinos dobravam bem depois de declamar a reprimenda de Donne para não fazer isso. Felizmente, a mente do guarda parecia estar longe, ou ele estava acostumado e tolerava

os modos excêntricos de Ben. De certo modo tinha de ser, com seu
próprio colete de polícia cor de sorvete de limão mais chamativo que
aquele que Ben usava.

— Ladrão de carro? Não. Não, era só um cara de trinta e muitos anos.
Estava no próprio carro, pelo que pudemos ver. Um carro de família.

Ele apontou com a cabeça sombriamente para o lixo brilhante, trans-
geracional, jogado sobre a rua vindo do porta-malas aberto.

— Não tinha cheiro de bebida quando ele foi tirado das ferragens.
Deve ter tentado desviar de alguma coisa e subido na calçada. — O ar
abatido do jovem policial pareceu se alegrar por um instante. — Pelo
menos não me mandaram contar para a esposa. Sinceramente, odeio
aquilo. Toda a gritaria e o berreiro, e sou só eu. Vou dizer para você, da
última vez que fui até uma delas eu quase... só um minuto...

Ele foi interrompido por uma explosão de estática de seu rádio, que
desprendeu do casaco para responder.

— Sim? Sim, ainda estou nos altos da Grafton Street. Estão terminando a limpeza agora, então em um minuto acabo aqui. Por quê?

Houve uma pausa, durante a qual o guarda querubínico olhou sem
expressão para o vazio e então disse:

— Certo. Vou para lá assim que terminar com o acidente. Tá, tá, certo.

Ele prendeu de novo o receptor, olhou para Benedict e fez uma careta
que significava um desdém resignado com a própria sorte lastimável.

— Pegaram outra piranha na Andrew Road. Alguém que mora lá aco-
lheu a fulana, mas querem que eu tome o depoimento antes que seja
levada para o hospital. Por que é sempre comigo que isso acontece?

Benedict ia perguntar se ele estava se referindo a um estupro e espan-
camento, mas então pensou melhor. Deixando o policial amargurado
supervisionar o fim do serviço de limpeza, Ben continuou descendo a
ladeira, curiosamente sóbrio depois dessa conversa inesperada. Virou
na St. Andrew's Street, pensando na prostituta atacada, no homem
que estava vivo e dirigindo para casa para ver a família uma hora antes,
sem suspeitar de sua fatalidade iminente. Aquele era o ponto crucial
e estarrecedor das coisas, pensou Ben, que a morte ou o horror pudessem estar esperando logo adiante e ninguém tinha como saber até
aqueles terríveis últimos segundos. Começou a pensar em sua irmã,
Alison, no acidente de motocicleta, mas aquilo era doloroso, então
Ben direcionou sua atenção para outra coisa. Ao fazer isso, sem que-

rer chegou à memória vaga da jovem trabalhando na rua que o havia abordado pouco antes, a que tinha os cabelos trançados. Sabia que não era ela a mais recente garota de programa a ser atacada nos baixos da Scarletwell Street, mas também sabia que, de certo modo, era como se tivesse sido. Porque foi alguém como ela.

Como aquilo podia ter acontecido com os Boroughs? Como havia se transformado em um lugar em que alguém que poderia crescer e se tornar uma bela mulher, a musa de um poeta, é estuprada e quase morta a cada duas semanas? A onda de raptos e ataques sexuais em um único final de semana de agosto tinha acontecido, em sua maior parte, naquele distrito. No início acreditou-se que uma única "gangue de estupros" era responsável por todos os crimes, mas depois chegou-se a inquietante conclusão de que um dos ataques mais graves não tinha nenhuma conexão com os outros. Benedict imaginou que, quando coisas como aquela ocorriam com a frequência alarmante que pareciam ocorrer ali, era natural imaginar uma ação organizada por algum bando ou alguma conspiração. Embora fosse uma ideia assustadora, era mais reconfortante do que a outra explicação, a de que essas coisas aconteciam aleatoriamente e com frequência.

Desconsolado e ainda remoendo sobre a garota provavelmente condenada que encontrou na Marefair e no acidente fatal cujo resultado testemunhou apenas cinco minutos antes, Ben virou à direita na Herbert Street, já vazia em meio à escalada rumo à meia-noite. Com as silhuetas contra a escuridão do céu cor de refrigerante atrás deles, Claremont Court e Beaumont Court eram negros como monolitos de Stanley Kubrick, transportados por uma inteligência alienígena insondável para espalhar ideias entre os primitivos desgrenhados e piolhentos. Ideias como "Pule". Não dava nem para ver o que restava da Escola Spring Lane daquele ponto de vista específico como foi possível um dia, não com toda a NOVAVIDA no caminho. Ben cambaleou até a Simons Walk sob uma noite feita de tangerina e sem estrelas. Virando à esquerda na calçada ladeada de grama que o levaria para a casa da mãe, sentiu-se irritado, como sempre, com a falta de apóstrofo em Simons Walk. A não ser que houvesse algum benfeitor da área chamado Simons que Ben não conhecia, imaginava que o nome da rua era uma referência ao cavaleiro normando do castelo e da igreja Simon de Senlis, e nesse caso deveria ser um possessivo... ah, para quê? Ninguém se importava. Nada queria

dizer nada que não pudesse ser transformado instantaneamente em seu
oposto por qualquer marqueteiro ou entortador de colheres. A história
e a linguagem se tornaram tão flexíveis, retorcidas para lá e para cá para
servir a cada nova ordem do dia, que pelo jeito poderiam simplesmente
quebrá-las ao meio e nos deixar chafurdando em um mar de revisões
criacionistas malucas e grafias de quitandeiro.

Cambaleando pela Althorpe Street, ouvia gritos de riso e música
estranha dissonante, ainda mais distorcida pelo volume, saindo da boca
de fumo do careca Kenny Não-Sei-das-Quantas no fim do caminho. Sob
o brilho ocre, motores de carro soltavam grunhidos silvestres pela savana
de cimento que escurecia. Virando na Tower Street, andou até a casa
de Eileen, e então passou cinco minutos rindo de si mesmo enquanto
tentava destrancar a porta da frente sem fazer barulho tentando enfiar a
chave na campainha. Ha ha ha.

A casa estava em silêncio, com tudo desligado, a mãe já tendo ido
para a cama. Passou pela porta fechada da sala da frente, ainda cheia de
relíquias, mais para exibição que para uso, do jeito que as coisas costumavam ser na Freeschool Street, e foi até a cozinha para um copo de leite
antes de subir.

Seu quarto, o único espaço do planeta que sentia ser seu, o esperava
com toda a clemência, pronto para recebê-lo de novo apesar de toda
a negligência a que era submetido. Havia sua cama de solteiro, havia
o que ele chamava, rindo, de mesa de escrever, havia as fileiras de
poetas que tinha tentado matar com gás antes. Sentou-se na beirada
da cama para desamarrar os sapatos, mas deixou a ação incompleta,
andando pelo tapete com os cadarços soltos. Pensava no acidente na
Grafton Street, o quê significava que estava pensando em Alison e seu
namorado, ambos tentando ultrapassar aquele caminhão sem sinalização de carga pesada. Pensava em morrer, como fazia toda manhã assim
que acordava, mas agora não havia esperança que os pensamentos
mórbidos fossem desaparecer com a primeira bebida do dia, não com
a última perdendo efeito horrivelmente debaixo da língua de Ben.
Estava sozinho com a morte em seu quarto. Seu quarto, sua morte, sua
inevitabilidade, e não havia nada para defendê-lo.

Um dia, em breve, estaria morto, reduzido a cinzas ou alimentando
vermes. Sua mente engraçada e interessante, seu eu, tudo aquilo iria
simplesmente cessar. Não estaria mais aqui. A vida continuaria, com

todo seu romance e suas emoções, mas não para ele. Não saberia de mais nada, seria como uma festa esplêndida em que deixaram claro que ele não era mais bem-vindo. Seu nome teria sido riscado da lista de convidados, apagado, como se jamais tivesse passado por lá. Tudo que restaria dele seriam algumas anedotas exageradas, alguns poemas embolorados em cópias sobreviventes de revistas de baixa tiragem, e depois nem isso. Tudo teria sido um desperdício e...

Ela o atingiu subitamente, a epifania sombria, e o deixou sem fôlego: pensar na morte era algo que fazia com frequência como uma alternativa para pensar na vida. A morte não era o problema. A morte não pedia nada de ninguém, a não ser uma decomposição sem esforço. A morte não era a coisa com que se relacionavam todas as expectativas e decepções e o medo constante de que qualquer coisa poderia acontecer. Isso era a vida. A morte, aterrorizante do ponto de vista apavorado da vida, na verdade estava além de todo o medo e dor. A morte, como uma mãe bondosa, retirava todas as responsabilidades preocupantes e decisões de suas mãos, lhe dava um beijo de boa-noite e o aninhava debaixo da colcha verde morna. A vida era a provação, o teste, a coisa que era preciso descobrir como encaminhar antes que acabasse.

Mas Benedict já tinha feito isso. Impetuosamente, em sua juventude romântica, havia decidido que, se não pudesse ser um poeta, não seria nada. Naquela época, não refletiu de fato sobre a pior daquelas duas alternativas, a possibilidade de que pudesse acabar sendo um nada. Jamais aconteceu, o sucesso que achou que poderia conseguir quando era mais jovem, e aos poucos ele foi desanimando. Tinha basicamente abandonado a escrita, mas ela fazia parte de sua identidade de tal forma que não conseguia admitir, nem para si mesmo, que tinha desistido. Fingia que sua inatividade era apenas um período sabático, que estava em pousio, juntando material, quando sabia no fundo que estava apenas juntando poeira.

Como que através de uma neblina, via o grave erro que havia cometido. Tinha ficado tão ansioso por sucesso e validação que passou a pensar que alguém só poderia ser um escritor de verdade se fosse um escritor de sucesso. Naquele momento sem precedentes de claridade, percebeu que essa ideia era uma bobagem. Veja William Blake, ignorado e sem reconhecimento por anos após a morte, considerado um lunático ou tolo por seus contemporâneos. Mas Benedict tinha certeza de que Blake, em seus setenta anos, jamais teve um instante de dúvida de que era um verdadeiro artista. O problema de Ben, visto sob esta luz nova e brutal, era apenas um fracasso de sua força de vontade. Se de algum modo tivesse encontrado a coragem para continuar escrevendo, mesmo se cada página tivesse sido rejeitada por todas as editoras às quais tivesse sido enviada, ainda seria capaz de se olhar no espelho e saber que era um poeta. Não havia nada que o impedisse de pegar outra vez a caneta, a não ser o campo de gravidade facilmente suportado da Terra.

Aquela poderia ser a noite em que Ben viraria o jogo. Tudo o que precisava fazer era atravessar o quarto, sentar-se na escrivaninha e de fato produzir alguma coisa. Quem sabe? Poderia ser a obra que iria garantir a reputação de Ben. Ou, caso contrário, se suas habilidades com o verso parecessem monótonas e desajeitadas pela falta de uso, poderia ser seu primeiro passo em falso de volta para o caminho do qual havia se desgarrado para cair naquele atoleiro de amargura e paralisia. Aquela noite poderia ser sua chance de se emendar. Foi atingido pelo implacável pensamento de que aquela noite poderia ser sua última chance.

Se não fizesse isso agora, se arrumasse alguma desculpa, dizendo para si mesmo que seria melhor cuidar disso pela manhã, quando a cabeça estivesse mais fresca, então pareceria bem provável que jamais tomaria uma atitude. Continuaria a encontrar motivos para deixar toda a sua poesia de lado até que fosse tarde demais e a vida lhe mostrasse que seu tempo havia acabado, até que terminasse como mais uma estatística nos altos da Grafton Street, com um policial indiferente reclamando que a morte de Ben tinha arruinado sua noite de folga. Benedict precisava fazer aquilo agora, naquele momento.

Ele se levantou e cambaleou até a escrivaninha, tropeçando nos cadarços soltos no caminho. Sentou-se e tirou o caderno de uma prateleira de trás do móvel, fazendo uma pausa para limpar, envergonhado, a poeira grossa da capa com a palma da mão antes de abri-lo em uma folha em branco. Pegou a caneta esferográfica que parecia em melhor condição no pote de geleia que ficava na prateleira de cima da mesa, tirou a tampa e pousou a bola grudenta e peluda de índigo sobre o velino nu. Ficou assim por uns bons dez minutos, antes de chegar à conclusão agoniante de que não tinha nada a dizer.

Seis coisas, então, nas quais Ben Perrit era um completo fracasso: escapar, encontrar trabalho, se explicar direito, não parecer bêbado, falar com uma mulher e escrever poesia.

Não. Não, aquilo não era verdade. Era apenas mais uma desistência, talvez definitiva. Estava determinado a escrever algo, mesmo se fosse um haikai, mesmo se fosse um verso ou só uma frase. Vasculhou a memória nebulosa do dia rotineiro que havia acabado de passar em busca de inspiração e ficou assustado com quantas imagens e noções vagas voltaram à sua mente. O asilo de pobres, o hospício de Clare, Malcolm Arnold e a garota sereia, padrões de trevo feitos com maestria na espuma sobre a consciência escura e rodopiante de Ben. Pensou na rachadura dolorida da Freeschool Street e no continente submerso, a paisagem que se perdeu. Pensou em acabar com toda aquela besteira de bêbado e ir para a cama.

Na escuridão, ao longe, havia sirenes, batidas de música techno, torcidas de rinha de urso. Sua mão direita estremecia, a centímetros da brancura cegante da página vazia.

FAÇA COMO
BEM ENTENDER

Dentro dele, debaixo da camada de chantilly que era seu cabelo, havia igrejas-bordéis de onde por uma porta saía a amplidão do Atlântico e por outra vinha um circo com parque de diversões, em uma explosão com palhaços e tigres, garotas com plumas e belos letreiros nos brinquedos, uma inundação cintilante de sons e imagens, de retratos a giz rabiscados rapidamente por um frenético caricaturista de saloon, vinhetas de melodrama com significado atroz, encenadas por trás das cortinas de segurança cor-de-rosa aveludada de suas pálpebras, o mundo todo com todas as suas horas de mármore brilhante, seus séculos de líquen e momentos de lamber xoxota, tudo de uma vez, cada segundo em vigília constantemente explodido em mil anos de acontecimentos e farras, uma conflagração eterna dos sentidos em que estava Snowy Vernall, de olhos arregalados e impávido diante do brilhante coração carnavalesco de seu próprio fogo eterno.

No livro ilustrado que era sua vida, muito lido e afetuosamente relido, a narrativa havia chegado a uma página, a um instante, um acontecimento interessante que, ainda durante a experiência, sabia que jamais tinha vivenciado antes. Quando as outras pessoas falavam de seus raros e perturbadores acessos de *déjà vu*, ele franzia a testa e sentia que estava perdendo algo, não por nunca ter conhecido o sentimento, mas porque nunca havia conhecido nada além. Quando menino, nunca chorou por raspar os joelhos, porque quase sempre conseguia prever quando aquilo iria acontecer. Não tinha chorado no dia em que o pai, Ernest, foi trazido para casa do trabalho com o cabelo todo branco. Embora tenha sido uma cena chocante, era tirada de uma história favorita, ouvida tantas vezes que seu poder de surpreender havia se perdido. Para Snowy, a existência era uma galeria esculpida a partir de uma única joia estática, um trem-fantasma emocionante passando por dioramas prediletos e atrações assustadoras já conhecidas, o brilho das lâmpadas da porta de saída distante claramente visível desde o primeiro passo além do início.

O episódio específico no qual agora estava envolvido era a famosa sequência em que Snowy se via de pé em um telhado acima da Lambeth Walk, em uma manhã barulhenta e radiante de março de 1889, enquanto sua Louisa dava à luz a primeira criança deles na sarjeta lá embaixo. Tinham ido caminhar no St. James Park em uma tentativa de apressar o grande evento com o exercício, já que a criança estava atrasada alguns dias, e a esposa, chorosa e exausta por causa do peso que carregava havia tanto tempo. A tática funcionou bem até demais, com a bolsa de Louisa se rompendo à beira do lago num jorro súbito, assustando os patos, que formaram uma escultura momentânea, um borrão espalhado de marrom, cinza e branco que espiralou para tomar uma forma meio de pagode, meio de tobogã em volta da torre, gotas de diamante pausadas em torno em uma constelação fugaz. Tinham tentado voltar à East Street com uma caminhada apressada, descendo toda a Millbank, atravessando a ponte Lambeth e entrando na Paradise Street, mas ainda estavam na Lambeth Walk quando começaram as contrações a cada dois passos, e ficou claro que não conseguiriam chegar. Ora, claro que não conseguiriam. O parto caótico sobre os paralelepípedos do sul de Londres não podia ser evitado; estava incrustado no futuro. Chegar em casa na East Street sem incidentes não era um verso naquela lenda já inscrita em pedra. Subir o muro íngreme mais próximo quando a cabeça despontou, deixando Louisa aos berros no centro de um coágulo de pessoas boquiabertas, por outro lado, aquilo estava entre os muitos destaques memoráveis da saga, e certamente aconteceria. Snowy não tinha como impedir a si mesmo de subir uma escada invisível feita de rachaduras e minúsculas saliências, assim como não podia impedir o sol de nascer no leste na manhã seguinte.

Com a chaminé dupla atrás de si, estava em pé na cumeeira agora, como um Atlas esculpido, equilibrando o grande globo de vidro do céu luminoso e leitoso sobre os ombros. O desgastado paletó preto não se agitava mesmo com aquela brisa de março e caía sobre seu corpo como se fosse de chumbo, lastreado pelas pesadas maçanetas de cristal que tinha em ambos os bolsos, apanhadas mais cedo naquela manhã como requisitos para um trabalho de decoração que ele faria na terça-feira seguinte. Mais abaixo, na rua, transeuntes de preto se aglomeravam em um círculo ansioso em torno de sua esposa estirada e aos berros, movendo-se em impulsos súbitos e erráticos, como moscas domésticas. Ela se escarrapachou sobre a calçada gelada, com o rosto carmim inclinado para trás, olhando raivosa e incrédula para os olhos do marido, enquanto ele a espiava de três andares acima, indiferente como uma águia empoleirada.

Mesmo com os traços de Louisa encolhidos pela distância até uma lasca de confete rosa, Snowy achava que ainda podia ler todos os vários sentimentos conflitantes escritos ali, com uma explosão apaixonada escrita às pressas e substituída pela seguinte. Havia incompreensão, ira, traição, ódio, descrédito e, implícito em tudo isso, um amor que persistia e vibrava no limite da reverência. Ela jamais o deixaria, nem mesmo com todos os caprichos desastrosos, as iras aterrorizantes, as artimanhas insondáveis e as outras mulheres que ele sabia que o esperavam pelo caminho. Sabia que iria assustá-la, desnorteá-la e magoá-la muitas e muitas vezes pelas décadas ainda a vir, embora não quisesse. Certas coisas simplesmente iriam acontecer e não havia como escapar disso, nem para Louisa, nem para Snowy, nem para ninguém. Louisa não sabia exatamente quem era o marido, assim como ele mesmo, mas tinha visto o suficiente para saber que, fosse o que fosse, era um tipo de figura que não aparecia com muita frequência no curso normal das coisas humanas, e que jamais em sua vida conheceria outro como ele. Tinha se casado com um animal heráldico, uma quimera desenhada com base em nenhuma mitologia reconhecível, uma criatura sem limites que podia subir pelas paredes, sabia desenhar e pintar e era tido como um dos melhores artesãos de sua área. Apesar de em certos momentos ser quase insuportável encarar o aspecto monstruoso de Snowy, ela jamais desviaria o olhar, jamais quebraria o encanto.

Com os cabelos nevados que lhe renderam o apelido remexendo ao vento no terceiro andar, John Vernall levantou a cabeça e olhou com os olhos cinza-claro para Lambeth, para Londres. O pai de Snowy um dia explicou a ele e a irmã menor, Thursa, como, ao alterar a altitude, o nível no eixo vertical da existência aparentemente triplanada de alguém, era possível vislumbrar o elusivo quarto plano, o quarto eixo, que era o tempo. Pelo que Snowy tinha entendido das palestras de seu pai no manicômio de Bedlam, o tempo ou o que a maior parte das pessoas via como o tempo da perspectiva de um mundo impermanente e frágil desaparecia no nada e se refazia a partir desse nada a cada instante, com toda sua substância desaparecendo em um passado que era invisível a partir de uma nova angulação e assim parecia não estar mais lá. Para a maioria das pessoas, Snowy percebia, a hora anterior havia ido embora para sempre e a seguinte ainda não existia. Estavam todos presos na janela móvel e fina do Agora: uma membrana tênue que poderia se desintegrar fatalmente a qualquer momento, estirada entre duas ausências pavorosas. Aquela visão da vida e do ser como coisas frágeis e fracas que logo acabavam não correspondia de modo algum à de Snowy Vernall, especialmente não de um ponto de observação glorioso como o atual, com a imundice da natividade mais abaixo e apenas recifes de nuvens se movimentando mais acima.

Sua elevação maior havia encolhido e reduzido proporcionalmente a paisagem, achatado as construções, de modo que, se ele subisse ainda mais, sabia que todas as casas, igrejas e hotéis seriam por fim comprimidos em apenas duas dimensões, nivelados em um mapa ou plano de ruas, um mosaico fumegante onde as estradas e ruas eram linhas prateadas cobertas de paralelepípedos contendo lascas de cerâmica preto-fábrica em um quadro-vivo miltônico. Do cume do telhado onde estava empoleirado, com as solas dos pés viradas para dentro e apertando as telhas molhadas, o Tâmisa ondulante era imóvel, uma faixa de ferro em meio à camada poeirenta da cidade. Dali ele podia ver um rio, não apenas o líquido correndo em um volume atordoante. Podia ver o curso d'água da história preso em sua forma, seu caminho serpenteante seguindo os pontos de menor resistência através de um vale formado pelo colapso de uma grande falha no calcário em algum lugar ao sul atrás dele, escarpas brancas batendo em ondas brancas algumas centenas de metros morro acima e alguns milhões de anos atrás. A saliência de Waterloo, ao norte, era onde a avalanche de rochas e lama havia parado e endurecido, pisoteada por mamutes até se tornar um pasto onde uma centena de chaminés por fim brotaram, vermes tubulares de garganta de alcatrão reunindo-se em torno do miasma morno da estação de trem. Snowy viu a impressão digital de um grande poder matemático, incontáveis gerações presas no padrão magnético de suas voltas e espirais.

No lado mais distante do fluxo de cadarço solto estava a metrópole chamuscada, com seus edifícios subindo andar por andar em camadas de padrões cronológicos: a continuidade mais duradoura da arquitetura, ostensivamente distinta do que acontece no chão, onde a humanidade, governada pelo relógio, faz sua correria. Nos pináculos e nas pontes desgastados e de estilo variado de Londres, podia ter conversas entrecortadas com os mortos, com trinovantes, romanos, saxões, normandos, com suas intenções esquecidas e obscuras contadas em pedra. Nos marcos mais celebrados, Snowy ouvia os monólogos solitários e egocêntricos de reis e rainhas, carregados de ansiedades a respeito de sua relevância, vidas desperdiçadas atrás de um legado, uma ilusão de ótica do mundo temporário que habitavam. As avenidas e monumentos que olhava de cima eram barricadas contra o esquecimento, defesas ornamentadas lançadas para adiar um futuro no qual tanto as gloriosas estruturas quanto as memórias dos que as fundaram não existiriam.

Isso fez com que ele risse, embora não literalmente. Para onde achavam que tudo, incluindo eles mesmos, iria? Snowy tinha apenas vinte e seis anos naquele momento de sua existência e imaginava que havia os que diziam que ele não tinha visto o suficiente das coisas, mas mesmo assim sabia que a vida era uma construção espetacular, muito mais segura do que as pessoas em geral pensavam, e que seria mais difícil de sair de suas existências do que provavelmente imaginavam. Os seres humanos terminavam por arrumar suas prioridades sem estarem a par de toda a história, do quadro completo. Cenotáfios se tornariam menos importantes que os dias ensolarados perdidos em sua fabricação. Coisas belas, Snowy sabia, deveriam ser forjadas em nome de sua própria existência, e não transformadas em elaboradas lápides apenas para marcar que alguém esteve ali um dia. Não quando ninguém estava indo a lugar algum.

À distância de uma sirene de rebocador do rio, o homem-pássaro impassível sorriu para seu milagroso domínio, enquanto lá embaixo os berros de Louisa eram pontuados intermitentemente por gritos sem fôlego de "Snowy Vernal, você é um filho da puta, um porra dum cuzão do caralho!". Ele olhou por sobre Westminster, Victoria e Knightsbridge para a extensão de verde carrapicho borrado que sabia ser o Hyde Park, onde estava representado ainda outro aspecto do tempo que se desdobrava, personificado na forma das árvores. Plátanos e álamos mal se moviam pelos três eixos do mundo que eram imediatamente aparentes, mas o registro de seu progresso em relação ao quarto e oculto estava registrado em suas formas. A altura e a grossura de seus ramos não deviam ser medidas em centímetros, mas em anos. Forquilhas pontilhadas de musgo eram momentos de decisão não tomada que se solidificaram, gravetos eram caprichos prolongados, e bem no fundo de alguns troncos grossos Snowy sabia que havia pontas de flecha e balas de mosquete, disparadas através da casca no passado, alojadas em um período anterior, um anel anterior, sepultadas para sempre no grão da madeira da eternidade, como todas as coisas por fim seriam.

Se o sr. Darwin estava certo, então era do manto eterno das copas da floresta que os homens desceram pela primeira vez, e foram as raízes das florestas que beberam os corpos dos homens quando morriam, devolvendo os sais vitais de volta às copas das árvores pré-históricas em douradas gaiolas de elevadores feitas de seiva. Os parques, verdes enclaves do Éden entre os dentes da padronagem urbana das zonas residenciais, eram postos avançados de uma era esmeralda, com lagoas de floresta ilhadas deixadas para trás por um oceano que agora recuava mas um dia retornaria espumando através da cabeça de ponte urbana, silenciando seus bondes e realejos sob uma quietude farfalhante. Ele alargou as narinas, tentando capturar o aroma do futuro a meio milhão de anos, acima do hodierno fedor de fundição. Com Londres deserta, seus habitantes aniquilados por algum Napoleão ainda por nascer, Snowy imaginou que a árvore-das-borboletas se mostraria a conquistadora mais resistente da cidade. Entre os sambaquis e sussurrantes bancos de mármore quebrados, arbustos perfumados irromperiam com frágeis línguas florais, onde Júlio Agrícola havia erguido apenas alguns estandartes tremulantes, e a rainha Boadiceia, nada além de chamas.

A doçura pesada dos bordéis atrairia borboletas em nuvens aquareladas, periquitos fugiriam de zoológicos para comer as borboletas e onças para comer os periquitos. As raridades e os monstros maravilhosos de Kew Gardens se libertariam e tomariam a cidade abandonada até o fim de seus horizontes, pilares de eucaliptos rasgariam as avenidas estilhaçadas e palácios se renderiam às samambaias colossais. O mundo terminaria como começou, como uma pérgola beatífica, e se quaisquer brasões de família ou bustos de dignatários ou nomes de instituições ainda estivessem visíveis entre as colmeias murmurantes e a madressilva, àquela altura estariam despidos de qualquer sentido. O significado era uma luz de vela sobre tudo que se movia e se alterava sob as brisas circunstanciais de cada instante, nunca a mesma duas vezes. A significância era um fenômeno do Agora que não podia ser contido dentro de uma urna ou monólito. Era um furacão limitado ao presente, um redemoinho interminável de mudança incessante e, enquanto estava ali olhando para a direção dos limites da cidade, através dos campos de granito do tempo na direção das extremidades distantes e esfarrapadas do calendário, Snowy Vernall era um para-raios numa crepitação exultante em meio ao resplandecente e perigoso olho do ciclone.

Quinze metros abaixo, a torrente de gritos angustiados alternados com xingamentos furiosos de Louisa ascendia a ele como uma música humana trivial, mas, ao mesmo tempo, maravilhosa, na qual as notas cheias de metal do tormento agora pareciam mais insistentes e mais frequentes, dominando o arranjo e submergindo o insulto de flautim, um f'diputiiiiaiiii. Olhando para baixo, notou que uma banda improvisada se reunia em torno da esposa, fornecendo o solidário acompanhamento de cordas suaves simpático a ela e um retumbante rufar de tambores desaprovador daquele marido sobranceiro no telhado acima deles. Vaiavam e arrulhavam o casal em perfeita alternância. Nenhuma daquelas pessoas parecia mais capaz do que Snowy de oferecer ajuda àquela mulher aflita no trabalho de parto, mesmo que ele estivesse lá embaixo na calçada ao lado dela. Os transeuntes em vaivém eram uma orquestra inexperiente em um processo contínuo de afinação, com o escárnio abafado e as ululações de consolo lutando intensamente para alcançar algum tipo de harmonia, as discordâncias sibilantes seguindo até Paradise Street, descendo a Union Street para se juntar aos trinados de címbalo de Lambeth, aumentando gradualmente através dos tempos, como se fosse algum anúncio de clarim, cascos estridentes e músicas de bêbados e os chamados ritmados dos carroceiros combinados em uma onda de prelúdio perene.

Como um assistente de palco apressado, o vento enérgico recolheu o cenário das nuvens pintadas e, pelo ângulo do derramamento súbito de luz, Snowy achou que não faltava muito para o meio-dia, com o sol no alto e subindo com confiança crescente os últimos degraus azuis até o apogeu. Sem perder a calma com o bem assistido nascimento de sua filha ali abaixo, concentrou sua atenção no emaranhado intestinal das vielas vizinhas, onde cães e pessoas envoltas em suas próprias experiências iam para lá e para cá, fios de acontecimentos que seguiam na lançadeira do tear do distrito, fosse saindo do nó de circunstâncias potenciais ou inadvertidamente convergindo para o seguinte. Do outro lado de Lambeth Road, em meio a alguns prédios de telhado baixo do lado direito, era possível ver uma mulher grávida bonita e bem-vestida que saía da Hercules Road para atravessar a rua entre as charretes pesadas e as bicicletas serpenteantes. Um pouco mais perto dele, vários meninos de doze anos ou por aí se batiam com as boinas, brincando de lutar enquanto passavam sem pressa pela costura encardida de uma passagem pelos fundos das construções, atravessando os telhados fumegantes e os quintais com fraldas estendidas da Newport Street. Os olhos de Snowy se espremeram, e ele assentiu com a cabeça. Todo o mecanismo do minuto estava em ordem.

A julgar pela luz e pelo reboliço crescente de Louisa, ele parecia ter apenas mais trinta minutos ali em cima, então permitiu que seus sentidos recomeçassem novamente sua avaliação fosfórica da cidade. Londres girava em torno dele como uma novidade de parque de diversões, com Snowy como o monitor do brinquedo, equilibrado entre os relâmpagos pintados e os cometas de seu eixo central. Virando a cabeça para a direção nordeste, Snowy olhou sobre Lambeth, Southwark e o rio até a St. Paul, com sua cúpula calva e branca como a de um cochilante professor de teologia, alheio a seus alunos malcriados, pecando ao redor por toda a parte, enquanto ele dormitava. Tinha sido quando trabalhava restaurando afrescos no interior da cúpula que o pai de Snowy, Ernest Vernal, foi alvejado pela loucura, quase vinte e quatro anos antes.

Snowy e a irmã Thursa iam ao Hospício Bethlehem, onde visitavam o pai, o que não acontecia com frequência. Snowy não gostava de pensar no local pelo nome de Bedlam. Às vezes levavam os outros filhos de Ernest, Appelina e o jovem Mess, mas como o pai tinha sido levado quando os dois ainda eram pequenos, nunca o conheceram de verdade. Não que qualquer um, mesmo a mãe deles, Anne, tivesse conhecido Ern Vernall totalmente, mas John e Thursa ainda eram próximos dele de algum modo, em especial depois que ficou louco. Com o pequeno Messenger e Appelina, aquela comunicação jamais existiu, e as visitas deles ao estranho no hospício apenas os assustavam. Quando ficaram mais velhos e maiores, às vezes acompanhavam Snowy e Thursa, embora apenas por causa de uma sensação de dever. Snowy compreendia o irmão e a irmã mais nova. O hospício era um horror, cheio de mijo, merda, gritos e riso, homens que tinham sido desfigurados com uma colher durante o jantar pela pessoa ao lado. Se ele e Thursa não tivessem tanto interesse nas palestras divagantes que o pai reservava exclusivamente para os dois, jamais teriam chegado perto do lugar.

O pai conversava com eles sobre religião e geometria, acústica e o verdadeiro formato do universo, sobre uma multidão de coisas aprendidas enquanto retocava os afrescos da St. Paul durante uma tempestade, numa manhã muito tempo antes, em 1865. Contou o que aconteceu com ele naquele dia da melhor forma possível, com alertas de que jamais deveriam contar para a mãe ou qualquer outro ser vivo a respeito da visão sagrada de Ern Vernall, que lhe havia custado a mente e a cor de bronze quente do cabelo. Contou aos filhos que se viu sozinho em sua plataforma a uma grande distância do chão da catedral, misturando sua têmpera, quando percebeu um ângulo na parede. Essa foi a maneira como ele contou, e os filhos por fim vieram a entender que a expressão tinha ao menos dois significados, um exemplo dos jogos de palavras e termos inventados que salpicavam as conversas de Ernest desde seu colapso mental. Em primeiro lugar, significava exatamente o que parecia, que Ernest descobriu um novo ângulo que de algum modo estava na parede, e não em relação a suas superfícies. Uma segunda e mais obscura interpretação do termo era relacionada especialmente ao país e seu passado ancestral, quando "anglos"[52] eram as pessoas de uma tribo que invadiu a Inglaterra, dando ao lugar seu nome, depois que os romanos foram embora. Esse segundo significado era conectado por uma associação a uma frase do papa Gregório... "Non Angli, sed Angeli"... dita quando inspecionava prisioneiros ingleses em Roma, um trocadilho de palavras que levou os filhos mais velhos de Ern a uma percepção gradual do que o pai havia encontrado no alto da St. Paul naquele dia tão tumultuado.

A história lunática do pai, e mesmo a sua lembrança enquanto Snowy estava ali sobre a Lambeth Walk e sua pobre mulher lamentosa, conjurava o cheiro de pedra fria de catedral, de tinta em pó, de rêmiges chamuscadas por relâmpagos e fogo de santelmo. A coisa maravilhosa havia deslizado e escorregado em torno do interior da cúpula, conforme o relato de Ernest aos filhos nos intestinos do infame hospício de Lambeth. Tinha falado com o pai deles em frases ainda mais assombrosas do que o semblante extraordinário que as entonava, com a voz reverberando infinitamente, ressoando em um tipo de espaço ou de distância que o pai não era capaz de descrever. Esse, pensou Snowy, foi o detalhe que mais havia impressionado sua irmã Thursa, que tinha inclinação para a música, e cuja imaginação captou imediatamente a ideia de ressonância e eco com uma prega extra, com novas alturas e profundidades insondáveis. John Vernall, com seu próprio cabelo ruivo já ficando branco em seu décimo aniversário, ficou mais intrigado com o novo conceito de Ernest da matemática, com suas implicações maravilhosas e apavorantes.

Na rua mais abaixo, o grupo de meninos agora saía da viela em um barulhento empurra-empurra e invadia a Lambeth Walk. Atraídos pela multidão furiosamente inativa em torno de Louisa, foram até lá para ficar olhando e zombando a partir das beiradas, claramente desesperados por um vislumbre de buceta e sem se importarem com a bola-cadáver cinza e sangrenta que ameaçava explodir para fora dela. Os meninos de doze anos assoviavam empolgados e tentavam conseguir uma vista melhor saltando aqui e ali entre os transeuntes adultos, que fingiam todos que não ouviam os gracejos ignorantes e vulgares.

— Virge, olha a talha naquilo! Parece que o Jack, o Estripador, pegou outra.

— Virge, e se pegou! Bem na boceta! Deve ter sido um golpe de sorte!

— Seus moleques imundos, imprestáveis. Ora, que tipo de pais vocês devem ter, para terem sido criados assim? Eles iam achar que vocês foram corajosos em zurrar e xingar feito filhos da puta em volta de uma mulher que está sentindo uma dor como nunca vão ter na vida? Respondam!

O último comentário, dito em um tom duro e cristalino, tinha vindo da mulher bem-arrumada e bem grávida que Snowy tinha visto chegar da Hercules Road, atravessando a Lambeth Road e, por uma rota indireta de vielas, entrando na Lambeth Walk apenas um ou dois passos atrás dos arruaceiros. Muito bonita, com uma cabeleira preta presa para cima e um olhar escuro e resplandecente, tudo nela, desde as roupas que pareciam caras à maneira como se portava e sua dicção a marcavam como uma mulher das profissões teatrais, com seu jeito imponente de alguém que não tolerava impertinências na plateia. Virando para olhá-la, surpresos e confusos, os garotos pareciam amedrontados, olhando de lado uns para os outros como se tentassem estabelecer sem palavras qual seria a norma do grupo em situações novas como aquela. Seus olhos de sardinhas corriam para lá e para cá nas beiradas carcomidas do momento sem chegar a uma resolução. De sua perspectiva, Snowy achou que poderiam ser os Meninos de Elephant, de Elephant and Castle, que, juntos, eram bem capazes de distribuir chutes ou facadas mesmo em um policial ou marinheiro.

Porém, aquela mulher miudinha, o que tornava mais evidente sua gravidez, parecia representar um desafio contra o qual os vândalos não conseguiam se defender, ao menos não sem uma humilhação irrecuperável. Eles olharam para o lado, renegando a si mesmos e a própria presença em Lambeth Walk, começando a se afastar calados pelas várias vielas laterais, como fios separados de uma névoa que se dispersava. A salvadora de Louisa, atriz ou artista de variedades ou quem fosse, observou com uma satisfação impassível enquanto eles se dispersavam, com a cabeça inclinada para o lado e os braços esguios dobrados sobre a barricada defensiva insuperável de sua barriga distendida, que se elevava diante dela como uma anquinha ao contrário. Certa de que os jovens desordeiros não voltariam, ela então voltou a atenção para o grupo aleatório de espectadores reunidos em torno do parto de calçada, que haviam assistido a tudo o que se passou em um silêncio envergonhado e inútil.

— E vocês, por que diabos estão todos em torno dessa pobre moça se ninguém aqui vai fazer nada para ajudá-la? Ninguém bateu em uma porta para pedir cobertores e água quente? Vamos, me deixem passar.

Envergonhado, o grupo abriu espaço e permitiu que ela se aproximasse de Louisa, que arquejava com os membros estirados entre as bitucas de cigarro e o lixo. Um dos espectadores censurados decidiu seguir a sugestão da recém-chegada de pedir água quente, toalhas e outros apetrechos para um parto em portas aqui e ali na rua, enquanto ela própria inclinou-se ao lado de Louisa do melhor jeito que pôde, dada sua própria condição desajeitada. Sentindo um tanto de dor ela própria, esticou a mão e afastou o cabelo molhado de suor da testa da mulher ofegante enquanto falava com ela.

— Espero que isso não me faça começar também, ou então teremos um belo reboliço. Agora, qual seu nome, querida, e como veio parar neste apuro?

Entre arquejos, a mulher de Snowy respondeu que era Louisa Vernall e que tentava chegar em casa na Lollard Street quando o processo de parto tinha começado. Sua salvadora assentiu levemente uma ou duas vezes com a cabeça como resposta, com suas belas feições em expressão pensativa.

— E onde está seu marido?

Como aquela pergunta coincidiu com uma nova contração, a pobre Louisa não foi capaz de responder, a não ser levantando a mão úmida e trêmula para apontar acusatoriamente para cima. A princípio interpretando o sinal como se Louisa fosse uma viúva com o marido agora no céu, a boa samaritana grávida por fim compreendeu e levantou os olhos escuros de cílios longos para a direção que a garota aos gemidos indicava. Empinado no cume do telhado, imóvel como uma estátua sobre a cena, a não ser pelo esvoaçar do cabelo, e até o paletó estranhamente sem movimento na brisa forte, John Vernall poderia ser um cata-vento embranquecido, a julgar pela expressão do rosto quando respondeu ao olhar assustado da mulher com uma encarada inabalável e indiferente. Ela o olhou por apenas alguns momentos antes de desistir e virar para falar com sua jovem esposa em dificuldades, se debatendo e respirando como um peixe fora d'água sobre as pedras do calçamento diante da imprevista parteira agachada.

— Entendi. Ele é louco?

Isso foi dito apenas como uma pergunta, sem condenação. A esposa de Snowy, então descansando em uma pausa breve demais entre as ondas de dor, assentiu repetidas vezes enquanto murmurava uma afirmação.

— Sim, senhora. Infelizmente ele é.

A mulher fungou.

— Pobre homem. A mesma coisa pode acontecer, imagino, a qualquer um de nós. Mas proponho esquecer dele por um momento e cuidar de você. Muito bem, deixe-me ver como estamos indo.

Com isso, ela se ajoelhou para poder cuidar com mais conforto de sua companheira de maternidade com necessidades mais imediatas. Agora o camarada que havia passado de porta em porta buscando cobertores e água quente voltava trazendo entre as mãos uma grande bacia esmaltada fumegante e toalhas sobre um braço como se fosse um garçom em um hotel chique. Apesar da maior frequência dos gritos da pobre Louisa, a situação parecia estar sob controle, embora na realidade nunca tivesse deixado de estar, claro. Como John sabia que aconteceria, tudo estava ocorrendo no devido tempo. Sorrindo com o próprio jogo de palavras involuntário, sem dúvidas um hábito adquirido do pai, Snowy inclinou a cabeça para trás e reavaliou o céu. Mais nuvens de lençóis rotos tinham sido puxadas com pressa e arrastadas através do sol nu, que, a julgar pelas sombras recuadas e contraídas que permaneceram, estava precisamente em seu zênite. Havia uns bons vinte minutos até o nascimento de sua filha. Iam chamá-la de May, como a mãe de Louisa.

Ele agora era o polo coberto de neve de Lambeth, e o bairro rodopiava sob seus pés. Ao norte, além das chaminés, estava o fuliginoso Waterloo. Abaixo, à esquerda, e ao sul, achava, estava a igreja de Mary, ou St. Mary's-in-Lambeth, como era mais apropriadamente chamada, onde o capitão William Bligh e os Tradescant catalogadores de plantas estavam enterrados, enquanto a oeste, diante dele, ficava o Lambeth Palace. Não muito longe, a leste, claro, não muito longe para ele, de qualquer maneira, ficava o Bedlam.

Ele não via o local fazia sete anos, desde que era um rapaz de dezenove anos, com Thursa dois anos mais jovem, quando o pai deles, Ern, finalmente morreu. Uma carta de notificação foi enviada do hospício, com o que ele e Thursa fizeram a curta jornada rua acima para ver o pai antes do enterro. Um trajeto de no máximo dez minutos de caminhada, que aparentava se tornar mais longo e difícil de fazer a cada ano que passava, indo de uma ocorrência mensal a uma anual, na maioria das vezes no Natal, o que para Snowy desde então parecia uma época horrível.

Aquela tarde de chuva de julho de 1882 tinha sido a primeira vez que Snowy e a irmã viram alguém morto, alguns anos antes que a mãe do pai, a avó, se fosse também. Os dois jovens estranhamente tranquilos e de olhos secos foram levados até um barracão nos fundos onde os corpos eram colocados, um local frio e escuro no qual o corpo de alabastro de Ernie Vernall parecia ser quase a única fonte de luz. De rosto para cima em uma laje de marfim pálida de peixeiro, com os olhos ainda abertos, o pai de John e Thursa tinha a expressão de um recruta militar em posição de sentido em alguma praça de armas suprema: tomando cuidado para ser neutro, mirando ao longe, tentando não atrair o escrutínio de um inspetor. A pele branqueada, agora um verniz duro e frio sob os dedos exploradores de John, havia ficado da cor de seus cabelos, da cor do lençol com dobras esculpidas, pendentes, que cobriam a silhueta nua até a área do umbigo. Não podiam mais determinar muito bem em que ponto a brancura do pai terminava e começava a do plinto mortuário que o sustentava. A morte o tinha cinzelado, passado areia nele e o polido, transformando-o num belo e rígido relevo.

Aquele era o fim do pai deles. Ambos entendiam aquilo, embora não no mesmo sentido que a maioria das outras pessoas teria entendido, com "fim" como mero sinônimo de morte. Para John e Thursa, doutrinados pelo finado Ern Vernall, não era mais que um termo geométrico, como quando alguém falava do fim de linhas, ruas ou mesas. Lado a lado, olharam com espanto para aquela imobilidade surpreendente, sabendo que, pela primeira vez, viam o lado final da estrutura de uma vida humana. Era uma coisa bem diferente da visão que as pessoas normalmente tinham quando estavam vivas, quando ainda estavam presas na extensão e no aparente movimento de seus seres através do tempo, ao longo do eixo escondido da Criação. Snowy e a irmã contemplaram o pai morto, conscientes de que estavam diante do tédio maravilhoso e apavorante do eterno. Thursa começou a murmurar uma pequena e frágil ária composta ali mesmo, uma sequência de notas ascendentes que se inconcluíam em intervalos anormalmente longos, durante os quais Snowy sabia que, na mente dela, a irmã ouvia uma intrincada cascata de ecos subdivididos preenchendo os espaços do silêncio. Ele inclinou a cabeça e se concentrou até que pudesse ouvir a mesma coisa que ela, e então pegou a mão quente e úmida de Thursa, os dois juntos na mortalha sussurrante do barracão-necrotério, emocionados com uma música implícita que era ao mesmo tempo magnífica e insondável.

Pensando sobre isso agora, sobre os beirais de Lambeth, Snowy se deu conta de que ele e Thursa sempre tiveram posturas diferentes a respeito da visão de mundo que o pai imprimira neles. De sua parte, Snowy tinha escolhido mergulhar totalmente na tempestade da experiência, pular naquela nova vida explodida do mesmo modo que, quando era criança, saltava sem hesitação na parede verde de cada onda que vinha sobre a praia amarelada em Margate. Cada momento era uma infinidade dourada e estrondosa, com Snowy girando zonzo e resplandecente no coração do redemoinho, além da morte e da razão.

Thursa, por outro lado, como confessaria a ele não muito tempo depois do fim do pai, via na tempestade gloriosa do irmão uma força devoradora que poderia significar apenas a desintegração de sua personalidade mais frágil. Em vez disso, tinha escolhido bloquear as implicações mais gerais das lições de Ern Vernall no hospício e fixar a atenção em um fio estreito, a forma como a nova concepção de geometria do pai se aplicava no som e em sua transmissão. Havia treinado a si mesma para ouvir uma única voz em arranjo em vez de arriscar ser engolida pela fuga do ser na qual Snowy era consumido. Contava consigo mesma para salvar a própria vida, agarrando-se com força ao porto seguro de seu acordeom, um gigante veterano castanho e bege com marcas de arranhões que Thursa levava consigo para todos os cantos. No momento, ela e o instrumento guinchante estavam acomodados com parentes na Fort Street, em Northampton, enquanto o irmão mais velho fazia um rastro de pêndulo entre lá e Lambeth, andando noventa e seis quilômetros de um lugar a outro.

Mais abaixo, a mulher com dicção de atriz encorajava Louisa a empurrar com mais força. A mulher de Snowy, com os membros robustos e traços largos brilhantes de suor, apenas gritava.

— Estou empurrando, porra, não me diga para empurrar! Ah, não, desculpe. Por favor, desculpe. Não quis dizer isso. Não quis dizer isso.

Ele adorava Louisa, amava-a com cada fibra de seu ser, com cada pensamento estranho e intrincado que passava, como bandeirolas de festa em um vendaval, por sua cabeça coroada de neve. Amava sua bondade, seu físico atarracado, ao mesmo tempo simples e agradável ao olhar, como pão saindo do forno. A personalidade dela assegurava que Louisa fosse uma criatura da terra, presa no mundo sólido de ruas e contas e maternidade, de seu corpo e sua biologia. Ela não se importava com pináculos ou com o céu ou com as incertezas, preferindo lareira, paredes e teto às altitudes do marido, com suas obsessões de restaurador de campanário herdadas do finado pai. Louisa se prendia à gravidade que Snowy passara toda sua existência incomum tentando superar, e por isso ela se transformou em seu contrapeso, uma âncora vital que o impedia de sair pelos céus feito uma pipa perdida.

Em contrapartida, Louisa podia desfrutar, apartada na relativa segurança de um empinador de pipas, das emoções dos vôos daquela pipa, ver suas entradas em correntes ascendentes com o coração na boca ou torcendo alegremente, tremendo e espremendo os olhos empaticamente ao imaginar os mergulhos e o brilho de tudo aquilo. Ele sabia que em cinquenta anos, depois de sua morte, ela dificilmente iria se aventurar a sair de casa, ignorando um firmamento no qual, àquela altura, seu dragão de papel pintado teria havia muito sido soprado para longe, e a deixado apenas com a memória do vento que puxava seu cordão com tanta insistência, uma força elemental que por fim teria vencido sua batalha e arrancado Snowy Vernall de seus dedos vazios e estendidos.

Aquilo, claro, estava todo em seu então-agora, enquanto mais abaixo, no agora-agora, ele ouvia, além dos gritos de Louisa e do murmúrio abafado dos observadores, o estrondo grave e tempestuoso da futura vida de sua filha, já a ponto de chegar àquela estação mundana. Snowy pensou na cruz de rumores sussurrados que sua filha carregaria sempre consigo, toda a conversa de loucura na família como se fosse algo saído de um romance gótico. Primeiro o bisavô John, de quem Snowy havia recebido o nome, então o pobre Ern, o avô que ela jamais conheceria, ambos internados no Bedlam. Snowy sabia que aquele não seria seu destino, mas que sua reputação de louco não seria menor por isso, nem o legado pesado que sua filha prestes a nascer seria obrigada a carregar. Olhando para o quadrado de calçada onde a bebê dele e de Louisa logo apareceria, ele se recordou do esplendor assombroso que falou com seu pai na Catedral de St. Paul havia tantos anos; as palavras com as quais, de acordo com Ern Vernall, a conversa extraordinária havia começado. Snowy sorria entretido, e ainda assim sentia lágrimas quentes ardendo nos olhos ao repetir a frase em voz baixa para si mesmo, enquanto via toda aquela atividade furiosa na Lambeth Walk, lá abaixo.

— Isso será muito difícil para você.

Ele falava da filha, da esposa, dele mesmo, de todos que um dia se esforçaram ao sair do útero para um lugar que era mais claro, mais frio, mais sujo e não tão amoroso. Este, ESTE, este lugar, este torvelinho no caldo da história, isso seria muito difícil para todos. Não era preciso que um anjo descesse e lhe dissesse isso. Seria difícil para todos porque viviam em um mundo em movimento de morte, perda e impermanência, um mundo de aparente mudança constante que fervilhava com metralhadoras, com as carruagens a motor das quais tinha ouvido falar, com pinturas borradas, livros indecentes, coisas novas de todo o tipo o tempo todo. Seria difícil para Snowy porque ele vivia em um mundo no qual tudo estava ali para sempre, nunca acabava, nunca se alterava. Vivia no mundo como o mundo realmente era, como seu finado pai tinha lhe explicado. Como consequência disso, ele se tornou, apesar de suas várias habilidades reconhecidas, tanto um lunático quanto um imprestável. Havia se transformado no tipo de homem que fica em cima de telhados com maçanetas de vidro nos bolsos.

Mesmo assim, somando tudo, Snowy se considerava um abençoado, em vez de flagelado. Não havia razão para sentir-se de outro modo, não em um mundo no qual cada instante, cada sentimento, continuava para sempre. Logo viveria uma vida de bênção eterna em vez de uma de maldição imortal e, no fim das contas, era na maneira como você escolhia ver as coisas que o limite tênue entre o Inferno e o Paraíso era traçado. Embora sua condição, em parte herdada e em parte adquirida, tivesse muitas desvantagens em termos materiais, essas eram superadas pelos benefícios quase inimagináveis. Não tinha nenhum medo, era capaz de escalar paredes íngremes sem temer pela vida ou pela integridade física, simplesmente porque sabia que não estava destinado a morrer em uma queda. Sua morte aconteceria em um grande corredor de cômodos, como os compartimentos em um trem, e a boca de Snowy estaria cheia de cores. Ele ainda não tinha ideia do motivo por que seria assim, só sabia que seria. Até então, podia correr riscos sem preocupações. Podia fazer o que bem entendesse.

Aquela liberdade era ao mesmo tempo o aspecto de suas circunstâncias que mais valorizava e sua grande contradição. Estava livre para fazer as coisas mais ultrajantes apenas porque esses atos já estavam fixos no que para os outros era o futuro, e porque precisava fazer isso. Quando analisava objetivamente, via que a medida real de sua liberdade era estar livre da ilusão de livre-arbítrio. Estava livre da miragem reconfortante na qual os outros homens depositavam sua fé, a ilusão que permitia que batessem nas esposas ou amarrassem os sapatos, aparentemente sempre que desejassem, como se tivessem escolha. Como se eles e suas vidas não fossem a menor e mais abstrata pincelada, um toque pontilhista fixo e imóvel no verniz do tempo, registrada eternamente em uma tela imensurável, parte de um desenho vasto demais para que as marcas que o compõem pudessem vislumbrar ou compreender. O terror e a glória da situação de John Vernall eram como os de uma mancha de pigmento subitamente consciente de sua posição no canto de uma obra-prima, um ponto preso para sempre no mesmo lugar na superfície pintada, que jamais iria a lugar nenhum, e no entanto exulta: "Que terrível e que fabuloso!". Ele se conhecia, sabia quem era e sabia que isso lhe dava certa vantagem sobre os outros rabiscos na pintura, que não tinham tanta consciência de sua verdadeira condição, nem de suas muitas possibilidades.

Ele tinha poderes mágicos, além do destemor que o fazia se erguer por entre as inclinações cinzentas da paisagem. Podia completar com facilidade uma caminhada insuportavelmente longa, ou qualquer tipo de empreitada prolongada, aliás, utilizando as técnicas aprendidas com o pai. Ernest tinha explicado a ele e Thursa que havia uma maneira de dobrar nossa experiência de tempo com a mesma facilidade com que se dobrava um mapa para juntar dois pontos distantes — digamos, os Boroughs em Northampton e as ruas de Lambeth. Aqueles dois lugares eram na verdade muito fáceis de aproximar, por causa das numerosas outras pessoas que fizeram aquela viagem antes, e assim transformaram a dobra em um vinco gasto e esbranquiçado. Snowy a explorava sempre que precisava viajar entre as casas de Thursa, nos Boroughs, e da mãe, em Lambeth, com o pequeno Messenger e Appelina. Tudo o que precisava fazer era partir para sua jornada e, como o pai havia ensinado, entrar em um tipo diferente de pensamento que se movia como a passagem dos acontecimentos nos sonhos, fora do domínio dos minutos, das horas e dos dias. O tempo então se acomodava com facilidade naquela ruga velha e conhecida e, quando Snowy se dava conta, estava chegando ao destino, com pés doloridos, mas sem fadiga, sem a memória de um instante de tédio e, de fato, sem nenhuma lembrança de qualquer tipo. Segundo Ernest tinha contado aos filhos, era mais fácil, durante uma viagem, mover a consciência ao longo do eixo da duração, em vez do eixo da distância, embora nos dois casos os saltos das botas ficassem gastos com a mesma rapidez.

E as habilidades aprendidas por Snowy não se resumiam a isso. Ele conhecia o futuro, ainda que de forma nebulosa, não como uma profecia, e sim mais como um reconhecimento do futuro ao vê-lo, sabia como as coisas aconteceriam assim que as via, como cenas encontradas em um livro começado sem a percepção de que já tinha sido lido antes, em algum verão esquecido, quando havia uma premonição irresistível do que estava à espera além da próxima página virada.

Ele também tinha um jeito de ver fantasmas. Os do tipo comum, que eram os espíritos de construções e acontecimentos passados embutidos no eixo temporal invisível, estruturas e cenários espectrais que as outras pessoas achavam que eram suas memórias. Além disso, havia sido testemunha de um tipo mais raro, porém mais famoso, de aparição, que eram os mortos inquietos: almas sofredoras que se esquivavam da repetição de suas vidas dolorosas e ainda assim sentiam-se despreparadas ou não desejavam seguir para qualquer outro estado do ser. Ele às vezes os via de canto de olho, formas cor de fumaça eternamente circulando por suas antigas vizinhanças em busca de conversas fantasmagóricas, rotinas fantasmagóricas, em busca de comida fantasma. Apenas um ano antes havia visto a sombra do sr. Dadd, o pintor de fadas que enlouqueceu e assassinou o próprio pai. Dadd tinha morrido no início de 1886 no Hospital Broadmoor, uma instituição para criminosos psicóticos. Na ocasião em que Snowy viu a forma fantasma do artista, parecia arrependido, nos portões do Bedlam, onde Dadd ficara anteriormente encarcerado. Snowy tinha notado o leve borrão em sua visão periférica enquanto ele arrancava algo igualmente indistinto do mourão de pedra gasta do hospício e começava, ao que parecia, a comê-lo. O pintor morto, pela vaga sugestão de sua postura e seu comportamento, parecia não estar tão possesso ou maníaco quanto em vida, e sim lúcido e tomado por um profundo remorso. A sofrida aparição persistiu por vários segundos, mastigando com desalento sua descoberta misteriosa enquanto olhava para o edifício sombrio, então se desfez em um pedaço molhado de tijolo no muro do hospício.

O artista William Blake, que tinha vivido na Hercules Road fazia quase um século, também via e conversava com criaturas do outro mundo, com os mortos, com anjos, demônios, com o poeta Milton, que entrou como uma corrente elétrica através da sola do pé esquerdo de Blake. As noções de uma cidade eterna e quádrupla do visionário de Lambeth às vezes pareciam tão próximas das próprias opiniões de Snowy, até o número exato de seus desdobramentos, que ele se perguntava se havia alguma qualidade em Lambeth que encorajava tais percepções. Poderia haver, pensava com frequência, algum aspecto na forma ou local do distrito, quando considerado em mais planos que três, que o tornava mais especificamente favorável a uma certa inclinação, a uma perspectiva única, embora soubesse que em seu caso houve também a hereditariedade como influência predominante. Ele era um Vernall, e seu pai Ern tinha feito um esforço para que Snowy e a irmã mais velha soubessem exatamente o que aquilo significava.

"Nomen est omen", foi assim que o pai deles colocou a questão, um analfabeto de algum modo citando provérbios em latim. Aquele foi o argumento dado, caso fosse possível chamá-lo assim, para o batismo dos filhos mais jovens como Messenger e Appelina, um com um nome que sugeria um anjo arauto e outro, nossa mãe caída Eva[53]. *Nomen est omen.*

O nome é uma sina. Ern explicou a John e Thursa que havia um lugar "no andar de cima" em que aquilo que entendemos aqui embaixo como sobrenome na verdade era em muitos casos a descrição de nosso trabalho. Os Vernall, segundo seu pai, eram os responsáveis por cuidar de limites e cantos, beiradas e sarjetas. Embora um trabalho humilde nas hierarquias etéreas, era uma função necessária, com sua própria autoridade numinosa. No entendimento de Snowy, pelas estranhas leis linguísticas do plano superior às quais Ernest se referia, Vernall era uma palavra com conotações similares a "verger", que agora identificava os sacristãos anglicanos, mas que antigamente definia aqueles que cuidavam das margens dos caminhos, "verges", e também os maceiros, aqueles que portavam a "verge", ou seja, a maça, ou bastão do ofício, como na tradição eclesiástica. Mas a língua "no andar de cima", de acordo com Ern Vernall, era um tipo de fala que parecia explodir, cada frase se desdobrando em uma bela e complicada renda de associações. Maças eram bastões de governo, mas também réguas feitas para medir, o que é o provável motivo pelo qual as bordas de terra ao lado de uma propriedade foram originalmente chamadas de "verges": tiras de grama irrompendo em vida com a primavera, o equinócio vernal, o que também levava de volta ao sobrenome da família. Aquele aspecto da fertilidade encontrava eco no inglês antigo, no qual os termos "verge" ou "rod" eram gírias para o que um homem tinha dentro das calças, ou pelo menos era o que dizia a etimologia passada pelo pai deles, que não sabia ler nem escrever. Em suma, um Vernall cuidava de bordas e limites, das margens do mundo e das selvagens periferias da razão mundana. Era por isso, garantiu Ern, que os Vernall tendiam a ser loucos de pedra e paupérrimos.

Enquanto olhava para a chegada da mais recente criança a ser afligida por essa condição, ele deixou que sua consciência do tempo se cristalizasse em torno dos pouco mais de seis milímetros do eixo de duração que aquele momento representava, de modo que as coisas desaceleraram até se arrastarem, e o progresso dos acontecimentos mal era perceptível. Era outro talento ou doença que ele e Thursa haviam herdado, encantar o universo até uma paralisação. "Olhos de pombo", era como o pai chamava aquele dom, sem explicar o motivo. As nuvens haviam parado e coalhado no suco azul do céu, mascarando um sol que havia se movido um pouco além de seu pico e estava apenas uma fração atrás dele, irradiando seu pouco calor sobre seus ombros e atrás do topo da cabeça.

Abaixo de seu parapeito em Lambeth Walk, a via pública agora havia assumido o aspecto de um jardim de esculturas, com todo o movimento e agito do meio-dia tornado imóvel. Lixo e poeira presos pela brisa de março estavam congelados em suas subidas tormentosas, suspensos no ar em intervalos distintos, de modo que as correntes de vento invisíveis estavam salpicadas de destroços, o que as deixava visíveis, uma grande escadaria de vidro subindo acima da rua. Um cavalo mijando produziu um colar de topázio sem peso, coroazinhas douradas formadas onde as gotas foram pegas no processo de desintegração nos paralelepípedos pegajosos. Os pedestres capturados na metade de uma ação agora posavam como dançarinos em balés estranhos, equilibrados de modo impossível em um pé com o peso jogado para a frente em uma passada incompleta. Crianças impacientes flutuavam alguns centímetros sobre os quadrados da amarelinha e esperavam seus pulos interrompidos para terminar. Cachecóis de jovens e cabelos soltos das mulheres voavam de lado em uma rajada súbita e ficavam ali, duros como as bandeiras de madeira dos sinais das ferrovias.

O barulho também foi atrasado, e o coro de Lambeth Walk, agora levado por ondas lentas, como se atravessasse um meio mais viscoso, se transformou em um balbuciar sombrio e grave, um pântano aural. As batidas ininterruptas de cascos se transformaram em batidas em uma só bigorna reverberando eternamente, soando a grandes intervalos por meio de um ferreiro cansado e desanimado, enquanto os trinados rápidos dos cantos indecifráveis dos pássaros agora tinham uma cadência que recordava conversas triviais e agradáveis entre velhos que jogavam dominó. Os gritos de vendedores de rua na Prince's Road rangiam como portas de histórias de fantasmas que se abriam com languidez excruciante para algum horror aprisionado. Dois cães brigando na Union Street imitavam um rugido de fundo de maquinário industrial, com os latidos estendidos até parecerem o grunhido de motores abafados, até um meio-tom zumbente de violência, uma vibração contínua nas calçadas que era raramente notada, sempre ali. Em meio a isso tudo aumentava o contraponto do soprano trêmulo do último grito da pobre Louisa, arrastado até virar uma ária. A parteira grávida ajoelhada na rua imunda ao lado dela havia parado no meio de uma exortação para que a esposa fizesse força, e emitia um mugido prolongado de minotauro que Snowy tomou por uma vogal inflada até o ponto de explodir.

A esposa de Snowy parecia igualmente estufada e a ponto de explodir. Quase metade da cabeça da bebê estava para fora, uma ruptura azulada lambuzada de sangue saindo dos lábios arreganhados das partes íntimas de Louisa, agora impossivelmente estendidas em um círculo doloroso, uma gola de pulôver. Um toro.

Nos corredores horrendos do Bedlam, Ernest Vernall havia se inclinado na direção dos filhos, com as mechas restantes de cabelo despenteado e branco como sebes no caminho de um tropeiro. Sua voz descia em um sussurro dramático tanto conspiratório quanto urgente, tinha imprimido neles a importância suprema daquela palavra anteriormente desconhecida, um termo mais utilizado em arquitetura ou geometria sólida. Um toro, segundo a explicação do pai aos dois, era a forma de pneu gerada pela rotação de um disco cônico em torno de um círculo desenhado em um plano adjacente, ou então o volume que seria contido em um movimento espacial como aquele. Os toros, ao menos de acordo com o seu pai, eram as formas mais importantes em todo o cosmo. Todas as criaturas vivas que tinham mais de uma célula em si eram essencialmente toros, ou era assim que pareciam de uma perspectiva topográfica: toros irregulares com as massas arrumadas em torno dos buracos centrais feitos por seus canais alimentares. Em sua órbita fixa em torno do sol, se for considerada sem a ilusão do tempo progressivo, o mundo deles descrevia um toro. Como também todos os outros planetas e suas luas. As próprias estrelas, girando em torno do vórtice da galáxia, eram toros de magnitudes estupendas, com diâmetros de um milhão de anos. Ernest havia sugerido que o universo brilhante em sua totalidade se revolvia em torno de um ponto no nada não criado (embora não houvesse meios pelos quais ele pudesse detectar aquele movimento, por ser relativo a literalmente nada), e que tanto o espaço quanto o tempo deveriam ser vistos como uma substância indiferenciada, então toda a criação de Deus poderia ser vista como toroide.

Era por isso que a humilde chaminé tinha uma configuração tão potente e inquietante. Era ao menos em parte por isso que o filho mais velho de Ern Vernall passava tanto tempo em telhados, entre as colunas de fumaça fedidas: era preciso ficar de olho nelas.

A chaminé... um toro esticado, quando considerado topograficamente... era a materialização da forma em seu aspecto mais horrível e

destrutivo, era o grande vácuo aniquilante que continha, tornado mani-
festo, o buraco central tornado um cano de crematório no qual as coisas
consideradas não mais necessárias sob determinados padrões poderiam
ser facilmente descartadas; cadáveres, cabeceiras de cama quebradas e
jornais velhos expelidos como um miasma fétido das bocas da morte de
pedra ou terracota em um céu insultado. As chaminés enegrecidas assim
também serviam como uma masmorra social, aberturas nas quais faixas
inteiras das classes mais baixas tinham sido enfiadas, crianças primeiro.
Fumegavam com o terrível hálito do nada. As chaminés inclinadas que
Snowy sabia que estavam, quatro lado a lado, atrás dele no cume, eram
cascas frágeis cercando buracos daquela mesma não existência da qual os
homens saíam e por fim entravam, em uma inversão horrenda daquele
outro toro aberto entre as coxas de Louisa, que expelia vida, enquanto
elas expeliam o oposto.

Abaixo, embora a mulher ajudando o parto da filha de Snowy ainda
não tivesse chegado ao fim de sua instrução para fazer força, estando
no presente presa em um fluxo ventoso de sibilantes, a cabeça da bebê
agora tinha saído completamente. A mulher de Snowy tinha a aparência
daqueles bonecos de pregador de madeira que eram reversíveis e tinham
uma cabeça de cada lado da junção dos membros. Ao olhar através do
melado resplandecente do momento para o couro cabeludo cheio de
sangue da bebê seminascida, ele entendeu que aquela perspectiva era o
contrário da visão do final do pai morto que ele e a irmã um dia dividi-
ram no necrotério do hospício. Aquela era a vida vista, pela primeira vez,
em sua experiência, do seu outro ponto final. Era, muito pelo contrário,
uma coisa ainda mais bela e mais terrível quando olhava por aquele lado
de seu impressionante telescópio.

Ele olhou pelo longo tubo adornado de joias que era o tempo da
invejável vida mortal da filha e viu como eram belas e coloridas as raízes próximas da estrutura de coral, comparadas à escuridão retorcida da
ponta mais distante. Viu os crescimentos mais abaixo que eram os filhos
dela, meia dúzia deles brotando e se ramificando do talo da mãe a cerca
de um quarto de seu comprimento. Todos os seis ramos encrustados de
pedras preciosas tinham um belo brilho que a deixaria orgulhosa, mas,
quando ele viu o broto mais próximo, o primogênito, tanto o brilho
polido quanto sua brevidade, sentiu um nó na garganta e água salgada
queimando nos olhos. Tão precioso e tão pequeno. Agora Snowy notava

que um galho mais tardio, antes do último, também havia sido cortado algumas décadas antes da morte da própria filha, e se perguntou se aquelas perdas poderiam ser o motivo da coloração profundamente melancólica que podia ver na ponta mais distante do túnel humano.

A vida da sua filha alcançava mais de oitenta anos no que a maioria das pessoas chamaria de futuro, mas no que ele pensava como "lá". A extremidade turva e descolorida do traçado dela em uma Inglaterra que para Snowy era irreconhecível, um lugar de blocos e cubos e luzes ofuscantes. Morreria sozinha nos arredores de Northampton, em uma casa monstruosa que parecia ser a rua inteira apertada em uma só construção. Podia ver o rosto dela em um corredor com excesso de luz, de bochechas murchas, com manchas de idade, traços escurecidos com sangue assentado. Estaria se esforçando para ir até a porta da frente e para o ar fresco, mas o ataque cardíaco predeterminado chegaria antes que conseguisse, e ela ficaria sem os movimentos das pernas. A linda menininha dele e de Louisa. Um monte de trapos velhos, era o que iria parecer, jogada no corredor, a centímetros de um capacho sem cartas, sem ser encontrada por dois dias.

Ele não conseguia suportar. Aquilo era demais. Snowy havia imaginado que, ao se submeter ao esplendor tresloucado das teorias do pai, de algum modo se tornaria divino, alguém sábio e forte o suficiente para lidar com suas percepções, imune às agressões dos sentimentos comuns. Pelo visto não era o caso. Agora parecia se lembrar, como se já tivesse acontecido antes, que aquela experiência, em cima do telhado, testemunhando os espasmos de nascimento na sarjeta de May, com sua morte solitária já ali, embutida, seria a primeira ocasião em que entenderia de verdade todo o peso da ocupação de um Vernall. Aquela visão aterradora de uma vida condensada era o ponto de vista a partir do canto, e era melhor que se acostumasse com isso. Afinal, na realidade ele não era mais abençoado ou amaldiçoado do que qualquer outro homem. As pessoas não falavam com frequência de como o tempo parecia lento em uma situação de perigo? Não havia relatos de premonições, golpes de sorte, a sensação estranha de que as coisas tinham acontecido exatamente do mesmo jeito antes? Não era verdade que todos tinham aqueles sentimentos, mas escolhiam, em sua maior parte, ignorá-los, talvez sentindo para onde essas noções os levariam por fim? *Todo mundo conhece o caminho aqui, ei aqui, ei aqui!* Certamente todos os pais sabiam que no nascimento de seus filhos estava também contida a morte deles, mas tomavam dentro de si, talvez de forma inconsciente, a decisão de não olhar muito profundamente para aquele poço maravilhoso e trágico para o qual Snowy olhava agora.

Ele não os culpava. Do ponto de vista rotineiro, o nascimento deveria ser uma ofensa capital com uma sentença invariável. Era apenas natural que as pessoas tentassem embotar sua compreensão de uma circunstância tão terrível, se não com bebida, então com uma imprecisão reconfortantemente lanosa e quente. Apenas de almas inflamadas como Snowy Vernall se poderia esperar que aguentassem a nevasca da existência sem um abrigo e sem nem ao menos proteger o olhar com um vidro enfumaçado, nu no rugido árido imortal de tudo. Ali e então decidiu não passar a consciência exclusiva dos Vernall para a filha do jeito que ele e Thursa receberam um dia. A criança quase nascida tinha umas duas décadas de felicidade e beleza despreocupada antes que a vida começasse a sobrecarregá-la com fardos. Deixaria que ela tivesse os bons anos que lhe cabiam sem a sombra da previsão do seu resultado final. Embora sua condição viesse com limitações e restrições, que o impediam de alterar o que estava à espera de todos eles, ao menos ele podia conceder isso à sua primogênita, o bálsamo abençoado da ignorância.

Ele agora permitiu que sua própria concentração impávida relaxasse, afrouxando o domínio nas lapelas do tempo, de modo que o instante pudesse seguir adiante, o cavalo, concluir a mijada, e os meninos, continuarem com sua amarelinha. Todo o clamor congelado do instante agora tinha descongelado, e o brado vulgar da Lambeth Walk se acelerou de seu torpor de zumbido como uma gravação em um cilindro de cera desacelerado e parado e então rebobinado, com seu barulho espiralando ebriamente de volta para o tumulto e o crescendo de sempre.

— ... orça! — a parteira gritou. — Faça força! Está vindo!

O uivo final de Louisa subiu a um auge acidentado e então desmaiou exausto em sua queda aliviada. Escorregadia e prateada como um peixe, a menininha foi derramada sem esforço no mundo, nos braços da parteira improvisada, nas toalhas e nos cobertores à sua espera. Um murmúrio afetuoso de apreciação passou pelos espectadores como uma brisa que ondulava em um reservatório imóvel, e então sua filha anunciou a própria chegada com um lamento soluçante e crescente. Louisa chorou por empatia e perguntou à mulher ajoelhada ao lado dela se tudo estava bem, se era normal, sendo reassegurada em tons suaves de que era uma linda menininha, com todos os dedos dos pés e das mãos. O sol abriu a cortina de nuvens e estava no pescoço dele agora, alguns graus atrás, com uma faixa larga de sombra fresca jogada sobre o calçamento da Lambeth Walk mais abaixo, um triângulo achatado, com a forma recortada negra de um Snowy Vernall atrofiado pela perspectiva em seu ápice. Casualmente, como se a ação não fosse cronometrada até a última fração de segundo, Snowy enfiou as mãos nos dois bolsos pesados em seu casaco e tirou as maçanetas pesadas de vidro, presas por uma haste fria de metal em cada punho.

Ele levantou os braços dos lados do corpo, do modo como o pai lhe disse que os anjos faziam quando queriam afirmar ou se rejubilar, um movimento como um pombo levantando as asas para decolar em um compasso. Os raios de sol que desciam eram cortados em fitas nas beiras dos globos de cristal. Serragem de brilho multicolorido, raios cortados de modo tão fino que era possível ver a camada de ouropel, azul, sangue e esmeralda, caíam em gotas de estojo de tintas na Lambeth Walk, plumas de luz banhadas em tinta que tremulavam em suas sarjetas e paralelepípedos, mais fortes na faixa de sombra agora cobrindo sua esposa e sua filha. Passando a recém-nascida limpa e embrulhada para a mãe ansiosa, a mulher ainda agachada que havia ajudado no parto fez uma careta perplexa para uma das manchas de onça iridescentes que então deslizavam pelos panos em torno do bebê e pelos dedos pequenos da parteira. Manchada de joia, ela inclinou a cabeça para trás, olhando para identificar a fonte do fenômeno e arquejando ao fazê-lo, e Louisa e todos os reunidos em torno do local de nascimento seguiram seu exemplo, virando o rosto para a chuva de pavão.

John Vernall, o louco John Vernall, era uma silhueta sem rosto no cume do telhado com o sol atrás da cabeça e o cabelo branco como fogo de santelmo ou fósforo, com os braços levantados para o céu, uma procelária delgada vinda depois da enchente com arco-íris rasgados nas garras levantadas, fitas radiantes vazando das rachaduras entre as garras fechadas de bola de fogo. Espectros derramados sobre a multidão silenciada em asas de mariposa vívidas e luminosas, descamadas e ainda assim esvoaçando em canos de esgoto, nos rostos das pessoas nos queixos caídos. A criança recém-chegada parou de chorar, espremendo os olhos perplexa em seu primeiro vislumbre de ser, e sua esposa, livre de seu suplício e zonza de alívio, começou a rir. Outros entre a multidão reunida se juntaram a ela, e um homem até começou a aplaudir, mas parou envergonhado e solitário em meio à hilaridade geral.

Por fim, Snowy deixou os braços baixarem ao lado do corpo, devolvendo as maçanetas para os bolsos do casaco. Da rua mais abaixo, ouvia Louisa dizer para deixar de perder tempo com bobagem, para vir ver a filha deles. Tirando de trás de uma orelha um giz amarelado, virou as costas para a beira do telhado e deu três passos cuidadosos ao longo do cume na direção das altas chaminés de tijolo que agora se levantavam diante dele. Com uma letra generosa e curva, escreveu "Snowy Vernall brota eterno" nos tijolos, dando um momentâneo passo para trás para admirar seu trabalho. Não seria apagado na próxima chuva, que viria do leste, mas na seguinte.

Snowy suspirou e sorriu, sacudiu a cabeça, e então desceu para enfrentar aquela música infinita.

A BRISA QUE
AGITA O AVENTAL DELA

A defunteira da Forth Street era a sra. Gibbs e, naquela primeira ocasião em que foi chamada, seu avental longo estava engomado e impecavelmente branco, com borboletas bordadas na barra. May Warren tinha apenas dezenove anos, apavorada no estágio final de seu confinamento, mas, mesmo através da dor inesperada e das lágrimas escaldantes, soube que jamais tinha conhecido alguém como aquela mulher antes.

O clima ainda estava congelante, e o banheiro de fora estava bloqueado pelo gelo, o que significava que, nos últimos dias, tinham precisado queimar suas necessidades na lareira. A sala ainda fedia, mas a sra. Gibbs fez que não notava, tirando o casaco para mostrar seu avental esplêndido, branco como uma lanterna na escuridão do andar de baixo, com mariposas de verão em fios rosa e laranja subindo pelas pernas robustas e pela pança de inverno dela.

— Então, querida, vamos ver como estamos.

A voz dela era firme e quente como um pudim assado e, enquanto Louisa, a mãe de May, fazia chá, a defunteira tirou uma latinha de rapé, pequena como uma caixa de fósforos, com uma miniatura da finada rainha em esmalte sobre a tampa. Curvando o polegar para trás, para produzir um buraco entre os ossos no local em que se encontravam com o punho, a sra. Gibbs, com grande precisão, colocou uma medida do pó castanho--avermelhado e acre na cavidade oca que formou. Com a mão levantada e a cabeça abaixada, varreu a pólvora empilhada em duas fungadas sonoras, metade em cada fossa nasal, e então detonou de modo explosivo aquilo em um lenço, por si só uma espécie de estudo em marrom. Sorrindo para May, guardou a lata e começou o trabalho entre as pernas da moça.

A jovem futura mãe jamais havia visto uma mulher usando rapé antes e ia perguntar sobre esse costume quando contrações afastaram os questionamentos de sua mente. May grunhiu e gemeu e, na porta da cozinha, sua mãe apareceu com chá para a sra. Gibbs. Olhou para a filha com empatia, mas não resistiu a dizer que o parto da própria May tinha sido um suplício pior.

— Se acha que isso é ruim, menina, não pode nem imaginar todo o problema que tive com você. Não está na cama porque não temos lareira lá em cima, então está aqui no sofá, mas fique feliz por não estar na Lambeth Walk, como eu, com seu pai em cima daquele telhado.

May bufou, fez cara feia e virou o rosto na direção do papel de parede atrás do sofá, defumado de um jeito que fazia cada desenho de rosa com espinhos se tornar, na luz fraca do interior da casa, uma leoa fulva de rosto triste. Já tinha escutado aquilo ser contado muitas vezes — a história de como havia chegado ao mundo sobre paralelepípedos manchados de catarro e cascas de laranja, com o pai empoleirado como uma gárgula lá em cima — como se de algum modo a mãe tivesse orgulho de dar início a uma árvore genealógica que tinha as raízes afundadas tanto no abrigo de pobres quanto no hospício.

Ela ouviu uma batida abafada na porta da frente: os irmãos ou a irmã aprontando, provavelmente irritados por estarem presos no hall de entrada, fora do caminho. A irmã de May, Cora, que havia completado dezesseis anos recentemente, queria ver o que a gravidez exigia, enquanto Jim desejava não saber. O jovem Johnny, tendo atingido a idade da safadeza, só queria olhar por debaixo de uma saia de mulher.

A mãe dela, que também ouvira o barulho, saiu fazendo som de desaprovação para descobrir de onde vinha, o que deixou May sozinha com a sra. Gibbs. A defunteira explorou as partes íntimas de May como se fosse um livro-razão frágil, cuidadosa como um advogado ou juiz. Parecia inabalável pela carne e a sujeira do mesmo modo que May achava que um druida teria sido, impassível ao cortar a garganta de um cordeiro ao amanhecer. As chamas da lareira, esverdeadas onde tinham queimado a merda, em vez de jogar luz sobre a cena, conferiam ao local a penumbra de uma câmara de tortura e agitavam sombras debaixo das cadeiras. Iluminada pelo fogo em uma bochecha já rosada, a senhora agora olhava para May. Terminando a inspeção íntima, enxaguou as mãos e as secou em um trapo, com um sorriso retesado significando que tudo estava bem.

— Vamos botar um pouco de luz aqui, certo, querida? Não vai ser bom trazer um bebê ao mundo sem um pouco de alegria.

Pegando um lampião a óleo da cornija da lareira e levantando a cobertura leitosa, a defunteira tirou um fósforo e o acendeu. Tocando o pavio de taturana mole e negra, produziu uma pequena chama de um azul místico, com um cheiro de maquinista, seguro e competente. A chaminé alta do lampião, tigrada de fuligem pela base, imperfeita com uma rachadura fantasmagórica, foi colocada de volta no lugar, de modo que o cômodo agora estava embebido em um brilho pálido, amarelo quente. As cortinas gastas pareciam vinho aveludado. As superfícies de vidro do ambiente brilhavam como dobrões, um cintilar esplêndido no espelho e no barômetro, no mostrador com números romanos do relógio de tique-taque lento. O cabelo ruivo escuro de May brilhava como um tojo no pôr do sol, mesmo onde estava grudado na testa ou repuxado em uma pilha úmida e brilhante. A cova de parto lúgubre foi transformada em uma pintura de Joseph Wright de Derby, como a da bomba de ar ou a forja. May esboçou fazer um comentário sobre a mudança, mas foi interrompida no meio pela contração seguinte, a mais lancinante até o momento.

Quando por fim o grito dela se quebrou como uma onda em um silvo de soluços gotejantes, a menina assustada aos poucos se deu conta da presença próxima da sra. Gibbs, apertando sua mão, aquietando e cantarolando com empatia, de modo tão natural e reconfortante quanto as abelhas. Os dedos dela tinham um toque seco e frio, ao menos em comparação com os de May. A voz dela trouxe May de volta para o parto.

— Meu Deus, querida, parece que isso doeu. Mas não vai demorar muito agora, ao que me parece. Tente só descansar enquanto vou um instante ali para uma conversa com sua mãe. Acho que é melhor se ela ficar lá para manter sua irmã e seus irmãos em silêncio, então podemos dar um jeito aqui só nós duas, sem ninguém enfiando o nariz. A não ser que você queira sua mãe aqui, claro.

Era como se a sra. Gibbs tivesse adivinhado os pensamentos de May. Ela amava muito a mãe, daquele jeito furioso como amava a família toda e os amigos, mas naquele minuto seria bom ficar sem as histórias de Louisa sobre um sofrimento maior, a bolsa que tinha soltado muito mais líquido, como se dor e vergonha fossem uma competição em que estivesse com May. Ela olhou ansiosa para a sra. Gibbs.

— Ah, não, deixe ela lá, se não se importa. Se eu escutar ela contando para mais alguém que eu nasci na Lambeth Walk com nosso pai olhando de cima do maldito telhado, juro por Deus que torço o pescoço dela.

A sra. Gibbs deu uma risadinha, um som muito agradável, como várias maçãs rolando as escadas.

— Bem, nós não queremos isso, né, querida? Você fique aqui quietinha que eu não vou levar mais que um instante.

Com isso, a defunteira saiu do recinto, levando com ela um leve aroma de pimenta de rapé, desapercebido até o momento em que se dissipou. May deitou-se ali no sofá, respirando com força, e ouviu a conversa abafada na sala da frente. Um único ganido de protesto, que May achou que era de Johnny, ressoou, então a voz da sra. Gibbs se levantou, cortante e clara, apesar dos tijolos e do reboco no caminho.

— Se eu fosse você, meu querido, aprendia o meu lugar. Se uma defunteira pede para você fazer uma coisa, então trate de fazer o que ela diz. Nós carregamos a vida. Conhecemos as suas curvas. Sentimos a corrente de ar no final dela. Aquilo que mais te apavora, para nós é o pão de cada dia, e nenhuma de nós tem tempo para perder com um menininho ignorante, mal-educado. Não se atreva a sair dali enquanto eu estiver trabalhando.

Houve um murmúrio contido de concordância, passos e portas fechadas no corredor, então a sra. Gibbs voltou para dentro da sala, cheia de sorrisos enrugados com bochechas de Colombina, como se não tivesse acabado de deixar apavorado um menino de doze anos metido a engraçadinho. A voz dela, severa e gélida um minuto antes, era doce e maturada em carvalho como um licor.

— Muito bem, então. Acho que acertamos as coisas. Seu irmão mais novo não gostou muito e começou a reclamar, mas fui firme.

May assentiu.

— É o Johnny aprontando. Está sempre com a cabeça cheia de conversas e de grandes ideias com ele no palco ou no salão de espetáculos, mas não tem ideia de fazendo o quê.

A sra. Gibbs riu.

— Ele já sabe muito bem como criar um espetáculo.

Naquele momento a onda de dor voltou, batendo em seus ossos como se fossem troncos à deriva, antes de recuar com uma contracorrente que May sabia, tinha certeza, que poderia arrastá-la para fora deste mundo. Uma a cada cinco mulheres ainda morria no parto, e May ficava sem ar ao pensar em quantas vezes aqueles apuros agonizantes foram a última coisa da vida que incontáveis mulheres sentiram. Passar do delírio à morte, sabendo que o bebê que carregou por tanto tempo provavelmente se juntaria a você, sabendo que a linhagem de sua família era esmagada até o nada nas engrenagens duras do mundo, uma mó sangrenta moendo até o fim dos tempos. Apertou os dentes de pavor. Gemeu e fez força até que o rosto ficasse vermelho, as sardas quase explodindo das bochechas, o que lhe valeu uma repreensão severa da sra. Gibbs.

— Você está fazendo força! Não é para fazer isso ainda. Vai machucar o bebê e vai se machucar. Respire, menina. Só respire. Respire como um cachorro.

May tentou arfar, mas então caiu em lágrimas quando a contração recuou do auge, reduzindo-se a uma mera dor residual. Sabia que morreria ali naquele cômodo, a bela May Warren, sem nem completar os vinte anos, respirando excremento incinerado. Teve o terrível pressentimento de alguma ocorrência espantosa vindo para cima — do assombroso, pairando por perto — e o tomou como sua própria morte. Apenas gradualmente se deu conta de que apertava a mão da defunteira, enquanto a sra. Gibbs se agachava ao lado do sofá, limpando o orvalho do suplício de May, cantarolando e sussurrando para ela de modo tranquilizador.

— Não se aflija. Está indo bem. Vai ficar bem. Minha mãe foi defunteira antes de mim, e a mãe dela e a avó também. Não posso jurar que em todo esse tempo jamais perdemos uma mãe ou uma criança, mas não perdemos muitas. Eu não perdi nenhuma. Está em mãos seguras, minha querida, o máximo possível. Além disso, você vem de uma linha antiga e saudável. Sei que é filha de Snowy Vernall.

May se encolheu e deu de ombros. O pai a envergonhava. Era meio maluco, todo mundo sabia disso, ao menos desde que foi levado ao tribunal no ano anterior, por ter subido no telhado da prefeitura depois de passar a manhã toda no pub, bêbado feito um gambá, com um dos braços em torno do anjo de pedra lá em cima, declamando bobagens para a multidão intrigada reunida na Giles's Street. No que ele estava pensando, ninguém sabia. Tinha trabalhado na prefeitura não muito tempo antes, no teto, sobre andaimes, retocando os velhos afrescos em torno das beiradas, mas, como sua escapada para o telhado tinha saído em todos os jornais, era óbvio que jamais teria emprego ali de novo. O povo adorava suas travessuras, mas não eram eles os condenados à pobreza pelo comportamento do pai.

Essas estripulias garantiam que ele raramente tivesse um emprego, mas aquilo não era o que mais magoava May. As brincadeiras não eram metade do obstáculo à riqueza que os princípios do pai demonstraram ser, princípios que ninguém conseguia entender, a não ser ele e a maluca da tia Thursa. Dois anos antes, em mil novecentos e seis, um sujeito que admirava as habilidades do seu pai ofereceu a ele uma parceria de negócios, uma vidraçaria que estava montando. Ele depois ganhou um dinheirão com a loja, mas na época tinha prometido ao pai de May metade de tudo, com uma condição na qual insistia: se Snowy conseguisse ficar fora do pub por duas semanas, poderia tocar o negócio. Seu pai não pensou duas vezes. Ele disse: "Ninguém vai me dizer o que fazer. Você vai ter que encontrar seu sócio em outro lugar". O maldito idiota. Aquilo fez May querer cuspir, só de pensar que estava deitada dando à luz na Fort Street, enquanto o vidraceiro tinha uma casa de três andares na Billing Road. Se o pai algum dia passasse por aquela casa com a mãe de May, receberia um sermão sobre o que tinha feito, amaldiçoando a família com a pobreza por várias gerações, ao que parecia. May murmurou parte disso para a sra. Gibbs.

Ainda sorrindo, a defunteira balançou a cabeça.

— Ele é muito apreciado por estes lados, mas sei que é alguém que pode dar nos nervos se estiver morando com ele o tempo todo. O caso é que ele é um Vernall. Como você. Como defunteira, não é um termo que se ouça em qualquer lugar a não ser nos Boroughs. Mesmo assim, metade diz que não sabe o que quer dizer. São nomes velhos, e logo vão desaparecer, minha querida, com todos nós que somos chamados por eles também. Respeite seu pai, e respeite sua tia, ela que você vê com o acordeom. Sim, você poderia ser uma garota rica agora, mas pense. Seria rica demais para casar com seu Tom, e então onde ficaria esse bebezinho? As coisas acontecem por uma razão, ou pelo menos é assim por aqui.

A menção ao marido de May a tocou. Tom Warren tratava May com mais respeito do que qualquer outro homem que já havia conhecido. Ele a cortejou como se ela fosse da realeza, como se fosse a filha de um rei, e não do idiota da vila. A defunteira estava certa. Se May fosse rica, teria achado que Tom estava atrás do dinheiro dela. Se estivesse morando na Billington Road, ele não teria chegado a menos de dez metros dela. Aquela filha, que May queria tão desesperadamente, seria mais uma página humana não escrita.

Não que isso eximisse Snowy de culpa. Ele não tinha feito aquilo para ajudar May, mas por pura teimosia. Não poderia saber que ela se casaria com Tom, a não ser que também fosse vidente. Como sempre, ele fez o que bem entendia sem pensar em mais ninguém. Como quando sumiu para Londres, andou todo o caminho até Lambeth, sumiu por semanas, e o que tinha feito, ninguém sabia. Ah, certamente havia feito seu trabalho, e sempre voltava com um pagamento, mas May sabia que a mãe, Louisa, achava que ele tinha outras mulheres lá também. May achava que a mãe provavelmente estava certa. Ele era um velho lascivo que confraternizava com os amigos enquanto olhava feito um bode para as esposas deles. May esperava que nada daquilo passasse para seu Tom, que se dava muito bem com o sogro. Naquela manhã, do modo como as coisas aconteciam, foram ambos para o pub juntos, para ficar fora do caminho. Foi May quem insistiu para que eles fossem. Não queria que Tom a visse daquele jeito.

A luz era doce como mel na lareira, uma camada grossa nas saliências de latão que encimavam a grade. A sombra encurvada projetada pela sra. Gibbs na parede de papel de rosas parecia vasta, a de uma gigante ou de uma Parca. Sonolenta de exaustão, May podia sentir uma grande aproximação, alguma presença que se aproximava, mas então o punho bruto apertando seu útero arrancou cada fiozinho de pensamento como se fossem cabelos.

Daquela vez, embora a agonia fosse pior, May ao menos se lembrou de respirar, arquejando e ofegando do jeito que se recordava de ter feito quando aquele pacotinho de dor foi concebido. O pensamento era cômico, e ela começou a rir, mas então se decidiu por outro grito. A sra. Gibbs murmurou encorajamentos suaves. Disse a May que ela era corajosa e estava indo bem, e então apertou a mão dela até que a enxurrada tivesse passado.

As peças de quebra-cabeça reviradas dos pensamentos de May estavam espalhadas pelo seu tapete mental, mil formas coloridas levemente diferentes que era forçada a separar e escolher, determinando cada canto, então cada beirada, separando os pedaços azuis que eram céu dos que eram o chão salpicado de Páscoa. Ela pacientemente restaurou a figura de si mesma, de quem era e onde estava e o que estava acontecendo, mas o rinoceronte do parto veio pisoteando tudo de novo, apesar de não o esperar tão cedo depois do último ataque, e com uma investida bruta do chifre desfez todos os seus esforços para se recompor. A defunteira soltou a mão dela e foi para a ponta do sofá, entre os joelhos de May. A voz da sra. Gibbs era firme e militar, transmitindo urgência sem alarme.

— Agora pode fazer força e empurrar. Está quase lá. Aguente, querida, e empurre. Não vai demorar muito.

May cerrou os lábios sobre o grito borbulhante e o forçou para baixo, para as entranhas. Sentia que estava tentando cagar o mundo. Empurrou e se debateu, embora estivesse convencida de que todas as suas entranhas estavam pulando para fora. A dor aumentou, inflando-se até uma borda muito mais larga do que May sabia que tinha lá embaixo. Ia explodir, romper, se rasgar em duas, precisaria de pontos da moela à bunda. O uivo enjaulado atrás dos dentes apertados cantava como uma chaleira em seus ouvidos, liberto para encher o cômodo apinhado e dourado enquanto ela fervia em uma pressa espumante.

Um arquejo abafado saiu da sra. Gibbs. A cabeça do bebê havia saído, e se May olhasse abaixo do horizonte de sua cintura, veria cachos ruivos alisados que eram como chamas, muito mais brilhantes que os seus. A sra. Gibbs observava tudo de olhos arregalados, como se tivesse sido brevemente transformada em pedra. Recuperando-se, a defunteira pegou uma toalha dobrada e se inclinou, pronta para receber o nascimento. Por que ela estava tão pálida? O que poderia estar errado?

O momento parecia entrar e sair de foco, deslizar da realidade para o sonho e então voltar. Um vento forte teria soprado em certo momento pela casa, mesmo com todas as portas e janelas bem fechadas? O que tinha agitado as cortinas e a toalha da mesa e as borboletas bordadas que enxameavam a barra do avental da defunteira? A voz da sra. Gibbs, ouvida como se através de uma tempestade, dizia que um último grunhido daria conta do recado, então os desconfortos dos nove meses anteriores simplesmente saíram de May para o sofá, em um alívio mais completo e maravilhoso do que qualquer um que já tinha imaginado neste mundo. A sra. Gibbs pegou a faca afiada que havia enfiado no solo marrom e fresco de jardim em torno das raízes de um gerânio, murcho e plantado num vaso sobre o parapeito da janela. Com um movimento determinado, cortou o cordão.

May se esforçou para sentar, lembrando-se do olhar no rosto da sra. Gibbs quando só a cabeça do bebê estava para fora.

— Está tudo bem? Qual é o problema? Tem alguma coisa errada?

A voz de May estava em farrapos, um grasnado debilitado. A defunteira parecia soturna e estendeu a forma envolta em uma toalha que segurava nos braços.

— Acredito que sim, minha querida. Você tem uma criança de uma beleza terrível.

Ao estender os braços para o bebê, May não ousou olhar, apertando os olhos contra o lampião e a lareira, a criança com as beiradas iluminadas cor de cobre de um lado, creme do outro. O que a mulher quis dizer com aquilo? Ela percebeu, com uma súbita guinada de pânico, que o bebê não tinha chorado, então o ouviu miar. Ela sentiu o peso enfaixado se mover em suas mãos e, vacilante, arriscou abrir os olhos, como se para uma fornalha ou o brilho do meio-dia.

A cabeça era como um botão de rosa: embora amassada, May sabia que seria gloriosa ao desabrochar. Os olhos, do azul fantasmagórico dos ovos de tordo, eram grandes como broches, fixos nos de May. A cor era um complemento perfeito para o cabelo laranja brilhante do bebê recém-nascido, céu limpo de verão no fim da rua, emoldurado pelos tijolos de Northampton, acesos pelos últimos raios de um sol que se punha. A pele do bebê era branca como um pombo, brilhando como se polvilhada por um talco de pérolas em pó, salpicado com destaques nas coxas, nos dedos dos pés, uma tela preparada à espera do pincel suave do tempo, das circunstâncias e do caráter. O olhar vagante da mãe encantada luzia sobre as extremidades da criança recém-nascida, sempre voltando, como se hipnotizada, para aqueles olhos, aquele rosto extraordinário. Era como se o universo tivesse encolhido no tubo de um caleidoscópio, um poço brilhante ao longo do qual, de cada ponta, os olhares de mãe e bebê se juntavam, em adoração, espelhados e suspensos no âmbar do momento por todo o tempo. May observava a bolsa rosada dos lábios da cria em torno das formas de seus primeiros sons borbulhantes, com uma baba de mercúrio em uma gota brilhante caindo de um canto, descendo em um fio. Uma aura parecia pairar em torno do acontecimento, dando-lhe um polimento, um brilho renascentista. Ela beijou a coroa ruiva que cheirava a leite quente bebido na cama antes de dormir, e soube que tinha um tesouro ali. Percebeu que de algum modo tinha produzido uma visão de beleza sobrenatural tão refinada que havia incomodado a sra. Gibbs.

Com atraso, como uma reflexão tardia, May também se deu conta de que era uma menina.

— Como vai chamá-la, querida? — perguntou a sra. Gibbs.

May olhou ao redor, sem expressão, como se tivesse se esquecido de que havia outra pessoa no cômodo além dela e da filhinha.

Havia combinado com Tom que, se fosse menino, o filho seria Thomas, como ele, e se fosse menina, teria o nome dela.

— Pensamos em chamá-la de May, como eu — disse.

As orelhas da criança pareceram se erguer ao som de seu nome, a cabeça redonda virando inquieta no halo de lampião amarelado da toalha. A sra. Gibbs assentiu com a cabeça, com um sorriso desanimado, como se ainda não estivesse recuperada do charme petrificante da bebê, de seu belo esplendor de Medusa. Ela estava com medo? May afastou aquele pensamento. O que, em uma flor preciosa como aquela, havia para temer? Era estupidez, apenas a imaginação de May correndo solta, com toda a baboseira supersticiosa sobre parto que tinha ouvido da mãe. Fazia séculos que as pessoas como a sra. Gibbs eram obrigadas a fazer um juramento de que não fariam magia com a criança, nem dizer qualquer palavra enquanto ela nascia, nem a trocar por uma fada no berço. Isso foi antes de serem chamadas de defunteiras, quando mulheres assim eram chamadas de outros nomes. Mas isso foi naquela época. Ali era 1908. A sra. May Warren era uma garota moderna, que havia acabado de produzir uma maravilha da natureza. Ela a alimentaria, a manteria limpa e cuidaria dela, e isso seria melhor do que prestar atenção a histórias de velhas viúvas lendo agouros na xícara de chá ou o tom de voz de uma parteira.

A bebê, aninhada no busto amplo de May, estava semiadormecida. May se virou para a sra. Gibbs.

— Ela é uma beleza, a minha filha, não acha?

A sra. Gibbs soltou uma risadinha, arrumando suas coisas.

— Ela é isso mesmo, minha querida, é sim. Uma beleza de que vou me lembrar por toda a vida. Agora cubra-se, antes que eles todos entrem aqui para vê-la com os próprios olhos.

A defunteira se esticou entre as coxas de May, onde, com um só movimento, discreto e hábil, puxou a placenta para fora pelo cordão cortado, retirando-a antes que May percebesse que estava ali. Enquanto a sra. Gibbs se livrava dela em algum lugar, May se arrumou do melhor jeito que podia. Então, assim como a sra. Gibbs disse que aconteceria, a família se reuniu para ver.

May se surpreendeu com o bom comportamento de todos, andando nas pontas dos pés e falando em sussurros. A mãe, Louisa, arrulhava e fazia festa, enquanto Jim estava vermelho de vergonha ou alegria, sorrindo e assentindo com a cabeça em deleite. Cora estava abismada com a aparência da bebê, com uma cara muito parecida com a que a defunteira havia feito. Até John ficou sem palavras.

— Ela é linda, mana. É incrível — foi tudo o que ele disse.

Louisa fez outra xícara de chá para todos, e May tomou uma também. Era um néctar quente, com açúcar, e enquanto a mãe e a irmã passavam o bebê de mão em mão cuidadosamente, May bebia com gratidão. A atmosfera, a conversa baixa e murmurante com os choros infrequentes e sonolentos da bebê May, era como um acontecimento na igreja, que não se abalou nem quando Tom e o pai voltaram para casa.

O pai cheirava a cerveja, mas Tom havia ficado com meio quartilho na mão a manhã toda, o que significava que seu hálito estava limpo. May baixou o chá, para que pudessem se beijar e se abraçar antes que Tom pegasse a filha deles. Ele parecia maravilhado, ficava olhando para suas duas Mays. Sua expressão dizia que ele não podia acreditar na sorte dele e de May com aquela pintura de criança. Ele a devolveu, então foi comprar flores para May.

O pai, bêbado, se recusou a segurar a bebê, o que evitou o problema de ter que proibi-lo. Tinha bebido dois quartilhos antes do meio-dia, dois para o almoço, comprados com caricaturas e desenhos grosseiros, os desenhos engraçados que Snowy fazia das pessoas, insultos pagos em cerveja. Mesmo com uma manhã prolífica de trabalho, May achou estranho que o pai tivesse entrado em tal bebedeira no dia do nascimento da neta. Como raramente acontecia, a bebida parecia tê-lo deixado melancólico. Ele não conseguia tirar os olhos da pequena May, embora a visse pelas lentes trêmulas das lágrimas, o pobre-diabo sentimental. Ela não sabia que o pai tinha nada de sentimental em seu corpo magrelo, de olhos arregalados, observador. Achava que gostava um pouco mais dele por isso. Se ao menos ele fosse daquele jeito o tempo todo.

Snowy agora olhava para a May mais velha. Àquela altura, as duas pálpebras vincadas tinham vazado, e o pai estava com o rosto molhado.

— Eu não sabia, meu amor, nunca sonhei. Sabia que seria linda como sua mãe e você, mas não uma coisa assim preciosa. Ah, isso é difícil, menina. Ela é linda a esse ponto.

Snowy estendeu o braço e colocou uma mão no braço de May, com uma fraqueza mal disfarçada na voz.

— Ame essa menina, May. Ame sua filha com todas as suas forças.

Com isso, o pai saiu do cômodo. Ouviram-no subir as escadas, provavelmente para dormir depois de tanta cerveja. Durante todo o tempo, a sra. Gibbs ficou sentada quieta, bebendo seu chá, falando apenas quando falavam com ela. A mãe de May, Louisa, passou para a defunteira dois xelins, o dobro do preço corrente. Com firmeza, a sra. Gibbs devolveu um deles.

— Ora, sra. Vernall, com todo respeito, se ela fosse feia, eu não cobraria metade do preço.

Curvada sobre o sofá, ela disse adeus a May, que agradeceu a defunteira por tudo o que havia feito.

— A senhora foi uma dádiva de Deus. Quando tiver o próximo, vou fazer questão de que mandem chamá-la de novo. Eu me decidi que quero ter duas meninas, depois vou parar, então imagino que vou vê-la de novo quando minha segunda filha estiver para nascer.

May recebeu um sorriso fraco em resposta.

— Vamos ver, minha querida. Vamos ver — disse a sra. Gibbs.

Ela se despediu da família, demorando-se mais com a bebê May, então disse que ninguém precisava acompanhá-la. Colocou o chapéu e o casaco. Puderam ouvi-la andando pela entrada e, depois de mexer brevemente na maçaneta, sair, deixando a porta no trinco.

‡

O gemido desafinado de um acordeom se movia sobre a superfície do rio com a luz e as ondulações da tarde de setembro. De onde May estava, sobre a ponte de ferro forjado entre a ilha do rio e o parque, com a filha de dezoito meses nos braços, podia ver a tia Thursa, ao longe, um pequeno ponto marrom que caminhava pela margem mais distante na direção do mercado de gado mais acima.

Embora longe demais para poder ser vista claramente, May podia imaginar com clareza cada detalhe inquietante da tia, que, ao lado do pai, Snowy, May acreditava ser a pior vergonha da família. Era capaz de imaginar a cabeça de pássaro de Thursa, com seu bico orgulhoso, os olhos pálidos e fixos, os cabelos grisalhos que brotavam em tufos e faziam parecer que o cérebro dela estava fumegando. Estaria usando casaco e sapatos marrons, com o maldito acordeom pendurado no pescoço, como um velho marinheiro com o albatroz. Dia e noite ela vagava pelas ruas, improvisando, os dedos voejando sobre as teclas cinzentas do instrumento pesado. A sensação de vergonha de May talvez não fosse tão grande se Thursa demonstrasse o mínimo sinal de habilidade musical. Em vez disso, a tia fazia um barulho infernal, golpes curtos de acordes descendentes ou ascendentes, todos borrados em um resfolegar guinchado de *banshee*, que parava de repente nos precipícios súbitos dos silêncios aleatórios frequentes de Thursa. Do meio-dia à meia-noite, sete dias por semana, ouvia-se a sua cacofonia assustadora, passando pelos quintais e pelas chaminés, que assustava os gatos e acordava os bebês em seus berços, que espantava os pássaros e expunha os Vernall. Sobre a ponte, May observava o ponto barulhento em sépia que era a tia enquanto, como uma garça, a louca fazia seu caminho pela costa do Beckett's Park, onde as folhas espumavam no Victoria Prom. Quando Thursa e seu acompanhamento horrível desapareceram na distância, May se virou de novo para a criança loira aninhada em seus braços.

O cabelo vermelho com que a filha de May havia nascido caiu e voltou com um tom de loiro embranquecido, amentos luminosos em um brilho de halo que eram, porém, ainda mais gloriosos que o cobre vivo do nascimento. Parecia ainda mais sobrenatural, certamente. A jovem May ficava cada dia mais bela, para o desconfortável deslumbramento de May e Tom. Ela parecia ferir os olhos alheios ao ser carregada. No início, os pais haviam achado que a criança era maravilhosa apenas para eles, que os amigos estavam só sendo gentis, mas gradualmente perceberam, pela reação em todos os lugares a que ela ia, que aquela era uma beleza sem precedentes, uma beleza que despertava uma revoada de arquejos, um deslumbramento nervoso, como se os observadores vissem um vaso Ming ou o primeiro exemplar de uma nova raça.

May sussurrou e puxou a bebê para si, fazendo suas testas se tocarem, pedregulho na pedra, e os cílios quase baterem uns contra os outros

como duas mariposas flertando. A criança gorgolejou com alegria irres-
trita, sua única resposta a quase tudo. Ela parecia assim feliz apenas por
estar viva e evidentemente achava o mundo ao redor tão assombroso
quanto ele a considerava.

— Pronto. Toda aquela algazarra horrorosa foi embora. Aquilo era a
sua tia Thursa, que é meio doida, com a caixa de apertar dela fazendo
uma barulheira. Mas agora ela já foi, então eu e você podemos seguir
com o nosso passeio no parque. Ali na ilha deve ter cisnes. Cisnes. Quer
ir? Aqui, vou falar uma coisa, deixe sua mãe enfiar a mão no bolso aqui,
e você pode comer outra gota de chocolate.

Fuçando em uma abertura lateral na saia, seus dedos encontraram o
pequeno cone de papel marrom, com o topo retorcido, que tinha comprado na loja de Gotch na Green Street, quando estavam descendo até
o parque. Com uma das mãos, e a outra ocupada com a criança, May
destorceu e então abriu o saco, alcançando três gotas de chocolate, com
confeitos coloridos brilhando no topo, uma para a filha pequena, duas
para ela. Segurou o primeiro doce na frente dos lábios da bebê, que se
abriram com uma avidez cômica para deixar que May o colocasse na
pequena língua, então juntou os dois discos de chocolate restantes em
um, com forma de lente, as manchinhas coloridas agora pontilhando o
exterior em pequenos pontinhos como faziam os pintores franceses. Ela
os enfiou na boca e chupou até que ficassem lisos, seu jeito favorito de
comer gotas de chocolate.

Com a pequena May sobre um ombro como uma gaita de foles que
não estava em uso, gingou da leve subida da ponte até a grama esparsa
e amarelada da ilha. A ilha, com dois ou três acres no total, fazia o
Nene se abrir em dois ao norte, continuando como dois riachos que
se reuniam para formar de novo o rio na parte sul. Uma trilha gasta
ladeava a ilha, encerrando no meio o chão pantanoso que às vezes
se transformava em um lago, mas não naquele dia. Ao sair da ponte
gradeada, May virou para a sua direita, começando um circuito anti-
-horário à beira do rio, com a brisa no cabelo ruivo escuro e a filha
babando chocolate em seu pescoço. Algumas nuvens deslizavam pelo
azul-celeste acima, fazendo a sombra de May sumir e então voltar, mas
a não ser por isso era um dia perfeito.

Ela agora caminhava com a água à direita e uma faixa larga do
Beckett's Park mais adiante, com o velho pavilhão tingido de verde pelo

limo, seus bancos, arbustos e banheiros públicos, árvores chamuscadas pelo outono começando a pegar fogo. A fita espelhada do rio corria na sombra sob os galhos que pendiam, refletindo o ocre estilhaçado, o cinza esverdeado nublado, e pedacinhos de céu em azul pavão, sob o brilho medalhado de seu seio ondulado.

Se fosse um domingo, haveria sujeitos alugando botes na cabana com paredes descascando entre os olmos reunidos na margem, na direção da ponta do mercado de gado. Na maioria dos finais de semana, se o tempo estivesse bom, metade dos Boroughs podia ser visto no parque com seus melhores chapéus, andando de braços dados, gritando e rindo enquanto remavam rio acima através dos dedos pensos dos salgueiros como brincadeira. O limpador de chaminés da Green Street, o sr. Paine, que tinha um daqueles gramofones de corda, levava-o consigo no barco alugado. Era agradável ouvir música ao ar livre; era agradável ver o sr. Paine tocar velhas melodias doces enquanto descia o rio entre os amantes e as famílias que espirravam água. Parecia que os tempos não eram tão ruins.

May se dava bem com o sr. Paine. Um dia ele lhe mostrou as flores que cultivava em seu quintal, que ficava bem perto da loja de Gotcher Johnson. Apinhadas em um retângulo de tijolos, havia mais flores do que ela já tinha visto na vida, brotando de uma gama de vasos improvisados. Cravos floriam em latas. Jarras de botica derramavam calêndulas. Penicos rachados estavam cheios de floretes de jasmim perfumado. May gostava do povo da Green Street em termos gerais. Sempre pensava que um dia ela e Tom poderiam encontrar uma casa decente para alugar por ali, longe da Fort Street e do pai e da mãe, talvez não muito longe do limpador de chaminés que tinha o Éden em panelas no quintal, cuja vitrola murmurante encantava multidões passeando nas margens do rio aos domingos. E ele amava a pequena May. Mas quem não amava?

O caminho à margem do rio fazia uma curva para a esquerda, com a grama como um tapete puído, uma pilha amassada por velhos que caminhavam, namorados, meninos gazeteiros. May o seguia na direção do outro lado da ilha, num ritmo sem pressa e com a barra fina da saia ondulando contra os tornozelos na brisa. Com a cabeça no ombro da mãe, a pequena May falava fluentemente, sem se preocupar com coisas irrelevantes como o sentido das palavras.

May entendia, claro, que, apesar de sua filha ser admirada por quase todos, a admiração de algumas pessoas podia ser demonstrada de maneiras intoleravelmente cruéis. Houve uma tarde, alguns meses antes, quando ela e Tom caminhavam naquele parque, em um passeio de domingo com a pequena May. Eles a carregavam ou a deixavam caminhar um pouco entre eles, cada um segurando uma das mãos, levantando-a para pequenos pulos suspensos por cima das poças e botões-de-ouro. Havia um casal bem-vestido passando ao lado, mantendo distância dos tipos dos Boroughs, torcendo o nariz, do jeito que costumavam fazer. A mulher com luvas e sombrinha olhou para os Warren e a filhinha deles, observando para o marido enquanto passavam: "Sabe, eu fico chateada quando vejo uma criancinha linda assim sendo criada por gente desse tipo".

A maldita petulância. A maldita, maldita petulância daquela mulher, dizer uma coisa daquelas. Tom gritou "Você o quê?" enquanto se afastavam, mas eles apenas seguiram andando como se não tivessem escutado. May se lembrava de ter chorado até dormir naquela noite, com o rosto quente e vermelho de vergonha. Parecia que ela e Tom eram animais, a quem não se poderia confiar os cuidados de uma bebê. May sabia, apenas pelo tom de voz da mulher, que se o casal tivesse maneiras de tirar a filha de May, teriam feito isso sem pensar duas vezes. O acontecimento havia despertado uma resolução feroz, um fogo que queimava em sua garganta e ardia em seus olhos. Ela mostraria a eles. Cuidaria da pequena May melhor do que qualquer grã-fina era capaz.

Mãe e filha agora haviam vagado até a ponta do norte, do mercado de gado, fazendo hora ao longo da beira do rio na direção de Midsummer Meadow e do sul. Os olhos da bebê, azul-claros como o céu de inverno, olhavam com fascínio para o charco central, onde patos com cabeças esmeralda com tom de garrafa de cerveja ainda bicavam e fuçavam perto dos ninhos quase vazios. Ao longe, a sirene de uma fábrica fazia uma breve reclamação.

Em torno dos sapatos de bico chato de May havia folhas verde fantasma com vagens curiosas pendendo dos talos caídos. Se fossem partidas com a unha do dedão, teriam larvas dentro, a prole (ou assim disse uma vez o pai de May) de mosquinhas pretas que colocavam os ovos nos botões, deformando-os até o que era chamado de cecídio. Era um pensamento nojento, mas melhor que a primeira conclusão que ela havia tirado, que era a de que vermes e larvas de algum jeito davam em árvores, sinais da morte desabrochando anormalmente de galhos folhosos que representavam a vida. A margem estava cheia, além das folhas murchas, de outros pedaços de lixo aqui e ali: cocô de cachorro alvejado por uma dieta de ossos bem roídos, um maço vazio de dez Craven 'A' que tinha um gato negro como mascote na caixa de papelão ensopado, com um centímetro e meio de altura, agora à mercê dos pássaros da ilha.

Além disso havia uma roupa de baixo, calçolas de mulher na grama entre as raízes das árvores, brancas e amassadas. Algum casal tinha ido fazer aquilo longe das luzes a gás do Victoria Prom, com o som da correnteza do rio abafando os gemidos, e então se esquecido das coisas depois de acabar. May fez um som de desaprovação, embora tivesse feito a mesma coisa com Tom antes de se casarem, à beira do rio à noite, ele em cima dela, e então ficavam sentados conversando, apoiados debaixo de uma árvore. Com a cabeça descansando no peito de Tom, ela ouvia o coração dele, ambos olhando para o lado mais distante do rio, o matagal e os trilhos de trem que iam até a abadia em Delapre. Ela o escutou, quieta e maravilhada, enquanto ele contava casos da história, o assunto em que Tom ia melhor na escola. Todas as Guerras das Rosas, ele explicou, as guerras entre os Lancaster e os York, tinham sido decididas no terreno do outro lado do rio no qual May agora andava. O rei havia sido capturado no terreno baldio no qual os Boroughs ainda viam como seu quintal. Ela tinha se estirado ali, semiadormecida e admirada com as coisas importantes que aqueles campos haviam testemunhado, com a voz grave do futuro marido, cujo sêmen pendia dos dentes-de-leão, esfriando. A lembrança fez com que May sentisse um calor entre as coxas, precisando parar e balançar a cabeça para clareá-la antes de se concentrar naquela tarde de sexta, sua e da jovem May. Ela continuou, virando em torno da extremidade sul da ilha e voltando na direção da ponte.

Entrando de novo na área principal do parque, olhou para ver se Thursa estava por perto. A tia, no entanto, tinha ido embora fazia muito tempo, assim como os outros tipos que estavam por ali. Talvez a tia os tivesse levado, dançando como o Flautista de Hamelin, com uma música absurda em seu acordeom, o casaco marrom voejando, o cabelo grisalho esvoaçando como o fogo de uma chaminé. May riu, e a jovem May também, juntando-se a ela.

As únicas pessoas que via estavam perto de Derngate e do hospital, mães ou governantas empurrando carrinhos de bebê perto do Poço de Becket em um canto do parque. Esnobes. Ora, até as criadas deles irritavam May, olhando para ela como se achassem que fosse roubar a bolsa deles, embora não tivessem nascido em circunstâncias muito melhores que as suas. Bem... isso não era realmente verdade. Considerando seu parto em uma sarjeta cheia de merda, quase todo mundo tinha nascido em circunstâncias melhores que as de May.

Isso não a tornava uma mãe ruim, no entanto. Não significava que aquela mulher estava certa. Ela cuidava mais de sua menininha do que aqueles tipos empafiados cuidavam das deles. May cuidava da filha até demais, se o que o médico falou estivesse certo. O que aconteceu foi que a jovem May seguia se resfriando, apenas tosse e fungadas, como a maioria dos bebês. O médico veio vê-la, o dr. Forbes, irritado por ter sido chamado tantas vezes, e os dois tiveram uma conversa, ele e a May mais velha. Ele a levou para fora, para a soleira da casa, e apontou para a Forbes Street, para onde uma menina simples mais adiante estava sentada nas pedras frias e desniveladas com um conjunto de chá de brinquedo espalhado em torno de si, dividindo água negra de poça com as bonecas.

— Está vendo? Aquela menina é mais saudável que a sua, porque a mãe dela a deixa brincar fora de casa. Sua bebê, sra. Warren, é limpa demais para desenvolver resistência contra doenças. Deixe que ela se suje! Não dizem que é preciso comer um monte de terra antes de morrer?

Tudo bem ele falar isso lá na Horsemarket, em sua casa de médico. Ninguém o acusaria, ou sua esposa, de ser incapaz de criar uma criança, do jeito que aquela vaca velha tinha feito com ela e Tom. Os filhos dele, May sabia, podiam ter joelhos imundos, e ninguém pensaria nada dele. Não seria ele o alvo de falação, ou a mulher dele que choraria até dormir de tanta humilhação. Ter algum dinheiro o livrava de tudo aquilo. O médico não sabia como era.

Nesse momento, a jovem May se mexeu nos braços da mãe e fez uma careta. Era sua careta mais feia, embora colocasse uma obra de arte no chinelo. Se o vento mudasse e ela ficasse daquele jeito para sempre, a bebê de May ainda seria um arraso no Miss Pears[54]. A razão da inquietude da filha era provavelmente o desejo de mais gotas de chocolate. Enfiou a mão no bolso da saia atrás do saquinho, descobrindo que só restavam três delas. Dando uma a May, apertou as outras duas em outro sanduíche para si mesma. Com sua miragem em miniatura no arco do braço, a May mais velha seguiu ao lado dos trilhos e dos banheiros, na direção da calha de esterco do Victoria Prom. O sol estava mais baixo. O tempo estava passando. Não queria manter sua menininha ao ar livre por muito tempo, apesar do conselho do velho Forbes. Com a pequena May tendo pouco antes se livrado de uma tosse, um pouco de ar fresco do parque tinha parecido uma boa ideia, mas não havia sentido em exagerar as coisas. Era melhor voltarem para casa e para o calor enquanto ainda havia um pouco de luz, e era uma bela caminhada. Saindo de baixo de árvores com folhas cor de chá, elas viraram à esquerda no passeio e seguiram através do almíscar do mercado de gado na direção do volume rotundo do gasômetro.

May passou pelo Hotel Plough, do outro lado da rua, na boca da Bridge Street, continuando até que a dupla chegasse ao pé da Horseshoe Street, onde viraram à direita, começando o longo caminho ladeira acima naquela linha divisória do leste para o abraço encardido e feliz dos Boroughs, para seus braços acolhedores e manchados de fuligem. O sol era um balão Montgolfier descendo sobre os pátios da estação de trem. A brisa mexia os cabelos de coalhada branca da filha, e May ficou feliz por tê-la levado para um passeio naquele dia. Havia um sentimento no ar, talvez trazido pelo pôr do sol no frescor do outono, como se aquelas horas fossem um último vislumbre precioso de algo, do verão ou do dia, que as tornava duas vezes mais perfeitas e belas do mesmo modo. Até os Boroughs, com seus tijolos desgastados, pareciam querer ter a melhor aparência. Um monte de luz de ouro recém-derretido lambuzava os telhados de ardósia e suas calhas, espalhando uma espuma ofuscante nos canos de chuva. Os fiapos de nuvem lilás sobre Bellbarn eram fragmentos de panfletos, rasgados, deixados colados no grande toldo de azul profundo acima. O mundo parecia tão rico, tão cheio de significado, como uma pintura a óleo que May atravessava com sua bebê de Gainsborough no quadril.

Do outro lado do trote e rangido da Horseshoe Street, seus paralelepípedos engraxados com manchas fibrosas cor de azeitona, havia o terreno baldio onde um dia havia sido a St. Gregory, ou pelo menos foi isso o que o pai de May disse à filha um dia. Havia uma conversa sobre uma velha cruz de pedra que um monge havia trazido de Jerusalém até ali, para marcar o centro da terra dele. Eles a tinham colocado em uma alcova na igreja, e por alguns séculos foi um santuário para onde o povo fazia peregrinações e tudo mais. "Cruzeiro na Parede", era como a chamavam. Cruzeiro significava cruz, embora May a confundisse na mente com "grosseiro" e pensasse na cruz de pedra como simples e

bruta, feita de modo rústico com ferramentas rudimentares a partir
de um bloco de pedra áspero, cinza e bíblico. O monge tinha sido
enviado por anjos, segundo ele. Anjos eram comuns nos Boroughs na
época, agora desaparecidos, a não ser que a pequena May fosse levada
em conta. A igreja em si havia desaparecido fazia tempo, com uma
Gregory's Street por perto para marcar o fato de que um dia esteve
ali. Agora, árvores-das-borboletas e urtigas tomavam conta do terreno,
a primeira com pétalas caídas grossas como carne, a última estirando
cabeças brancas e senis para os últimos raios de sol, acesas com citrinos
em chamas nas pontas. E pensar que era o centro do país.

A bebê riu, agarrada ao lado de May, fazendo a mãe virar para ver o
motivo. Um pouco acima, onde a Gold Street e a Marefair cortavam a
Horsemarket e a Horseshoe Street para formar uma encruzilhada, na
esquina diante do Vint's Palace of Varieties, um jovem rapaz magro
estava encostado no muro, desviando os olhos e então olhando de volta
dissimuladamente ao brincar de esconde-esconde com a pequena May.

A filha parecia encantada pelo homem, e uma inspeção forçou May a
admitir que havia muito com que se encantar. Ele não era alto, mas tinha
uma delgadeza, uma leveza, não uma magreza, como Tom. O cabelo
do sujeito era mais preto que os seus sapatos, um ninho de açoites de
alcaçuz. Os olhos femininos, de cílios longos, eram ainda mais escuros,
batendo em um flerte para provocar a criança. Tinha a si mesmo em alta
conta, pensou May. E gostava dela.

Ela conhecia o tipo, a estratégia usada com a bebê deles: começar
uma conversa por meio da pequena, de modo que as investidas não
parecessem tão óbvias. Aquilo tinha acontecido um tanto com ela
quando saía com a pequena May no último ano e meio. Com uma
filha tão linda, era bom às vezes receber atenção. May não se importava
com um assovio e uma piscadela, desde que não viessem de um bêbado
ou brutamontes. Ou, se fossem, ela logo os afugentava, era durona o
suficiente para cuidar de si mesma. Mas, se o rapaz fosse apresentável,
como aquele era, não achava ruim um pouco de flerte, ou uma conversa de cinco minutos. Não que não amasse Tom, ou olhasse para
outros homens além dele, mas ela havia sido uma beldade quando
jovem, e às vezes sentia falta dos olhares e elogios. Além do mais, conforme chegavam mais perto daquele rapaz, May teve a impressão de
que conhecia o rosto dele, embora não conseguisse lembrar de jeito

nenhum de onde. Se não fosse isso, então era um déjà vu, aquele sentimento de que algo tinha acontecido antes. Além disso, a filha de May
parecia gostar do sujeito, que tinha talento para fazer crianças rirem.

Da próxima vez em que ele se virou, com timidez fingida, para olhar
para a pequena May, encontrou a mãe dela olhando também. May falou
primeiro, tomando a iniciativa, dizendo que ele tinha uma admiradora
em sua filha, e ele respondeu com algo estúpido sobre estar apenas admirando a pequena May. Sabia tão bem quanto ela que era mentira, e que
estava de olho na May maior também, mas ambos seguiram com o fingimento. Além disso, agora ele podia ver que ela era casada.

Ele fez um alvoroço por causa da pequena May, mas parecia ser sincero na maior parte, dizendo que ela terminaria em um palco e seria
uma famosa beldade de seu tempo e tudo mais. Ele próprio estava no
palco, aparecendo no Vint's Palace mais tarde, e vadiando na esquina
apenas enquanto fumava um ou dois cigarros para acalmar os nervos. E
olhar para as mulheres, pensou May consigo mesma, mas deixou passar,
já que tinha gostado da conversa dele. Ela se apresentou, junto com a
bebê May. Ele lhe disse para chamá-lo de "Oatsie", um apelido que não
ouvia fazia anos, desde que morava em Lambeth, quando era menina.
Isso fez com que as engrenagens rodassem na mente de May até que ela
entendeu onde tinha visto Oatsie antes.

Ele era um menino pequeno, por volta da idade de May, que morava
na West Square, saindo da St. George's Road. Ela o via quando ele saía
com a mãe e o pai, e o reconheceu pelos olhos bonitos. Ele tinha um
irmão mais velho, se ela se recordava bem, mas quando lhe disse isso
o rapaz a olhou como se tivesse visto um fantasma de um passado que
pensava ter deixado para trás. Olhou para ela como se tivesse sido des-
mascarado. A confusão e os olhos arregalados do homem fizeram May
rir. Ele não estava esperando aquilo. Tinha dado um passo maior que a
perna com ela. Ela brincou com ele daquela maneira por um momento,
então, sentindo pena, cedeu, confessando que também tinha nascido
em Lambeth. Ele pareceu aliviado. Evidentemente tinha pensado que
ela era uma Sibila ou um oráculo, não apenas outra forasteira que havia
escapado dos bairros pobres de Londres, como ele.

Depois de colocado em seu devido lugar, era como se ele não precisasse atuar, e a conversa de esquina ficou mais relaxada e amistosa, sem
a necessidade de nenhuma exibição. Papearam discutindo isso e aquilo,

as ambições do irmão John dela a respeito do palco, a história do Vint's
Palace, onde estavam, e por aí, ele, ela e a pequena May em uma confe-
rência alegre enquanto o céu dos Boroughs se transformava de brocado
em safira acima deles. Por fim, com a filha se remexendo nos braços,
sabendo que não havia mais gotas de chocolate, May achou melhor levar
a bebê para casa para dar a ela sanduíches de pasta de carne para o
jantar. Ela se despediu do belo palhaço e lhe desejou boa sorte com a
apresentação daquela noite. Ele lhe disse para tomar conta da pequena
May. Ela não achou estranho, não naquele momento.

A subida da Horsemarket não levou muito tempo, ainda que, depois
de algumas horas caminhando, a criança parecesse mais pesada nos braços cansados de May. Passando pelas casas majestosas de lá, as residências
dos médicos, acesas e quentes, ela se perguntou qual delas pertenceria ao
dr. Forbes. Além das cortinas abertas, crianças que voltaram da escola
sentavam-se em sofás macios ao lado de lareiras crepitantes, comiam
bolinhos ou então liam livros informativos. Por um instante, sentiu-se
chateada com o pai. Se ele não tivesse esnobado aquele emprego na
vidraçaria, se apenas uma vez o velho tivesse pensado em alguém que
não o seu ser voluntarioso, poderia ser ela e a pequena May ali dentro,
bem alimentadas e confortáveis, a filha de May no colo e começando a
ler de um livro de figuras com capas em relevo e ilustrações vivas. Ela
bufou e virou na St. Mary's Street.

Os céus a oeste adiante dela mostravam hematomas das algazarras
do dia, escurecendo em púrpura sobre os tetos da Pike Lane e da Quart
Pot Lane. May sempre ficava perplexa com o jeito como as noites caíam
quando chegava perto do fim do ano. A St. Mary's Street parecia
assombrada no escuro. Seus degraus de alcova sugavam as sombras
para dentro, e portões rachados de oficinas tiniam em suas correntes.
May passou segurando a filha diante dela como uma vela loura através
do crepúsculo que caía.

Ela não se surpreendia que tivesse sido ali onde o grande incêndio
tinha começado, duzentos e tantos anos antes. Havia uma sensação
fervilhante a respeito do lugar, como se pudesse ferver e causar dano
a qualquer momento, tão rápido quanto se dizia "faca". Sem dúvidas
voltava à Guerra Civil, com todos os Cabeças Redondas acampados
perto dali, com Cromwell e Fairfax cochilando à noite em Marefair,
paralela à Mary's Street, antes de irem a Naseby no dia seguinte selar

o destino do rei Carlos e do país. Não foi em Pike Lane que fizeram todos os piques? Era o que o pai de May tinha dito. Ela prosseguiu até a Doddridge Street, seguindo através do cemitério que ia da igreja Doddridge até Chalk Place. O reverendo Doddridge, que pregara ali, não tinha sido uma força destrutiva terrível como Oliver Cromwell ou o incêndio, mas fora também incendiário a seu modo, lutando pelos não conformistas e os pobres, então era adequado ao ar encrenqueiro do lugar. May apertou o passo através do mato do cemitério e esperou que a filha não estivesse ficando com frio.

Na Chalk Lane, ao lado do muro oeste da capela, a pequena May começou a fazer um escândalo e apontar para aquela porta esquisita na metade da altura, como se quisesse saber para que servia.

— Não me pergunte, amor, não tenho ideia. Vamos, vamos para casa e acender o fogo para quando seu querido velho pai voltar do trabalho.

A não ser por um arroto, a jovem May não respondeu, enquanto o Castle Terrace seguia até a Bristol Street. Os lampiões estavam acesos no fim da rua, o que significava que o sr. Beery estava por ali, andando de poste em poste com sua longa vara, levantando-a para o topo da luz a gás, a chama mantida ao lado do jato até pegar fogo. Parecia pescar o escuro, usando sua pequena luz de pirilampo como isca. A filha de May arrulhou para os brilhos distantes, esverdeados, como se fosse um espetáculo de fogos de artifício.

Elas seguiram, indo para a virada da Fort Street, quando, da fileira apagada de casas atrás de May veio um barulho de tábua de bater roupa que se aproximava, um som de chocalho, como se alguém arrastasse uma tábua sobre os paralelepípedos atrás de si. Uma voz rica como sopa chamou:

— Ora, sra. May e srta. May! As senhoras andaram passeando pela cidade toda, aposto, e estão voltando para casa só agora!

Era Black Charley, de Scarletwell, que tinha a carreta de coisas usadas e a bicicleta com corda em torno das rodas, em vez de pneus. O som que tinha ouvido eram os blocos de madeira que ele prendia nos pés para usar como breques. May riu ao vê-lo, mas então ralhou com ele por ter assustado as duas, embora na verdade isso não tivesse acontecido. Ele era um fenômeno local, de quem ela gostava. Dava um toque de magia ao lugar.

— Black Charley! Diacho, você me deu um susto, seu tonto.

Ela disse que deveria haver uma lei para forçar homens negros a levar estrelinhas depois de escurecer, para que fosse possível vê-los se aproximando, então pensou que era uma coisa tola para se dizer. Para começar, não havia homens negros por aqueles cantos. Era só ele, Black Charley, Henry George. Além disso, ela sabia que seu gracejo fazia tanto sentido quanto dizer que pessoas brancas deveriam se vestir de preto, assim ele podia vê-las chegando ao meio-dia. Ele, porém, não se ofendeu. Apenas riu e fez a festa costumeira para a bebê May, dizendo que ela era um anjo e aquilo tudo, um elogio que May logo dispensou. Anjos eram na maior parte uma questão delicada para ela, parte da loucura no clã dos Vernall. O pai, o avô e a tia maluca insistiram que eram reais, o que, na opinião de May, dizia tudo. Ninguém levava coisas como aquelas a sério, ou ao menos ninguém que tivesse a cabeça no lugar. Não desde os tempos daquele velho monge que trouxe a cruz de Jerusalém para lá. O único anjo, tirando a pequena May, era aquele de pedra branca no telhado da prefeitura, que o seu pai abraçou quando ficou bêbado. Além disso, May achava pensamentos como aquele assustadores, grandes sujeitos alados, observando a vida das pessoas e sabendo o que ia acontecer antes que acontecesse. Eram como fantasmas ou qualquer coisa assim, faziam pensar na morte, ou que a vida era um lugar grande, enevoado, imenso, e você sabia que entrar porta adentro seria fatal. Ela não pensava nas coisas sobrenaturais. De qualquer modo, anjos seriam esnobes, May sabia, a julgar por aquele casal no Beckett's Park.

Ela conversou com Black Charley por um tempo, e a pequena May, que Deus a abençoasse, tentou seu melhor, chamando-o de Char-Char e pegando a barba que crescia branca no queixo dele. Por fim, elas o deixaram seguir adiante, gritando tchau em sua voz profunda de ianque, descendo a Bristol Street para a Scarletwell, que era uma rua que May preferia evitar. O lugar lhe dava calafrios, só isso, embora não houvesse motivos para tal. Havia aquela criatura esquisita de Newt Pratt, aos domingos, bêbada do lado de fora do Friendly Arms, mas não era isso o que assustava May naquela rua. Talvez fosse o nome de som sangrento, ou que mantivessem em Scarletwell a carroça da febre, com janelas altas, vidro chumbado, que deixava entrar a luz, mas não permitia que se visse os pobres-diabos que iam embora lá dentro, com escarlatina ou aquela outra cujo nome May não tinha certeza de como se dizia, para campos nos limites da cidade. Fosse lá o que lhe dava nos nervos sobre a velha colina, era possível dizer com segurança que a Scarletwell Street não era o lugar favorito de May. Aquilo poderia mudar, imaginava, em alguns anos, quando andasse por lá todos os dias e levasse a pequena May para a Escola Spring Lane, mas até então manteria distância.

May virou à esquerda na Fort Street, onde não havia rua com calçamento de paralelepípedos, apenas pedras de muro a muro. Embora soubesse que a rua fazia uma curva para a direita na extremidade mais distante e corria pela parte de trás da Moat Street, descendo para a Bath Row, a rua de sua casa sempre parecia um beco sem saída, na qual os veículos não podiam entrar, e que de qualquer modo não levava a nenhum lugar de muita importância. A filha agora pulava para cima e para baixo com uma empolgação estridente nos braços sardentos de May, tendo àquele ponto reconhecido o casario querido e familiar pelo qual andavam. May seguiu pelas pedras desalinhadas, passando pela casa da mãe e do pai, número dez. O lampião a gás brilhava na entrada pelas aberturas em torno da porta mal colocada da frente; a sala de visitas escura, vazia a não ser por ornamentos.

Johnny, Cora, a mãe e o pai provavelmente estariam àquela hora em torno da mesa de chá na sala, comendo pão com geleia e um pouco de bolo. Ela foi para a própria casa, número doze, e abriu a porta destrancada com uma das mãos, sem colocar May no chão até que tivessem entrado. Primeiro acendeu o lampião, depois o fogo, colocando a filha no cadeirão enquanto pegava a carne em conserva no guarda-comida em cima da escada do porão. Fez o jantar da bebê e serviu depois que tinha tirado toda a casca. A pequena May comeu os sanduíches sem pressa, fazendo uma imensa sujeira, enquanto a mãe aproveitou a oportunidade para preparar um belo rocambole de fígado e cebola e então colocar no forno para ela e Tom.

Depois disso, a noite de sexta-feira passou voando. Tom voltou para casa da cervejaria em que trabalhava, com o pagamento de sexta na mão, em tempo de dar boa-noite para a pequena May antes que ela a levasse para cima, para a cama, *dorme nenê, dorme, dorme já*. A seguir, ela e Tom jantaram sozinhos, então conversaram até também se recolherem. Eles se abraçaram e, depois de apagar a vela, May pediu a Tom para puxar sua camisola para cima e subir em cima dela, assim poderia enfiar. Era o momento favorito deles, uma noite de sexta. Não havia necessidade de acordar cedo no dia seguinte, quando, com um pouco de sorte, a filhinha dormiria o suficiente para que May e Tom trepassem de novo ao acordar. Debaixo de seu homem, May mal pensou naquele camarada no Vint's Palace mais cedo.

No sábado, a tosse da filha havia voltado, e parecia que ela estava com problemas para respirar. Chamaram o velho Forbes, na tarde de domingo, quando deveriam estar passeando no parque. O médico apareceu como sempre fazia, reclamando sobre estragarem o seu fim de semana, então calou a boca depois de ver a pequena May. A pele da criança tinha adquirido um tom amarelado que ambos esperavam ser só sua imaginação.

Ele disse que a filha deles tinha difteria.

A carroça no topo de Scarletwell foi chamada. A pequena May foi colocada a bordo e partiu, com as janelas de vidro chumbado altas demais nas laterais para que se visse através delas. Os cascos e as rodas da carruagem mal faziam um som ao passarem pela rua sem calçamento de paralelepípedos enquanto o único raio que iluminava o coração de May era levado dentro da Carroça da Febre.

‡

Na segunda vez que a sra. Gibbs apareceu, estava com um avental de cor diferente, preto, quando o anterior era de um branco pristino. Quando May se lembrou disso depois, achou que tinha uma barra decorada, com besouros egípcios bordados em verde em vez de borboletas. Aquilo era só imaginação dela, no entanto. O avental era liso, sem adornos.

May estava sentada sozinha na sala da frente. O caixão pequeno, pousado em duas cadeiras como um voluntário do público de um hipnotizador, estava ao lado da janela, do outro lado do cômodo. O rosto adormecido de sua bebê parecia cinzento, coberto com a luz poeirenta decantada pelas telas. Ela sem dúvidas pareceria bem ao acordar. Ah, pare com isso, May pensou consigo mesma. Apenas pare. Então começou a tremer e chorar novamente.

O mais cruel foi que eles a trouxeram para casa. Depois de uma semana, a filha de May havia sido enviada de volta a Fort Street, do acampamento remoto para doentes, então May e Tom pensaram que ela ficaria bem.

Mas o que eles sabiam da difteria? Não conseguiam nem dizer a palavra direito e falavam só "dif", como todo mundo. Não sabiam que vinha em duas ondas, ou que a maior parte das pessoas sobrevivia à primeira apenas para que o estágio seguinte as levasse. Enfraquecidas pelo início da doença, não tinham forças para lutar quando a doença parava seus corações. Principalmente crianças pequenas, segundo diziam. Especialmente, May pensou, aquelas cujas mães mantinham seus menininhos e menininhas limpos demais. Cujas mães estavam preocupadas que dissessem que elas não tinham condições de cuidar de uma criança, e então acabavam provando que aquelas pessoas estavam certas.

Era culpa sua. Ela sabia que era culpa sua. Tinha sido orgulhosa demais. O orgulho precedia a queda, era o que diziam, e de fato aconteceu. May caiu como se caísse para fora de sua vida, a vida bela que tinha duas semanas antes. Para fora de seus sonhos, de suas esperanças. Para fora da mulher que pensou ser naquele momento horrendo e naquele cômodo, com o caixão e o maldito relógio barulhento.

— Ah, minha queridinha. Meu amorzinho. Estou aqui, meu amor. Mamãe está aqui. Você vai ficar bem. Não vou deixar nada de ruim...

May parou de falar. Não sabia o que ia dizer, odiou o som da própria voz inútil fazendo uma promessa já quebrada. Sempre havia confortado a filha e dito que sempre cuidaria dela, feito juras sagradas como toda mãe, para então falhar tão desgraçadamente. Disse que sempre estaria ali para a pequena May, mas agora nem sabia onde "ali" ficava. Só dezoito meses, foi tudo o que tiveram com ela; foi o quanto a mantiveram viva. Tinham entrado naquele clube exclusivo e trágico sobre o qual as pessoas sussurravam com empatia e, no entanto, preferiam manter distância, como se May estivesse de quarentena pelo luto.

Ela nem conseguia pensar, sentada ali. Os pensamentos não se concatenavam mais, não levavam a nenhum lugar ao qual estivesse pronta para ir. Aquilo que a tomava era uma dor sem palavras e sem formas, e a enormidade daquela pequena caixa.

Havia buracos queimados no tapete ao lado da lareira que não tinha notado antes. O banquinho de palha estava desfiando. Por que era tão difícil manter as coisas novas?

Com a porta no trinco como de costume, May não ouviu a defunteira entrar. Apenas levantou os olhos depois de observar o tapete, e a sra. Gibbs estava ao lado da cadeira, com o avental mostrando as partículas de poeira como as asas empoadas e dobradas de uma mariposa negra. Era como se os dezoito meses anteriores não tivessem existido, como se a sra. Gibbs nunca tivesse de fato deixado a casa naquela primeira vez. Havia apenas uma mudança de luz, uma mudança de avental, as borboletas desaparecidas, o dia de verão bordado substituído pela noite. Era um jogo de "encontre as diferenças" nas imagens. A bebê havia sido trocada também. Sua linda cria com cabelos cor de cobre tinha desaparecido, e em seu lugar havia apenas aquela boneca loira e rígida. E a própria May, aquilo era outra mudança. Ela não era a mesma de quando dera à luz.

Na verdade, ao olhar mais de perto, May percebeu que a figura inteira agora estava errada, com nada além de diferenças para encontrar. Apenas a defunteira permanecia a mesma, embora tivesse colocado um novo avental. As bochechas, como tangerinas das meias de presentes de Natal, não haviam mudado nada, nem a expressão, que poderia significar o que quer que se imaginasse que significava.

— Olá novamente, minha querida — disse a sra. Gibbs.

O "olá" de May em resposta era feito de chumbo. Saiu dos lábios dela e caiu no tapete, um caroço de linguagem, obtuso e sem cor, sobre o qual nenhuma conversa poderia ser construída. A defunteira desviou dele e continuou.

— Se não está com vontade de falar, querida, não fale. A não ser que precise, mas não saiba como, nesse caso pode me dizer tudo o que quiser. Não sou da sua família e não vou julgar você.

A única reação de May foi desviar os olhos, embora concordasse, ao menos por dentro, que a sra. Gibbs havia falado algo que fazia sentido. Ela não teve ninguém para conversar de verdade nos últimos dias, pensou, a não ser consigo mesma. Não conseguia trocar mais de duas palavras com Tom sem chorar. Um fazia o outro começar, e ambos odiavam chorar. Era sinal de fraqueza. Além disso, Tom não estava ali. Estava no trabalho. A mãe de May, Louisa, isso também era inútil, não só porque a mãe chorava com facilidade, mas também porque May tinha aquela sensação de ter desapontado a mãe. Não tinha sido uma boa mãe em sua vez, não foi capaz de dar continuidade à tapeçaria coletiva da maternidade. Havia pulado um ponto e falhado com a sua família. Não sabia como olhar na cara deles, que por sua vez não sabiam como ajudar. A tentativa da tia tinha sido uma cena horrenda em que May preferia nem pensar.

Como resultado, May foi deixada de lado. Era culpa sua, junto com todo o resto, mas ficou sem ninguém para falar sobre o que acontecia dentro de si, as ideias e os pensamentos assustadores que tinha, cruéis demais para dizer em voz alta a qualquer um. E, no entanto, ali estava a sra. Gibbs, uma estranha, não relacionada ao clã imediato de May ou qualquer outro clã, até onde May sabia, a não ser o das defunteiras. A sra. Gibbs parecia fora de tudo, tão cuidadosamente imparcial quanto o céu. O avental, profundo e discreto como uma noite, ou um poço, era um receptáculo no qual May poderia esvaziar todo aquele horror sem que ecoasse em seus pensamentos por anos. May levantou os olhos vermelhos doloridos e se deparou com os olhos cinzentos da mulher olhando de volta.

— Sinto muito. Não sei o que vou fazer. Não sei como vou superar isso. Ela vai ser enterrada amanhã de tarde, e então vou ficar sem nada.

A voz de May estava enferrujada, falhando pela falta de uso, uma voz de bruxa velha, não a de uma moça de vinte anos. A defunteira puxou o banquinho desgastado, então sentou-se ao pé de May e tomou a mão dela.

— Ora, sra. Warren, me escute. Não me diga que não tem mais nada. Nem pense nisso. Se não sobrou nada, então o que valeu a vida de sua filha? Ou qualquer uma de nossas vidas, aliás? Tudo tem valor, ou nada tem. Ou você preferia que ela nem tivesse nascido? Teria preferido não me ver nenhuma vez se fosse precisar me ver duas vezes?

Ela ouviu e sentiu que era tudo verdade. Diante daqueles termos, questionando diretamente se era melhor que a pequena May jamais tivesse nascido, ela só conseguiu sacudir a cabeça em silêncio. Os fios ruivos lambidos, despenteados, caíam em seu rosto. O que ela teve não foi um nada, foram dezoito meses de amamentação, arrotos, passeios no parque, rindo e chorando, trocando roupinhas. Mas o fato de não ter mais May permanecia. Tinha suas memórias de sua menininha, as expressões favoritas, os gestos e sons favoritos, mas eram todos dolorosos demais diante do conhecimento de que não haveria novos a serem colocados na lista. E isso era apenas a parte egoísta de sua tristeza, sua pena de si mesma pelo que havia perdido. Era sua bebê que mais deveria ser lastimada, que tinha ido para o escuro sozinha. May olhou desesperançada para a sra. Gibbs.

— Mas e ela? E a minha May? Quero pensar que ela está no céu, mas não está, está? Isso é só o que dizem às crianças sobre o gato ou cachorro quando na verdade eles tinham sido encontrados na rua com o corpo arrebentado.

Com isso ela chorou de novo, contra a sua vontade, e a sra. Gibbs lhe passou um lenço, então apertou a mão de May entre as palmas de papel, como uma bíblia fechando sobre os dedos da moça.

— Não tenho muita crença no céu, pessoalmente, nem no outro lugar. Parece bobagem. Tudo o que eu sei é que sua filha está no andar de cima agora, e se você acredita ou não em mim não é da minha conta, e nem da dela. É onde ela está, minha querida. É o que eu sei, e não diria se não tivesse certeza. Ela está no andar de cima, para onde todos nós vamos cedo ou tarde. Seu pai já lhe disse, ouso dizer.

A menção ao pai de May lhe provocou um sobressalto. Ele havia mesmo dito aquilo. Tinha usado aquelas mesmas palavras. "Ela está no andar de cima, May. Não se aflija. Ela está no andar de cima agora". Na verdade, pensando bem, jamais o ouviu falar da morte de outra maneira. Nem ele, nem sua família, nem ninguém por ali. Eles jamais disseram "no céu" ou "com Deus", nem mesmo "lá em cima". Eles diziam "no andar de cima". Fazia o além-vida parecer atapetado.

— A senhora está certa, ele falou mesmo, mas o que isso quer dizer? A senhora diz que não é como o céu nas nuvens. Onde é esse andar de cima, então? Como é?

Aos ouvidos de May, sua voz soava raivosa, furiosa com a sra. Gibbs por ter tanta certeza de uma coisa tão terrível como essa. Não queria que suas palavras tivessem saído daquela maneira e achou que a defunteira fosse se ofender. Para sua surpresa, a sra. Gibbs apenas riu.

— Francamente, é bem parecido com isso, minha querida — ela apontou para a poltrona, para o cômodo. — O que mais você esperaria que fosse? É bem parecido com isso, só que um degrau acima.

May não estava com raiva agora. Apenas sentia-se estranha. Alguma outra pessoa havia lhe dito aquelas palavras antes? "É bem parecido com isso, só que um degrau acima". Soava tão familiar e tão correto, embora não tivesse ideia do significado. Era como aquelas ocasiões em que, quando menina, havia sido envolvida em algum mistério, como quando Anne Burk contou a May os fatos da vida. "O homem coloca porra na ponta do pinto, então coloca dentro do seu buraco". Embora May tivesse achado que porra fosse como flocos de sabão empilhados e colocados em um pau de ponta chata dentro dela, de algum modo sabia que o princípio da coisa era verdadeiro; dava sentido a questões que não havia entendido antes. Ou quando sua mãe a puxou de lado e disse com toda a seriedade para que serviam os paninhos menstruais. Era como aquilo, conversar ali sentada com a sra. Gibbs. Um daqueles momentos da vida humana em que você descobria o que todo mundo já sabia, mas nunca falava.

May vislumbrou o caixão do outro lado do cômodo e soube imediatamente que era tudo besteira. Andar de cima era o céu com um nome diferente, a mesma velha história repetida novamente para consolar os enlutados e fazer com que se calassem. Eram apenas os ares da sra. Gibbs, o jeito que ela tinha, que fazia aquilo soar como uma meia-verdade. O que ela saberia sobre o além? Ela era uma mulher dos Boroughs, assim como May. Com a diferença, claro, que era uma defunteira, o que dava muito mais peso às bobagens que dizia. A sra. Gibbs voltou a falar, apertando a mão de May.

— Como eu disse, querida, não importa muito se acreditamos nessas coisas ou não. O mundo é redondo, mesmo se acharmos que é plano. A única diferença que faz é para nós. Se sabemos que é um globo, não precisamos ficar com medo o tempo todo de cair da beirada. Mas não vamos falar de sua filha, querida. O que aconteceu não pode ser mudado, mas você pode seguir adiante. Você está bem? O que isso tudo fez com você?

Novamente May se viu obrigada a parar e pensar. Ninguém havia lhe perguntado isso naqueles dois dias. Não era algo que tivesse sido questionado ou especulado no poço lamentoso e ecoante que seus pensamentos haviam se transformado recentemente. Ela estava bem? O que isso tudo fez com ela? Assoou o nariz no lenço limpo que lhe fora dado, notando que não tinha borboletas, apenas uma abelha bordada. Quando acabou, torceu o lenço e o enfiou por uma manga da blusa, um movimento que fez com que a sra. Gibbs tivesse de soltar a mão de May, mas, assim que a manobra se completou, May deslizou os dedos voluntariamente entre os dígitos da defunteira. Ela gostava do toque da mulher; morno, seco e seguro no turbilhão coberto de papel de parede da sala. Ainda fungando, May tentou dar uma resposta.

— Eu tenho a sensação de que tudo está caindo pelo chão, rolando por um túnel como uma pedra. Não me sinto eu mesma. Eu sento e choro e não consigo fazer nada. Não vejo motivo para fazer as coisas, escovar o cabelo ou comer, nada, e não sei onde isso tudo vai terminar. Eu queria estar morta, essa é a verdade. Então seríamos colocadas juntas num só caixão.

A sra. Gibbs balançou a cabeça.

— Não diga isso, querida. É uma coisa medíocre e tola de se dizer, e você sabe disso. E, de qualquer forma, a não ser que eu esteja enganada, você não gostaria de estar morta. Só não queria estar viva porque a vida é dura e não faz sentido. São coisas bem diferentes, querida. Seria bom saber de qual das duas coisas você está falando. Uma pode ser corrigida, e a outra não.

O relógio tiquetaqueava, e ciscos de poeira se mexiam nos raios de sol que caíam de viés sobre o chão, enquanto May pensava. A sra. Gibbs estava certa. Não é que ela desejasse a morte, mas tinha perdido a sua razão de viver. Pior que isso, começou a suspeitar que a vida, toda a vida que andava sobre a terra, nunca teve uma razão de ser, para começo de conversa. Aquele era um mundo de acasos e caos sem um plano divino que guiava as coisas. Deus não escrevia certo por linhas tortas, era mais como se não escrevesse coisa nenhuma. Qual era o motivo para dar continuidade a isso, a raça humana? Por que todo mundo seguia tendo bebês, sabendo que eles iriam morrer? Dar a eles vida e então tomá-la de volta, apenas para ter um pouco de companhia. Era cruel. Como foi que algum dia ela pôde ver as coisas de um outro modo?

Ela tentou expressar isso para a sra. Gibbs, a falta de sentido que havia em tudo.

— A vida não faz sentido. Não faz sentido para mim desde que o dr. Forbes disse que May tinha dif. O cavalo da febre veio trotando pelas pedras onde não existe rua, onde geralmente as carroças esperam lá na entrada. E, de um momento para outro, ela se foi. Saiu naquela carroça escura, para a Bath Row, e fim de papo. Eu fiquei ali na rua, urrando e mastigando o lenço. Eu nunca vou me esquecer disso, de ficar ali de pé...

Inclinando a cabeça coroada por um coque para o lado, a sra. Gibbs silenciosamente renovou o aperto na mão quente de May, pedindo que continuasse. May não havia percebido até aquele momento o quanto precisava contar aquilo para alguém, transformar tudo em palavras e aliviar seu peito.

— Tom estava lá. Tom me pegou nos braços para me impedir de correr atrás da carroça. Minha mãe, no número dez, ela ficou dentro de casa para que Cora e Johnny ficassem quietos, para que não saíssem e se juntassem à confusão.

A sra. Gibbs apertou os lábios de modo inquiridor, e então falou o que lhe passou pela cabeça naquele momento.

— Onde estava seu pai, querida, se me permite perguntar?

May pareceu pensar a respeito, e então continuou.

— Ele estava de pé na porta da frente e... não. Não, estava sentado. Sentado. Mal reparei nele, pelo menos naquele momento, mas, lembrando agora, estava sentado na soleira da porta da frente como se fosse um domingo de julho. Como se não fosse uma emergência. Parecia desalentado, mas não transtornado ou surpreso como todo mundo. Para dizer a verdade, parecia mais incomodado quando ela nasceu.

Ela fez uma pausa. E espremeu os olhos com força na direção da sra. Gibbs.

— E, pensando bem, a senhora também. Ficou branca como um lençol quando ela saiu. Eu precisei perguntar se tinha alguma coisa errada, e a senhora disse que achava que sim. Disse que era a beleza dela, uma beleza terrível, eu me lembro disso. Então, mais tarde, quando estava indo embora, a senhora demorou para se despedir dela.

A ficha caiu. May olhou para ela, incrédula. A defunteira retribuiu o olhar, impassível.

— A senhora sabia.

A sra. Gibbs nem piscou.

— Você está certa, querida. Eu sabia. E você também.

May deu um suspiro de susto e tentou puxar a mão, mas a defunteira não a soltou. O quê? O que era aquilo? O que aquela mulher queria dizer? May não sabia que a filha ia morrer. Essa ideia não havia passado por sua mente. Mas...

Mas ela sabia que havia passado, mil vezes, apavorando-a de todas as maneiras possíveis. A pior era sentir que se tratava de um engano, aquela criança maravilhosa ser dada a ela, quando claramente era destinada à realeza. Tinha sido algum engano, alguma distração. Cedo ou tarde, isso seria descoberto, como uma grande encomenda postal entregue no endereço errado. Alguém chegaria para levá-la de volta. Ela sabia que não sairia incólume, não com uma criança que brilhava como a sua. Em algum lugar dentro dela, May sempre soube. Aquele era o verdadeiro motivo, agora ela entendia, por que tinha recebido tão mal o comentário daquela mulher, naquela vez no Beckett's Park. Era por ter dito algo que ela já sabia, e no entanto não reconhecia: sua filha seria tirada dela. Ouviriam uma batida na porta um dia, alguém da prefeitura ou da polícia, ou uma mulher da Barnardo[55], com uma expressão de tristeza. Só não havia pensado que seria o dr. Forbes.

O relógio tiquetaqueou, e May se perguntou quanto tempo havia se passado desde a última batida. A sra. Gibbs a observou até estar convencida de que May havia entendido, então continuou.

— Sabemos muito mais do que dizemos a nós mesmos, minha querida. Alguns de nós, pelo menos. E se eu tivesse dito o que tinha previsto quando May nasceu, vocês deveriam me agradecer? Não existe motivo para dizer coisas como essas. Se você tivesse prestado atenção nessas premonições, como poderia ter feito, não teria evitado nada, a não ser dezoito meses de felicidade.

A defunteira se inclinou para a frente no banquinho, com o avental negro e firme quase estalando.

— Agora, me perdoe por dizer isso, minha querida, mas parece que você colocou esse fardo sobre si mesma. Acha que não é uma mãe, mas é. A difteria não tem critério nem pega as pessoas por causa de como elas vivem, apesar dos pobres estarem muito vulneráveis. É uma doença, querida, não um castigo. Não é um reflexo de você ou sua bebê, nem o resultado de como você a criou. Você vai ser uma mãe melhor por isso, não pior. Aprendeu coisas que nem toda mãe aprende, e da pior maneira, e logo de início. Você perdeu essa criança, mas não vai perder a próxima, nem as que provavelmente vão vir depois. Olhe só você! É uma mãe por natureza, querida. Você ainda tem muitos bebês por vir.

May desviou o olhar, para a direção do rodapé, o que fez a defunteira estreitar os olhos.

— Desculpe se falei fora de hora, ou disse algo que não deveria ter dito.

May corou e olhou de volta para a sra. Gibbs.

— A senhora não fez nada. Só tocou em uma das coisas que vêm passando pela minha mente. Os bebês por vir, como a senhora disse. É idiotice, mas fico pensando que um já está aqui. Não tenho base nenhuma para isso, e metade do tempo acho que é só alguma coisa que sonhei, para compensar a perda. Não tenho nenhum sinal, mas nessa época seria assim mesmo. Se estou certa nesse sentimento, então fiquei grávida há apenas duas semanas. É bobagem, tenho certeza, uma coisa que inventei e que faz bem pensar, em vez de chorar o tempo inteiro.

A defunteira começou a acariciar a mão de May, entre a carícia e a massagem terapêutica.

— O que é, se não for algo muito pessoal, que faz você pensar que está no caminho de formar uma família?

May corou novamente.

— É bobagem, como eu disse. É só que... bem, foi naquela noite de sexta, antes que mandassem a carroça da febre para May. Eu tinha passeado no parque com ela o dia todo, e ela estava cansada, a pobrezinha. Nós a colocamos na cama cedo, então pensamos, como era sexta, em subir. Então nós... bem, a senhora sabe. Nós fizemos as coisas. Mas foi especial, não sei dizer como. Tinha sido um dia muito bom, e eu amei Tom. Soube o quanto o amava naquela noite, quando estávamos na cama fazendo, e soube muito bem o quanto ele me amava também. Nós deitamos depois, e foi uma alegria, conversando e sussurrando como quando nos conhecemos. Juro pela minha vida, antes que o nosso suor estivesse seco, eu pensei: "Vai sair um bebê disso". Ah, sra. Gibbs, o que a senhora vai pensar? Eu não devia ter dito nada disso para a senhora. É diferente de tudo o que já contei para qualquer outra pessoa. A senhora só veio aqui para fazer seu trabalho, e aqui estou eu, lavando toda a roupa suja. A senhora deve estar pensando que eu sou uma bela de uma safada.

A sra. Gibbs deu tapinhas na mão de May e sorriu.

— Já ouvi coisa pior, minha querida, eu garanto. De qualquer forma, está tudo incluso no meu xelim, querida. Ouvir e conversar é a maior parte do trabalho. Não é o parto ou a preparação do morto. E, quanto a estar ou não grávida, confie em seus instintos. Eles provavelmente estão certos. Você não me disse que teria duas meninas, e então iria parar e não teria mais nenhuma criança?

May assentiu.

— Sim, eu disse. E, deitada naquela noite, pensei: "Aqui está a filha número dois". Só que agora não é mais, né? Ainda é a número um.

Ela pensou a respeito por um instante, então continuou.

— Bem, não faz diferença. Eu ainda quero duas menininhas, a mesma coisa que disse antes. Se eu tiver uma a caminho, vai ser mais uma e então acaba aí.

May assombrou-se ao se ouvir falando aquilo. A sua querida menina estava fria e deitada em um caixãozinho no outro lado da sala, a nem dois metros de onde May estava sentada. Como poderia sequer considerar outra criança, ainda mais depois de uma como aquela? Por que ela não estava apenas sentada ali chorando, tentando se controlar, como havia feito nos últimos dois dias? Como se tivesse encontrado alguma válvula reguladora em seu coração, o choro por fim havia sido controlado. Sentia-se como se não estivesse mais caindo, May percebeu, surpresa. Não que estivesse cheia de felicidade e esperança, mas ao menos não estava caindo em um buraco que não tinha fundo, nem luz no topo. Ela havia atingido algum leito de rocha para descansar, um chão que não cedia sob sua tristeza. Havia uma leve chance de sair daquilo.

Ela sabia que devia isso à defunteira. Elas lidavam com a morte e o nascimento e tudo o que vinha junto a isso. Era o trabalho delas. Aquelas mulheres — sempre mulheres, claro — tinham algum lugar para ficar fora daquilo tudo. Não se abalavam pelo fluxo e o refluxo da vida. A vida delas não ganharia um sentido por aquelas chegadas, nem as partidas as deixariam em pedaços. Permaneciam impassíveis, inalteradas, através de todos os terremotos da vida, invulneráveis ao júbilo e à tragédia. May ainda era jovem. O nascimento e a morte de sua filha foram sua primeira exposição a essas coisas, suas primeiras instruções sobre as coisas sérias da vida, sua gravidade e subitaneidade assustadoras, e francamente a deixaram no chão. Como atravessaria a vida, se a vida fazia aquilo? Ela olhou para a sra. Gibbs e viu um jeito, um jeito de mulher, de se ancorar, mas a defunteira começou a falar novamente antes que May pudesse seguir esse pensamento.

— De qualquer forma, querida, eu a interrompi. Você estava me falando sobre o dia em que a carroça da febre levou sua menininha. Eu me intrometi no meio e perguntei sobre seu pai...

Por um momento, May ficou olhando para ela, perdida, e então se recordou de sua história não terminada.

— Aah, sim. Sim, eu me lembro agora. Nosso pai, sentado na soleira enquanto acontecia, como se já tivesse se resignado, enquanto eu urrava na rua com Tom. Mal reparei nele, não naquele momento, e não guardo rancor dele por nada, nem agora. Sei o que eu falo sobre nosso pai, sobre ser um velho tonto que nos expõe ao ridículo com toda essa coisa de subir nos telhados, em torno das chaminés, mas ele vem sendo bom comigo desde que nossa May morreu. Minha mãe, os outros, não consigo falar com eles sem todo mundo terminar chorando, mas nosso pai, finalmente ele vem sendo um ponto de apoio. Não andou pelo pub nem saiu em suas excursões. Ficou na casa ao lado, ao alcance de um grito, o tempo todo. Não se intromete. Aparece de vez em quando para ver se eu quero alguma coisa, e pelo menos uma vez na vida estou grata por ele estar aqui. Mas, naquele dia, ele apenas ficou sentado na soleira.

May franziu o cenho. Ela tentou voltar mentalmente à Fort Street, para a tarde de domingo, estremecendo nos braços do marido enquanto viam a pequena May seguir dentro da carreta da febre, sobre as pedras desniveladas. Tentou conjurar todos os sons e cheiros que formavam aquele único instante, salsichas queimando num fogão em algum lugar, as manobras e os chiados da linha de trem vindos do oeste.

— Fiquei vendo a carroça da febre ir embora, e isso veio subindo dentro de mim, essa perda, a perda da minha pequena May. Veio tudo subindo e eu só uivei, uivei como nunca tinha feito em toda a minha vida. O barulho que fiz, você nunca ouviu nada igual. Era um barulho que nunca tinha feito antes, que podia quebrar garrafas e talhar o leite. Então, de trás de mim, ouvi o mesmo som, mas mudado, um eco com um tom diferente, e tão alto quanto o meu berro tinha sido.

"Eu parei de chorar e me virei, e ali de pé, no outro lado da rua estava minha tia com seu acordeom. Ela estava ali como... bem, não sei o que, com o cabelo como lã das sebes em torno da cabeça, e tocando a mesma nota que eu tinha gritado. Bem, não a mesma nota, era mais grave. A mesma, mas em um registro mais grave. Um trovão, era assim que soava, espalhando-se por toda a Fort Street. Meio que nebuloso e lento. E lá estava Thursa, apertando as teclas, os dedos ossudos e os olhos grandes, só me encarando, e o rosto dela estava vazio como se fosse sonâmbula e não soubesse o que estava fazendo, muito menos onde estava.

"Ela não se importava com o que eu estava passando, ou que minha filha estivesse sendo levada embora. Estava só em um de seus sonhos loucos, e fiquei com ódio dela por isso naquele momento. Achei que ela era uma idiota inútil e insensível, e toda a raiva que sentia por dentro pelo que tinha acontecido com a minha menininha, eu descontei em Thursa, ali naquela hora. Tomei fôlego e gritei, mas não por tristeza, como da primeira vez. Aquilo era raiva. Eu berrei como se quisesse engoli-la, tudo berrado em uma longa descarga de rosnados.

"Minha tia só ficou lá parada. Não mexeu um fio de cabelo. Esperou até que eu terminasse e então mudou a posição dos dedos nas teclas, que apertou para tirar um acorde mais grave. Foi como uma reprodução do meu grito: ela chegou à mesma nota, em um tom mais grave da

ALAN MOORE

escala, como se achasse que estava me acompanhando. De novo, era um ronco como uma tempestade, mas aquele soou mais perto, pior. Eu então desisti. Simplesmente desisti e chorei, e pode me bater se aquela égua tonta não estava tentando tocar junto também, com umas notas agudas que eram fungadas e sons como aquele barulho que a gente faz com a garganta. Não tenho certeza do que aconteceu depois disso. Acho que o velho Snowy levantou da soleira e foi aquietar a irmã. Eu só sei que quando me virei e olhei de volta para o outro lado da Fort Street, May tinha sumido.

"Aquilo foi o pior, o acordeom de Thursa. Isso me fez sentir que nada daquilo tinha sentido, como se todo o mundo fosse maluco como a minha tia. Era tudo inútil. Nada era justo, e não tinha mais estrutura ou razão de ser do que as músicas dela. Eu ainda não sei. Não sei por que May morreu."

Ela ficou em silêncio. A sra. Gibbs soltou a mão de May e levantou a dela para pousá-la nos ombros da moça, com uma pegada suave e firme.

— Nem eu sei, querida. Nem ninguém sabe qual é o propósito de qualquer coisa, ou por que as coisas acontecem do jeito que acontecem. Não parece justo quando você vê uns desgraçados vivendo até a velhice, e ali está sua linda filha levada cedo demais. Tudo o que eu posso lhe dizer é que eu acredito. Existe justiça acima da rua, minha querida.

Onde May havia escutado aquelas mesmas palavras antes? Ou tinha ouvido? Seria uma falsa lembrança? Se a frase já tinha sido dita ou não, pareceu familiar. May sabia o que queria dizer, ou pelo menos em parte. Tinha algo do "andar de cima", algo de um lugar que ficava mais alto e ao mesmo tempo embaixo também, sem toda a etiqueta e os refinamentos religiosos, que só desencorajavam as pessoas. Era uma daquelas verdades, May pensou brevemente, que a maior parte das pessoas sabia, mas não sabia que sabia. Pairava no fundo de suas mentes, e era possível senti-la palpitar uma ou outra vez, mas na maior parte do tempo esqueciam que estava ali, como a própria May fazia agora mesmo. Apenas uma impressão de ideia fresca permanecia, como a marca da bunda deixada em uma poltrona, um sentimento de grande autoridade que de algum modo era resumido pela sra. Gibbs. Aquela ideia voltou à mente de May, a de que as defunteiras eram como uma raça à parte, que se elevava da sociedade, onde podiam ficar acima da correnteza de vida e morte que era sua ferramenta de trabalho, impassíveis diante das correntes fortes do mundo que, nesses últimos dias, quase levaram May. Tinham encontrado o ponto imóvel em uma vida que parecia, de forma alarmante, não ter propósito. Tinham encontrado uma rocha em torno da qual o caos corria. Depois de mal conseguir se manter à tona em um mar de lágrimas, May vislumbrava a terra firme na sra. Gibbs. Ela sabia o que deveria saber para se salvar, e desembuchou antes que mudasse de ideia.

— Quero saber o que a senhora sabe, sra. Gibbs. Quero ser uma defunteira como a senhora. Quero estar entre o nascimento e a morte, para não ter mais medo deles. Preciso ter um propósito, agora que May se foi, tendo outro bebê ou não. Se as crianças são todo o seu propósito, então você fica sem nada quando elas são levadas pela morte, pela polícia ou apenas crescem. Quero aprender a fazer uma tarefa útil, assim poderei ser alguém por mim mesma, e não apenas a esposa ou mãe de alguém. Quero estar de fora de tudo isso, ser alguém que não sofre por essas coisas. Isso pode ser ensinado? Eu poderia ser uma de vocês?

A sra. Gibbs soltou os ombros de May para que pudesse se sentar novamente no banquinho e observá-la. Ela não parecia surpresa com o pedido de May, mas por outro lado nunca parecia surpresa com nada, a não ser talvez quando a pequena May nasceu. Ela respirou fundo e expirou pelo nariz, um som pensativo, mas tenso.

— Bem, eu não sei, minha querida. Você é muito jovem. Ombros jovens, apesar de poder ter uma cabeça velha. Ou vai ter depois disso, de qualquer forma. Mas o que você precisa entender é que está enganada. Não existe nenhum lugar longe da vida para ir e não ser tocada por ela. Não existe lugar em que você não possa sofrer, minha querida. Sinto muito, mas é assim como as coisas são. Tudo o que você pode fazer é encontrar um lugar de onde possa observar todo o turbilhão da vida, os bebês nascidos e os velhos mortos. Assumir uma posição perto da morte e do nascimento, mas longe o bastante para ter uma visão ampla, para compreender melhor as duas coisas. Compreendendo, você pode perder o medo, e sem o medo, a dor não é nem de longe tão ruim. É o que todas as defunteiras fazem. É isso o que somos.

Ela fez uma pausa, para certificar-se de que May a entendia.

— Agora, com tudo isso em mente, minha querida, se achar que tem vocação para o meu ofício, não existe mal nenhum em eu mostrar um pouco a você. Se está falando sério, então talvez queira ser a pessoa a escovar os cabelos de sua filha.

May não esperava por isso. Até então, tudo foram conjecturas. Não havia pensado que seria chamada tão cedo a testar sua nova ambição, não daquela maneira. Não com a própria filha. Passar o pente naqueles cachos quase sem cor, embaraçados. Pentear o cabelo da filha pela última vez. Sentiu sua garganta se fechar só de pensar nisso, e olhou para o caixão no canto do cômodo.

Uma nuvem havia saído da frente do sol lá fora, e uma luz forte caía em uma inclinação íngreme dentro da sala, filtrada por telas acinzentadas, difusa em uma névoa leitosa sobre o caixão e a criança dentro dele. Dali, podia ver os cachos da bebê, mas conseguiria suportar? Conseguiria penteá-los, sabendo que nunca mais faria isso? Por outro lado, era igualmente assustador o pensamento de entregar esse trabalho sagrado a outra pessoa. A filha de May estava indo embora, e precisaria estar bonita, e se pudesse ter escolha iria querer que a mãe a preparasse para isso, May tinha certeza. Do que tinha medo? Era apenas cabelo. Ela olhou do caixão para a sra. Gibbs e assentiu até conseguir falar.

— Sim. Sim, eu acho que consigo fazer isso, se a senhora esperar um pouco enquanto acho o pente dela.

May ficou de pé, e a defunteira também, esperando pacientemente enquanto a jovem fuçava nas quinquilharias empilhadas na cornija da lareira até encontrar o pente de bebê de madeira com flores pintadas que procurava. Ela o pegou, tomou fôlego com determinação e começou a andar na direção da ponta da sala, onde o caixãozinho a esperava. A sra. Gibbs colocou uma das mãos no braço de May, para detê-la.

— Agora, querida, vejo que está muito ansiosa, mas que tal primeiro aspirar um pouco de rapé comigo?

De um bolso do avental, ela tirou a latinha com a rainha Vitória na tampa. May ficou boquiaberta com aquilo e empalideceu, sacudindo a cabeça.

— Ah, não. Não, obrigada, Sra. Gibbs. Não posso. A não ser pela senhora, sempre achei que era um costume sujo, não é para mim.

A defunteira sorriu afetuosamente, com ar de sabedoria, continuando a segurar a lata de rapé na direção de May, com a tampa de esmalte para trás.

— Acredite, minha querida, não dá para trabalhar com os mortos, não sem uma pitada de rapé antes.

May pensou a respeito, então estendeu a mão, para que a sra. Gibbs pudesse colocar uma medida do pó castanho-avermelhado em seu dorso.

A defunteira aconselhou May a tentar aspirar metade em cada narina, se pudesse. Cautelosamente abaixando o rosto, May cheirou relâmpago puro até a metade da garganta. Era a experiência mais espantosa que já havia vivenciado. Achou que pudesse morrer. A sra. Gibbs a confortou nesse momento.

— Não se aflija. Você tem meu lenço em sua manga. Pode usar, se precisar. Eu não me importo.

May puxou o quadrado amassado de linho da protuberância que fez na manga do suéter e o colocou no nariz em estado de detonação. A abelha bordada no canto foi sufocada com geleia real como resultado. Houve alguns tremores menores depois disso, mas por fim May conseguiu se controlar. Ela se limpou com uma esfregada delicada, então enfiou o pano arruinado de volta na manga. A sra. Gibbs estava certa a respeito do rapé. May agora não conseguia sentir o cheiro de nada, e duvidava que fosse sentir de novo. Naquele momento, tomou a resolução firme de que, se entrasse nesse jogo de defunteira, encontraria outra maneira de mascarar o cheiro. Talvez uma bala de eucalipto funcionasse.

Sem pressa, e andando juntas, as mulheres foram para o outro lado da sala e ficaram por um momento ao lado do caixão, apenas olhando para a criança luminosa, imóvel. O relógio tiquetaqueava, então ambas se puseram ao trabalho.

Primeiro a sra. Gibbs tirou as roupas da bebê. May ficou surpresa com o quanto a criança estava flexível, e comentou que achava que ela estaria rígida.

— Não, querida. Eles têm o rigor por um tempo, mas depois vai tudo embora. É assim que você sabe que vão ficar melhor no chão.

A seguir vestiram a pequena May com as melhores coisas que tinha, que já estavam estendidas em uma cadeira, e a defunteira usou um pó branco e um pouco de ruge nas mãos e no rosto da criança.

— Não muito. É para parecer que nem está aí.

Por fim, May pôde pentear o cabelo. Ela se surpreendeu com o quanto demorou, embora pudesse ser porque não quisesse terminar. Penteou suavemente, como sempre fazia, para não repuxar o couro cabeludo da filha. Quando acabou, parecia linho fiado.

O funeral no dia seguinte correu bem. Por certo, havia uma grande multidão. Então todos voltaram às suas vidas e May descobriu que estava certa a respeito da segunda criança que achou que estava a caminho. Tiveram outra menina em 1909, a pequena Louisa, batizada em homenagem à mãe de May. May estava determinada, ainda, a ter duas meninas, mas descansou depois de ter a bebê Lou por apenas um ano ou dois, para recuperar o fôlego. A criança seguinte foi adiada mais do que o pretendido quando um duque austríaco foi morto a tiros, então todo mundo precisou ir para a guerra. May e uma Lou de cinco anos se despediram de Tom na estação Castle, rezando para que ele voltasse. Ele voltou. Aquela Primeira Guerra Mundial, May a passou com leveza, e depois o sexo era melhor, também. Teve quatro bebês, direto, na sequência.

Embora May quisesse mais uma menina e então parar, o segundo filho, em 1917, era um menino. Eles o chamaram de Tom, como o pai, do mesmo jeito que a pequena May, a menina primogênita, havia sido batizada em homenagem à mãe. Em 1919, tentando uma menina para fazer companhia a Lou, ela teve outro menino. Esse foi Walter, e o seguinte foi Jack, então depois Frank, e por fim ela desistiu. Àquela altura, ela e Tom e os cinco filhos tinham se mudado para a Green Street, perto do fim da rua, e por todo esse tempo May foi uma defunteira, uma rainha da placenta e da morte que levava os dois extremos da vida em seu passo. A essa altura, tinha membros grossos, era austera e robusta, e toda sua beleza juvenil havia se perdido. O pai dela morreu em 1926, e a mãe dez anos depois, em 1936, após vários anos sem sair de casa. A mãe de May tinha problemas de locomoção naquele tempo, mas isso não era realmente o motivo pelo qual ficava dentro de casa. A verdade era que tinha virado uma curvante. Jim, o irmão de May, uma vez arrumou uma cadeira de rodas para ela, mas não tinham chegado ao fim da Bristol Street quando ela começou a gritar e implorar para voltar para casa. Eram os carros, que ela via pela primeira vez.

O marido de May, Tom, morreu dois anos depois disso, e aquilo roubou todo o vento das velas de May. A filha deles, Lou, estava crescida e casada agora, e May tinha netos, duas menininhas. Não era mais uma defunteira. Tudo o que ela pedia era uma vida pacífica, depois dos desgostos e sustos que teve. Não parecia muito, mas isso foi antes que começassem a falar de outra guerra.

ESCUTAI!
O SOM ALEGRE!

Uma música de piano aracnoide abria caminho na névoa fria da biblioteca de Abington Street até o abrigo de indigentes na Wellingborough Road. Sentindo os pés como pedras de gelo dentro das botas de trabalho, Tommy Warren deu uma última tragada em seu Kensitas e então jogou a bituca brilhante com um piparote, uma bolinha de fogo rolando na escuridão marmórea, amassada em faíscas nas pedras congeladas da calçada.

As notas distantes e tilintantes escapavam do Carnegie Hall, acima da biblioteca, e atravessavam aquela noite de novembro como uma fileira de pingentes de cristal. A fonte era Mad Marie, pianista maratonista, contratada pelo salão naquela noite para um de seus recitais que podiam durar por horas. Dias. Tom ficou surpreso por conseguir ouvi-la até do lado de fora do Hospital St. Edmund, o antigo asilo de pobres, onde esperava que a mulher, Doreen, em algum lugar dentro da instituição, desse à luz o primeiro filho deles. Embora fraca e indistinta, a música que pairava no ar era audível, apesar da distância e da névoa que a abafava.

Não havia muito o que chamar de tráfego na Wellingborough Road naquela hora da noite... era por volta de uma da manhã, achava... então estava tudo muito silencioso, mas Tommy ainda não conseguia identificar a canção que Mad Marie demolia no momento. Poderia ser "Roll Out The Barrel" ou possivelmente "Men Of The North, Rejoice". Considerando o quanto era tarde, Tommy imaginou que a privação de sono estava fazendo com que Mad Marie passasse de uma música para outra sem nenhuma ideia real do que tocava, ou em que cidade estava.

Tudo aquilo o lembrava de algo, ali parado na escuridão rodopiante ouvindo uma música velha que vinha de longe, mas no momento estava

preocupado demais para pensar no que poderia ser. Só o que havia em
sua mente era Doreen, no hospital atrás dele, na metade de um trabalho de parto que parecia determinado a seguir por mais alguns séculos, assim como Mad Marie e qual fosse o barulho que martelava nas
teclas. Tom duvidava que fosse música aquilo que inchava a barriga da
mulher nos últimos meses, embora, a julgar pelo guinchar de gaita de
foles que Doreen fazia quando ele a ouviu uns dez minutos antes, bem
que poderia ser. A barulheira que Doreen tinha feito era provavelmente
mais melodiosa que o zunido cheio de guinadas que Mad Marie no
momento executava, mas aquilo fazia com que Tommy se perguntasse
que tipo de melodia havia sido composta dentro da mulher durante
a gravidez, uma balada melosa ou uma marcha agitada: "We'll Gather
Lilacs" ou "The British Grenadiers"? Um menino ou uma menina? Ele
não se importava, desde que não fosse uma das improvisações bizarras
de Mad Marie, que ninguém tinha a menor ideia do que poderiam ser.
Desde que não fossem os homens do Norte rolando barris, ou os grana-
deiros britânicos colhendo lilases[56]. Desde que não fosse um enigma. Já
havia muitos deles entre os Warren e os Vernall acumulados ao longo
dos anos, muito mais do que poderia se considerar razoável. Será que,
pelo menos dessa vez, ele e Doreen teriam uma criança normal que não
fosse louca ou talentosa ou as duas coisas? Se existe um certo número
de crianças problemáticas a serem repartidas pelo destino, alguma outra
família em algum lugar não poderia ficar com a sua vez de aguentar o
fardo? As pessoas com parentes normais não estavam contribuindo com
seu quinhão, até onde Tommy sabia.

Um grande carro cinza solitário enviando raios de poça de mijo pelos
faróis diante de si emergiu da grande nuvem cinzenta sob a qual toda
Northampton parecia ter submergido, logo depois sumiu de novo. Tom
achou que poderia ser um Humber Hawk, mas não tinha certeza. Na
verdade, não sabia muita coisa sobre automotores, a não ser que, para
o seu gosto, havia um número grande demais dessas coisas por aí esses
dias, e a coisa só piorava. A carroça a cavalo estava se despedindo, e não
iria voltar. No lugar em que Tommy trabalhava, na cervejaria Phipps, em
Earl's Barton, ainda mantinham as velhas carroças, com todas aquelas
belas éguas Shire fumegando, fungando — mais como locomotivas suadas do que como cavalos. Mas, quando se falava nas grandes companhias
como a Watney's, eles tinham caminhões agora, e entregavam por todo

o país, enquanto a atuação da Phipps ainda era só local. Tom podia vê-los fora do mercado em dez anos se continuassem com isso, se não tivessem cuidado. Poderia não haver muito trabalho ou carne de cavalo em Earl's Barton. Era preciso admitir que aquela não era o que se poderia chamar de época mais tranquila e segura para ele e Doreen trazerem uma criança ao mundo.

Ele girou a cabeça brylcreemada para olhar o pátio do hospital onde estava e pensou que, para ser justo, também estava longe de ser os piores tempos. A guerra tinha terminado, ainda que houvesse racionamento e, nos oito anos desde o Dia da Vitória na Europa, surgiram sinais auspiciosos de que a Inglaterra estava ressurgindo. Haviam tirado Winnie Churchill no voto, quase assim que as bombas pararam de cair, para que Clem Atlee pudesse começar a endireitar tudo. É verdade que no momento tinham Churchill de volta, dizendo que queria desnacionalizar as siderúrgicas e as ferrovias e tudo mais, só que naqueles anos depois da guerra houve muitos trabalhos bem-feitos, para variar, então as coisas jamais poderiam voltar ao que tinham sido. Agora existia a Saúde Pública, a Previdência Social, tudo isso, e as crianças podiam ir à escola de graça até que fizessem, o que, dezessete ou dezoito anos? Ou mais tempo, se passassem nos exames.

Não era assim quando Tommy ganhou sua bolsa de matemática e poderia, em tese, ter ido para o liceu, só que a mãe e o pai, o velho Tom e May, jamais poderiam pagar por isso. Não com os livros, o uniforme, o material, e mais especificamente o grande desfalque na renda da família que deixar Tom na escola teria gerado. Ele precisou parar de estudar aos treze anos, achar um emprego, começar a trazer o pagamento para casa na noite de sexta. Não que por um minuto sentisse ressentimento ou mesmo imaginasse inutilmente como a vida teria sido se tivesse seguido com a bolsa. A responsabilidade principal de Tommy era com a família, então ele fez o que era preciso e seguiu em frente. Não, não se remoía por causa das chances perdidas. Estava apenas feliz porque as coisas seriam melhores para seu menininho. Ou menininha. Nunca se sabe, mas, sendo bem sincero, Tom esperava por um menino.

Andou um pouco, para lá e para cá na frente do hospital, e bateu os pés para certificar-se de que o sangue estava circulando. Cada respiração se tornava um sinal indígena de fumaça ao se encontrar com o ar gelado e, bem ali do outro lado da rua, a massa escura da igreja de St. Edmund erguia-se da neblina como cenário de uma história de fantasmas. As lápides que se apinhavam em seu jardim murado subiam além da névoa, cabeceiras de pedra em um dormitório ao ar livre, com edredons úmidos e prateados de vapor estendidos entre elas. Os teixos altos da meia-noite formavam um varal de roupas onde os lençóis cinzentos e torcidos de bruma fria tinham sido estendidos para secar. Não havia lua, não havia estrelas. Da direção do centro da cidade vinha um refrão vacilante que soava como "Varsity Rag" acenando para "Old Bull and Bush"[57].

O motivo pelo qual gostaria de um menino era que seus irmãos e a irmã já tinham meninos que levariam adiante o nome. A irmã mais velha, Lou, seis anos a mais e quase trinta centímetros a menos que ele, tinha também duas meninas, mas ela e o seu camarada, Albert, produziram também um menino mais jovem, que devia estar pelos seus doze anos agora. Walt, irmão caçula de Tom e o orgulho do mercado negro, havia se casado pouco depois do fim da guerra e já tinha dois moleques. Até o jovem Frank chegou antes de Tommy ao altar, e teve um filho no ano anterior. Se Tommy, que afinal era o irmão mais velho, não tivesse um descendente de algum tipo até os quarenta anos, então teria de escutar muito de May, sua mãe. May Minnie Warren, velha rígida, intrometida, que tinha uma voz como o punho de um estivador, com a qual sem dúvidas enxovalharia Tom até a morte se ele e Doreen não se apressassem para estender a linhagem dos Warren. Tommy tinha medo da mãe, assim como todo mundo.

Ele se recordava, na noite do casamento de Walt, em 1947 ou por aí, do jeito que a mãe o encurralou junto a Frank em um corredor durante a festa, que ocorreu no salão de dança na Gold Street. Ficou ali perto da porta basculante, com as pessoas entrando e saindo, precisando gritar por cima da música que continuava a soar alto — era a banda agenciada pelo irmão mais novo de May, o tio Johnny —, e a mãe deu um verdadeiro sermão nele e em Frank. Estava com metade de uma torta de carne de porco em uma das mãos, tirada da mesa do bufê, e a outra metade na boca, meio mastigada, enquanto falava, com lascas de massa gordurosa, pedaços rosados de porco moído e uma gelatina amarelada amassados pelos últimos dentes que restavam ou em uma espuma de carne, espirrada sobre Tom e o irmão caçula enquanto tremiam diante daquela mulher que era como um pudim de Natal de estricnina.

— Muito bem, ali estão Walter e a nossa Lou casados e fora do meu teto, então é melhor os dois darem um jeito nas ideias e acharem uma moça que vai querer vocês, e logo. Não quero todo mundo achando que criei um par de idiotas que precisam da mãe para tomar conta. Você tem trinta, Tommy, e você, Frank, quase vinte e cinco. As pessoas vão começar a perguntar o que tem de errado com vocês.

Aquilo ia fazer seis anos agora. Tommy tinha trinta e seis no momento, e até ter encontrado Doreen, dois ou três anos antes, vinha se perguntando ele mesmo o que havia de errado. Não que nunca tivesse namorado, até teve uma ou duas garotas, mas não deu em nada. Uma parte era por Tom ser tímido. Não era danado ou aventuroso como a irmã, Lou. Não era capaz de encantar pássaros para que descessem das árvores e vender apartamentos de nuvens a eles, como fazia Walter, nem tinha a insolência fácil e quase indecente que Frank mostrava às garotas. Tom era, em sua própria estimativa, o mais instruído dos irmãos. Não era sábio como Lou, engenhoso como Walt ou mesmo astuto como Frank, mas sabia muito. A única coisa que não sabia era como aplicar aquele conhecimento em seu benefício e, quando se tratava de mulher, não era capaz de dar uma dentro nem que fosse para salvar a própria vida.

Outro carro deslizou do banco de névoa, possivelmente um Morris Minor de dianteira chata, mas esse ia para o oeste e seguia na direção oposta à do veículo anterior. Os faróis aguados salpicavam as pedras grosseiras e escuras do muro da St. Edmund quando o automóvel passou engasgando ao lado dele, e então havia apenas os olhos de rato brilhantes de seus refletores traseiros, enquanto parecia se afastar de Tom para a esquina invisível representada pelo centro de Northampton. Mad Marie começou uma interpretação ousada de "O Little Town of Burlington", ou talvez "Bethlehem Bertie"[58], como se celebrando o recém-chegado.

Tommy ainda pensava em sua sorte anterior com as mulheres, ou falta dela. Quando era um rapaz na década de trinta, não muito antes que o pai morresse, tinha se deixado encantar brevemente pela filha de Ron Bayliss, que na época era capitão de Tom na Brigada de Meninos[59]. Era a 18ª Companhia, que se reunia para praticar uma vez por semana no grande salão do andar de cima na velha igreja da College Street. Como Tom sempre havia sido não apenas o membro mais tímido da família, mas também o mais religioso, a frequência regular à igreja e às fanfarras uma vez por mês o satisfaziam e, quando colocou os olhos em Liz Bayliss pela primeira vez, isso só serviu como mais um incentivo. Ela era muito bonita e estava um pouco acima de Tom em termos sociais, mas ele sabia que era um rapaz de boa aparência, e de onde vinha, na Green Street, também consideravam que ele se vestia bem. Então, tendo criado coragem, depois da igreja, em uma manhã de domingo, ele a convidou para ir ao teatro com ele.

Só Deus sabe por que sugeriu "teatro". Tom jamais havia ido ao teatro na vida, tinha simplesmente pensado que soava culto e impressionante. De qualquer forma, não esperava que ela fosse dizer que ficaria feliz, e gaguejaria: "Ah, ótimo. Então vejo você lá na quinta-feira", sem ideia do que estaria em cartaz naquela noite. Bem, a atração era o comediante Maxie Miller, que naquela noite em particular não escolheu suas piadas pelas regras do bom gosto.

Puta merda. Foi ao mesmo tempo a meia hora mais engraçada e a mais vergonhosa da vida de Tommy. Ao ver o nome de Miller nos cartazes, Tommy ficou horrorizado, ciente de que era o último lugar ao qual deveria levar uma batista fervorosa como Liz Bayliss, mas já tinha comprado as entradas e não havia mais como voltar atrás. Além disso, tinha ouvido dizer que Max Miller fazia uma noite de piadas mais amenas de vez em quando, então achou que haveria uma chance de se safar. Ou pelo menos até Max entrar no palco com seu terno branco, com grandes rosas vermelhas de brocado, o rosto querúbico travesso sorrindo para o público sob a aba do chapéu-coco branco.

— Conhecem a praia, senhoras? Sim, aposto que conhecem. Eu adoro. Estava em Kent outro dia, senhoras e senhores, uma delícia lá. Fui dar um passeio. Fui dar um passeio pelos penhascos, era um dia tão lindo. Andando numa pequena trilha, eu estava, com uma queda íngreme de um lado, e aah, era uma bela altura, senhoras e senhores, as ondas batendo nas rochas centenas de metros abaixo. Essa trilha, bem, não era muito larga, só cabia uma pessoa, não tinha espaço para duas passarem, então imaginem, senhoras e senhores, apenas imaginem minha preocupação quando vejo descendo pelo caminho do outro lado uma jovem senhora em vestes de verão, e que coisa linda ela era, senhoras e senhores, não me importo de dizer. Bem, podem ver o meu dilema. Parei de repente, olhei para ela, olhei para as rochas lá embaixo, e não sabia o que devia fazer. Não sabia se bloqueava a passagem ou mandava um cinco contra um e acabava logo com aquilo.

No assento ao lado de Tom, Liz Bayliss estava branca como o chapéu de Miller. Enquanto o teatro irrompia em gargalhadas, Tom se esforçou para compor o rosto em uma aparência tão mortificada quanto a de sua acompanhante, enquanto se impedia de soar feito uma caldeira com o riso sufocado. Depois de mais vinte minutos, quando já escorriam lágrimas pelo rosto de Tom até os cantos de sua careta desesperada de riso, Liz pediu a ele com uma voz marmórea de túmulo se ele poderia acompanhá-la até o lado de fora e levá-la para casa. Foi mais ou menos a última vez que a viu, e depois disso passou a se sentir desconfortável para seguir com a Brigada dos Meninos e com suas idas à igreja.

A Wellingborough Road estendia-se para os dois lados, com as lâmpadas elétricas fracas suspensas a grandes intervalos na escuridão que se agitava, como lanternas pendendo de mastros nos barcos de pesca no cais. Não eram muito úteis para iluminar um trecho de rua como aquele, não em uma noite de neblina, mas eram melhores que as lâmpadas de gás ainda em uso em algumas partes dos Boroughs, como na Green Street, onde a mãe morava sozinha e sem eletricidade. Tommy a imaginou, um rochedo carrancudo em sua poltrona rangente ao lado do fogo, descascando ervilhas, com o gato, Jim, ao lado dos pés ainda pequenos, mas com carbúnculo, o lampião a gás silvando, conferindo a todas as sombras do cômodo verde-escuro uma cor de urtiga morta. Na próxima vez que visse a mãe, Tom esperava ser capaz de segurar o neto como um escudo diante de si para evitar um ataque. Ou uma neta, claro, embora um filho fosse provavelmente maior e assim retardaria sua mãe por mais tempo.

Do outro lado da rua principal vazia, o sino da St. Edmund bateu uma vez, embora não tivesse certeza se era para uma hora ou pela meia hora. Espremeu os olhos na direção da torre da igreja através dos vagalhões intermediários e refletiu que não lamentava por não ter ido muito à igreja depois do incidente com Liz Bayliss. Tom ainda acreditava em Deus e na vida eterna e tudo mais, só que na guerra chegou à conclusão de que não eram o mesmo Deus e a mesma vida eterna de que se falava na igreja. Aquilo soava muito esnobe e fantasioso, o modo como todos se vestiam, se comportavam e falavam. O que primeiro atraiu Tom, quando criança, para a Bíblia, era que Jesus era um carpinteiro, que teria tido grandes mãos calosas e cheirando a serragem e diria "saco" como qualquer um se martelasse o dedo. Se Jesus era filho de Deus, isso fazia pensar que o pai dele tinha agido de modo parecido quando estava fazendo os planetas e estrelas. Um cara trabalhador; o mais de todos, que favorecia homens trabalhadores e pobres em todas as histórias mais amadas da Bíblia. O mesmo Deus simples, mas efetivo, sobre quem Philip Doddridge costumava pregar em Castle Hill tantos anos antes. Tommy não escutava aquela rouquidão alegre nos tons devotos dos vigários, não sentia aquele afeto áspero saindo dos bancos polidos. Naqueles dias, embora sua fé não tivesse recuado um centímetro, Tom preferia louvar em particular, em um altar rústico, sozinho com seus pensamentos. Não ia à igreja, a não ser para funerais, casamentos e, se tudo desse certo naquela noite, batizados. Não deixava os lábios se moverem ao rezar.

Aquilo era coisa da guerra, claro, em boa parte. Quatro irmãos saindo, três voltando para casa. Ainda ficava abalado quando pensava em Jack, e na época não sabia como a família Warren se recuperaria daquilo, embora fosse possível, claro. Era preciso. Era como a própria guerra. Era inconcebível para todos enquanto ainda passavam por aquelas coisas que haveria outro modo de viver, que se recuperariam daquilo, de todas as bombas, de todos os parentes mortos. Ninguém conseguia imaginar muito além do que já sofriam, só o pior. O futuro, naquela época, era algo no qual Tommy não conseguia pensar, um lugar que sinceramente jamais pensou que fosse ver.

E no entanto, oito anos depois ali estava ele, um homem casado esperando o nascimento do primeiro filho. Quanto ao futuro, Tommy não pensava em nada além disso. As coisas não eram como antes da guerra. Nada mais significava exatamente a mesma coisa, e a Inglaterra era um país diferente agora. Eles tinham uma rainha bonita e jovem, que os jornais comparavam com a Boa Rainha Bess de antigamente, e até trabalhadores comuns tinham televisões, então puderam assistir à coroação. Era tudo como algo tirado de um seriado radiofônico como *Journey into Space*, a rapidez com que a invasão daquele mundo moderno havia acontecido, como se o fim da guerra tivesse removido um grande obstáculo e finalmente permitido que o século XX se estabelecesse. O primogênito de Tom e Doreen — e já tinham conversado sobre mais um — seria um desses Novos Elisabetanos de quem todo mundo falava. Poderiam crescer para levar uma vida que Tom jamais poderia sonhar, com todas as coisas que os cientistas teriam descoberto e esclarecido até então. Poderiam ter todas as chances que Tom não teve, ou foi obrigado a dispensar pelas circunstâncias.

Em meio ao cinza talhado, Mad Marie ainda lhe fazia uma serenata com "My Old Man Said Onward Christian Soldiers", com o piano soando pequeno e distante, uma caixa de música quebrada acionada por acidente em outro cômodo. Tom pensou em sua bolsa de estudos de matemática novamente, a que dispensou para começar no emprego na cervejaria. Embora fosse verdade que não se ressentia de ter trocado a educação pela possibilidade de ajudar a família, ainda sentia falta da diversão com as somas e os números, quando era tudo ainda novidade para ele.

Havia sido de seu avô, Snowy, que herdou a habilidade com os números. Apesar de o velho ter morrido em 1926, quando Tom tinha nove anos (enlouquecido e comendo flores de um vaso, de acordo com a mãe), eles se davam bem e, naqueles últimos dois anos de vida do avô, Tom havia passado a maior parte das tardes de sábado na casa dos avós na fenda estreita e soturna que era a Fort Street. Enquanto a avó de Tom, Lou, ficava enfiada na cozinha escura, Snowy e o jovem Tom recitavam todas as tabuadas, sentados na sala. Geometria, essa era outra coisa que Tommy aprendeu com o avô: círculos grosseiros desenhados em torno da base de garrafas de leite com um toquinho de lápis, folhas de papel de embrulho cobrindo a mesa de chá até que não se visse mais a toalha cor de vinho. Snowy disse ao neto que a maior parte de seu conhecimento vinha de seu próprio pai, o bisavô de Tom, Ernest Vernall, que uma época trabalhou retocando afrescos da catedral de St. Paul, nos tempos vitorianos. Snowy contou que ele e a irmã, a tia-avó de Tommy, Thursa, haviam recebido lições do pai enquanto ele estava em uma casa de repouso. Só anos mais tarde, depois de importunar a mãe, Tommy descobriu que a casa de repouso era o Bedlam, o hospício original construído em Lambeth.

Ele se recordou da tarde, agora fuçando nos bolsos do sobretudo atrás do maço de Kensitas, quando trabalhavam as tabuadas do oito e do nove. O avô tinha mostrado que todos os múltiplos de nove, se você somasse os dígitos, sempre davam nove: um mais oito, dois mais sete, três mais seis e assim por diante, até o mais alto que pudesse ir. A memória tinha aroma de bolo de frutas, o que Tom imaginou que a avó fazia na cozinha naquela ocasião em particular. Aquilo provocou um estalo dentro dele, essa coisa sobre o número nove, e só como brincadeira somou os números da tabuada do oito, também. O primeiro era oito, obviamente, enquanto o seguinte, dezesseis, era um mais seis, e então dava sete. O próximo, vinte e quatro, era dois mais quatro e somava seis, enquanto trinta e dois se reduzia do mesmo modo a cinco. Tommy percebeu, com uma sensação crescente de curiosidade, que sua coluna de adições descia de oito a um (oito vezes oito eram sessenta e quatro, no que o seis e o quatro assim somavam dez, o um e o zero somavam só um), e então passou a contar tudo de novo, começando com o número nove dessa vez (nove vezes oito, setenta e dois, o sete e o dois que davam nove). Aquela sequência de números, nove até um, então se repetia, presumivelmente até o infinito. Foi quando o avô notou que aquela era a mesma sequência da tabuada do um, só que em reverso, e aquilo fez os dois começarem a pensar.

Tirando um cigarro curto sem filtro do maço, com a imagem do mordomo elegante e bajulador em vermelho, preto e branco, Tom o acendeu com um Captain Webb e jogou o fósforo queimado na direção vaga de uma sarjeta que não via, perdida em algum lugar no vapor frio em torno de seus pés. O maço de cigarros com o mordomo e a caixa de fósforos com o corajoso nadador bigodudo voltaram para o bolso do casaco de chuva. Ele também tinha uma barra de Fry's Five Boys ali, com um quinteto de rapazes em vários extremos emocionais na embalagem. Toda essa propaganda e essas embalagens que havia hoje, isso significava que ele carregava sete pessoinhas no bolso, apenas para que pudesse fumar e provavelmente comer um quadradinho de chocolate, caso sentisse fome mais tarde.

Naquela tarde memorável trinta anos antes, Tom e o avô rapidamente calcularam os dígitos nas respostas para o resto das tabuadas. Ele se recordou da empolgação que sentiu, o entusiasmo puro e eufórico da descoberta agora voltava em um ímpeto de bolo de frutas, pimenta-da-jamaica, casca de laranja cristalizada e o linimento de Snowy Vernall. Na tabuada do dois, se você somasse todos os números dos produtos, ficou claro, o resultado era um padrão de números que primeiro corria por todos os pares, dois, quatro, seis, oito, então todos os ímpares, um (um mais zero), três (um mais dois), cinco e assim até nove (dezoito, ou um mais oito). Lembrando que as tabuadas do um e do oito produziram progressões numerais que eram versões ao contrário e espelhadas uma da outra, Snowy e o jovem Tom pegaram a tabuada do sete, na qual descobriram que primeiro as somas iam para baixo pelos números ímpares, sete, cinco (um mais quatro), três (dois mais um), um (dois mais oito, que dava dez, cujos dígitos eram somados em um), e então desciam pelos números pares. Oito (três mais cinco), seis (quatro mais dois) e assim por diante até que a contagem regressiva de números ímpares começasse de novo. O número sete parecia funcionar exatamente como o número dois, mas ambos com a sequência indo de trás para a frente.

O número três, que apenas seguia três, seis, nove, três, seis, nove, infinitamente se você somasse seus múltiplos, parecia combinar com o número seis, que seguia seis, três, nove, seis, três, nove, fazendo a mesma coisa. O número quatro produzia um padrão que parecia complicado à primeira vista, pois a contagem era regressiva em dois números em paralelo, e alternava entre os dois. Assim, o que se tinha era quatro, então oito, então três (ou um mais dois), então sete (um mais seis), então dois (dois mais zero), seis (dois mais quatro), um (dois mais oito, somando dez ou um mais zero), cinco (trinta e dois, ou três mais dois) etc., etc. A tabuada do cinco, previsivelmente àquela altura, fazia a mesma coisa ao contrário. Alternava do mesmo modo entre duas progressões, dessa vez indo para cima em vez de para baixo, de modo que a sequência nesse caso era cinco, um, seis, dois, sete (dois mais cinco), três (três mais zero), oito (três mais cinco) e assim por diante. Tommy e o avô apenas se entreolharam e caíram na gargalhada, e a avó Louisa veio da cozinha para ver o que estava acontecendo.

O que acontecia era que parecia haver um padrão escondido nas somas que poderiam ser geradas pelas respostas das tabuadas do um ao oito. Eram todas simétricas, a do um espelhava a do oito, a do dois espelhava a do sete, a do três funcionava exatamente como a do seis, a do quatro era como a do cinco. Apenas o algarismo que havia gerado as investigações, o nove, permanecia sozinho entre os números de um dígito que não tinha um gêmeo, um número que, não importava o quanto fosse multiplicado, dava sempre o mesmo resultado invariável.

Tom, com oito anos, tentava explicar aquilo tudo para a avó, que não entendia, quando, do nada, o avô ganiu de alegria, pegou o toco de lápis e, em linhas fracas no papel barato, fino e brilhante que tomava a mesa, fez dois círculos, um dentro do outro. Com um indicador amarelado de Capstan, Snowy apontou para o desenho como se mostrasse algo, olhando para Tommy por debaixo da sebe de inverno que eram suas sobrancelhas, para verificar se o neto tinha entendido ou não. Os olhos do velho brilhavam de um modo que relembraram Tommy, ali entre o bafo do forno e as camaradagens do jogo de matemática no qual estavam trabalhando juntos, que o avô era considerado louco por muitos, inclusive pela mãe de Tom. E todos os demais, pensando bem. Seu avô apenas sorriu e novamente apontou para o rabisco intrigante com um gesto urgente com o dedo. Tudo o que havia no desenho de Snowy eram dois círculos concêntricos, como um pneu de carro, ou o halo de anjo de lado. Tommy havia estreitado os olhos para a figura simples pelo que pareceram minutos antes que se desse conta de que olhava para o número zero.

Foi como se as luzes tivessem sido acesas. Zero era o único número, além do nove, que não mudava se fosse multiplicado. Todos os números de um dígito entre zero e nove formavam sequências ao somar seus múltiplos que tinham uma simetria perfeita. Como se para sublinhar isso, o avô de Tom pegou o lápis outra vez e escreveu aqueles dez números, todos em um anel entre o círculo interno e o externo, como os números em torno de um relógio. O zero estava mais ou menos onde o um estaria em um relógio normal, com os demais seguindo em direção horária em torno do disco e deixando espaços vazios onde o seis e o doze ficavam posicionados normalmente. O efeito disso era que cada número agora ficava no mesmo nível horizontal que o gêmeo espelhado, o nove no começo do lado esquerdo agora alinhado com o zero no topo direito. O oito e o um estavam em lados opostos em dez minutos faltando para a hora redonda e dez minutos passados, o sete e o dois estavam diametralmente opostos, cada qual na marca de um quarto de hora, com o seis e o três debaixo, e o cinco e o quatro de frente um para o outro embaixo, um em vinte e cinco faltando para a hora redonda, o outro em vinte e cinco passados. Era lindo. Em um instante, um padrão escondido que estava ali o tempo todo, escondido debaixo da superfície, havia sido revelado.

Nem Tom ou o avô tinha a menor ideia do que a descoberta deles poderia significar, nem era possível conceber nenhuma aplicação útil para isso. Na verdade, era tão extremamente óbvio depois de percebido que ambos imaginaram que alguém, ou mais provavelmente muita gente, havia chegado a essa noção antes. Não tinha importância. Naquele momento, Tom teve um sentimento de triunfo e de revelação com cheiro de passas que jamais experimentou nem antes nem depois. O avô abriu um sorriso rachado que parecia mais pesaroso que exultante, e enfiou novamente a unha preta no espaço em branco cercado pelo anel interior do grande número zero.

— O zero é um toro. Quer dizer, como a forma de uma boia salva-vidas que tem um buraco. Ou como uma chaminé, vista de cima para baixo. E o meio do zero aqui, no buraco da chaminé, é onde todo o nada é guardado. É preciso ficar de olho no nada, menino, ou então ele encobre tudo. Então não existe chaminé, só o buraco. Então não tem salva-vidas, não tem toro. Não tem nada nenhum.

Com isso, Snowy Vernall pareceu ficar irritado ou infeliz, de um instante para o outro. Amassou o pedaço de papel com o mostrador de relógio alterado desenhado até fazer uma bola e jogou no fogo. Tom não entendeu nada do que o avô havia acabado de falar, e deve ter parecido assustado com a mudança súbita de disposição do velho. A avó Louisa, que parecia ter visto aquelas mudanças de humor antes, falou:

— Certo, já chega de somas por hoje. Tommy, vá correndo de volta para casa antes que sua mãe fique preocupada. Pode vir ver o vovô Snowy em outro sábado.

Ela nem acompanhou Tom até a porta, talvez por saber que uma explosão era iminente. Tommy mal tinha fechado a porta da frente e pisado na Fort Street quando ouviu os berros furiosos e, pouco depois, vidro quebrando. Era mais provável que tivesse sido uma janela ou um espelho, sendo que espelhos eram algo de que o avô de Tom costumava suspeitar. Tommy desceu correndo a Fort Street, embora ainda fosse o meio da tarde. Agora a imaginava como sendo agourentamente escura. No entanto, ele se lembrava de que isso tinha acontecido nos anos vinte, muito antes que o Incinerador de Lixo Borough fosse demolido para abrir espaço para os apartamentos na Bath Street, então era um mistério esclarecido.

Tom tragou seu Kensitas e soprou uma argola de fumaça involuntária, quase indistinguível da neblina fria, que se retorcia em torno dele na Wellingborough Road. Queria conseguir soprar uma como aquela quando alguém estivesse olhando. Quando Doreen estivesse vendo.

Pairando do centro da cidade, para o oeste e à direita de Tom, a performance tilintante e sinuosa da maratonista dos recitais de piano ainda continuava, com notas pairando nos fios infrequentes de brisa como losangos de vidro que pendiam de lustres. Aquilo ainda o fazia lembrar de algo, em alguma outra noite como aquela, talvez, com alguma outra música pairando em alguma outra neblina? A lembrança, assim como a névoa, era elusiva, e ele deixou esse pensamento ir embora e, em vez disso, pensou em como Doreen estaria se saindo. Provavelmente não estaria com disposição para ter apreciado a argola de fumaça de Tommy, mesmo se a tivesse visto. Provavelmente tinha outras coisas na cabeça naquele momento.

Iria entrar de novo. Mais um cigarro ou dois e iria entrar, sentar lá na salinha de espera bege perto das portas da frente do que havia sido um asilo de pobres, onde ao menos estaria quente. Sentaria e bateria um pé sobre as tábuas de madeira envernizada do chão, de casaco de chuva e o terno recebido na desmobilização, como os dois outros sujeitos cujas esposas estavam tendo bebês naquela mesma noite, a do dia dezessete, e que já estavam sentados ansiosamente lá dentro. Tommy tinha esperado ali por um tempo, bem depois de trazer Doreen para o hospital e de ela ser levada para a sala de parto, mas não ficou lá por muito tempo quando o silêncio começou a dar nos nervos, e inventou uma desculpa para sair silenciosamente. Nada contra os outros sujeitos, era só que eles não tinham muito em comum, a não ser uma noite de sorte nove meses antes. Não era como se pudessem sentar e falar sobre suas esperanças e seus medos e sonhos, como atores poderiam fazer em um filme. Na vida real, isso não acontecia. Na vida real, na verdade você não tinha muita coisa em matéria de esperanças, medos e sonhos, não como um personagem em um filme ou livro. Coisas como aquelas, na vida real, não eram importantes para a história como precisavam ser na literatura. Sonhos e esperanças não eram importantes e, se alguém fosse falar nisso, todos diriam que ele se achava o Ronald Coleman, com aparência sensível e seus cílios longos em preto e prateado vistos através da fumaça do cigarro em uma matinê.

A Wellingborough Road transmitia a sensação de um leito de rio, com vapores de lã de ovelha imunda descendo em um fluxo de escuridão para o leste, na direção de Abington, do parque e de Weston Favell. As lojas e pubs incivilizados eram buracos de rato-do-mato cavados nas margens abaixo da linha da água, escondendo contrabando. Enquanto Tommy observava, um Ford Anglia solitário veio veloz como um lúcio saindo da nuvem no chão e então nadou na direção do centro da cidade, batalhando contra a corrente de névoa, em meio ao recital contínuo de Mad Marie. O Ford Anglia era o único carro que ele reconhecia, por causa de sua cabine inclinada como uma itálica, um termo aprendido nas aulas de caligrafia na escola e que permaneceu em sua mente. Sua pintura creme e cor de centáurea desapareceu nos montes de ostras sob os quais a Abington Square e a estátua de Charles Bradlaugh estavam submersas, e Tommy estava novamente sozinho, arrastando as botas contra a areia do leito de pedra e asfalto da torrente, aspirando a névoa através do restinho de seu Kensitas e soprando-a suavemente pelo nariz.

Sabia que trinta e seis anos era tarde, em termos comparativos, para começar uma família, mas não tarde demais. Tom conheceu sujeitos um tanto mais velhos que ele quando tiveram um primeiro filho. Mas, por outro lado, com os dois irmãos mais jovens já com filhos, não achava que podia esperar mais. Se não fosse um homem adulto e capaz de criar um filho no momento, depois das coisas pelas quais havia passado, então jamais seria. Embora a guerra tivesse levado Jack, a coisa toda deu a Tom um tipo de confiança que jamais havia sentido antes, uma sensação de que, se conseguiu sobreviver àquilo tudo, então Tommy Warren era tão bom quanto qualquer um. Tinha voltado para casa da França com um novo brilho no olhar, uma ginga diferente em cada passo bem-vestido. Nada de chamativo ou caro, é preciso dizer. Apenas bem-vestido.

Ele se recordava da volta para casa, parando na estação Castle em um trem cheio de crianças, matronas, gente do mundo dos negócios e hordas de homens fardados retornando, como ele, Walt e Frank. Tom e os dois irmãos tiveram que viajar em pé no corredor desde a estação Euston junto a outras duas dúzias de pessoas, balançando e reclamando enquanto passavam por Leighton Buzzard, Bletchley, Wolverton... Até onde Tommy se lembrava, tinha ficado contando histórias com Walter, o que sempre era uma competição impossível de vencer. Estava no meio da história que contava a Walt sobre a noite em que todos os oficiais britânicos idiotas ficaram bêbados e dirigiram um tanque contra a entrada do arsenal que Tom estava guardando e ele, por medo de retaliações, não pôde nem atirar nos gargalhantes idiotas exageradamente bem remunerados. Foi naquele ponto da história, bem depois de passarem por Wolverton, que um ianque grandão, um soldado que havia subido no trem em Watford e ia para Coventry, se juntou a eles no corredor apinhado e chacoalhante.

Os ianques, às vezes, eram boa gente, e era possível dar umas risadas com eles, mas de um modo geral irritavam Tom, e também a maioria das pessoas que conhecia. Na linha de frente, costumavam dizer que, quando

a Luftwaffe decolava, todos os ingleses corriam e, quando a RAF decolava, todos os alemães corriam. Quando os americanos decolavam, todo
mundo corria. Os idiotas convencidos tinham apoiado Hitler até 1942,
então entraram na guerra atrasados e ficaram com todo o crédito, mesmo
depois de terem caído numa armadilha dos alemães e provavelmente atrasado o fim da guerra com a "Batalha das Ardenas" deles, ou Operação
Névoa de Outono, como os alemães chamavam com orgulho. Os soldados, no entanto, eram os piores, ou pelo menos os brancos eram. Os escuros eram muito boa gente, não havia um grupo de sujeitos mais legais, e
Tommy se lembrava de estar em casa em dispensa e ver o gerente do Black
Lion expulsando uns soldados americanos que tinham reclamado dos
negros com quem eram forçados a dividir o bar. "Os crioulos ali atrás",
como os chamaram. Alguns americanos podiam ser uns belos idiotas, e
esse camarada que encontrou Tommy e os irmãos no trem era um deles.

Desde o começo, ele vinha falando que os ianques recebiam um pagamento muito maior que o dos ingleses, rações maiores e tudo mais. Walter assentiu sabiamente e disse: "Bem, é justo, vocês têm umas bocas
grandes para alimentar", mas o soldado americano continuou como se
não tivesse entendido a alfinetada de Walt. Começou a contar a eles, em
um tom baixo por causa de todas as senhoras que estavam no corredor,
sobre quantas camisinhas seu grupo havia recebido do Exército americano. Como aquele sujeito estava estacionado na Inglaterra, aquilo era o
mesmo que dizer que as tinham recebido para usar com garotas inglesas,
o que não era algo que os camaradas britânicos costumavam ver com
bons olhos. Tommy percebeu o olhar no rosto dos irmãos, o mesmo
que imaginava no seu. Walter abriu um grande sorriso, com os olhos
faiscando, o que não era normalmente um sinal tranquilizador, e Frank
ficou em silêncio com um sorrisinho apertado no rosto magro, o que
significava que o ianque, por mais que fosse grandalhão, acabaria mere-
cendo um soco bem na goela se não tomasse cuidado. Ele estava falando
com os Warren, que tinham criado um bom nome para si libertando seu
pequeno pedaço da França, que tinham perdido o irmão, o mais bonito
deles, e que receberam em retorno um monte de medalhas que não
queriam. Tomando o silêncio perigoso deles por respeito ou admiração,
o soldado americano decidiu confirmar sua bravata pegando sua lata
expedida pelo Exército dos EUA na qual mantinha as camisinhas, levantando a tampa para revelar talvez duas dúzias de preservativos. Tom se

perguntou se os americanos escreviam mensagens espirituosas na lateral das camisinhas, como faziam com as bombas. "Essa é para você, princesa Liz!", ou algo assim. Walter olhou para a lata aberta e disse: "Estou vendo que você tem um monte sobrando, então". Frank cerrou os dentes e fechou um punho, pronto para começar, e foi bem quando o trem passou por um desnível, fazendo o vagão retinir e balançar.

As camisinhas voaram pelo ar como faíscas saindo de fogos de artifício, caindo em uma chuva de preservativos nos ombros dos bancários, nas mochilas dos estudantes e nos chapéus das senhoras. O ianque ficou vermelho como a Rússia, rastejando de quatro e juntando as camisinhas, desculpando-se com as senhoras enquanto pegava os pacotinhos entre os saltos delas e enfiava de novo na lata. Walter começou a cantar "When johnnies come marching home again, hurrah"[60], e todo mundo no vagão a não ser o ianque riu como não ria desde 1939.

Tom arriscou um lábio queimado com a última tragada no cigarro, e então jogou a brasa final na sarjeta invisível, como havia feito com a anterior. Foi um tempo maravilhoso, quando tinham acabado de voltar da guerra para casa. Saíam toda sexta à noite, os famosos irmãos Warren, todos de terno, mas apenas o irmão mais velho, Tommy, com o lenço combinando no bolso do peito. Indo de pub em pub, com as trapaças e o retinir das máquinas caça-níqueis espalhando frutas e sinos diante deles enquanto andavam, os sorrisinhos de admiração das taberneiras peitudas, heróis de guerra, uma pena o que aconteceu com seu irmão bonito. Bebidas de graça do dosador, Walter contando piadas e vendendo meias de nylon falsificadas, usadas apenas uma vez, senhorita, e por uma freira. Frank olhando lascivamente e Tommy ficando vermelho e tentando não rir quando deram de cara com lésbicas brigando em Mayorhold, e uma lua de espuma de Guinness livre para navegar sobre os Boroughs como o efeito de uma pantomima.

Aquela noite de Natal cheia de neve quando Walt encontrou um caixote de maçãs no mercado, prendeu Frank e Tommy nela com uns barbantes e então apertou a bunda gorda dentro para que pudessem arrastá-lo pelo centro da cidade como duas renas puxando Papai Noel. "Ho ho ho, seus veados! Oa!". Tinham ido para o Grand Hotel e comprado uma rodada de bebidas só para os três, e cobraram mais de uma libra deles. Frank e Tom foram para cada lado do grande salão do hotel e começaram a enrolar o tapete caro, pedindo às pessoas para levantarem suas cadeiras e mesas, para que pudessem continuar. O gerente ou alguém do tipo entrou pisando duro e perguntando a Walter que diabos achavam que estavam fazendo, ao que ele respondeu que iam levar o tapete, já que tinham pagado por ele. Precisaram fazer uma escapada rápida, sem o tapete, mas por sorte o caixote de maçãs ainda estava amarrado a um poste de luz do lado de fora do hotel. Foram retinindo por todo o caminho até a Gold Street, com os rostos brilhando em azul e amarelo com os pisca-piscas, pela Marefair, de volta para a Green Street e a mãe que os esperava. Hitler estava morto e tudo era maravilhoso.

A não ser por Jack, claro. Tommy se recordou, com um tremor estranho de arrepiante nostalgia, do ritual de Natal da família Warren naquele primeiro ano depois da perda de Jack. A família se reuniu na sala de visitas, como faziam desde quando se entendiam por gente. A mãe de Tommy havia retirado o penico de louça chique — tinha facilmente uns trinta centímetros de lado a lado, tendo sido fabricado em um tempo de bundas maiores — de seu poleiro em cima de um velho armário de frente de vidro que tinham. Sob os olhares de Frank, Walt, Lou e Tommy, a mãe encheu o urinol até a boca com uma mistura grotesca e indiscriminada de destilados; a totalidade surpreendentemente variada de garrafas que podiam ser encontradas naquela casa de bebedores. Cheio de um agregado fervilhante dourado suave de uísque, gim, rum, vodca, conhaque e talvez até aguarrás, pelo que sabiam, o cálice esmaltado branco, que todos torciam para que nunca tivesse sido usado, foi passado solenemente pelo círculo da família, apenas com as duas mãos e algum grau de dificuldade. Era impossível beber de um receptáculo que claramente não foi projetado com aquela função em mente sem ao menos um certo encharcamento na frente da camisa, e o derramamento ficava pior a cada circuito pela sala de visitas e os indivíduos cada vez mais incapacitados e descoordenados reunidos ali. Em todas as ocasiões anteriores em que aquele ritual tinha sido feito, havia um tipo de glória em seu sofrimento: era de algum modo cômico e corajoso, como se estivessem orgulhosos de serem monstros imundos e barulhentos, como eram vistos por aqueles em melhor situação. Havia um tipo de grandiosidade horrenda naquilo, mas não depois que Jack se foi. Essa foi a prova final de que não eram ogros poderosos, imortais e invencíveis em sua embriaguez. Eram apenas um grupo de bêbados chorosos e vomitantes que haviam perdido o irmão; perdido o filho. Tom agora não conseguia se recordar se tinham feito o ritual de Natal depois daquele ano infeliz da vitória.

Do outro lado da Wellingborough Road, o relógio da St. Edmund bateu duas vezes para duas horas, e deve ter despertado um pássaro pousado para algum estado de atividade, ao menos a julgar pela lágrima gorda de cocô de pombo que caiu silenciosamente das brumas acima, salpicando com cal líquida e caviar a lapela de seu casaco de chuva. Tom rosnou e xingou e pegou o lenço limpo do bolso sem fósforos, cigarros ou barras de chocolate, limpando a mancha branca com pressa até que sobrasse apenas uma marca fraca. Fazendo uma anotação mental de que deveria lavá-lo antes de assoar o nariz novamente, enfiou o pano usado de volta no casaco.

Toda aquela satisfação pós-guerra não havia durado muito, claro. Não que as coisas tivessem ido mal, não mesmo. Os tempos apenas tinham mudado, como sempre acontecia. Primeiro Walt encontrou uma belezinha e eles se casaram, o que fez com que a mãe deles descesse a lenha em Tom e Frank na festa, gritando com eles acima de todo o barulho que a banda do tio Johnny fazia no salão de festas da Gold Street, dizendo que era melhor que encontrassem um par de garotas ou iam ver. Frank, magrelo e sardônico, com sua coleção de cantadas picantes, tinha sido mais rápido que Tommy na resposta ao ultimato da mãe. Encontrou uma ruivinha tão atrevida quanto ele, e se casou em 1950, o que deixou apenas Tom para aguentar o peso da desaprovação resmunguenta da mãe.

Tommy se lembrava de buscar refúgio e aconselhamento naquele período com a irmãzinha mais velha, indo visitar Lou e o marido Albert e as crianças em Duston sempre que possível. Como sempre, Lou era um amor, trazendo-lhe uma xícara de chá em sua salinha bonita e arejada, ouvindo os problemas dele com a cabeça inclinada para o lado, como uma coruja de pelúcia. "Seu problema, mano, é que você é retraído para avançar. Não estou dizendo que precise ter a lábia do nosso Walt, ou a malícia do nosso Frank, mas precisa circular por aí, ou as garotas não vão saber que está disponível. Não adianta esperar que elas te encontrem, não é assim que as garotas são. Quer dizer, você é um cara bonito, está sempre nos trinques. Até sabe dançar. Não consigo ver qual é o seu problema". A voz de Lou, grave e risonha, tinha um rouquejo suave, quase um zumbido ou zunido que, com a forma compacta da irmã, faziam Tommy pensar em colmeias, mel e, continuando a associação, chá de domingo. Sempre era possível contar com ela para endireitá-lo e dar umas risadas enquanto fazia isso. Tom às vezes via em Lou o que a mãe deveria ser quando jovem, antes que perdesse a primeira filha para a difteria e começasse a ficar amargurada, antes de ser defunteira.

O único incidente de que Tom se lembrava relacionado ao negócio da mãe com nascimento e morte dizia respeito a uma manhã isolada em sua infância, que, no entanto, havia ficado marcada. O sr. Partridge, um cara grande e robusto que morava a poucas casas da deles na Green Street, tinha falecido, mas era muito gordo para passar pela porta do quarto em que morreu. Tommy observou da parte da Green Street mais próxima da Elephant Lane enquanto a mãe orientava da rua a remoção da janela superior da casa e a descida de um imenso e quase púrpura sr. Partridge, com um guincho e uma armação, para um carro fúnebre puxado por cavalos que esperava pacientemente lá embaixo. Com todos os planos de funeral oferecidos pelas cooperativas naqueles dias, claro, não havia muito trabalho para defunteiras. A mãe de Tom tinha desistido no final de 1945. Com Jack morto, ele imaginava que ela havia tido contato suficiente com a morte e, com o sistema de saúde pública no horizonte, então talvez tivesse pensado que a parte do nascimento de sua ocupação também acabaria em pouco tempo.

Naqueles dias, a maioria das mulheres que tinham o primeiro filho viria dar à luz ali, no hospital. Ainda existiam parteiras, naturalmente, para os demais e para o pessoal do campo, mas todas trabalhavam para o sistema público de saúde. Não eram independentes como a mãe, e ninguém mais as chamava de defunteiras. Tom achava que isso era uma coisa boa, em termos gerais. Era um sujeito moderno, e estava feliz que a esposa estivesse naquele momento dando à luz ao filho deles em uma maternidade moderna, cercada de médicos de verdade, não em um quarto escuro dos fundos como alguma relíquia cacarejante e horrenda como a mãe dele curvada diante dela. Doreen já tinha reservas suficientes em relação à mãe de Tommy e, se May tivesse enfiado o nariz no nascimento do primeiro filho deles, seria a gota d'água. Tommy estremeceu só de pensar nisso, mas podia ser também a noite de novembro.

Foi Doreen quem resgatou Tommy de sua condição de solteiro com a aprovação da mãe. Que sorte, tê-la encontrado. Era como Lou tinha dito, ele era muito reticente com as garotas e não conseguia demonstrar seu charme como Walt ou Frank. Sua única esperança era conhecer alguém ainda mais tímido que ele, e em Doreen foi exatamente o que encontrou, seu complemento perfeito. Sua outra metade. Como Tom, ela não era tímida no sentido de covardia ou de fraqueza. Havia uma boa dose de determinação sob aquele jeito reservado; ela apenas preferia uma vida tranquila sem muita frescura, como ele. Como ele e qualquer outro sujeito que tivesse visto o interior de uma trincheira, preferia manter a cabeça baixa e seguir adiante, sem atrair atenção. Era um espanto que ele a tivesse visto, encolhendo-se atrás das colegas de trabalho mais barulhentas, risonhas, como se temesse que alguém visse como era bonita, com seus grandes olhos azul-água, seu rosto levemente alongado e seu cabelo cor de casca de árvore caindo em uma onda. Com sua aura teatral, a névoa que tinha em torno de si era como um cartaz de filme. Ele disse, logo depois que se conheceram, que ela parecia uma estrela de cinema. Ela apenas contraiu os lábios em um sorrisinho e fez sinal de contrariedade, dizendo que ele não deveria ser tão condescendente.

Eles se casaram em 1952 e, embora fizesse mais sentido, em termos de espaço, que fossem morar na Green Street com a mãe dele, ninguém tinha desejado isso. Nem a mãe de Tommy, nem Tommy, e muito menos Doreen. Ela era a única pessoa que Tom havia conhecido que, apesar da natureza tímida e reservada, não aguentava os modos tirânicos de May Warren, nem suas intimidações. Tom e Doreen tinham decidido ir morar na St. Andrew's Road com mãe dela, Clara, e os outros membros da família que viviam lá, ou ao menos moravam até pouco tempo antes. Ainda que a ideia de ele e Doreen irem morar com a mãe de Tom parecesse um pesadelo, aqueles últimos dois anos morando nos baixos da Spring Lane e da Scarletwell Street não tinham sido muito melhores.

Mas não por causa da mãe de Doreen, como teria sido com a de Tommy na Green Street. Clara Swan tinha trabalhado como criada e permanecia uma mulher muito comportada e religiosa, com seu jeito silencioso, e embora pudesse ser rígida e severa quando necessário, era em quase todos os sentidos completamente diferente de May Warren, magra e ereta, enquanto a mãe dele era baixa e robusta. Não, Tommy se dava bem com a mãe de Doreen, e também com os irmãos e a irmã dela, e seus respectivos companheiros e filhos. A questão era apenas que, até pouco tempo, havia muitos deles para uma casa tão minúscula.

O irmão mais velho, James, tinha se casado e mudado da casa antes que Tom chegasse, verdade, mas ainda ficava apertado, juntando todo mundo. Primeiro havia a própria mãe de Doreen, a dona da casa, ou pelo menos o nome que constava no registro de aluguel. Depois vinha a irmã de Doreen, Emma, e o marido, Ted, com os dois filhos, John e a pequena Eileen. Emma, mais velha que Doreen, foi a primeira guarda de trem mulher na Inglaterra, e havia sido na rede ferroviária que conheceu seu arrojado marido, o condutor de locomotiva Ted, que limpava os dentes com fuligem de chaminé. Então havia o irmão mais novo de Doreen, Alf, o motorista de ônibus, com a mulher, Queen, e o filho pequeno, o bebê Jim. Contando Tommy e Doreen, eram dez pessoas abarrotadas em uma casa geminada de três quartos.

Doreen e Tom passaram alguns meses dormindo do melhor jeito que podiam no sofá na sala da frente. Emma e Ted e os dois filhos ficavam no quarto da frente, Clara no quarto menor do lado, que ficava acima da sala, e Alf e Queen no quarto menor, nos fundos, acima da cozinha. O bebê Jim dormia na gaveta do armário de roupas. As noites, então, eram apinhadas e embaraçosas, mas ao anoitecer era pior, depois da refeição, com todos em casa, vindos do trabalho, reunidos na sala para ouvir o rádio. Ted e Emma mantinham silêncios hostis e passavam dias inteiros se encarando por cima dos sanduíches de salmão enlatado enquanto ouviam bordões do programa humorístico *It's That Man Again*: "Aqui é Funf falando". "Olha minha bicicleta" e "Não se esqueça do mergulhador". Alf chegava em casa toda noite exausto depois de começar a trabalhar tão cedo e desmoronava roncando no tapete na frente da lareira, como um gato do tamanho de um homem vestido com o uniforme de motorista de ônibus. A mulher dele, Queen, que, por coincidência, era irmã de Ted, marido de Emma, na maioria das noites simplesmente sentava ao lado da lareira e chorava. Não que não fosse compreensível. No andar de cima, o bebê Jim descia de sua gaveta e começava a bater na porta do quarto, às vezes por horas. Era possível compreendê-lo, o pobre-diabo, por não querer viver em um guarda-roupa. Se aquilo não fizesse alguém virar um curvante, Tom não sabia o que faria. A dificuldade do bebê Jim era que ele era inteligente demais. Ninguém nas famílias Warren ou Swan era o que se chamava de desalumiado, mas o bebê Jim representava a geração seguinte, e era possível ver desde o começo que seriam brilhantes, em especial o bebê Jim. Com três anos, tinha conseguido escapar de casa duas vezes e andar quatro quarteirões antes que a polícia o apreendesse e o levasse de volta. Do jeito que a vida de uma criança podia ser perigosa ali naquela casa na St. Andrew's Road, era preciso admitir que ele provavelmente estaria mais seguro se a polícia o tivesse deixado onde o encontrara.

De novo, não era uma questão de negligência dos adultos da casa, mas eram sete deles e três crianças, causando irritação e tropeçando uns nos outros, então acidentes aconteciam. O filho mais velho de Ted e Emma, John, gostava de sentar nas costas da poltrona até o dia em que perdeu o equilíbrio e tombou, caindo de costas pela janela da sala no quintal em uma chuva de vidro quebrado. Depois a filha mais nova de Ted e Emma, a linda Eileen, havia se espatifado de cara na lareira com todas as brasas quentes, exigindo uma corrida imediata ao médico da família, o dr. Grey, na Broad Street, com sua Doreen e a irmã mais velha Emma correndo de modo frenético através da Mayorhold às escuras segurando a criança, por milagre sem cicatrizes, envolta em um cobertor.

Misericordiosamente, no último ano as coisas haviam se ajeitado. Primeiro Ted e Em tinham se mudado para uma casa mais adiante na St. Andrew's Road, em Semilong. Então Alf e Queen saíram também, para a Birchfield Road, em Abington. Tinham levado o bebê Jim com eles, claro, mas por alguma razão, aos cinco anos, ele fugiu da casa nova também, e conseguiu atravessar sozinho mais de três quilômetros de ruas movimentadas, encontrando o caminho de volta para os Boroughs e para a casa da avó. Tom imaginou que poderia ser que Jim, do mesmo jeito que patinhos recém-saídos do ovo às vezes se confundem, havia confundido seu apego pela mãe com um apego pelo guarda-roupa. De qualquer forma, a conclusão era que agora havia apenas Clara, Tom e Doreen morando na St. Andrew's Road no momento. Tom e Doreen ficaram com o quarto grande da frente que Ted e Emma ocupavam e, com menos pessoas andando por ali, o bebê que recebiam nasceria em uma casa mais segura. Em um mundo mais seguro, ou ao menos era o que todo mundo esperava.

Tom apertou o queixo hirsuto para dentro, apertando os olhos para a lapela. Ainda podia ver a mancha deixada pela merda de passarinho e sombriamente se resignou a esfregá-la com Borax quando voltasse para casa.

Achava que no geral era um mundo mais seguro, a não ser, é claro, pelos ataques de cocô de pássaro. A guerra havia acabado dessa vez, e ele achava que nem os alemães estariam dispostos a recomeçá-la, principalmente depois de perder metade do país para os comunistas. Tinha tido aquela coisa lá na Coreia, claro, mas seu menino, se fosse um menino, não cresceria para ser recrutado como Tommy, ou para passar noites tremendo debaixo da mesa da sala em meio a ataques aéreos, que foi como Doreen passou a guerra, com dez anos a menos que Tommy. E, de qualquer modo, depois da bomba atômica que os ianques tinham jogado sobre Hiroshima, não diziam que, se houvesse uma terceira guerra, tudo acabaria em uns cinco minutos? Não que fosse um pensamento animador, aliás. Tom sentiu vontade de fumar outro Kensitas, mas, como só lhe restavam cinco e ele não sabia quanto tempo precisariam durar, achou melhor esperar.

Churchill tinha providenciado que a Grã-Bretanha tivesse a primeira bomba no ano anterior, e a França também queria uma. Os russos e os ianques contavam com centenas, mas Tom não podia dizer que aquilo lhe causava muita preocupação. Para ele, isso seria como o gás, que deixou todo mundo tão assustado na guerra, que a pobre Doreen, por exemplo, corria da Escola Spencer de volta para casa, na St. Andrew's Road, quando esquecia a máscara de gás. No fim, ninguém foi maluco o suficiente para usá-lo, nem mesmo Hitler, e aquelas bombas atômicas terminariam do mesmo jeito. Ninguém seria maluco o suficiente. Embora, claro, os ianques já tivessem usado, mas Tom estava ali esperando o nascimento do primeiro filho com coisas suficientes para se preocupar, então decidiu que deixaria essa ideia de lado.

O vento fraco do oeste a essa altura deu uma encorpada inesperada e balançou o casaco de chuva de Tommy. Ele soprou por um instante a névoa para o lado do pub fechado, o Spread Eagle, que estava à esquerda de Tommy, do outro lado da rua. O bico laranja do tucano na placa de latão com o anúncio da Guinness pregado do lado de fora despontou da neblina e sumiu de novo. A brisa trouxe também um ímpeto renovado de notas cascateantes de Mad Marie no Carnegie Hall, com as melodias híbridas deslizando como móveis malucos sobre rodinhas, trepidando pela Wellingborough Road. A música era a mistura costumeira: "Don't sit under the old rugged cross with anyone but me, no, no, no"[61]. E então ela estava tocando apenas uma canção, clara e distintamente, ainda que a segurasse apenas por algumas notas antes de cair na grande sopa pianística.

A música era "Whispering Glass".

Aquilo foi a gota d'água. Tommy soube de imediato o que aquela música peculiar na escuridão em torvelinho o vinha fazendo recordar o tempo todo: cinco, quase seis anos antes, a essa altura, nos primeiros meses de 1948, não muito depois que Walter havia se casado, aquela vez em que Tommy fora beber no velho Blue Anchor, na Chalk Lane. Tudo voltou a ele em uma grande onda sépia de fotografias borradas de cerveja, momentos capturados de seus tropeços bêbados no acompanhamento ensandecido de um piano envolto em névoa e um acordeom, e Tommy ficou surpreso por não ter pensado naquilo antes. Como tinha se esquecido daquela ocasião estranha, assustadora, com todos os medos e problemas jogados na cara de Tommy e de sua família? Ele imaginava, em sua defesa, que estava preocupado com os pensamentos em Doreen e no bebê, mas mesmo assim não teria achado que uma noite como aquela escaparia de sua mente com tanta facilidade.

Tom acendeu outro cigarro antes de se lembrar que havia planejado fazê-los render, então virou o colarinho para cima, como se fosse um vigarista ou amante assombrado em um filme, que era o estado de humor ambíguo em que a névoa e as memórias o haviam colocado. A ponta dura do colarinho raspava no cabelo curto na altura da orelha do corte uma-vez-por-semana, curto atrás e dos lados, que Tommy tinha adotado desde os dias no Exército. Tommy conseguia pegar o papel laminado do maço de cigarros, enrolá-lo em um penny marrom qualquer e lustrá-lo esfregando-o contra os fios curtos atrás do crânio até que ficasse parecendo um florim, algo que Walt lhe ensinara como fazer. Ao contrário de Walt, porém, Tom jamais teve coragem de passar adiante as peças cunhadas na nuca como se fossem reais. Jamais teve a coragem ou era honesto demais, ou uma coisa ou outra.

Naquela noite, muitos anos antes, Tom e o irmão mais novo Frank foram ao Blue Anchor, que ficava logo após a igreja Doddridge, ali na Chalk Lane, quase na Bristol Street. O pub era uma espécie de favorito da família, uma vez que os gerentes anteriores tinham sido os bisavôs de Tommy e Frank do lado da mãe. A avó Louisa, morta nos anos trinta, quando jovem era a filha peituda do gerente que servia bebidas no Blue Anchor nos anos 1880, quando o jovem Snowy Vernall entrou, durante uma de suas longas caminhadas de Lambeth. Se o avô de Tom tivesse com menos sede ou andasse mais uns vinte metros até o Golden Lion, não haveria May, Tommy e nenhum bebê se esforçando para entrar no caminho da existência bem agora no hospital atrás dele. Isso explicava o apreço da família pelo lugar, antes que fosse demolido, alguns anos antes. Enfim, ele e Frank estavam lá, esvaziando copo após copo e, embora estivesse tudo bem, tudo parecia um pouco sem vida e desolado, ao menos para Tom. Parte disso, obviamente, era a saudade que sentiam de Walt, que tinha se casado seis meses antes, o que significava que o número dos três mosqueteiros havia diminuído para dois. E, sem o suprimento inesgotável de gracejos de Walt, havia mais tempo para sentar e lamentar o quarto mosqueteiro, Jack, o D'Artagnan morto, com seu túmulo na França e seu nome no monumento na igreja de St. Peter.

Fosse lá qual fosse a verdadeira razão, Tommy estava meio de mal com a vida naquela noite no Blue Anchor. Ele e Frank haviam encontrado alguns sujeitos que o irmão conhecia do trabalho, mas que não eram muito amigos de Tom, então começou a se sentir deixado de lado e achou que talvez deveria tentar outro pub. Tom pediu desculpas a Frank e então o deixou conversando com os amigos enquanto vestia o casaco e saía pela porta dianteira do pub para a Chalk Lane. Era uma noite bem parecida com aquela, com toda a neblina e tudo mais, mas nos Boroughs o clima era bem diferente daquele da próspera Wellingborough Road, muito mais fantasmagórico. Até a igreja de St. Edmund, com suas lápides indistintas do outro lado da rua, não assustava tanto, no bater da meia-noite, como alguns lugares nos Boroughs eram capazes, mesmo à luz do dia.

Separado do grupo e sozinho, Tom havia decidido ir para o Black Lion, na Castle Hill, onde tinha certeza de que encontraria alguém conhecido. Embora o lugar não tivesse nenhuma associação familiar direta, como o Blue Anchor, de certo modo tinha sido um foco constante das atenções do clã Warren ao longo dos anos. Ou, de qualquer forma, pelo menos desde que a mãe e o pai de Tommy se mudaram para a Green Street, com a casa bem ali do outro lado do parque que dava no portão de trás do pátio de paralelepípedos do Black Lion. Ao lado da igreja de St. Peter desde tempos imemoriais, proporcionava um local conveniente para se retirar depois de funerais e batizados da família e, a apenas dois minutos de distância, era ideal para uma cervejinha rápida a quase qualquer hora do dia ou da noite. No verão, os velhos portões se abriam para a encosta de grama e botões-de-ouro nos fundos do pub atrás da St. Peter, onde a mãe de Tom costumava se sentar em um banco que rangia, salpicado de bolor esmeralda, para uma bebida com as amigas sobreviventes: velhas de chapéus, casacos e estados de espírito sombrios como os dela. A melhor amiga da mãe, Elsie Sharp, tinha morrido diante dos olhos de May em uma dessas tardes suaves, de sombras alongadas, depois de dar um gole de cerveja preta diretamente da garrafa e, no processo, engolir uma abelha viva, que estava dentro do gargalo de vidro marrom. Picada por dentro, a garganta de Elsie tinha inchado e fechado e, depois de um minuto desagradável, acabou morta entre os trinados de pássaro e a cordial luz cor de limão que descia sobre a estação de trem.

Saindo do Blue Anchor, Tommy virou para a esquerda e desceu a Chalk Lane para a Castle Hill. Havia uma janela acesa na igreja Doddridge, talvez algum grupo que se encontrava em uma de suas salas, e, olhando sobre o muro alto de pedra, Tom conseguira vislumbrar a porta de carga e descarga, posicionada na metade da altura da lateral da igreja. Além de um amor duradouro pela matemática, uma das coisas que Tom tinha herdado do avô maluco era uma fascinação profunda com fatos históricos, especialmente os locais. Mesmo assim, nunca encontrou uma resposta decente para o que aquela porta alta e pouco prática fazia ali. O mais perto que chegara foi a informação de que, antes que o reverendo Philip Doddridge chegasse a Castle Hill e transformasse o prédio em uma congregação não conformista, talvez tivesse sido usado para outra coisa, algum negócio que precisasse de descarregamento e entrega de produtos com guinchos e roldanas para o primeiro andar. Algo a respeito daquela explicação, porém, nunca pareceu muito convincente para Tom, o que deixava a porta como um ponto de interrogação duradouro em seu mapa interno do local e de seu passado nebuloso.

O próprio Doddridge, Tommy pensou enquanto passava ao lado da capela e do campo-santo, tinha sido um enigma tão grande quanto sua igreja. Não no sentido de que algo sobre ele fosse desconhecido, e sim que ele havia sido capaz de promover uma mudança tão duradoura no modo como o país se enxergava em termos religiosos, e isso a partir daquele pequeno pedaço de terra afundado nas vielas dos Boroughs.

Foi a morte da rainha Ana, em 1714, que preparou o terreno para que Philip Doddridge, então um rapaz de vinte e sete anos, viesse

para Castle Hill em uma noite de Natal quinze anos depois, para
começar seu ministério. Ana Stuart tinha, durante seu reinado, tentado acabar com os Não Conformistas. Quando morreu, o pastor que
anunciou a morte disse, citando os Salmos, "Ide ver aquela maldita, e
dai-lhe sepultura, pois é filha de rei"[62]. Aquilo foi um sinal para todos
os Dissidentes e Não Conformistas começarem a celebrar, aquilo queria
dizer que Jorge I, que era hanoveriano e tinha jurado apoiar a causa
deles, logo estaria no trono. Todos aqueles grupinhos — vestígios de
Independentes, Irmãos Morávios, aquela tradição vinda dos lolardos
de John Wycliffe no século XIV — deviam estar abrindo barris de vinho
ao pensar em tudo que poderiam fazer agora para chacoalhar as coisas,
e Doddridge vir para Northampton foi parte disso. Olhando em retrospectiva, era possível afirmar que foi a principal parte.

Passando pelo campo-santo malcuidado naquela noite, Tommy imaginou que a cidade teria sido uma proposta atraente para um jovem pastor
dissidente naquela época, com sua longa tradição de santuário para agi-
tadores religiosos, rebeldes e malucos em geral. O velho Robert Browne,
que formou os Separatistas no fim do século XVI, estava enterrado no
cemitério da St. Giles, e a cidade ficou cheia de puritanos, Nação dos
Santos e ranters, com seus flamejantes panfletos voadores[63] durante o
século que se seguiu. Havia cristãos radicais ferozes gritando heresias de
cada telhado, dizendo que não havia outra vida além da presente, que
Inferno e Céu não existiam em lugar nenhum além da terra e, pior de
tudo, sugerindo que a Bíblia mostrava Deus como pastor dos pobres, e
não dos ricos. Na época em que Philip Doddridge pisou na neve naquela
noite de Natal de 1729, esfregando as mãos por causa do frio e da alegria, a reputação de Northampton como um antro fervilhante de agitação espiritual já estava bem consolidada.

O evangelismo de Doddridge, nove anos antes do mais conhecido
John Wesley, foi a força com a qual o reinado de Vitória tinha transformado quase todas as seitas dissidentes e, além disso, toda a maldita
Igreja Anglicana. E tudo a partir do que à época era um dos lugares
mais humildes do país, e em pouco mais de vinte anos, antes que a
tuberculose o levasse quando ainda não tinha completado cinquenta
anos. Ele fez tudo isso com palavras, seus ensinamentos, seus escritos e
seus hinos. Para Tom, "Escutai! O Som Alegre!" era o melhor deles. "O
Salvador vem, o Salvador prometido há muito tempo". Tommy sempre

pensava em Doddridge escrevendo aquilo olhando de Castle Hill, talvez imaginando o último triunfo ressoando nos céus sobre a igreja de St. Peter ali no caminho, ou imaginando um Jesus maltrapilho e ressuscitado andando pela Chalk Lane na direção da pequena congregação, com as palmas sangrentas estendidas para a absolvição universal. Durante os mais-de-mil-anos que o distrito existiu, tinha testemunhado seu quinhão de homens extraordinários, com Ricardo Coração de Leão, Cromwell, Thomas Becket, todos eles, mas, para Tom Warren, o mais valoroso era Philip Doddridge. Era o filho mais heroico dos Boroughs. Sua alma.

O relógio da St. Edmund bateu uma vez para marcar duas e meia e trouxe Tom de volta para onde estava, do lado de fora do asilo de pobres convertido com seu Kensitas queimando esquecido entre os dedos manchados de nicotina. Aquilo havia sido um desperdício. Ele jogou a ponta fumegante para a fumaça espessa maior que o cercava e deixou a mente voltar para fevereiro de 1948 e uma noite tão opaca e cinzenta quanto aquela.

Ele tinha saído da Chalk Lane passando a revistaria onde às vezes comprava o jornal nas manhãs de domingo e que um dia fez parte do Hotel Commercial, dos Propert. Depois cruzou os paralelepípedos sufocados por asfalto e as linhas de bonde sem uso da Black Lion Hill na direção do bar que batizava a colina. Ao entrar pela porta da frente, Tommy foi golpeado por uma parede quase sólida de conversa, aromas e quentura, o calor corporal capturado de todos os que estavam enfiados no Black Lion naquela noite fria. Antes que tirasse o casaco e entrasse no aperto do pub, Tom já estava feliz por ter decidido ir para lá naquela noite, em vez de ter ficado com Frank no Blue Anchor. Havia sempre mais rostos conhecidos no Lion.

Jem Perrit era um dos que estavam lá. O pai dele, o Xerife, tinha um negócio de carne de cavalo em Horsemarket. Jem morava com a mulher, Eileen, e a filha pequena na serraria na Freeschool Street, bem ao lado do Black Lion, saindo de Marefair. Do modo como Tom agora se recordava da cena, Jem estava jogando boliche na mesinha no canto com Tunk Três Dedos — que tinha uma barraca no Mercado de Peixe na Bradshaw Street — e Freddy Allen. Fred era um vagabundo que ainda circulava pelos Boroughs, dormindo debaixo dos arcos da ferrovia em Foot Meadow e que se virava roubando litros de leite e pão da soleira da porta das pessoas. O vagabundo apertava os olhos turvos ao mirar e jogar a bola de madeira, mas Tom ficou com a impressão de que Jem Perrit ou Tunk Três Dedos fosse derrotá-lo. Encostado no balcão estava Podger Someo, antigo tocador de realejo localmente famoso, então aposentado, e para onde Tommy olhasse havia lendas encardidas da área alimentando ressentimentos míticos, um Olimpo decaído cheio de titãs embriagados cuspindo piadas sujas entre goladas de ambrosia com colarinho de espuma, minotauros desajeitados caçando os restos de sal nos saquinhos de batata frita.

A própria família de Tommy, ou pelo menos do lado dos Vernall, estava bem representada no bar naquela noite. O tio Johnny — o irmão mais novo de sua mãe — estava lá com a tia Celia, e sentada em um canto sozinha com meio quartilho de Double Diamond e seu velho acordeom surrado no colo estava a tia-avó Thursa, com seus oitenta anos àquela altura, e ainda mais difícil de entender do que antes. Tommy disse olá para ela e perguntou se podia lhe pagar outra bebida, o que a deixou alarmada, como se não tivesse certeza de quem ele era, mas então assentiu, concordando mesmo assim. Thursa sempre gostava de tocar seu acordeom ao ar livre, andando pelos Boroughs, embora alguns anos antes, durante a guerra, tivesse começado a fazer apenas apresentações noturnas. Mais especificamente, saía na rua para tocar seu instrumento durante os apagões, com os bombardeiros alemães zunindo sobre a cabeça e os encarregados de Precaução dos Ataques Aéreos ameaçando prendê-la se não ficasse dentro de casa e parasse com aquela algazarra. Como estava no exterior, Tom não tinha ouvido sua tia-avó fazendo acompanhamento musical para a Luftwaffe, mas sua irmã mais velha, Lou, descreveu essas cenas com lágrimas de riso correndo pelo rosto:

— Eles me mandaram trazê-la para dentro e juro que ela continuava ali de pé na Bath Row, olhando para aqueles aviões escuros enormes contra o céu e tocando pequenos trauteios e longos zumbidos no acordeom, como se o ataque aéreo fosse um filme mudo e ela, a musicista do cinema. Era aquele barulho horrendo de motor, ecoando no céu de um jeito, e lá estava Thursa, improvisando trechinhos que se encaixavam, trechinhos que soavam como alguém assoviando ou salteando. Não sei descrever direito, mas seus pequenos tralalás, ressoando por cima do trovejar assustador dos aviões, aquilo fazia você querer rir e chorar ao mesmo tempo. Mais rir do que chorar.

Tom havia imaginado a velha louca esquelética, com seu cogumelo de cabelos brancos, guinchando na rua apagada, com o vasto poder da força aérea alemã acima de si. Isso fez Tommy rir também.

Depois que as bebidas chegaram e já tinham dado um jeito na sua tia-avó biruta, ele sentou-se com sua tia calada, Celia, e seu tio animado, Johnny, com quem se dava bem e que certamente lhe faria companhia até a hora de fechar. Tom se recordava de, antes da guerra, estar com Walt, Jack e Frank uma noite no Criterion, na King Street, quando o tio Johnny Vernall apareceu e bebeu com eles. Ele os manteve entretidos com histórias sobre como o bar quase vazio tinha sido em seus dias de glória, com um pão, um presunto, um vidro de picles e uma cunha de queijo de graça em cada mesa. O aumento em fregueses, segundo o tio Johnny, mais do que compensava a oferta de produtos alimentares, e ninguém ficava bêbado ou fazia arruaça, porque todo mundo tinha alguma coisa no estômago para absorver a bebida. Para os quatro irmãos, aquilo tinha soado como o Éden, uma era de ouro perdida.

Sentado com o tio e a tia na baia do Black Lion, Tommy perguntou a eles como estavam e também sobre a prima Audrey, que era o xodó de toda a família, e que tocava acordeom na banda de baile que o pai dela, tio Johnny, agenciava. Era a mesma banda que tinha tocado tão bem na recepção do casamento de Walt, na Gold Street, apenas alguns meses antes, quando Tom e Frank ouviram o sermão da mãe, e quando, na opinião de Tom, sua jovem prima Audrey jamais havia se saído tão bem ou se mostrado tão bonita quando naquela noite, cantando swing e clássicos para os corpos em movimento que enchiam a pista de dança. Audrey era uma pequena beldade, a família toda achava, mas, naquela noite no Black Lion em particular, o tio de Tom apenas balançou a cabeça quando ele perguntou sobre ela, e disse que Audrey estava em casa, mal-humorada e carrancuda nos últimos tempos. Tom havia ficado surpreso, já que Audrey sempre pareceu tão alegre, mas imaginava que aquele ataque de mau humor tinha a ver com as mulheres e as mudanças pelas quais passavam, sobre as quais, àquela altura, para sua sorte, não sabia quase nada. Ele assentiu com a cabeça e lamentou com o tio e a tia, dizendo que com certeza a filha deles superaria aquilo e voltaria ao que era em um dia ou dois. Nisso, ele estava errado, como se saberia depois.

Confraternizando com os parentes, Tom refletiu sobre o quanto gostava do tio Johnny, que em sua opinião dava um toque de cor à família, com suas gravatas berrantes e o xadrez mostarda do casaco, além de seu talento para o showbiz. Havia algo moderno no sujeito, no modo como agenciava a banda e falava de datas e reservas, como se estivesse à altura do desafio do mundo e do futuro surgido depois da guerra, cheio de energia e ansioso para seguir adiante com uma nova vida. De acordo com a mãe de Tom, seu irmão mais novo Johnny desde a infância não falava em outra coisa a não ser o palco, de fazer parte daquele agito de paetês, embora não tivesse um talento artístico. Sem dúvidas por isso foi agenciar uma banda de baile, se não podia tocar ou cantar em uma. Quando sua jovem Audrey demonstrou ter tanto talento com o acordeom, um gosto evidentemente herdado da tia-avó Thursa, Johnny devia ter ficado feliz da vida. Tommy sempre achou que, quando seu tio Johnny circulava pelos bastidores e observava com adoração enquanto Audrey tocava, devia ter sido como se ele visse seu jovem eu ali, todas as suas esperanças e os seus sonhos por fim desfilando sob as luzes da ribalta. Bem, boa sorte a ele. Talvez o menininho que Tom esperava agora em Wellingborogh Road viesse a ser bom em algo que ele próprio sempre tivesse ansiado, como, digamos, futebol. Se isso acontecesse, é bem provável que Tommy ficasse na lateral do campo, torcendo, como o tio Johnny sorrindo orgulhoso no escuro e nos fios emaranhados de trás do palco.

A tia Celia era outra história. Tão quieta quanto Johnny era escandaloso, não paparicava Audrey tanto quanto ele. A tia Celia era sempre simpática, até alegre a seu modo, mas nunca parecia ter muita coisa a dizer sobre o que fosse. Não era metida ou esnobe, mas, se o tio Johnny soltasse uma de suas piadas sujas, ela apenas sorria e desviava os olhos para sua soda de limão. A mãe de Tommy não gostava muito da cunhada e dizia que achava que a tia Celia não tinha bom senso, mas a mãe de Tommy não gostava muito de ninguém.

Ele fez companhia para o tio e a tia naquela noite de fevereiro cinco ou seis anos antes, até que o gerente avisou que aquela seria a última rodada, e eles disseram que não beberiam mais. Terminaram seus copos enquanto Tommy estava começando seu último, então colocaram os casacos, prontos para irem para casa. Não tinham de andar muito. Johnny e Celia moravam com Audrey na Freeschool Street, um pouco adiante de Jem Perrit e a família, então bastava virar a esquina além da igreja. Tommy se recordava de tio Johnny se levantando da cadeira no cubículo e colocando o chapéu na cabeça, o que o fazia parecer um agente de apostas. Ajudando a tia Celia a ficar de pé, Johnny suspirou e disse "Ah, bem. Acho melhor a gente voltar para casa e enfrentar a situação", falando de Audrey e seu mau humor, o que no momento não era mais que uma observação inocente.

Eles se despediram e Tom observou a saída do casal do pub enfumaçado, com o interior tão anuviado quanto a neblinosa rua que se revelou ao abrirem a porta do Black Lion e saírem para a noite. Tommy tinha terminado sem pressa a cerveja amarga que lhe restava, com olhos vagando pelo bar para o caso de que pudesse haver uma mulher de aparência mais ou menos decente ali. Estava sem sorte. A única que ainda permanecia no Black Lion além da cachorra do gerente era Mary Jane, a brigona que costumava ser vista na Mayorhold, no Jolly Smokers ou no Green Dragon, um dos dois. Um dos olhos dela estava fechado e violeta, estufado até virar uma simples fenda, e o rosto todo parecia ter tido um dia um formato bem diferente. Estava olhando para o nada, balançando a cabeça de vez em quando, como se para clarear os pensamentos, embora não fosse possível saber se era por ainda estar grogue das pancadas que levou ou por causa do quanto havia bebido. Até a tia-avó Thursa tinha saído do bar quando ele não estava olhando. Tommy se viu sozinho em um domínio totalmente masculino, predominantemente de nariz quebrado, mesmo incluindo Mary Jane nessa avaliação. Embora estivesse acostumado a ter uma maioria de homens em torno de si no trabalho, e achasse aquilo muito menos enervante do que a companhia prolongada de mulheres, era muito mais entediante. Tommy engoliu o que sobrou no copo, disse boa-noite às pessoas que conhecia e seguiu para a porta enquanto fechava o casaco.

Do lado de fora do Black Lion, com o frio queimando a garganta, ficou indeciso sobre qual era o caminho mais rápido de volta à casa da mãe na Green Street. Por fim, escolheu ladear a igreja de St. Peter e cortar pela viela até Peter's Street, que marcava a parte de cima do parque. Era apenas um pouco mais longe do que descer até a Elephant Lane, mas, estando bêbado e sentimental, Tom achou que gostaria de seguir pelo cemitério, para que pudesse dizer boa-noite a Jack, ou ao monumento, pelo menos. O que restava de Jack ainda estava em algum lugar na França.

Deixando o pub para trás, Tommy havia subido a Black Lion Hill até a Marefair, com as brumas agora enroscando-se na grade de ferro do cemitério à direita. Ele assentiu, um pouco envergonhado, para o memorial da guerra que se erguia da cama de algodão em fluxo ao redor de sua base, e se perguntou quem tocava a música que podia ouvir, vindo da estalagem que acabara de sair. Tommy levou vários momentos, atordo-ado pela cerveja como estava, para perceber que não havia um piano no Black Lion, e que de qualquer jeito o barulho não vinha de lá, era fraco e fervilhante, vindo das sombras de Marefair, que se talhavam à sua frente.

Intrigado, Tom passou pela viela estreita entre a igreja e a Orme's, a loja de vestuário masculino, com a intenção de cortar o caminho até a Peter's Street. Queria saber quem era, fazendo uma algazarra àquela hora da noite, e certificar-se de que não havia nada inapropriado ocorrendo na vizinhança. Além disso, enquanto passava pela Cromwell House, Tommy podia ouvir a música levemente frenética com mais clareza, e quase conseguia, em seu estupor mediano, descobrir o que era. Parecia vir da Freeschool Street, bem adiante, com o refrão fluindo pela calçada com a névoa e se enrolando em seus pés embriagados para fazê-lo tropeçar.

Fez uma pausa, do lado de fora do prédio de pedras marrons onde o Lorde Protetor havia acantonado na noite anterior à batalha campal em Naseby, e apoiou uma mão no muro rugoso para verificar seu equilíbrio vacilante. Foi quando viu o tio John e a tia Celia seguindo cambaleantes da Freeschool Street para a Marefair, contorcendo a boca, colocando as mãos no rosto como se chorassem, apoiados um no outro como dois sobreviventes de um desastre de trem subindo o aterro ferroviário. Que diachos havia acontecido?

O que ele deveria ter feito, pensava agora, assoprando as mãos para aquecê-las do lado de fora do hospital, era simplesmente ter chamado o tio e a tia para perguntar o que havia de errado. Mas não fez isso. Ficou escondido na névoa observando o casal, ambos parecendo que tinham envelhecido dez anos nos dez minutos anteriores, enquanto tropeça-vam no miasma úmido, apoiando-se um no outro, mugindo como ani-mais mutilados. Seguiam na direção de Horsemarket, com os barulhos molhados de sua infelicidade ficando mais fracos. De seu esconderijo, Tom estava queimando de vergonha por ter visto familiares sofrendo e ficado ali sem fazer nada, nem mesmo oferecer ajuda.

O problema era que parecia uma coisa muito íntima, a dor do tio Johnny e da tia Celia. Aquilo era tudo que Tom podia dizer agora em sua própria defesa. Tinha sido criado para ajudar as pessoas quando as coisas estavam indo mal, mas também para não enfiar o nariz nas

questões particulares dos outros, e às vezes parecia haver uma linha
tênue entre as duas coisas. Foi assim com o tio Johnny e a tia Celia
naquela noite. Era como se naquele momento a vida deles tivesse des-
moronado, entrado em colapso sobre si mesma, como se sua mágoa
fosse tão pessoal e humilhante que ter alguém se intrometendo apenas
tornaria tudo pior. Pensando agora, talvez o que tivesse percebido era
que Celia e Johnny não estavam procurando ajuda para o que quer que
tivesse acontecido. Não estavam batendo nas portas dos vizinhos e
pedindo a alguém para buscar um carro de bombeiros ou uma ambulância. Não tinham ido dobrar a esquina para a casa da mãe de Tom na
Green Street, a irmã mais velha do próprio Johnny. Não tinham buscado ajuda nos Boroughs, mas se dirigido à Gold Street e ao centro da
cidade. Tom depois soube que o tio Johnny e a tia Celia haviam ficado
sentados até o amanhecer, ambos abraçados, desolados, nos degraus
da Todos os Santos, sob o pórtico.

Naquela noite, tinha observado a tia e o tio até que eles se fossem,
então entrou na Freeschool Street para descobrir o que estava acontecendo. Desceu aos tropeços a fresta negra onde a Escola Livre ficava no
século XVI, caminhando diante de toda a música triste e tocante que
soava mais alta em meio à névoa a cada passo cauteloso de Tom. Todas
as notas baixas ressoaram nos vidros apagados das fábricas cobertas de
fuligem à esquerda e à direita de Tommy, fazendo os painéis zumbirem
como moscas presas. Foi nesse momento que ele se deu conta de que a
música era tocada repetidas vezes, batida em um velho piano em algum
lugar na escuridão na direção do que costumava ser a Green Lane. Havia
começado a cantá-la, dentro da cabeça, palavras familiares voltando antes
mesmo que tivesse chegado ao título, sabendo que se tratava de uma canção que conhecia bem. Como era? "Why tell them all your secrets..."[64].

Tommy seguiu hesitante pela rua escurecida, tanto por medo de tropeçar em algo na névoa quanto por medo do que poderia encontrar
quando chegasse mais perto do fundo. Já sabia que era da casa do tio
Johnny que vinha a música, que seria Audrey tocando. Quem mais na
Freeschool Street poderia executar uma música linda como aquela?
"They're buried under the snow..."[65]. Conhecia aquilo tão bem, apenas
não tinha na época conseguido se lembrar do nome daquilo. Com o
título faltante atormentando sua mente, Tommy cambaleou ainda mais
para dentro da harmonia invisível.

Em vinte passos, quando chegou ao cruzamento com a St. Peter's Street, ficou claro que a velha canção de fato vinha da casa da prima do outro lado da rua, perto da esquina da Gregory Street. Também percebeu que a Freeschool Street estava totalmente deserta, exceto por ele mesmo e por mais uma pessoa: de pé, enraizada no vapor rastejante que fervilhava na soleira de tio Johnny, rígida e esguia, com a cabeça selvagem inclinada para trás para contemplar a janela de luz-acesa-mas-cortinada da sala de onde a música vinha, estava a tia-avó de Tommy, Thursa. Nos braços, ela embalava o acordeom como uma criança muda e monstruosa, com os dedos cerosos e translúcidos de uma das mãos acariciando distraidamente o teclado, para a frente e para trás como se para acalmar o instrumento silencioso e tranquilizar seus medos naquela situação alarmante. Thursa não fazia nenhum som, mas ouvia tão atentamente a música de dentro da casa que era quase possível ouvi-la fazendo isso. Continuou, a melodia, costurando seu fio de letras parcialmente lembradas no manto da névoa. "Whispering grass, don't tell the trees..."[66].

Claro que, a essa altura, Tommy havia se lembrado do título que buscava: "Whispering Grass". Era um sucesso fazia anos, e até tinha chegado à linguagem corrente como gíria para se referir a um informante, ou pelo menos era daí que Tom achava que vinha o termo "grass". Antes disso, a opinião de Tom era de que a música, embora assustadora, era sentimental e extravagante demais, com sua ideia de grama e arbustos conversando entre si, algo que Walt Disney poderia ter feito. Ouvir isso da neblina rastejante na Freeschool Street, porém, naquela noite de fevereiro, não soou nada extravagante. Aos ouvidos de Tom, soou terrível. Não terrível como no sentido de ruim ou mal interpretado, e sim como se falasse de algo terrível, de alguma mágoa terrível demais para ser superada, ou de alguma terrível traição. Soou raivosa na forma como os acordes explodiam, com as notas quase se estilhaçando sob o impacto dos dedos invisíveis. Soou como uma acusação e também como um desabafo, uma confissão agonizante que nunca poderia ser retirada, depois da qual as coisas não poderiam ser as mesmas novamente. Foi uma música para o fim de alguma coisa.

"... 'cause the trees don't need to know"[67]. Envergonhado. Aquilo tinha sido, pensava Tom agora, outro elemento, além de dor e raiva, que aquela música trazia para o ar úmido e frio na noite: uma sensação sobrepujante de vergonha. Até a alegria horrível na qual o refrão às vezes irrompia soava sardônica, soava vingativa, soava errada. Tommy ficou perturbado, em grande parte porque não conseguia por nada imaginar uma torrente inesperada de emoções confusas saindo de uma pessoa tão modesta e recatada quanto a prima Audrey. O que poderia ter passado pela mente dela para que aquilo emergisse naquele modo apavorante e febril como apareceu? O que ela havia sentido para produzir um barulho que chocava, que dava um nó no estômago como aquele?

Deus sabe quantas vezes ela já havia tocado a música antes de Tom ou qualquer outra pessoa ter se aventurado na Freeschool Street para ouvi-la, mas enquanto ele e a tia-avó ficaram lá ouvindo separadamente na neblina, escutou a música ser repetida ao menos mais quatro vezes, na íntegra, antes que enfim terminasse em um súbito silêncio suspirante que fora de algum modo ainda mais perturbador que o barulho de antes.

Passaram-se alguns momentos tensos, talvez para se certificar de que o recital tinha terminado completamente, e então a tia-avó Thursa tinha, do nada, pressionado apenas quatro notas no acordeom em sua alça de couro desgastada em volta do pescoço fibroso, quatro notas graves e arrastadas que Tom reconheceu com um leve toque de alarme como o início de "A Marcha Fúnebre", ou ao menos na época pensou que fosse isso. Mas, com apenas aquela triste abertura concluída, sua tia-avó ficou em silêncio e permitiu que seus dedos de pergaminho caíssem das teclas. Abruptamente, Thursa deu meia-volta e marchou pela Freeschool Street como se, além de sua breve contribuição musical, não houvesse mais nada a ser feito. Em um instante, sua figura esquelética se dissolveu na ebulição fria da noite.

Tom percebeu agora, parado no pátio do hospital St. Edmund, que essa tinha sido a última vez que encontrou a tia-avó Thursa, que adoeceu com problemas brônquicos e morreu cerca de dois meses depois. A figura mental dela caminhando para o nevoeiro, para o mistério turbulento, era a última imagem dela de que conseguia se lembrar. Talvez sua versão curta de "A Marcha Fúnebre" tivesse sido uma profecia, embora, ao pensar nisso, visse que aquelas quatro notas poderiam muito bem ter sido "Oh Mine Papa", ou provavelmente uma dúzia de outras músicas.

Depois que a tia-avó partiu, Tom ficou ali por talvez mais cinco minutos, apenas olhando para a casa agora silenciosa do outro lado, com a luz suave do lampião a gás filtrada pelas cortinas fechadas da

janela da sala. Então seguiu tropeçando pela Freeschool Street e pela
Green Lane até a casa de sua mãe, na Green Street. May já estava na
cama quando ele entrou, e Frank ainda não tinha voltado do Anchor.
Tom acendeu o lampião e um cigarro com o mesmo fósforo e sentou-se
na poltrona por alguns minutos, pouco antes de ir para a cama.

Do outro lado de uma pequena sala encolhida ainda mais pela luz a
gás, encostado em uma parede, estava o piano da família, preto e polido
como um caixão. Empoleirado em cima dele, havia um vaso vazio e um
grande e brilhante retrato vinte por vinte e cinco em uma moldura com
suporte. A foto tinha sido tirada para fins de publicidade, claramente
por um profissional, e era um retrato do grupo que tio Johnny agenciava.
De pé na frente e no centro da foto, sem dúvida com o objetivo de exibir o trunfo mais atraente da banda dançante, estava Audrey, prima de
Tom, com seu acordeom quase maior do que ela. Pousadas nas teclas,
as mãos esguias estavam colocadas com tanta elegância que dava para
perceber que era artificial; ela havia sido instruída a manter a pose e
o instrumento exatamente daquela maneira pelo fotógrafo. Tom podia
imaginar a conversa e a tagarelice enquanto ele tirava a foto, com o jeito
para o flerte que caras como aquele geralmente pareciam ter. "Certo,
está lindo, agora um grande sorriso da jovem encantadora". E então
Audrey teria olhado para cima, assim como estava na foto, parecendo
comicamente exasperada enquanto ria do elogio — "Ah, francamente!"
—, mas lisonjeada, satisfeita por ele ter dito aquilo, mesmo que tenha
feito isso apenas para fazê-la sorrir. A cabeça dela estava levemente inclinada para trás, como se fizesse um apelo ao céu, pedindo libertação
dos homens e da conversa mole e boba deles, e era possível ver a linha
forte do queixo, o ângulo reto do nariz, a cabeça finamente esculpida,
com o cabelo escuro caindo em cascata sobre os ombros da blusa branca
passada. A prima naquela época tinha cerca de dezoito anos, e Tommy
achava que a foto parecia ter sido tirada dois ou três anos antes, quando
Audrey estava com quinze ou dezesseis. Ela parecia tão animada e irô-
nica que Tom ficou sentado na sala iluminada pelo lampião por uma
boa meia hora apenas tentando encaixar a jovem na foto e a apresentação assustadora que havia acabado de ouvir na Freeschool Street.

Obviamente, nos dois ou três dias seguintes, Tom descobriu mais
sobre o que havia acontecido naquela noite. De acordo com a mãe,
que naquela época tinha ouvido o relato completo do irmão mais

novo, o tio Johnny e a tia Celia foram do Black Lion para casa na Free-school Street e descobriram que a única filha os havia trancado para fora de casa, enquanto estava lá dentro tocando sem parar o mesmo lamento no piano, ignorando intencionalmente as batidas na porta e os pedidos deles para que os deixasse entrar. Como os pedidos logo se transformaram em súplicas preocupadas, a prima Audrey aparentemente havia feito suas próprias interjeições vocais, gritando acima da avalanche de sua própria execução: "When the grass is whispering over me, then you'll remember"[68]. Por fim, os pais desistiram e se esgueiraram para a neblina, subindo a Gold Street, onde se abrigaram sob o pórtico da Todos os Santos a noite toda, esmagados pela percepção da coisa terrível que havia acabado de acontecer. A única filha, a filha brilhante, bonita e talentosa, que eles esperavam que levasse adiante todos os seus sonhos para o futuro, tinha perdido o juízo, dobrado a esquina da loucura. Na manhã seguinte, os médicos foram chamados, e Audrey Vernall contornou a curva da Berry Wood para o hospício de St. Crispin, lutando e esperneando, gritando todos os tipos de delírios fantásticos, como havia contado tio Johnny. Ela estava no hospício desde então, muito provavelmente ficaria lá a vida toda, uma vergonha e uma desgraça para a família. Seu nome quase nunca era mencionado agora.

O consenso geral, naturalmente, era o de que os problemas de Audrey eram herdados, parte da maldição transmitida entre os Vernall, como demonstrado tanto no avô de Tom, Snowy, quanto em sua tia-avó Thursa.

Lá estava. A loucura na família. Uma coisa alegre de se pensar enquanto esperava a chegada do primeiro filho, mas Tom supôs que não havia como esconder isso. Era um fato, parte da complicada loteria do nascimento que decidiria se o bebê tinha cabelo castanho como o de Doreen ou preto como o de Tom, se os olhos eram azuis ou verdes, se era para ser alto ou baixo, corpulento ou magro, são ou louco. Ninguém tinha influência sobre como seus filhos nasceriam, assim como sobre a maioria das coisas importantes da vida. Tudo o que se podia fazer era extrair o melhor da situação em que se estava. Tudo o que se podia fazer era jogar com as cartas que estavam na mão.

Olhou ao redor, para a névoa que enfaixava a escuridão, para a igreja em ruínas do outro lado da rua, com o peso e a presença mais sentidos do que vistos. À esquerda de Tommy, um colar de lâmpadas fracas serpenteava pelos quilômetros escuros até Wellingborough. À sua direita, as rapsódias mestiças de Mad Marie estavam emaranhadas ao redor do centro da cidade em fios aleatórios de ouropel frágil, e atrás dele assomava-se o asilo reabilitado, como um oficial de justiça corrupto que recebeu um novo emprego e uniforme e jurou que era uma pessoa recuperada. Tom percebeu com um sobressalto que eles já estavam na metade do século vinte.

Tom também começou a ver que não eram apenas o sangue e a hereditariedade que determinavam o desenvolvimento de uma criança. Era tudo. Foi o agregado de todas as partes do planeta e toda a sua história, de cada fato e incidente, que fez o mundo, que formou os pais da criança, e todos esses componentes culminaram nesse bebê específico flutuando naquele útero específico. Com sua própria prole se formando agora dentro da barriga dilatada de Doreen esperando para ser derramada, Tommy entendeu que não haveria nenhum elemento da vida dele ou de sua esposa que não influenciasse o filho deles, assim como todas as circunstâncias da vida de seus próprios pais, por sua vez, deixaram sua marca neles.

O trabalho na vidraçaria que Snowy Vernall havia recusado, por exemplo, havia desempenhado um papel quanto ao tipo de família e educação que seu recém-nascido poderia esperar. A primeira filha da mãe de Tom ter morrido de difteria significava que ela não tinha parado em duas meninas, mas também teve quatro meninos. Se fosse de outra forma, nem Tommy nem seu próprio filho teriam existido, para começo de conversa.

Depois houve a guerra, claro, e toda a política que veio antes e depois. Todas essas coisas que determinavam como a próxima geração deveria ser educada, como seriam as ruas e as casas onde eles seriam criados e se haveria algum emprego quando crescessem. E essas eram apenas as coisas óbvias, que qualquer um via que teriam efeitos nas chances de uma criança na vida. E todas as outras coisas, acontecimentos tão pequenos que eram invisíveis e, no entanto, faziam alguém escolher um caminho em vez de outro, influíam na gestação de conjunturas que teriam impacto no mundo, em seu filho, para melhor ou para pior?

Tom pensou no turbilhão de ocorrências, de vidas e mortes e memórias que estavam sendo canalizadas para cada contração de Doreen, deixando uma marca em seu bebê enquanto se contorcia em direção à luz:

as noites de ataques aéreos, a fila do seguro-desemprego, os programas de rádio e as demolições. Vislumbre das panturrilhas de uma mulher com as meias falsas desenhadas com lápis de sobrancelha, de camisinhas chovendo nos chapéus dos passageiros. O túmulo de um franco-atirador alemão de quinze anos numa estrada francesa. O avô de Tom amassando seu anel de números com raiva para jogá-lo no fogo, o buraco negro se espalhando do centro do papel enquanto queimava. A fotografia de Audrey emoldurada no piano, com suas mãos em pose e seu sorriso alegre e os membros da banda sorridentes atrás dela de gravatas-borboleta, segurando violões e clarinetes. A neblina, a merda de pombo e Mad Marie, todos de alguma forma se infiltrando no recém-chegado que estaria respirando pela primeira vez e dando seu primeiro gemido dentro de uma ou duas horas, se tudo corresse bem.

O relógio da St. Edmund bateu três vezes nos andares mais altos da névoa. Os dedos estavam tão frios em suas botas que não conseguia mais senti-los. À merda com aquilo. Com as mãos nos bolsos do casaco de chuva, Tommy Warren virou e começou a caminhar de volta pelo longo caminho de entrada do hospital em direção às luzes borradas e distantes da maternidade, brilhando fracamente na escuridão. Doreen ainda não poderia ter dado à luz, ou alguém teria sido enviado para buscá-lo. Subindo o caminho, notou que o piano oscilante não era mais audível, embora Tommy não soubesse se isso queria dizer que Mad Marie finalmente havia parado ou se apenas significava que o vento tinha mudado de direção. Cantarolando distraidamente para preencher o silêncio repentino, interrompendo-se ao perceber que murmurava "Whispering Grass", Tom mudou a melodia para "Escutai! O Som Alegre!", e só então continuou. A varanda iluminada por lâmpadas do lado de fora da sala de espera aproximava-se gradualmente. Acelerando o ritmo e animando as ideias, Tommy foi dar as boas-vindas ao seu menino primogênito.

Ou menina.

ENGASGANDO
COM UM TUNE

Não importava o que sua irmã mais velha tivesse insinuado ao longo dos anos, ou inclusive escrito em sua testa com um marcador de texto enquanto ele dormia, Mick Warren não era burro. Se houvesse um rótulo de perigo no tambor, talvez uma caveira amarela ou um homem de palito gritando com o rosto queimado, Mick quase certamente se daria conta de que golpeá-lo com força com uma porra de uma marreta enorme não era a melhor ideia que já havia tido.

Mas, por algum motivo, não havia adesivos fluorescentes, nenhum aviso branco do governo, nem mesmo do tipo insípido que alertava contra o envelhecimento da pele ou risco reprodutivo. Mick ergueu alegremente o grande martelo para trás sobre o ombro direito e então o baixou em um movimento em arco familiar e estimulante. O tinido satisfatório do impacto, ressoando nos cantos varridos pelo vento de St. Martin's Yard, só foi prejudicado por seu próprio berro assustado, pois toda a frente da cabeça de Mick, que ele sempre considerou seu melhor ângulo, foi jateada por pó venenoso.

As bochechas e a testa instantaneamente se encheram de bolhas. Largando o pesado martelo, Mick tentou fugir da nuvem tóxica que seu misterioso tambor havia acabado de exalar como se fosse um enxame de abelhas, batendo as mãos em volta do rosto e rugindo com raiva, não "gritando como uma menina", como uma pessoa de sua família afirmaria mais tarde. A pessoa em questão, de qualquer forma, não tinha nada que abrir a boca. Pelo menos ele só ficou com aquela aparência por um tempo, como resultado de um acidente industrial, enquanto ela era assim desde o nascimento e não tinha essa desculpa.

Cego e uivando, de acordo com os vívidos relatos testemunhais de colegas de trabalho, Mick correu em um semicírculo e, com o timing para a comédia pastelão de um Harold Lloyd pós-nuclear com cicatrizes de radiação, bateu com a cabeça na barra de aço saliente das enormes balanças nas quais os tambores achatados eram pesados. Desmaiou e, em retrospectiva, congratulou-se pela velocidade com que, em circunstâncias difíceis, havia improvisado um analgésico de efeito total e imediato. Não foi exatamente a ação de um homem burro, ele se tranquilizou, um tanto presunçoso, depois de um ou dois dias, quando os piores ferimentos não estavam mais tão ruins.

Deve ter ficado deitado na sujeira, inconsciente, por um segundo antes de Howard, seu melhor amigo no pátio de recondicionamento, perceber o que estava acontecendo e correr para ajudar Mick. Ele abriu a torneira que alimentava a única mangueira do local, direcionando o jato resultante para o rosto comatoso e virado para cima de Mick, lavando o pó alaranjado cáustico que cobria as feições inchadas como uma maquiagem de blackface daqueles antigos cantores de rádio. Pelo que Howard relatou depois, Mick voltou a si no mesmo momento, com seus olhos injetados de sangue se abrindo em um olhar de absoluta confusão. Ele murmurava algo com grande urgência enquanto recuperava a consciência, mas baixinho demais para seu preocupado colega de trabalho entender mais que uma ou duas palavras. Algo sobre uma chaminé ou talvez um chimpanzé que de alguma forma estava ficando maior, mas então Mick pareceu de repente se lembrar de onde estava e também de que seu rosto cheio de bolhas e pó de ferrugem era agora uma tigela agonizante de Choco Krispis. Começou a gritar de novo e, depois que Howard lavou o pior da contaminação com sua mangueira, obteve permissão da aflita administração para conduzir Mick pela Spencer Bridge, subindo a Crane Hill, a Grafton Street e a Regent Square, atravessando os Mounts e então seguindo por uma sequência complicada de curvas para a Billing Road e a Cliftonville, onde ficava agora o setor de emergência do hospital. Apesar de Mick ter passado toda a duração dessa jornada praguejando com força sob a toalha molhada que manteve pressionada contra o rosto, algo sobre o caminho que tomaram lhe parecia estranhamente familiar.

Ele teve sorte, já que por acaso chegou em um momento tranquilo no hospital, e foi atendido imediatamente, ainda que não houvesse muito o que pudessem fazer. Eles o limparam e pingaram colírio em seus olhos, disseram que sua visão deveria voltar ao normal no dia seguinte, e o rosto, dentro de uma semana, então Howard o levou para casa. Durante todo o caminho, Mick olhou em silêncio da janela do carro para o borrão da Barrack Road e da Kingsthorpe através das pálpebras inchadas e gotejantes e se perguntou por que sentia uma sensação furtiva e insidiosa de medo. Tinham dito no pronto-socorro que ele estava fora de perigo. Não era preciso se preocupar com os efeitos a longo prazo do acidente e, com os poucos dias de licença médica remunerada que receberia do trabalho, dava para dizer que não tinha se dado tão mal. Então por que aquela impressão de que uma grande nuvem de destruição pairava sobre ele? Deve ter sido o choque, finalmente concluiu. Isso podia causar umas coisas engraçadas. Era um fato bem conhecido.

Howard o deixou no estacionamento do início da Chalcombe Road, a apenas um minuto a pé da casa de Mick e Cathy. Mick se despediu e agradeceu ao colega pela carona, em seguida subiu a ladeira curta que levava ao portão dos fundos. Depois do caos e confusão de seu dia até então, era reconfortante ver o quintal, com o pátio, o deque e o barracão que ele mesmo havia construído, mesmo que através do filtro turvo de sua atual visão empoçada. O interior da casa, com sua cozinha reluzente e sala de estar arrumada, era organizado e confortável e, com Cath no trabalho e os dois garotos na escola, ele tinha tudo para si. Mick preparou uma xícara de chá e afundou no sofá, acendendo um cigarro, inquieto, consciente da precária normalidade de tudo.

Embora Mick fizesse sua parte do trabalho, a força motriz por trás da arrumação impecável da casa era Cathy. Isso não queria dizer que a mulher de Mick fosse obcecada por limpeza e ordem. Era mais porque Cathy tinha uma profunda aversão à desordem e à sujeira e o que representavam para ela, um condicionamento instilado por ter crescido no covil da família Devlin. Mick entendia que o que para ele poderia parecer uma pequena mancha no carpete, quase imperceptível, para Cathy era uma rachadura no muro alto que ela havia construído entre o presente e o passado, entre a atual vida doméstica confortável e a infância não particularmente feliz. Brinquedos de criança espalhados no tapete, se não fossem recolhidos de imediato, poderiam significar que, da próxima vez que ela olhasse, lá estaria seu falecido pai e uma gangue de tios bêbados espalhados pelo lugar, o que parecia ser um ferro-velho no quintal, e mais policiais chegando à porta do que leiteiros. Esse medo não era racional, ambos sabiam disso, mas Mick percebia como o fato de ser criada como uma Devlin podia deixar sua marca em uma pessoa.

Mick se dava bem com todos da família da mulher, inclusive muito bem com alguns deles, e achava que, em geral, eram uma turma ótima, pelo menos os que conhecia. A irmã de Cath, Dawn, por exemplo, era assistente social em Devon, e Mick e a família a visitaram em muitas férias por causa disso. A filha mais nova de Dawn, Harriet, na tenra idade de quatro anos, disse uma das coisas mais engraçadas que Mick já tinha ouvido de qualquer criança ou adulto, quando o pai lhe perguntou se sabia por que os caranguejos andavam de lado e ela respondeu de mau humor: "Porque são uns babacas". Talvez por haver muitas semelhanças com o histórico da família Warren, Mick sempre se sentiu muito confortável em ser parente dos Devlin.

Mesmo assim, eles ainda eram os Devlin. Informações trazidas por Cathy dos confins mais selvagens do clã imensamente estendido ainda tinham o poder de assustar ou alarmar. Houve um funeral algumas semanas antes ao qual Mick não pôde comparecer por causa do trabalho. Cathy tinha ido e, segundo todos os relatos, tinha sido o evento animado que os funerais dos Devlin costumavam ser. Em certo ponto da cerimônia, a irmã de Cathy, Dawn, a cutucou e disse: "Você viu nosso Chris?" Era um primo distante que Cathy já tinha visto, de pé no meio das pessoas nos fundos da capela, e então disse que sim, que o havia visto. Dawn, porém, insistiu. "Não, mas viu *mesmo*? Viu o cara que está com ele?" Cathy olhou por cima do ombro e lá estava seu primo, ao lado de alguém tão alto quanto ele, que parecia lutar para controlar os sentimentos naquela triste ocasião. Foi só mais tarde, no velório, que Cath percebeu por que ele estava tão perto do primo Chris. Os dois estavam algemados um ao outro. O homem emocionalmente exausto, que envergonhou todo mundo falando que a família Devlin era maravilhosa e o quanto ele se comoveu com a cerimônia, era o policial à paisana responsável por supervisionar a saída de Chris naquele dia. Assalto à mão armada, ao que parece.

Os parentes da mulher de Mick eram um bando peculiar e variado, cultivado na mesma terra cheia de fuligem negra dos Boroughs que os Warren. Sem dúvida, era por isso que Cath não tolerava que aquele mesmo solo nativo estivesse em seus tapetes. As paredes em tons pastel e a mesa de jantar polida eram uma barreira contra os torrões de lama ao redor das raízes de Cathy, mas Mick gostava da limpeza, da serenidade previsível. O único problema no momento foi quando viu seu reflexo nas portas de vidro do armário. Sentado ali com seu rosto em erupção, bebendo seu chá entre os móveis decorosos, ele parecia algo saído de um filme de George Romero, um zumbi melancólico tentando se lembrar de como os vivos faziam as coisas.

Esse pensamento perdido trouxe consigo o retorno das preocupações nebulosas e inexplicáveis de antes. Ainda não sabia de onde vinham. Alguma coisa teria acontecido em sua cabeça enquanto estava apagado? Um derrame ou algo assim, ou talvez um daqueles sonhos dos quais a pessoa não consegue se lembrar, mas que deixam um clima desagradável no ar o dia todo. O que passava por sua mente naqueles primeiros segundos quando voltou a si em St. Martin's Yard, balbuciando palavras sem sentido com vulcões nos olhos? Qual foi seu primeiro pensamento ao acordar?

Com um sobressalto, deu-se conta de que tinha sido, simplesmente, "mãe".

Sua mãe, Doreen Warren, nascida Doreen Swan, tinha morrido dez anos antes, em 1995, e Mick ainda pensava nela com carinho quase todos os dias, ainda sentia sua falta. Mas sentia falta dela como um adulto sente falta das pessoas, e não com o tom de voz mental que ouviu em seu primeiro pensamento ao recuperar a consciência. Aquilo havia sido como uma criança perdida chamando pela mãe, e ele não se sentia assim desde...

Desde que acordou no hospital aos três anos de idade.

Ah, Deus. Mick levantou do sofá e sentou novamente, sem saber por que havia ficado de pé. Seria esse o motivo do mal-estar latente, um incidente casual sem consequências duradouras ocorrido mais de quarenta anos antes? Apagou o cigarro no cinzeiro que havia trazido da cozinha e levantou novamente, dessa vez para abrir uma janela e permitir que a fumaça se dispersasse antes que as crianças e Cathy voltassem de seus dias na escola e no trabalho. Cumprida a tarefa, sentou e depois levantou outra vez, e então voltou a sentar. Merda. O que havia de errado com ele?

Ele conseguiu se lembrar da sensação que teve quando tinha três anos, abrindo os olhos para as paredes cinzentas da enfermaria e o cheiro forte

de desinfetante, sem ter ideia de onde estava ou de como havia chegado
lá. Foi forçado a juntar o acontecimento perdido, um pedaço de cada
vez, a partir de fragmentos de informação que sua mãe deixou escapar
nos dias seguintes: estavam sentados no quintal quando um doce ficou
preso na garganta de Mick, impedindo-o de respirar, e o homem que
morava ao lado deles na St. Andrew's Road levou Mick todo mole e sem
vida para o hospital, onde desobstruíram sua traqueia, retiraram suas
amígdalas inchadas por precaução e o devolveram à família novo em
folha no fim de semana. Ele sabia, então, o que havia acontecido, mas
só através de um relato de segunda mão. Quando acordou pela primeira
vez, com uma enfermeira e um médico estranhos pairando acima dele,
não se lembrava de nada daquele dia, nem de estar sentado no quintal,
no colo de sua mãe, nem de ter engasgado e ser levado às pressas para
o hospital. Pelo que sabia, a enfermaria sombria e pungente, e os vários
pôsteres de Mabel Lucie Atwell pregados com tachinhas nas paredes,
poderia ter sido seu primeiro momento de existência.

Isso, porém, tinha sido antes. Dessa vez, ao acordar do acidente de
trabalho, houve um momento em que a mente de Mick ficou muito
longe de estar em branco; um momento em que de repente se lembrou
de muita coisa. O problema era que, naqueles primeiros segundos de
pânico da recuperação da consciência, sua súbita onda de memórias não
era a de um homem de quarenta e nove anos. Nem sabia que era essa
sua idade, nem entendeu imediatamente o que estava fazendo naquele
pátio aberto com tambores de aço por toda parte. Não pensou imediatamente em Cathy, ou nas crianças, ou em muitos outros pontos de referência nos quais, em circunstâncias normais, ancorava sua identidade.
Naqueles instantes confusos, foi como se as últimas quatro décadas de
mudança de sua vida jamais tivessem acontecido. Era como se fosse mais
uma vez um menino de três anos despertando em 1959 no Hospital
Geral, só que dessa vez era um menino de três anos que conseguia se
lembrar do que havia acontecido com ele.

Todos os detalhes do ocorrido no quintal, apagados de sua memória
quando criança, depois de mais de quarenta anos, foram devolvidos. Na
verdade, foram devolvidos de uma forma comprimida e confusa que se
manifestou principalmente como um sentimento vago e desconfortável,
mas, se Mick apenas sentasse e refletisse, estava convencido de que seria
capaz de desembaraçá-lo, de desenovelar como fios essa sensação de ser

assombrado. Fechou os olhos, tanto para impedi-los de arder quanto para ajudar em seu devaneio. Viu o quintal, o velho estábulo através de um muro dos fundos de um metro e meio de altura, o telhado com as lacunas pretas onde faltavam telhas, como um jogo de palavras cruzadas em branco. As almofadas do sofá embaixo dele eram o colo de Doreen, e a borda de madeira dura e ossuda, os joelhos dela. Afundou na massa ancestral quente sem a menor dificuldade ou resistência, enquanto a espaçosa sala de estar ao seu redor se contraiu em um estreito recinto de tijolos, com os fundos das casas geminadas se erguendo à direita e à esquerda, com um pedaço irregular de céu azul desbotado acima.

Os Boroughs eram um lugar totalmente diferente naquela época, que não cheirava, parecia ou soava como o abatedouro de esperança e alegria que era hoje. Certamente o odor do bairro era muito pior naqueles dias, pelo menos no sentido mais literal e óbvio. Havia um curtume mais ao norte na St. Andrew's Road, com grandes montes de misteriosas aparas turquesa empilhadas no quintal e um aroma químico forte como balas de goma cancerígenas. Aquilo vinha da substância nociva azul pintada nas peles de carneiro para queimar todos os folículos pilosos e tornar a cobertura de lã muito mais fácil de manusear, e não era tão ruim quanto o cheiro vindo do sul, que emanava de um esquartejadouro, uma fábrica de cola na St. Peter's Way. O vento oeste trazia um perfume de óleo de motor queimado soprado da estrada de ferro, com um gosto ferroso de antracito dos vendedores de carvão, Wiggins, do outro lado da rua, enquanto da direção oposta, quando o sol amanhecia, acima do telhado vazando do estábulo, ele erguia os aromas ricos das próprias ruas dos Boroughs, flutuando morro abaixo, vindos do leste em uma avalanche olfativa: a essência humana fumegante de uma centena de caldeiras de cobre, comida boa, comida ruim, comida de cachorro e carcaças de cachorro, pó de tijolo e flores silvestres, ralos rançosos e a chaminé de alguém pegando fogo. Alcatrão quente no verão, o cheiro adstringente de grama gelada no inverno, tudo isso e depois o rio Nene para completar, com seu buquê frio e verde flutuando a partir do Paddy's Meadow por todo o caminho. Naqueles dias, os Boroughs não tinham uma fragrância distinta que o nariz pudesse detectar, e ainda assim, nos cílios imaginários do coração, eles fediam.

Quanto à St. Andrew's Road em si, ou pelo menos o pequeno trecho em questão, havia acabado de desaparecer, substituída por um canteiro

de grama que se estendia entre o início da Spring Lane e o da Scarletwell, enfeitado apenas por algumas árvores e estranhos carrinhos de
compras ornamentais. Antes, havia doze casas lá, dois ou três negócios,
Deus sabe quantas pessoas em um terreno que agora parecia ser o reino
das gaiolas móveis reviradas, os frios e duros carregadores de alimen-
tos enlatados de três gerações espalhados ali no mato como múmias de
arame obsoletas pelas quais os chimpanzés de laboratório finalmente
tinham perdido o interesse.

Sentado no sofá de sua sala de estar na Kingsthorpe, ele deixou a
mente escorrer por dutos desaparecidos e caminhos perdidos para
mergulhar no passado. Viu o caminho estreito que corria paralelo à
Andrew's Road, passando pelos quintais da fileira de casas, com um
solitário lampião a gás em desuso na metade do caminho. Durante
alguns anos, depois de todas as casas terem sido demolidas, ainda se
podia distinguir os paralelepípedos da viela traseira tornada obsoleta,
que se projetavam pela relva; a base serrada do velho poste de luz, um
anel de ferro com bordas irregulares dentro do qual ainda eram visíveis os orifícios transversais de fíos e tubos menores, o toco do pescoço
de um robô enterrado e decapitado. Aquilo havia desaparecido agora,
engolido pela grama ou pela cerca volumosa que corria ao longo do
fundo da área de lazer da Escola Spring Lane, uma demarcação movida
um pouco para o oeste nos cerca de trinta anos desde que sua rua natal
tinha sido destruída, e seus habitantes, espalhados ao vento. Não havia
mais ninguém que pudesse objetar ou impedir a invasão de campo. Em
mais vinte anos, aquela barreira errante de alambrado poderia chegar à
própria Andrew's Road, onde teria que esperar ao lado do meio-fio por
alguns séculos antes de atravessar.

A rua, batizada com o nome do Priorado de St. Andrew, que ficava ao
longo de seu extremo norte, na Semilong, muito tempo antes, já havia
sido o limite oeste da cidade. Isso foi no século XIII, quando a área chamada de Boroughs era então Northampton, tudo o que havia da cidade.
Os moradores e a Bachelerie di Northampton — a população estudantil
da cidade, notoriamente radical e perseguidora de monarcas — se alia-
ram a Simon de Montfort e seus barões rebeldes contra o rei Henrique
III e as quatro dúzias de burgueses ricos que, desde a Carta Magna assi-
nada cinquenta anos antes, governavam o lugar, saqueando sua riqueza
e servindo de precursores dos quarenta e oito conselheiros municipais

que administravam as coisas hoje em dia, em 2005. Naquela época, na década de 1260, um irado rei Henrique enviou uma força de soldados para reprimir a revolta com extrema crueldade. O prior de St. Andrew, por ser da ordem de Cluny e, portanto, francês, havia se aliado à família real normanda e deixado os homens do rei entrarem por uma abertura na muralha do priorado, provavelmente mais ou menos do outro lado da rua de onde a casa dos Warren foi construída mais tarde. Os soldados saquearam e queimaram a cidade antes próspera e agradável, enquanto, em reação aos estudantes arruaceiros, foi decidido que Cambridge se tornaria uma sede de aprendizado, em vez de Northampton. Do modo como Mick via as coisas, foi aí que a punição e a privação de direitos de seu território natal começaram, dando início a um processo que continua até os dias atuais. Recuse-se apenas uma vez a engolir a merda que lhe serviram e os poderosos garantirão que haja uma porção dupla fumegante em seu prato a cada jantar pelos oitocentos anos seguintes.

Naquele dia, em 1959, o distrito se estendia como um cobertor mofado no verão, com talos de grama esbranquiçada saindo de sua trama puída. As fábricas retiniam de tempos em tempos e através de suas janelas de Perspex fumê viam-se os arcos formados pelas faíscas lançadas pelas máquinas. Andorinhas tagarelavam nos beirais escaldantes dos dois lados das ruas inclinadas, onde mulheres com lenços xadrez trotavam estoicamente com suas sacolas de compras. As três e dez, anciões ainda tentavam chegar em casa, zonzos de tanto dominó e do copo de cerveja rápido da hora do almoço no Sportsman's Arms. A subida da escola do outro lado do campo de jogo amarelado, deserta por causa das férias, estava ensurdecedoramente silenciosa com os não gritos de duzentas crianças ausentes. Tinha sido uma tarde amena e agradável. Os prédios altos ainda não haviam sido erguidos. E apesar das demolições, a película louro-escuro da poeira que cobria o bairro evocava apenas o verão e a praia.

Toda a frente da casa geminada estava deserta, com o pai de Mick, Tommy, trabalhando na cervejaria em Earl's Barton, e os outros membros da família no quintal, aproveitando o tempo bom. O recuo coberto que emoldurava a desbotada porta vermelha estava separado do gasto pavimento da St. Andrews's Road por três degraus, e junto do primeiro deles, encostado na parede, estava um raspador de botas de ferro preto, cuja função Mick não havia entendido até ter cerca de dez anos. À direita da porta, no nível da calçada, havia a grade de arame protegendo a entrada de ventilação do depósito de carvão escuro como breu, e acima a janela da sala da frente, com o cisne de porcelana olhando desconsolado para o quintal da Wiggins, as linhas férreas cobertas de ferrugem e trepadeiras se estendendo ao longe e os carros ocasionais que passavam. À esquerda da entrada havia um cano de esgoto e depois a porta da frente e as janelas da casa da sra. McGeary, com um portão de madeira desgastado e descascado ao lado, dando acesso ao pátio de paralelepípedos e aos estábulos em ruínas nos fundos.

Depois que se subia os degraus e se cruzava o umbral do número dezessete, havia o capacho de fibra de coco simples e o corredor, com flores ocre fantasmagóricas desfalecendo no papel de parede e uma luz cor de mata-moscas caindo sobre seus sobrecarregados ganchos de casacos. A primeira porta à direita dava para a sala de visitas, naquele momento sem ninguém, com seu pesado relógio de pêndulo, seu sofá de crina de cavalo e sua poltrona, seu aquecedor a parafina e seu armário polido de louças extravagantes que ninguém nunca usou, a televisão alugada do tamanho de um tapete com portas estilo armário que se fechavam sobre a tela. A segunda saída da passagem levava à sala de estar igualmente vazia, enquanto, bem adiante, as escadas subiam para o andar superior, atapetadas com um desenho marrom contorcido que parecia com amentilhos feitos de pudim de Natal. O andar de cima da velha casa tinha o quarto dele e de Alma na parte de trás, no topo da escada, depois um degrau lateral para o patamar onde o quarto de sua avó também dava para a estreita forma em L do quintal semiazulejado, com o quarto de Tom e Doreen, o maior da casa, no final do pavimento, com as janelas para a Andrew's Road acima das do andar de baixo, com o resignado cisne de porcelana branca. Para Mick, como esse andar superior ficava desabitado durante quase todo o dia era como se fosse o piso noturno da casa, o que lhe conferia um ar de algo sinistro e assustador. Sempre que tinha pesadelos de infância que usavam sua própria casa como cenário, as partes mais assustadoras sempre aconteciam no andar de cima.

O andar térreo era aconchegante demais para ser assustador, apesar das sombras na cozinha penumbrosa e na sala de estar, logo depois do corredor lúgubre. Aqui o espaço era escasso, ocupado pela mesa de jantar retrátil de parede, com dois assentos combinando, um banquinho e uma cadeira de madeira rústica que compunham o conjunto. Duas poltronas confortáveis (de uma delas o primo de Mick, John, havia caído pela janela anos antes) ladeavam a lareira de ferro que parecia uma cratera meteórica (na qual a irmã de John, Eileen, caiu de cara na mesma época), com a pequena sala também acomodando o grande sarcófago de tralhas que era o aparador. Um rebordo de gesso escalonado, supostamente destinado a ser decorativo, percorria as bordas do teto e conspirava para fazer o teto parecer ainda mais baixo do que já era. Pendurados no trilho da parede oposta à lareira havia retratos desbotados em molduras pesadas, imagens bege e brancas representando homens com sorrisos conscientes e olhos brilhantes espiando por baixo das touceiras das sobrancelhas: o bisavô de Mick, William Mallard, e o falecido marido de sua avó, o avô materno de Mick, Joe Swan, com o bigode que parecia mais largo que os ombros. Havia uma terceira também, de outro homem, mas Mick nunca se importou em perguntar quem era e ninguém nunca se importou em contar. Em vez disso, recordava-se do rosto do sujeito anônimo na foto como um substituto se alguém mencionasse um parente morto que não conhecia. Uma semana, o homem poderia ser o irmão da avó, tio Cecil, e na outra poderia ser o primo Bernard, afogado durante a guerra enquanto tentava resgatar outros de um navio de batalha que afundava. Por uma quinzena desconcertante, tinha sido Neville Chamberlain, antes que Mick descobrisse que o ex-primeiro--ministro que queria apaziguar Hitler não era um parente próximo.

Recortado na parede divisória entre as salas de visita e de estar havia um recesso que continha um único painel de vitrais, um emblema floral em amarelo brilhante, verde esmeralda e vermelho como vinho do Porto ruby. Algumas noites, por volta da hora do jantar, quando o sol estava se pondo atrás dos pátios da estrada de ferro na St. Andrew's Road, um feixe de luz quase horizontal entrava pela janela da sala, relanceava na cabeça do cisne de porcelana e brilhava através do painel de vidro colorido na sala de estar mal iluminada para espalhar sua maravilhosa e trêmula mancha de tinta fantasma no rádio sem graça, preso na parede entre a janela do quintal e a porta da cozinha.

A cozinha acanhada, com paredes brancas e desbotadas e as lajotas frias azuis e vermelhas que compunham o piso, ficava a um degrau da sala de estar. Descendo, havia a porta do porão à esquerda, com um guarda-comidas enferrujado atrás dela, logo no início da escada. À direita estava a porta dos fundos que dava para a metade superior do quintal, com apenas uma pia de pedra grosseira ostentando uma única torneira de água fria de latão azinhavrado sob uma janela solitária. Do lado oposto ficavam o fogão a gás, a velha mesa carunchada da cozinha e o traiçoeiro espremedor de roupas, e acima, em um prego, pendia a banheira de zinco de tamanho único que a família usava para suas várias abluções. Quando necessário, ela era enchida pela metade com água quente da caldeira de cobre, um cilindro cor de bronze coberto de gotas de condensação na extremidade do cômodo, ao lado da lareira tapada com tábuas da cozinha. Mick lembrou-se do cabo curto de madeira que era apoiado ao lado do cobre para agitar a roupa fervente, com uma extremidade encharcada e embotada pelo uso perpétuo, com seus grãos e fibras transformados em lodo pálido como cadáver e com um tom cianídrico dado pelo excesso de Reckitt's Blue, um pequeno saco de pano com corante cor de safira jogado no meio da roupa lavada para garantir que as camisas e lençóis parecessem brancos como um iceberg. Ele se lembrava de prateleiras que não eram muito mais do que tábuas sujas em suportes, curvando-se com o peso de panelas, frigideiras de ferro, a vasilha de pudim que continha um fundo turvo de pingos de gordura solidificados nas profundezas arredondadas com seu mosaico craquelado.

No dia em questão, Clara, avó de Mick, trabalhava de forma silenciosa e metódica na cozinha, fazendo várias tarefas ao mesmo tempo, conforme aprendido quando trabalhava como criada. Clara Swan, morta não muito depois, na década de 1970, devia ter sessenta e poucos anos na época, mas, para seus netos, sempre parecia tão antiga e cheia de autoridade quanto um papiro bíblico. O que lhe faltava em altura, compensava na postura, impecável a ponto de ninguém notar que não era alta. Ficava ereta como uma peça de xadrez de marfim, desgastada por anos de torneios; era tão impassível quanto paciente e determinada. Sempre uma mulher magra e seca em suas fotos de olhar duro de juventude, em 1959 era mais parecida com uma vara, com o longo cabelo prateado que caía abaixo da cintura preso em um coque. A espinha de vassoura encimada por lã cinzenta conferia-lhe a aura de um esfregão, se os esfregões fossem vistos como coisas de dignidade simples, infinitamente confiáveis em sua utilidade, fossem tão reverenciados quanto cetros, e não tratados como um objeto doméstico humilde encontrado com mais frequência na cozinha.

O número dezessete era a casa de Clara, cujo nome constava no registro de aluguel, e ela a governava discretamente. Nunca dava sermões, e
não precisava. Todos já sabiam onde seus limites foram traçados e nem
sonhariam em ultrapassá-los. Seu poder era menos óbvio e, em última
análise, mais impressionante do que aquele exercido por May, avó de
Mick, sua outra avó. May Warren tinha sido uma mulher intimidadora
como um rinoceronte, que conseguia o que queria com rosnados de
advertência e ameaça de tapas e um comportamento em geral intimi-
dante. A magrela Clara Swan, por outro lado, nunca levantava a voz e
nunca ameaçava. Apenas agia, de forma rápida e eficiente.

Quando Alma, aos dois anos de idade, já mais audaciosa e impetu-
osa que qualquer outra pessoa da casa, decidiu tentar morder Clara, a
avó de Mick não gritou nem anunciou um tapa. Apenas mordeu o ombro
de Alma, forte o suficiente para perfurar a pele, e forte o suficiente para
garantir que a irmã de Mick nunca, nunca mais tentasse matar alguém a
dentadas. É uma pena, ele refletiu, que avó não tivesse curado Alma das
tendências estranguladoras. Ou dos desejos de usar gás venenoso, que
fizeram Alma persuadir o irmão mais novo a ficar com ela na cozinha
enquanto queimava uma lasca de enxofre amarelo mostarda. Ou de sua
mania de ser uma pigmeia caçadora de cabeças, que atirava nele com um
dardo de zarabatana. Não mesmo. Mick supôs, com justiça, que até os
métodos de correção de comportamento da avó tinham seus limites.

Clara estava na cozinha naquela tarde sonolenta, triturando sebo,
assando um pudim de pão, fervendo lenços e indo e vindo de uma
tarefa para outra sem reclamar, sozinha com o aromático caldo viscoso.
A porta dos fundos mal ajustada, aberta naquele belo dia para arejar a
casa, permitia a ela ouvir um pouco da tagarelice da filha Doreen e os
netos, sentados do lado de fora, na estreita faixa rosa e azul de lajotas
rachadas que formavam o nível superior do quintal apinhado da casa.

Sentado agora em sua sala de estar silenciosa e relativamente espaçosa na Kingsthorpe, ardendo das entradas do cabelo, honrosamente-
-recuadas-mas-não-desaparecidas, até o queixo com covinhas, ele tentou
conciliar os desordenados confins de sua infância com aquele ambiente
atual, que lembrava cenários de gibis de ficção científica dos anos sessenta, como o *TV Century 21*. Mick olhou mais uma vez para o reflexo
de seu rosto em carne viva na frente de vidro do armário, concluindo
pelo aspecto de sua pele atingida pelo desastre que devia ser o Capitão

Scarlet. Tentou conciliar o adulto moderadamente feliz que se tornara com a criança de três anos insuportavelmente feliz que havia sido e se surpreendeu ao perceber que a conexão era suave e contínua, a lembrança de Mick de seu eu mais jovem não estava maculada por mágoas nem nublada por aquela melancólica nostalgia que às vezes ouvia na voz dos outros quando falavam sobre seus dias de infância. A vida tinha sido boa na época, a vida era boa agora. Era só diferente, porque estava sendo vista com olhos diferentes, sendo vivida por uma pessoa diferente.

A coisa mais impressionante sobre o passado, ao menos como Mick se lembrava, não era a diferença óbvia de como as pessoas se vestiam, ou o que faziam, ou a tecnologia que usavam. Era algo mais difícil de aprender ou nomear, aquela sensação de estranheza deliciosa e inquietante que se apoderava dele ao manusear fotografias esquecidas, ou ao recordar de súbito alguma reminiscência particularmente vívida. Chegava a ele como um vago aroma fugaz, um estado de espírito irrecuperável, tão singular e tão específico de seu lugar e hora quanto o clima do dia ou as formas que suas nuvens tomavam, apenas uma vez, para nunca mais se repetir. Imaginava que a qualidade peculiar que tentava descrever não era mais que a surpreendente textura do passado, a sensação que poderia experimentar se passasse a ponta dos dedos sobre a superfície de sua memória. Era o grão de sua experiência, composto de uma série incontável de espirais e relevos únicos, de detalhes salientes quase indiscerníveis. A trama do pano de prato em decomposição pendurado na porta dos fundos, endurecido e seco em uma forma de cotovelo permanentemente esticada, perfumado por água suja e presunto quente. Os buracos do tamanho de dedos nos blocos que cercavam o canteiro de flores da avó, ao lado do xadrez vermelho e azul desbotado do caminho. Um formigueiro secreto roendo o cimento em ruínas entre dois alicerces da parede da cozinha, ao lado dos degraus que levavam a um nível mais baixo do quintal fechado. Naquela tarde, havia o cheiro de tijolo queimado pelo sol, terra preta, o odor metálico de chuva recente.

Agora que pensava a respeito, não sem um leve vestígio de ressentimento, todo o acontecimento com risco de morte ocorrido no quintal naquele dia havia sido o resultado direto de ser pobre. Se não fosse uma das crias dos Boroughs, então não estaria sentado no colo de sua mãe no quintal ensolarado chupando a pastilha para tosse quase letal, para começo de conversa.

Mick — ou Michael, como era na época — vinha sofrendo com a garganta inflamada por cerca de uma semana antes disso. Quando o remédio caseiro de Doreen, pedaços de manteiga enrolados em açúcar refinado, não funcionou, ela o embrulhou e o levou pela Broad Street, saindo de Mayorhold, até o consultório do dr. Grey. Embora nem Mick nem ninguém de sua família tivesse pensado nisso na época, ele entendia agora que os médicos que atendiam seu bairro deviam se ressentir de cada minuto do trabalho medíocre e ingrato de cuidar de uma área tão humilde e ignorante. Quase certamente trabalhariam mais que seus colegas mais ilustres, apenas pelo fato de os Boroughs serem o que eram e proporcionarem mais maneiras de as pessoas ficarem doentes. Deviam ter começado a odiar a visão de todas aquelas mães ansiosas usando casacos cor de caramelo e lenços de pano de prato, desfilando crianças mal-ajambradas de nariz catarrento em seus consultórios ao primeiro espirro. Deve ter sido tudo o que puderam fazer para fingir interesse no pirralho ofegante pelos cinco minutos que estariam em seu escritório. Essa foi claramente a abordagem que o dr. Gray teve com Doreen e Mick naquela vez. Ele acendeu um farolete na goela inchada e carmesim de Michael, grunhiu uma vez e deu seu diagnóstico.

— É dor de garganta. Dê pastilhas de tosse para ele.

A mãe de Mick sem dúvida havia assentido com seriedade e obediência. Quem falava era um médico, que tinha formação e sabia escrever em latim. Era alguém que, apenas com um olhar para a criança pequena com a garganta inflamada e dolorida, percebeu imediatamente que era um caso de Dor de Garganta que exigia a intervenção imediata de um saco de balas Winter Mixture. Medicina social dos anos 1950: devia ter parecido um avanço em relação aos dias em que a laringite era expulsa pelo exorcismo. Os pais de Mick e Alma se sentiam gratos por isso, de qualquer forma, e Doreen teria agradecido ao clínico geral por seu conselho com emotiva sinceridade antes de lutar com Mick para recolocar sua jaqueta e carregá-lo de volta pela St. Andrew's Road, possivelmente parando na revistaria Botterill, na Mayorhold, para comprar a guloseima medicinal que havia sido receitada.

E foi assim que ele foi parar no quintal, de pijama e roupão xadrez áspero, se contorcendo no colo de Doreen enquanto ela se empoleirava na cadeira de madeira de espaldar curvo trazida da sala de estar. A mãe estava logo abaixo da janela da cozinha, de costas para ela, com as pernas traseiras de seu assento encostadas na beirada do ralo, a cerca de trinta centímetros de calha correndo de baixo da janela até uma depressão perto do formigueiro, escondido perto dos três degraus rústicos do jardim. O reino das formigas era propriedade da irmã mais velha de Mick e, como ela lhe havia explicado na época, era dela por direito legal de primogênita. Mas, em defesa de Alma, era preciso admitir que quando se pôs a brincar de Sodoma e Gomorra com os insetos, deixou Mick ser uma espécie de anjo vingador em período de experiência para seu impiedoso Jeová, que, claro, era ela. Mick foi encarregado de reunir fugitivos das Cidades da Planície, até que Alma o demitiu por impedir que uma de suas prisioneiras de seis patas fugisse batendo nela com meio tijolo. Sua irmã, que naquele momento estava afogando ou incinerando formigas, virou-se para ele com um olhar de indignação.

— Por que fazer isso?

O pequeno Mick piscou para ela, sem malícia.

— Estava escapando toda hora, então deixei ela zonza.

Alma, mesmo já meio cega nessa época, estreitou os olhos para a formiga em questão, que havia perdido uma de suas três dimensões, e depois olhou para o irmão com uma incompreensão horrorizada antes de sair pisando duro para brincar sozinha dentro de casa.

Alma estava em casa naquela tarde por ser férias escolares, provavelmente desejando estar no parque ou no gramado em vez de presa no quintal com a mãe e o irmão caçula inútil e resmungão. Enquanto Doreen e Mick sentavam-se na parte superior do caminho, a irmã mais velha de Mick, então uma criança gordinha de cinco ou seis anos, se agitava de um canto a outro dos limites murados do quintal como uma mariposa presa em uma caixa de sapatos. Correu para cima e para baixo dos três degraus de pedra do quintal uma dúzia de vezes, com os joelhos brancos indo para a frente e para trás como bolinhos em um malabarismo, depois correu em círculo ao redor da área murada de cerca de três metros por três metros, metade coberta de tijolos, metade de terra preta comprimida, que era o fundo do quintal. Ela se escondeu de ninguém em particular duas vezes no banheiro externo e uma vez no retângulo estreito do beco sem saída que corria ali, do lado esquerdo se você estivesse sentado na privada olhando para fora.

Aquele pequeno barracão com telhado de ardósia — o banheiro externo no fundo do quintal, sem cisterna ou luz elétrica — foi para

Mick o mais notável entre os vários símbolos antistatus da família Warren. O banheiro dos fundos, ele percebeu aos seis anos de idade, era uma vergonha, mesmo dentro de um bairro pouco conhecido por suas comodidades. Até a avó deles, que morava na Green Street em uma casa iluminada a gás, sem eletricidade, pelo menos tinha uma cisterna no banheiro. Fazer as necessidades depois que o sol se punha não exigia uma vela Wee Willy Winkie[69] bruxuleante ou um grande balde de lata cheio até a borda com água da torneira da cozinha, do jeito que acontecia na St. Andrew's Road.

Quando criança, ele odiava o banheiro externo depois de escurecer e não o usava, preferindo segurar ou então usar o penico de plástico rosa debaixo da cama dele e de Alma. Para começar, na época ele tinha uma constituição frágil, em comparação com a grande e desajeitada irmã. Enquanto ela podia caminhar com confiança pelo caminho do quintal com um enorme balde em uma das mãos e uma luz noturna bruxuleante na outra, ele mal conseguia levantar o balde com as duas mãos; só teria sido capaz de cambalear de modo cômico até os degraus do quintal antes de derramar a água gelada pela perna e/ou incendiar os cachos loiros com a agitação imprudente da vela.

De qualquer forma, mesmo que de algum jeito, naquela época, em seu estágio de querubim larval, conseguisse transportar com sucesso o balde pesado, o quintal à noite era um território alterado desconhecido, sinistro demais para ser encarado sozinho. O telhado do estábulo com dentes abertos no muro dos fundos era um misterioso declive de ardósia prateada onde pássaros noturnos farfalhantes entravam e passavam pelas aberturas negras. Sua inclinação cinzenta em ruínas, com dentes-de-leão e flores de parede se esforçando para sair de rachaduras, era uma rampa íngreme que levava à noite. O vão de um metro e meio por um metro entre o banheiro e o muro do quintal era grande o suficiente para conter um fantasma, uma bruxa e um Frankenstein verde, com espaço de sobra para aqueles diabretes pretos e pontudos como castanhas-da-índia carbonizadas que havia nas tiras do *Rupert*. Mick sempre teve a sensação, durante a infância, de que os quintais da St. Andrew's Road à noite estavam cheios de assombrações e fantasmas. Pode ter sido apenas algo que sua irmã lhe disse, é o tipo de coisa que ela diria para o irmão, mas não há dúvidas que aqueles quintais transmitiam essa impressão.

Tudo ia muito bem para Alma. Além de grande o suficiente para carregar o balde, sempre se sentiu muito, muito confortável com a ideia do assustador. Era uma qualidade, ele pensou, perseguida ativamente. Ninguém poderia terminar como a irmã de Mick, a menos que fosse de propósito. Ele se lembrava de quando, aos oito anos, tinha paixão por colecionar batalhões encaixotados de minúsculos soldados Airfix: combatentes britânicos com apenas dois centímetros de altura em plástico ocre, atiradores do tamanho de formigas esparramados sobre as barrigas, outros posando sobre uma perna, atacando com baionetas fixas; ou soldados da infantaria prussiana cinza-azulados, congelados no meio do lançamento de suas curiosas granadas rolantes. Cada haste destacável vinha com uma dúzia de soldados, presos pelas cabeças, de modo que era necessário soltá-los antes de brincar com eles, talvez cinco hastes em cada caixa de papelão com frente aberta. Ele estava na metade de uma campanha elaborada — Legião Estrangeira Francesa versus Confederados da Guerra Civil — quando percebeu que seus dois exércitos estavam anormalmente desfalcados. Descartando a hipótese da deserção, acabou descobrindo que sua irmã mais velha estava roubando combatentes aos montes, levando-os para o banheiro externo consigo (e seu balde e sua vela) quando fazia uma visita noturna. Ela aparentemente havia descoberto que, acendendo as cabeças dos soldados usando a chama da vela, bolas de fogo azuis em miniatura feitas de polietileno em chamas pingariam espetacularmente no balde, fazendo um som de *viipp-viipp-viipp* sobrenatural que terminava em um silvo quando o plástico quente encontrava a água fria. Imaginou-a sentada no assento frio de madeira ao lado do prego torto na parede caiada onde pedaços de tabloides como *Tit-Bits* ou *Reveille* estariam pendurados para serem usados como papel higiênico, com sua calcinha azul-marinho em volta dos tornozelos e seu rosto ansioso iluminado por baixo com uma luz índigo em lampejos medonhos enquanto um centurião diminuto era transformado em fogo de artifício. Era de se admirar que ela não temesse encontrar espectros à espreita no quintal? No momento em que ouvissem seus passos e o barulho do balde, todos eles sairiam correndo.

Naquela ocasião em particular com Mick, aos três anos, convalescendo no colo da mãe, Doreen logo se cansou do pisotear da filha mais velha ao redor do quintal, que de resto era agradável e pacífico.

— Aaah, Alma, vem sentar antes que deixe a gente zonzo. Tá com a dança de São Vito ou o quê?

Como Mick, a irmã geralmente fazia o que lhe diziam sem resistência, mas ela havia aprendido que, se *exagerasse* o que lhe fosse pedido, poderia ser muito mais divertido do que uma desobediência real, e era muito mais difícil de punir ou censurar. Com modos gentis, a irmã subiu os degraus e sentou-se com as pernas cruzadas sobre as lajotas quentes e empoeiradas debaixo da janela da sala. Sorriu para a mãe e o irmãozinho doente com sinceridade e olhos brilhantes.

— Mãe, por que o Michael tá coaxando?

— Você sabe por quê. É porque tá com dor de garganta.

— Ele tá virando sapo?

— Não. Acabei de falar, tá com dor de garganta. Claro que não tá virando sapo.

— Se o Michael virar sapo, pode ser meu?

— Ele não tá virando sapo.

— Mas, se virar, então posso colocar ele num pote de geleia?

— Ele não tá... Não! Não, claro que não. Um pote de geleia?

— O papai podia usar uma chave de fenda para fazer uns buracos na tampa para o ar entrar.

Então se chegava àquele ponto das conversas entre Alma e a mãe em que Doreen sempre cometia um grande erro estratégico e começava a discutir nos termos da lógica da filha. A partir desse ponto Doreen estava perdida.

— Não pode colocar um sapo num pote de geleia. Ele vai comer o quê?

— Grama.

— Sapos não comem grama.

— Comem sim. Por isso são verdes.

— É mesmo? Não sabia. Tem certeza?

Esse era o momento em que Doreen agravaria o erro tático anterior ao duvidar de suas próprias capacidades intelectuais como adulta contra as de sua filha pequena. A mãe de Mick não achava que fosse muito inteligente ou bem-instruída, e se submeteria a qualquer um que suspeitasse que pudesse ter uma compreensão mais firme dos fatos do que ela mesma. Desastrosamente, incluía Alma nessa categoria apenas porque a menina, mesmo com cinco anos de idade, fingia saber de tudo e fazia suas proclamações com tanta confiança que era mais fácil ir na dela do que resistir. Mick se lembrava de que, em uma ocasião, a irmã de oito anos voltou da escola pedindo feijão na torrada, um prato que tinha ouvido os colegas mencionarem, mas que era uma novidade para Doreen. Ela perguntou como as mães dos colegas de escola de Alma prepaririam a refeição, no que a irmã de Mick garantiu que feijões frios deveriam ser colocados em uma fatia de pão, que era então torrada em um garfo na lareira.

Por incrível que pareça, Doreen tentou fazer isso, apenas porque Alma falou, e não pensou em empregar o próprio discernimento superior até que toda a lareira estivesse coberta de feijão cozido, manchas de molho de tomate e uma nuvem de fuligem. Isso, ou algo igualmente improvável, era como as coisas aconteciam sempre que alguém levava a irmã de Mick a sério. Ele poderia ter dito isso à sua mãe, lá atrás, na sombra e na luz do sol do quintal de cima, se fosse capaz de dizer alguma coisa através do balão de lixa que se inflava com firmeza em sua garganta. Em vez disso, ele se mexeu no colo escorregadio dela e se lamentou um pouco, deixando-a continuar com a discussão ridícula em que havia entrado. Alma estava balançando a cabeça, empolgada, defendendo sua afirmação ridícula.

— Tenho! Todos os animais que comem grama ficam verdes. Disseram isso lá na escola.

Era uma mentira deslavada, mas que jogava com as inseguranças de Doreen sobre sua própria educação precária na década de 1930. Havia tantas ideias novas e maravilhosas em 1959, com os Sputniks e tudo mais, e quem sabia quais fatos admiráveis e sem precedentes estavam sendo ensinados nas salas de aula modernas? Decimais e divisão longa, coisas assim, que os dias de escola de Doreen mal haviam tocado. Quem era ela para dizer? Talvez esse negócio de animais verdes sendo todos alimentados com grama fosse algo novo que tinham descoberto. Mas ela ainda estava em dúvida. Afinal, foi Alma quem lhe disse que suco de limão derramado no leite fervente daria uma espécie de milkshake de frutas quente.

— E as vacas e os cavalos, então? Por que num são verdes, se comem grama?

Imperturbável, Alma desdenhou do apelo hesitante da mãe ao bom senso.

— Eles são verdes, alguns são. Os que num são vão ficar quando comerem bastante grama.

Tarde demais, a mãe de Mick percebeu que estava entrando no

mundo de areia movediça de bobagens que havia sob o cabelo repartido no meio, rabinhos e grampos de borboleta de Alma. Soltou um gemido fraco de protesto enquanto a realidade cedia sob seus pés.

— Nunca vi uma vaca verde! Alma, você está inventando tudo isso?

— Não — isso em um tom de reprimenda.

Doreen ainda não estava convencida.

— Bom, então como nunca vi uma? Quando eu vi cavalo ou vaca verde?

Alma, sentada sob a janela da sala de estar, olhou para a mãe sem pestanejar, sem piscar os grandes olhos amarelo-cinzentos.

— Ninguém consegue ver. É porque eles se misturam com o mato.

Apesar do tom sério em que isso foi dito, ou provavelmente por causa disso, Mick não conseguiu evitar o riso. Por sorte, sua garganta irritada fez isso por ele, e a risada saiu como um guincho não lubrificado, explodindo no meio do caminho em uma série de tossidas saltitantes. Doreen olhou para Alma.

— Olha só o que você fez com suas vacas verdes!

Surpresa com a súbita invertida da mãe, Alma ficou perdida pela primeira vez, incapaz de encontrar uma resposta. Alma conseguia lidar com a própria irracionalidade, mas não com a alheia. Doreen voltou sua atenção para seu filho mais novo, tossindo seco e choramingando sobre seu joelho.

— Aah, benza Deus. Tá com dor de garganta, benzinho? Aqui, pega um *pep* como o doutor disse para fazer.

"Pep" era a palavra dos Boroughs para doce e, pensando nisso agora, ocorreu a Mick que nunca tinha ouvido o termo fora do distrito, ou fora das casas das pessoas que cresceram lá. Segurando Michael no colo com um braço em torno da cintura dele, Doreen remexeu no bolso em busca do tubo de papel-alumínio e papel quadrado que havia comprado na Botterill, finalmente tirando o pacote de Tunes cereja-mentol. Habilmente e com uma só mão, Doreen abriu uma extremidade do pacote com suas generosas unhas, tirou uma única pastilha para tosse, então começou a abrir as dobras do envelope de sua embalagem individual de papel de cera, no qual a minúscula palavra "Tunes" se repetia várias vezes em vermelho-remédio. Com um educado "perdão pelos dedos", Doreen levou a joia carmesim pegajosa aos lábios de Michael, que na mesma hora se abriram como o bico de um filhote, para que ela colocasse o cristal de corte quadrado em sua língua. Ele chupou lentamente, com os cantos rombudos cutucando seu palato e suas gengivas, especialmente as doloridas pontas brancas na parte de trás, onde os dentes começavam a irromper.

Doreen sentava-se olhando para Michael com carinho, com o rosto grande obscurecendo a maior parte do céu azul dos Boroughs visível entre os telhados inclinados. Ela devia ter trinta e poucos anos, ainda em boa forma e bonita, com feições longas e cabelos escuros e ondulados. Havia perdido a beleza fantasmagórica e sobrenatural de estrela de cinema mudo que tinha nas fotos que Mick viu de quando era mais jovem, com olhos enormes, marejados e sonhadores, mas isso havia sido substituído por algo mais afável e menos frágil, com a aparência de alguém que finalmente se sentia confortável em ser quem era, que não usava mais aqueles dolorosos brincos de botão. Ele olhou de volta para ela, com a pastilha de tosse girando e virando em sua boca, perdendo as bordas em sua saliva com infusão de cereja, gradualmente se transformando em uma fina vidraça rosa. Sorrindo, sua mãe havia espanado um cacho perdido do rosado úmido de sua testa.

E então ele tossiu. Tossiu até o ar ser forçado a sair de seus pulmões e então respirou fundo para repô-lo. Em algum ponto dessa atividade brônquica confusa e balbuciante, Mick havia inalado o Tune. Como uma tampa de pia perdida arrastada para o ralo que drenava para interromper o fluxo, a bala se encaixou perfeitamente no pequeno espaço que restava na traqueia absurdamente inchada de Mick.

Com uma clareza horrorizante, que o fez agarrar o braço do sofá enquanto se sentava na pacífica sala de estar da Kingsthorpe, Mick se lembrou do momento terrível em que percebeu que sua respiração havia parado, uma memória da qual fora poupado até reviver de sua concussão mais cedo naquele dia. Ele se recordava do choque repentino e incompreensível, da percepção de que algo estava muito errado e da incerteza sobre o que poderia ser. Era como se não tivesse notado que respirava até descobrir que não conseguia mais respirar.

O terror do momento havia sido avassalador, e ele de alguma forma se afastou daquilo, como se tivesse se recolhido a um lugar remoto dentro de si mesmo. Os sons e movimentos do quintal pareciam distantes, assim como o aperto desesperado e apavorado em seu peito. Seus olhos deviam ter ficado vidrados, olhando para o rosto da mãe que pairava logo acima, e ele se lembrou de como a expressão dela mudou instantaneamente para uma de perplexidade, e depois, de ansiedade crescente. De seu ponto de vista dissociado, ele sabia que era a causa da preocupação, mas não conseguia se lembrar do que havia feito para deixá-la tão transtornada.

— Aaah, Deus, mãe! Rápido! Nosso Michael tá sufocando!

A escotilha cada vez mais distante que era o campo de visão de Michael havia sido sacudida freneticamente, virada de um lado e depois do outro, com as feições tensas da avó de repente à vista, o susto suprimido sob o brilho dos olhos de pássaro. Tremores de impacto vieram de longe, duros e repetitivos, como alguém batendo em um aparelho de televisão quando a imagem sumia. Devia ser a avó ou Doreen, batendo em suas costas enquanto tentava desalojar a pastilha para tosse, mas ela não se mexeu. Ele se recordava da sensação de um animal com um gosto metálico como moedas de um penny tentando entrar em sua boca, e mordeu por reflexo os dedos da mãe enquanto ela lutava para remover o bloqueio de sua garganta. Havia vozes ao longe, mulheres gritando ou lamentando com urgência, embora não achasse que era algo a ver com ele.

A imagem que via do quintal virou de cabeça para baixo em certo momento, o que, pelo que Alma e a mãe contaram, devia ter sido quando Doreen o sacudiu pelos tornozelos, esperando que a gravidade desse um jeito na situação, quando todos os outros esforços tinham sido em vão. Mick tinha a imagem de um rosto vermelho invertido, uma coisa desconhecida, entre um cachorro e um tomate, que nunca tinha visto antes, uma espécie de máscara de demônio de loja de brincadeiras que não reconheceu como sua irmã mais velha, consternada e chorando. Sua curta vida e todos os seus detalhes, à medida que se afastavam, pareciam uma pequena e estranha história ilustrada pela qual ele havia apenas passado os olhos, com todos os cenários e personagens esquecidos antes mesmo que o livro fosse fechado e posto de lado. Os objetos soluçantes na ilustração, ele se recordava vagamente, eram chamados de pessoas. Eram algo como um brinquedo ou um coelho, pois estavam sempre fazendo coisas engraçadas. Os tijolos que os cercavam, empilhados em formas planas ou volumosas, ele tinha certeza de que eram conhecidos como um quintal na história. Algo do tipo, de qualquer forma, embora não soubesse para que tais arranjos tinham sido usados ou a que se referiam. No lençol azul acima, havia formas brancas grandes e flutuantes que se chamavam leões. Não,

não leões. Repolhos, era essa a palavra? Ou generais? Não importava. Todas essas coisas tinham sido apenas detalhes bobos no sonho do qual estava acordando. Nada daquilo era real, nunca tinha sido.

Ele flutuava no ar, presumivelmente segurado pela mãe, e olhava para as formas de todos os leões e generais que se desdobravam acima. Ouviu-se uma voz rouca no meio do barulho de senhoras, que agora presumia ser a de Doug McGeary, da casa ao lado, com o pátio com os grandes portões de madeira na Andrew's Road e o estábulo em ruínas nos fundos. De acordo com o que foi dito a Mick depois, principalmente por Alma, assim que a situação foi explicada às pressas a Doug, o fornecedor de frutas e legumes se ofereceu para levar Mick ao hospital no caminhão de entregas que mantinha estacionado no estábulo com goteiras. O menino de três anos, sem respirar, com os olhos vidrados e fixos, foi passado por Doreen por cima do muro dos fundos para as mãos seguras do filho mais velho da sra. McGeary, ou pelo menos era essa a história. Agora, porém, à medida que o ocorrido voltava à sua mente, ele viu que Alma devia ter entendido errado, no mínimo em parte. Sua mãe apenas o ergueu para mostrá-lo a Doug, não o passou por cima do muro. Isso fazia muito mais sentido do que a versão de Alma, pensando bem. Doreen estava aflita demais para passar seu bebê engasgado para outra pessoa, e qual seria o propósito disso, aliás? Doug teve que dar partida no caminhão e tirá-lo do celeiro, para manobrá-lo pelos cantos do quintal em forma de L, pelos portões da frente rachados e gastos para a St. Andrew's Road. Não precisaria de uma criança semimorta na boleia ao lado dele enquanto fazia tudo isso.

Não, o que realmente aconteceu, concluiu Mick enquanto reconstituía a ocorrência, foi que Doug disse a Doreen para encontrá-lo lá na frente em meio minuto, quando ele teve a chance de colocar seu veículo trepidante e engasgante em ação. Cristo, o que sua mãe e sua avó teriam feito se Doug McGeary não estivesse em casa? Não havia mais ninguém na St. Andrew's Road ou nas proximidades dos Boroughs que tinha um meio de transporte próprio, motorizado ou puxado a cavalo, e no que dizia respeito a chamar uma ambulância, bem, não existia a menor possibilidade. Ninguém no distrito tinha telefone, havia um único telefone público perto dos antigos banheiros públicos vitorianos aninhados ao pé da Ponte Spencer e, de qualquer forma, não haveria tempo. Em retrospecto, na estimativa do próprio Mick, uns bons dois minutos deveriam ter se passado desde a última vez que tinha respirado.

Ele se lembrava de flutuar de volta pelos degraus de pedra até a metade superior do quintal, carregado por uma nuvem suave de mãos, de rostos vermelhos e marcados de lágrimas que não conhecia mais, um monte de vozes assustadas indistinguíveis do gorjeio de fundo dos pássaros no telhado, a brisa que batia nas antenas de televisão, o estalar dos aventais. Todo o mundo com o qual teve três anos para se familiarizar foi se desfazendo aos poucos, seus sons e suas sensações e suas imagens se transformando nas palavras monocórdias da narrativa que alguém lia para ele, e que estava chegando ao fim. A pessoa da história de quem mais gostava, o garotinho, estava morrendo em uma casinha engraçada em uma rua da qual ninguém jamais tinha ouvido falar. Ele se lembrava de ter se sentido um pouco decepcionado porque a história, de que ele estava gostando muito, não teria um final melhor.

Uma corrente turbulenta que tinha dedos o fez rodopiar para longe da luz, do espaço e do azul do quintal para a repentina penumbra cinzenta da cozinha e da sala de estar. Doreen, ele raciocinava agora, devia tê-lo levado com o rosto para cima, já que se lembrava de um friso do teto móvel passando acima dele, primeiro a brancura irregular e descamada na cozinha e depois a extensão de bege com o friso escalonado na borda que cobria a sala de estar. A mãe o carregou entre a lareira apagada no verão e a mesa de jantar, seguindo para o corredor e a porta da frente e seu encontro com Doug. Mas então algo aconteceu. Seus olhos vidrados estavam fixos na guarnição decorativa ao redor dos limites mais altos da sala, parando no recesso de um canto superior. E o canto fora... dobrado? Seria reversível, e por isso saía onde se esperava que fosse entrar? Havia algo errado no canto, ele se lembrava disso, e alguma coisa a mais, o que seria? Algo ainda mais estranho. Havia...

Havia uma pessoinha no canto, gritando para ele com uma voz que vinha de longe, e acenando, e dizendo suba, venha aqui comigo, você vai ficar bem. Suba. Suba. Suba.

Ele tinha morrido. Tinha morrido no meio da sala de estar e não chegou nem ao corredor ou à porta da frente, muito menos à boleia do caminhão de entregas de Doug, do qual não conseguia se lembrar de nada. Não conseguia se lembrar da viagem frenética para o hospital... pela mesma rota que Howard o havia levado hoje, conforme percebeu tardiamente... porque não estava lá. Estava morto.

Sentou-se no sofá, parecendo uma gárgula sofrendo de insolação, e tentou absorver aquele fato, engoli-lo, mas, como o Tune, descobriu que não ia descer. Se estava morto, então quais eram todas as outras lembranças que o dominavam agora, essas imagens e nomes que ele meio que se lembrava de um período depois de sua morte entre a lareira e a mesa de jantar, mas antes de acordar perplexo e desorientado no hospital? Mais diretamente, se estava morto, como acordou no hospital? Mick sentiu uma espécie de nuvem pesada descendo sobre o coração e as entranhas, e notou com surpresa e distanciamento que, em sua sala arrumada e iluminada pelo sol, estava muito, muito assustado.

Foi nesse momento que Cath e as crianças voltaram para casa. O primeiro a sair da cozinha e entrar na sala de estar foi Jack, o filho mais velho de Mick, um aspirante a comediante de quinze anos, carrancudo e de constituição sólida, que todos sempre disseram, em tons graves de preocupação, que era a cara da tia Alma. Jack parou no caminho, um passo depois da porta, e olhou impassível para o novo rosto ácido de seu pai. Quase sem se virar, chamou a mãe e o irmão mais novo, Joe, ambos ainda na cozinha.

— Alguém pediu pizza?

Cathy se debruçou na porta para ver do que Jack estava falando, olhou inexpressiva para o marido por um instante e depois gritou.

— Aaaaah! Puta que pariu, o que você fez?

Ela correu para o lado de Mick, pegando a cabeça dele com cuidado entre as mãos, virando-a suavemente de um lado para o outro enquanto tentava ver o tamanho do estrago. O filho mais novo, Joe, entrou serenamente da cozinha, tirando a jaqueta de zíper. De constituição mais delicada e loiro e, aos onze anos, muito mais bonito que o irmão mais velho, parecia um pouco com Mick quando criança, pelo menos de acordo com as mesmas autoridades (incluindo a falecida mãe de Mick, Doreen, que deveria saber) segundo as quais Jack se parecia com Alma. Joe, como o jovem Mick, era mais quieto que o irmão mais velho, o que não era difícil, já que a voz de Jack não havia apenas engrossado recentemente, mas havia derretido como um reator e estava indo para o centro da Terra. Embora Joe não falasse na frequência ou no volume de estremecer as louças do irmão mais velho, também era possível entender o que acontecia dentro dele, no caso alguma maluquice tão grande quanto a do irmão, ainda que anunciada de forma menos escandalosa.

Pendurando a jaqueta em uma cadeira, Joe olhou através da sala para o semblante alterado do pai, então simplesmente sorriu e balançou a cabeça como se estivesse irritado.

— Confundiu o barbeador com o maçarico de novo?

Enquanto Cathy sugeria incisivamente que Jack e Joe fossem lá para cima se não estavam a fim de ajudar e Mick tentava não diminuir a seriedade da bronca da sua esposa rindo, ele refletiu que essa insensibilidade maravilhosamente protetora com que os filhos saudavam potenciais desastres era provavelmente culpa dele e de Alma. De Alma, principalmente. Ele se lembrou de quando Doreen, a mãe deles, recebeu o diagnóstico de câncer no intestino e chamou o filho e a filha atordoados pelo luto em seu cubículo para ter uma conversa séria sobre como tudo deveria ser organizado. Mais alta que Mick de saltos altos, Alma se agachou para soltar um discreto suspiro teatral em seu ouvido. "Ouviu isso, Warry? É agora que ela vai dizer que você é adotado". Todos riram, especialmente Doreen, que sorriu para Alma e disse: "Você não sabe. Pode ser você que foi adotada". Mick achava que na vida havia momentos em que o inapropriado era a única resposta apropriada. Talvez, porém, somente ele e Alma pensassem assim. Principalmente Alma.

Cathy, depois de se certificar de que a nova aparência de Mick não era permanente ou ameaçava a vida dele, mudou o termostato interno de preocupação compassiva para indignação moral. Então, por que não havia um rótulo naquele tambor? Por que seus patrões não ligaram para saber como ele estava desde que Howard o trouxe para casa? Depois de bufar furiosa por uma hora, ligou para o chefe de Mick, que pelo menos soube em primeira mão pelo bate-papo como era ter um tambor de veneno explodindo em seu rosto. Quando Cathy enfim falou tudo o que queria e colocou o receptor em brasa de volta no suporte, decidiram jantar e ter a noite mais comum que fosse possível. Como plano, isso funcionou muito bem, apesar do fato de a deformidade de Mick ter conferido às coisas a sensação de um vídeo de família do Homem Elefante.

O jantar foi saboroso e apreciado e passou sem grandes acontecimentos. Durante o prato principal, Cathy virou-se com reprovação para Jack e o repreendeu sobre seus hábitos alimentares.

— Jack, eu realmente gostaria que você comesse as verduras.

O filho mais velho lançou para ela um olhar de empatia condescendente.

— Mãe, eu queria que as mulheres se jogassem nos meus pés, mas está na cara que não vai acontecer. Vamos aceitar os fatos e seguir em frente.

Na metade do pudim, o pequeno Joe — Mick se arrependeu subitamente de não ter dado o nome de "Hoss" ao irmão mais velho[70] — havia quebrado seu costumeiro silêncio introvertido para anunciar sua decisão do que gostaria de ser quando fosse fazer estágio no ano seguinte: "Uma geladeira". Mick, Cath e Jack se entreolharam, preocupados, depois continuaram comendo suas sobremesas. Foi um jantar bastante normal, no fim das contas.

Depois que lavaram a louça, Jack disse que tinha os DVDs com a segunda temporada de *Shameless*, de Paul Abbot, e perguntou se poderiam assistir. Como não havia nada muito interessante na TV aberta ou na Sky, Mick concordou. Em geral, como se levantava bem cedo todas as manhãs, não conseguia ver muita televisão, então, apesar de ter ouvido Alma e Jack falando sobre aquela nova comédia ambientada em um conjunto habitacional decadente, ainda não a tinha visto. Mas, graças ao telefonema de Cathy, era provável que fosse ter o resto da semana de folga do trabalho, assim podia se dar ao luxo de sentar-se com uma cerveja e aproveitar. Seria ao menos uma distração da linha de pensamento apavorante que sua família havia interrompido ao chegar em casa. Pelo que ouvira falar, o humor da tal comédia era bem sombrio, mas Mick duvidava que fosse mais sombrio do que a lembrança de morrer nos Boroughs aos três anos de idade.

Colocaram o último episódio da temporada, que era o único a que Jack ainda não havia assistido. Cathy balançou a cabeça em sinal de desaprovação e foi cuidar de alguma tarefa doméstica, mas Mick achou o programa muito bom. Pelo que havia ouvido da discussão feroz de Jack e Alma sobre os méritos da série, Alma não tinha gostado, ou gostou a contragosto, mas a irmã de Mick criticava quase tudo que não fosse seu próprio trabalho, quase por princípio. "Como *Bread* com DST", essa foi uma de suas rejeições sumárias. Se Mick entendeu a essência das dúvidas de Alma sobre o programa, o que ela não gostou foi do retrato da classe trabalhadora como portadora de reservas inesgotáveis de força e humor na adversidade, o que permitia rir das privações horríveis de sua situação genuinamente péssima. "Famílias assim", ela dizia sobre o clã central da série, os Gallagher, "na vida real, o velho não seria um bêbado nojento tão adorável, e cada desastre que causasse para a família não terminaria em uma comovente gargalhada em grupo. Aquela garota de treze anos com as habilidades sobrenaturais de lidar com as coisas teria trepado com metade dos caras casados do lugar em troca de refrigerantes alcoólicos. A questão é que as pessoas assistem a um programa como esse... e é bem feito, bem escrito, engraçado e com boas atuações, não estou discutindo isso... e de uma forma bem curiosa isso as tranquiliza sobre uma coisa que não deveriam sentir tanta tranquilidade. Não é certo que as pessoas tenham que viver assim. Não está certo que expressões como conjunto habitacional decadente façam parte da linguagem do dia a dia. E essa resiliência corajosa e alegre da classe baixa é um mito. É um mito em que a própria classe baixa quer muito acreditar para não se sentir tão mal com sua situação, e também um que a classe média quer muito acreditar, exatamente pela mesma razão".

Como Mick agora se lembrava, a diatribe de Alma (que havia sido despejada, convém destacar, em cima do sobrinho de quinze anos) havia terminado quando Jack arriscou seu próprio contra-argumento: "Jesus, tia Warry, relaxe. São só atores".

Mick estava mais ou menos do lado de Jack ali. Pelo menos em *Shameless* havia uma imagem mais honesta da existência dos extratos mais baixos do que em programas como *Bread*, com ou sem DSTs. E como Alma poderia sinceramente esperar que uma sitcom reproduzisse sua própria visão sombria e sempre enfurecida da sociedade? Seria como um episódio de *Are You Being Served?* escrito por Dostoiévski. "Senhor Humphries, você está livre?" "Nenhum de nós é verdadeiramente livre, querida sra. Slocum, a não ser no assassinato".

Não, o único problema do programa para Mick era que, quanto mais a coisa ia adiante, mais ele se lembrava das estranhas ansiedades que estava tentando esquecer vendo televisão. Aquela pequena figura de quem se recordava, chamando do canto superior da sala de estar no número 17 da St. Andrew's Road, o que isso poderia significar, senão que havia morrido e sido levado para algum tipo de vida após a morte por algum, Mick não sabia, algum tipo de anjo?

Bem, poderia significar que estava virando a esquina. Ficando maluco. Sempre havia isso a ser considerado no clã Vernall e suas ramificações, como os Warren. O avô do pai não tinha ficado louco, e a prima do pai, Audrey? Era de família, todos diziam, e a lógica indicava que era uma causa mais provável para as memórias e sentimentos peculiares de

Mick do que ter sido elevado ao céu por um anjo. De qualquer forma, quanto mais pensava a respeito, menos a pequena pessoa empoleirada no canto se parecia com qualquer tipo de anjo que já tivesse ouvido falar. Era muito pequena, vestida de modo muito simples, com seu cardigã rosa, sua saia azul-marinho e meias até o tornozelo. Uma garota. Mick se lembrava agora que o homúnculo que tinha visto era uma garotinha de cabelo loiro com franja. Não parecia ter muito mais que dez anos, e definitivamente não se parecia muito com um anjo. Não tinha asas nem auréola, embora houvesse algo estranho enrolado no pescoço... Será que era um lenço comprido? Uma estola de pele, era isso. Toda encharcada de sangue. Com cabecinhas crescendo nela. Puta merda.

Não queria ficar louco, não queria que a mulher e os filhos e amigos tivessem de vê-lo naquele estado, sentir-se mal quando demorassem cada vez mais entre as visitas a qualquer instituição em que terminasse. A loucura vinha a calhar se você fosse Alma e estivesse em uma profissão em que a insanidade era um acessório desejável, uma espécie de psi-cobijuteria. Mas não colava no Martin's Yard. No negócio de recondicionamento, não havia o conceito de excentricidade encantadora. Você acabaria como destinatário de uma lobotomia farmacêutica fornecida pelo serviço público de saúde, tendo como resultado uma barriga se expandindo à medida que as habilidades de pensar, falar e responder a estímulos se contraíam. Essa não era uma ideia que Mick considerasse agradável, ou mesmo suportável, mas naquele momento parecia ser uma possibilidade séria. Mick era capaz de sentir milhares de detalhes impro-váveis, tão perturbadores e impossíveis quanto a estola de pele enchar-cada de sangue da garota, saltando sob as tábuas do assoalho de sua memória, esperando para explodir de baixo e tomar conta da sua vida feliz e comum. Ideias como essa simplesmente não caberiam na existên-cia de Mick. Iriam deformá-la, destruí-la. Com determinação renovada, Mick fixou a atenção no episódio de *Shameless* a que assistia. Qualquer coisa para evitar a visão teimosamente persistente daquela garotinha, vestida com seu colar peludo feito de morte.

O programa de uma hora estava quase no fim, com os Gallagher todos reunidos na sala de estar e tentando fazer dormir os dois bebês gêmeos dos quais cuidavam. A mãe dos bebês, vítima das alterações emocionais provocadas por antidepressivos, havia deixado instruções de que os gêmeos poderiam ser ninados com hinos, sendo o favorito deles o quase universalmente admirado "Jerusalém", de Blake e Parry. A família está grasnando outra repetição do clássico tão amado, sem nenhum efeito óbvio sobre os bebês aos urros, quando a mãe dos gêmeos finalmente chega em casa. Apesar dos óculos de soldador e seu TOC, ela faz os gêmeos dormirem com uma versão etérea de "Jerusalém", cantada em uma voz de soprano bem treinada e bonita. "E aqueles pés, em tempos antigos..."

As lágrimas brotaram do nada nos olhos de Mick, que precisou piscar algumas vezes antes que os filhos pudessem ver. Não tinha ideia de onde aquilo vinha. Foi alguma coisa naquela melodia, na forma simples como as notas subiam e desciam, que partiu seu coração. Pior, havia algo na maneira como o hino estava sendo usado naquele episódio de *Shameless*, como um raio de luz entre os sofás quebrados, a Tourette e as manchas das xícaras de chá, tornando sua pureza e seu otimismo mais radiantes e ofuscantes pela desesperança do entorno. Essa santidade feroz e ardente em meio à miséria foi o que pegou Mick de jeito. Transmitia uma sensação que combinava perfeitamente com todas as memórias perturbadoras da infância que ele estava tentando suprimir naquele momento. Entre aqueles moinhos satânicos, surgiu uma sensação de visão cristalina que se encaixava como uma chave em todas as trancas internas de Mick. A porta do porão de seu inconsciente havia sido aberta por baixo, e uma grande torrente de sobrenatural borbulhante surgiu, muito mais do que imaginava que poderia haver lá embaixo, bombardeando-o de imagens, palavras e vozes, com a linguagem de uma experiência alienígena.

Destruidor, Bedlam Jennies, comprimento e largura e quandura e permanência, Porthimoth' di Norhan', portas tortas e uma Escada de Jacó. "É uma lata de feijão velha, mas cada bolha que já soprou ainda está dentro". Almumana, os esganamentos e o Bando Morto de Morte. Destruidor. Trilhar é o nome certo das Bolas dos Construtores. Preste atenção nas chaminés e cantos do meio. Alguns chamam de vinte e cinco mil noites. Costura fantasma. Destruidor. Astronauta quer dizer que não está maduro. Um santo nos vinte e cinco, onde todo o nível da água está subindo. Ângulos do reino da Glória. "Vocês todos se dobram em nós, e nós todos nos dobramos nele". Uma balança pende sobre uma estrada sinuosa. Alma do Buraco, você vê nos olhos furiosos deles. As garotas nuas dançando nos barris de tanino, que dia é aquele. "Podemos roubar frutas no hospício" e Destruidor e Destruidor e Destruidor. Tudo e todos que ele amara, sugados,

idos. O cruzeiro está quebrado, por isso o centro não se sustenta. Ele a estupra
no estacionamento onde ficavam os Bath Gardens e fugimos para encontrar os
fantasmas que irritamos. Carpintaria e estrelas pintadas sobre o patamar da
escada, chapéus-de-puck brotando das rachaduras...

Mick levantou-se abruptamente e pediu licença, fingindo que precisava ir ao banheiro. Joe perguntou se queria que pausassem o DVD, mas
ele disse para não se incomodarem, gritando do meio da escada. Tran-
cando a porta do banheiro, ficou sentado no vaso sanitário com a tampa
abaixada por uns bons cinco minutos até parar de estremecer. Não era
nada bom. Não podia guardar aquilo para si. Teria que contar a alguém.

Ficou de pé e levantou o assento do vaso sanitário, dando uma
mijada simbólica antes de descer novamente, e por hábito lavou as
mãos na pequena pia próxima quando terminou. Olhou para o espelho no armarinho do banheiro e se assustou com o rosto em carne
viva e descascado que o confrontava, já tendo esquecido tudo sobre o
acidente de trabalho. Suas feições pareciam a maquiagem pouco convincente de um filme de terror, e com todas as visitas sobrenaturais se
aglomerando em sua cabeça naquele momento, Mick não conseguiu
segurar o riso. A risada soou errada, porém, então ele a engoliu e desceu para se juntar a sua família.

De alguma forma, conseguiu atravessar a noite agindo normalmente,
sem revelar nada, embora Jack e Cathy tenham comentado que estava
mais quieto que o normal. Foi só quando ele e Cathy estavam na cama
que tudo saiu, tão desarticulado e destroçado que não fazia sentido,
nem mesmo para o próprio Mick. Cath escutou calmamente enquanto
ele lhe dizia que temia estar ficando louco, então sensatamente sugeriu que ligasse para a irmã mais velha e combinasse de saírem para
tomar uma bebida, para que pudesse perguntar a Alma o que ela achava
daquilo tudo. Em qualquer preocupação prática relacionada ao mundo
real, Cathy não confiaria no julgamento de sua cunhada nem por um
segundo, mas, em assuntos de uma zona crepuscular como aqueles que
afligiam Mick, não havia ninguém em quem confiasse mais do que em
Alma. Usar um ladrão para pegar um ladrão. Combater o fogo com
fogo. Mandar um pesadelo para capturar um pesadelo.

Mick fez exatamente o que Cathy disse. Poderia ser louco, mas
não era burro. Combinou de encontrar a irmã no Golden Lion, na
Castle Street, no sábado seguinte, embora não tivesse uma ideia clara

do motivo de ter sugerido esse local específico, um pub decadente e pouco atrativo bem no coração devastado dos Boroughs. Parecia o lugar certo, simples assim, a maravilha decrépita ideal para contar à irmã mais velha uma história que era uma maravilha decrépita, sobre o menininho que morreu engasgado, uma morte real, quando tinha apenas três anos.

Sobre a garota de cardigã rosa e echarpe fedorenta e ensanguentada que abaixou as mãos quentes e pegajosas e disse "Suba. Suba".

E o levou para o andar de cima.

Notas da edição brasileira

1   Em inglês, os equivalentes de anjo (angel) e ângulo (angle) são mais próximos que em português.

2   Trecho do poema "Cargoes", de John Masefield (1930-1967), que tem várias versões musicadas. Quinquerreme é um tipo de navio da antiguidade grega, grande e movido a remos. Nínive foi uma cidade assíria localizada onde fica Mossul, no Iraque. Ofir é uma região mencionada na Bíblia e famosa por sua riqueza.

3   "Todas as coisas luminosas e belas", hino anglicano de Cecil Frances Alexander (1818-1895) e William Henry Monk (1823-1889).

4   No original "Might" e "Mighty". Talvez um jogo de palavras com "samite", um tipo de seda luxuosa e pesada usado pela nobreza da Idade Média. É de se imaginar que a palavra que Alma tenta se lembrar é "samite", que tem um som parecido com o de "mighty".

5   Mais uma citação a "Cargoes" de John Masefield. Ver nota 2.

6   Tanto em inglês como em português, o adjetivo "vernal" é relativo à primavera. May mora na Green Street (rua verde).

7   No original, o autor usa a sigla ASBO, de "Anti-social behaviour order", que dá nome a uma penalidade civil que, por exemplo, proíbe o infrator de voltar a lugares onde cometeu transgressões menores.

8   No original, "bombsite creeper", como eram chamadas as trepadeiras que cresceram nas crateras provocadas pelos bombardeios alemães durante a Segunda Guerra. Mas há também uma ligação óbvia com "creepy" (assustador, repugnante etc).

ALAN MOORE

9 Parte de uma campanha publicitária dos sabonetes Pears, que selecionanava meninas para serem garotas-propaganda.

10 O antigo verbo "warry" significa amaldiçoar, execrar, xingar etc.

11 Na mitologia celta, as banshees eram entes funestos que anunciavam a morte. Seu grito podia ser ouvido de muito longe. No original, o autor fala em "radiophonic workshop banshees", uma referência ao Radiophonic Workshop, o departamento de sonoplastia da BBC.

12 *New Music Express*, uma das mais importantes revistas de música pop da Inglaterra.

13 Não conformista é o termo usado para descrever diversos ramos do protestantismo que rejeitam o anglicanismo, ou seja, a religião de Estado na Inglaterra.

14 Mércia foi um dos antigos reinos que deram origem à Inglaterra. Ocupava a área que hoje é conhecida como Midlands (Terras Médias), no centro da Inglaterra.

15 *Village of the Damned*, filme britânico de terror, lançado em 1960. Foi refilmado em 1995, por John Carpenter. Essa refilmagem ganhou no Brasil o nome de *A Cidade dos Amaldiçoados*.

16 Brincadeira com o nome da revista *Big Issue*, distribuída por sem-teto ingleses.

17 *Rupert Bear* é o nome de uma tira de quadrinhos infantis publicada no jornal *Daily Express* desde 1920. Um dos personagens da série é o texugo Bill Badger.

18 Levellers formaram um movimento inglês que no século XVII lutava pela república, separação entre Igreja e Estado, direito de voto e igualdade perante à lei.

19 Partido fascista inglês.

20 O termo que o autor usa no original é "halfway houses", nome de aparelhos governamentais para a recuperação de pessoas que passaram pela prisão ou tiveram problemas com drogas. Mas, aqui, Moore parece dar um sentido duplo para o termo.

21 Ronald Kray (1933-1995) e Reginald Kray (1933-2000) foram dois gêmeos que se tornaram famosos e poderosos líderes mafiosos nos anos 1960.

22 Burough é um equivalente em inglês de "burgo" e pode designar cidades, distritos ou bairros.

23 O termo "burrow" tem entre suas acepções a de "toca".

24 Ginger (gengibre) é um apelido comum para pessoas ruivas, sendo por vezes usado de maneira depreciativa.

25 Mary Searcole (1805-1881), britânica de origem jamaicana que ergueu uma hospedaria que funcionava também como tipo de hospital para os soldados britânicos na Guerra da Crimeia.

26 Ver nota 8.

27 "Lively up yourself" (anime-se você mesmo) é nome de uma das canções de Bob Marley.

28 O nome Ash (cinza) Moses (Moisés) faz lembrar o nome do demônio do zoroastrismo Aeshma Daeva e de seu derivado na mitologia judaica: o demônio Asmodeus (em hebraico Aschmedai), cujo nome em inglês às vezes é grafado Ashmedai.

29 O nome do bar é, na verdade, Jolly Smokers ("fumantes alegres"). Houve também, naquela área, um bar chamado Jolly Anker ("anker" era uma antiga unidade de medida de volume de vinhos). Jolly Wanker seria "alegre punheteiro".

30 Certamente se refere à rapper inglesa Lisa Maffia, nascida em Londres em 1979.

31 "Dirty Dick" foi como ficou conhecido o mercador londrino Nathaniel Bentley (1735-1809), que se recusou a tomar banho depois da morte da noiva na noite de casamento. Sua figura terminou conhecida como uma espécie de personificação da sujeira. Hoje em dia há um pub na área de City, em Londres, com esse nome.

32 Referência à Genesis 37-3, em que Israel (Jacó) manda que se faça uma túnica adornada para José, seu filho favorito, despertando ainda

mais ciúmes nos outros filhos, que deram um jeito de jogar José em uma cisterna e depois o venderam para mercadores ismaelitas.

33 "Pássaros silenciosos".

34 O jogo de socos ao qual o autor se refere é o tradicional *bloody knuckles*, pelo qual dois adversários dão murros nos punhos fechados um do outro até que saia sangue demais ou que um dos "atletas" desista por causa da dor. As castanhas entram em outro jogo tradicional chamado *conkers*, uma disputa com uma espécie de bilboquê, que têm castanhas no lugar de bolas de madeira. No jogo, o objetivo é quebrar a castanha do adversário com um golpe seco.

35 Nos mapas da época, os territórios do império britânico eram tradicionalmente representados pela cor rosa.

36 Nell Trent é a infeliz e angelical protagonista da melodramática novela *The Old Curiosity Shop* (1841), de Charles Dickens.

37 Gretna Green, no sul da Escócia, ficou famosa como lugar para onde jovens ingleses menores de 21 anos fugiam para se casar quando não tinham permissão dos pais, o que era proibido na Inglaterra.

38 John Philip Sousa (1854-1932), compositor norte-americano famoso principalmente por suas marchas.

39 Wild Bill foi morto em um saloon por um bêbado com um tiro pelas costas.

40 "O dia que nos deste, Senhor, chegou ao fim".

41 "Que doce é o som que salvou um desgraçado como eu".

42 "Revisão e Expectativas da Fé".

43 No original: "The earth shall soon dissolve like snow, The sun forbear to shine; But God, who called me here below, Will be forever mine".

44 A *Fortean Times* é uma revista britânica especializada em "fenômenos anômalos". Steve Moore, parceiro de Alan Moore em diversos projetos (é, por exemplo, uma das pessoas que trabalharam na edição deste livro), foi editor da *Fortean Times*.

45 "Boz" foi um pseudônimo que Charles Dickens usou para assinar uma série de pequenos textos ilustrados por George Cruikshank.

46 No original, "The force that through the green fuse drives", poema de mesmo nome de Dylan Thomas, aqui na tradução de Augusto de Campos (Dylan Thomas, em *Poesia da recusa*. Organização e tradução de Augusto de Campos. Coleção signos 42. São Paulo: Editora Perspectiva, 2006).

47 Descrição da nota de dez libras em 2006.

48 Descrição da nota de cinco libras em 2006.

49 Jorge de Sena, in *Poesia de 26 Séculos* (Antologia, tradução, prefácio e notas de Jorge de Sena, Edições ASA, 2001).

50 Referência aos Tigres de Liberação do Ceilão Tâmil (ou, simplesmente, Tigres Tâmeis), um violento grupo guerrilheiro atuante no Sri Lanka entre 1976 e 2009.

51 Moore brinca com uma expressão idiomática, "the sun is over the yardarm" ("o sol está acima da lais de verga"), cujo significado é o de que está na hora de beber. Tem origem náutica: 11h da manhã, quando o sol passava da lais de verga (a última travessa do mastro, onde se prende a vela), costumava ser a hora em que era distribuída a primeira dose de rum aos marinheiros.

52 No original, "angles", o equivalente de ângulos, mas também o nome em inglês dos anglos, a antiga tribo germânica.

53 No inglês arcaico, "appel" aparece algumas vezes no lugar de "apple", maçã.

54 Ver nota nº 10.

55 Instituição de caridade britânica, criada em 1866 e ativa ainda hoje.

56 Moore faz piada misturando as letras das canções citadas anteriormente.

57 Trocadilho com nomes de músicas populares que sugere a imagem de uma bandeira sendo agitada diante de um touro.

58 Com ironia, mais uma vez, Moore mistura o nome da canção natalina "O Little Town of Bethlehem" com o da cômica e dançante "Burlington Bertie".

59 Boy´s Brigade, organização semelhante aos escoteiros.

60 Trocadilho com a canção "When Johnny Comes Marching Home", famosa na Guerra Civil Americana. Em inglês, "johnny" é gíria para camisinha.

61 "Não sente sob a velha cruz rugosa com ninguém além de mim, não, não, não". Mais uma vez, Moore mistura duas músicas bem diferentes. "Don't Sit Under the Apple Tree (with Anyone Else but Me)" foi um alegre hit das Andrews Sisters, enquanto "The Old Rugged Cross" é um hino cristão.

62 Na verdade, é no Segundo Livro dos Reis, 9:34.

63 No original, "fiery flying rolls", referência aos panfletos do mesmo nome escritos em 1649 pelo *ranter* Abiezer Coppe (1619-1672).

64 "Por que contar a eles todos os seus segredos..."

65 "Estão enterradas na neve..."

66 "Grama sussurrante, não conte para as árvores..."

67 "... porque as árvores não precisam saber".

68 "Quando a grama sussurrar sobre mim, então você se lembrará".

69 "Wee Willie Winkie" é uma tradicional canção de ninar muito popular no Reino Unido.

70 No seriado de faroeste *Bonanza* (1959-1973), o fazendeiro Ben Cartwright tem um filho chamado Hoss e outro conhecido como Little Joe.